AGES OF AMERICAN CAPITALISM

A HISTORY OF THE UNITED STATES

美式資本主義時代

商業帝國的誕生與經濟循環的死結

JONATHAN LEVY

喬納森・利維——著　鄭仲棠——審訂　張馨方——譯

臺灣好評推薦

臺灣人為什麼要知道資本主義的歷史？我們每天上網刷卡下單購物、用手機檢查存款餘額、算一算下個月房貸，這些我們習以為常的生活，並不是自然而然出現的，而是整個人類跟資本主義間互動學習而進化至如此的。這本《美式資本主義時代》，貫穿美國不同時代的領袖、移民、原住民、奴隸、企業、外國之間的互動，彼此之間為了財富、理想而不斷在不同經濟與科技發展階段辯論、革新資本跟人們互動的樣態，讓我們看到了資本主義如何跟著美國發展一起跌跌撞撞、美國以及各國政策如何把那看不見的手時而變成五毒魔爪、時而變成拯救經濟的回春妙手。如今國際間關稅、匯率、政體之爭，夾在衝突漩渦中的臺灣可透過本書進一步了解資本主義的力量，並乘風而行。

——**王宏恩，美國內華達大學拉斯維加斯分校政治系副教授**

美國是個物產豐饒，得天獨厚的國家。其建國理念強調生而平等，未承襲歐洲的貴族制與封建體系。一七七六年美國建國適逢工業革命，資本主義伴隨工業化興起，帶動資本積累與社會進步。後來資本主義也融合部分社會主義內涵，並在完全自由與政府干預間調整。基於自利的人性與可保有私人產權的特性，我認為資本主義不會消失，而在資本主義下很容易產生創新，這也正是推動經濟的主要動力。資本主義雖不完美需不斷修正，但仍是最合理的制度。本書以以宏觀又細緻的視角，描繪美國資本主義的歷史，是研究經濟史的必讀之作。

——謝劍平，臺科大財務金融研究所教授

在民主資本主義的時代，你會借重資本的力量嗎？

為了避免愛書者走錯大門，進錯房間，我先破題這本書適合誰來閱讀？這本書對投資者是有益的，對喜歡了解歷史發展和思考的人，這個硬骨頭又帶肉的書，其實也蠻適合的，但是這不是一本教你投資技巧和操作的一本書。

換個方式來說，我在投資領域跌跌撞撞走了三十七年，領悟了一句幫助許多投資者的話，這句話就是「投資的本質就是參與一流的企業和經濟的成長」，我的資質只能是「困而知之」，所以也建議有興趣的讀者能夠借重本書成為「學而知之」，不必走太多的冤枉路。

不要小看「本質」這件事，「生命的本質」是什麼？這是大哉問！這個問題我多數的學員都答不上來，我又補問一句，那麼「婚姻的本質」是什麼？其中有一位學員就有感覺了，她回答說「婚姻的本質就是忍耐對方」引起同學們會心的哄堂大笑！作者提到，「資本」和「資本主義」，同樣在學術圈引起論戰，不要說學術圈，這個世界更曾經為了「社會主義好？還是資本主義好？」打了世界大戰。

有人說實驗是檢驗真理的唯一標準，這話不正確，或許我們稍微修正，不是唯一，但也可能是之一，中國為什麼會走上改革開放？因為之前的道路不但崎嶇，而且離目標更遠，所以發展出了有中國特色的社會主義。記得鄧小平當年到美國訪問，跟他周邊的人說，跟著蘇俄老大哥的國家，各個窮困，跟著美國資本主義路線走的國家，好像都過得不錯，所以他說了別管黑貓還是白貓，會抓老鼠的就是好貓！

許多不會理財的人無法感受資本主義的威力之處，而本書所提的美式資本主義，作者娓娓道來整個美國資本主義的發展過程，或許你會發現到，這個「美式資本主義」，是不是也是「民主資本主義」的發展結果，一旦是「民主加上資本主義」，生產效率跟它的威力，懂得解重的人都會在財富的累積上看到驚人的效果。

作者在前言裡頭的一句話提到，不要把資本僅僅視為一個生產的要素，金錢、財務、信用，都是資本經濟中不可分的齒輪，我希望讀者能夠好好去體會這句話，這本書雖然不是投資技巧的操作，但是這種資本經濟思想探討，對理財方向的掌握依然有相當幫助的，不過這類的大頭部的書籍還是需要一定興趣和耐心，但一旦看完，會有收穫的！

——**闕又上，美國又上成長基金經理人**

目次

第二部　資本時代（一八六〇至一九三二年）

導讀

在臺灣景氣上行的年代觀看美國資本主義的餘暉

臺北大學經濟學系助理教授 鄭仲棠

每年在英國倫敦舉行、為期兩個月的逍遙音樂會（BBC Proms），總會在最後一夜演奏英格蘭作曲家艾爾加的《威風凜凜進行曲》之第一首〈希望與光榮的土地〉（後來被日本卡通《我們這一家》翻唱為片尾曲），其中合唱部分是這樣描述英國：「Land of Hope and Glory（希望與光榮之土），Mother of the Free（自由之母）。」在艾爾加的時代，名為自由的美國，已經脫離其母英國，獨立超過一世紀，也透過資本主義的工業生產模式取得可觀成長，而這一切的喜怒哀樂該從何說起？又該如何言盡？本書作者喬納森・利維為想要探究美國資本主義前世今生的讀者，提供了絕佳機會。

本書的考察對象是資本主義，其中的重要主體為資本。資本無論作為一種概念或是外在物，都是經濟史與經濟思想史學者長久以來感興趣的議題。諸多研究已經指出，資本的概念隨著人類想像與構築的經濟生活不斷流變，然而揭露其變幻無常的本質並非簡單的任務。作者的主要論題十分單純，即資本是一種透過資產謀利的「過程」；同時作者也強調，資本家自利的動機從來不是故事的全貌，而是必須體認凱因斯在《一般理論》中強調的觀點：經濟發展的動態來自短期窖藏傾向（流動性偏好）與長期投資誘因的衝突。當景氣上行時，國民經濟的消費與投資會樂觀地望向未來，在景氣下行時，則悲觀地專注於現在。作者藉由拆解景氣上下行的各種歷史因素，完成了一部不斷自我修正的美國資本主義史。

要了解本書的基本立場，必須先說明經濟理論中「市場」與「政府」的對立。提倡自由市場的經濟學家，假設理性個人能夠做出最好的決定，在競爭逐利的過程中，經濟體本身存在自我均衡的機制；而支持政府干預的經濟學家，則認為經濟均衡並非常態，倘若市場失靈出現，公權力必須身先士卒，透過政策介入矯正失衡的狀態。此對立在總體經濟學中被描繪為古典學派與凱因斯學派的差異。當經濟危機發生時，人民信心低落、普遍失業、通貨緊縮、消費與投資一蹶不振：此時古典學派反對政府介入，認為不穩定的政策會創造人民的錯誤預期，反而使危機加劇，進而阻礙回歸均衡的路徑；凱因斯學派則主張由政府提高短期財政支出，利用公共建設或貨幣政策扭轉人民悲觀預期的心理狀態，方能走向長期復甦之路。本書側重刻畫需求和信貸的創造過程，有時強調政府介入的正面後果，並相對質疑篤信實體經濟與貨幣現象互不相關的古典主義，這些都展示出作者對凱因斯主義的偏愛。這樣的立場也許某些古典信徒不會同意，但作者身為歷史學家的工作，本就是從某個觀看角度，盡可能解讀各個事件的前因後果。就此意義而言，本書確實是一本凱因斯主義視野下的傑出經濟史著作。

本書將美國的資本主義分為四個時代：商業、資本、控制與混沌。主角是資本財的流動、緊縮與擴張，同時資本也跟隨「政治正確」的變遷不斷地修改定義範圍。這樣的自我修正一方面解決了舊時代的問題，同時也為下一個時代的轉折埋下伏筆。前三個時代的架構對應到了經濟思想史中的三大家：亞當．斯密、馬克思與凱因斯。亞當．斯密的《國富論》與美國同年出世，而其體系也適切地描述了十九世紀中期前美國的商業時代：以家戶生產和駭人的奴隸經濟的「財產政治」為核心，商品作為分工成果由鐵路運輸擴大市場範圍。商業自利逐漸成為普遍道德價值，時人也開始反思商業活動的「信任騙局」色彩。南北戰爭後，黑奴終被排除在資本的定義之外，非流動性資本財興起，美國進入工業化的資本時代，鋼鐵與汽車工廠的大量生產過程帶來龐大利潤，也創造工薪勞動階級，「收入政治」使馬克思的《資本論》深入進步時代的民粹主義和工會運動。其後，不時發生的景氣下行困擾著美國經濟，直到戰間期的經濟大蕭條敲響了警鐘。羅斯福的「新政收入政治」挾帶凱因斯的《一般理論》成為控制時代的救世主，脫離金本位、政府管制和二戰軍事開支幫助美國擺脫經濟衰退，也將二戰後的美國推往世界經濟霸權。在控制時代，各類商品的大量生產與消費主義相得益彰，去工業化的過程將資本積累的邊界推向服務業與金融業。一九七〇年代中期，石油危機帶來的停滯性通貨膨脹讓經濟再次下行，美國資本主義進入混沌時代。

混沌時代的「解控」經濟學，由芝加哥學派和供給面經濟學獨占鰲頭。此時主流經濟學已徹底美國化，新自由主義意識形態不只是美國重新擁抱市場的理由，也是一九八〇年代股票市場勃興的動力。然而，新興金融商品自由市場的出現，也為混沌時代注入不確定性：財務經濟學家為預期報酬率設算的複雜模型，除了以「科學性」的武裝加深投資人的信心，也預示著信心破局的代價不菲。二十一世紀後，矽谷的科技業與資訊業為美國新經濟開創新局，資本卻在低利率的推波下流向房地產市場。金融市場自由化的副作用是房地產次級市場失靈，為了抵抗次貸風暴帶來的衰退，聯準會揮舞著量化寬鬆的政策工具橫空出世，刻印在現代世界投資人的集體記憶中。此後，聯準會成為經濟全球化下最具影響力的金融監管機構。美元在二十一世紀的霸權地位，使美國資本的市場再次復甦，引領其國民經濟持續前行。

資本主義為美國帶來的不只是經濟體的上行和下行，還有文明生活的進步與退步。本書除了是資本的政治經濟史，也是美國「資本主義生活」的社會史、技術史與文化史。其關注的視角涵蓋物質條件、生產技術、工會運動、音樂、電影、繪畫、建築、文學等。以上個別議題在各專業史學家的書寫中各有涉獵，但鮮有專書綜合各方角度綜述資本主義作為文明現象如何影響人類生活。我認為本書最難能可貴的不是描寫菁英階層（政治人物、資本家、銀行家）的成功故事，而是它對於大時代下普羅大眾集體經驗（黑奴、勞工、負債者）的深刻刻劃。作者利用嚴謹的考證與恰如其分的筆觸，構築了一幅多元立體的資本主義群像。

讀者可能會質疑，瞭解美國的資本主義史很重要嗎？對身在臺灣的我們有什麼意義？首先，在全球化時代，資本流動的疆界已十分模糊。有鑑於美國現今的霸權角色，其政治經濟又與全球發展密不可分，任何脈動都可能影響全球金流的走向。因此，聰明的投資者都應對美國資本主義的歷史更有興趣。其次，臺灣處在中美政治角力的夾縫中，不論是反美、親美或疑美的信徒，瞭解美國資本主義的本質，都有助於形塑更好的政治判斷。最後，若作者的景氣上下行論證還算可信，美國的經驗也正在臺灣同步上演。諸多證據都指出，臺灣正處在景氣上行的階段。新冠肺炎疫情爆發以來，臺股指數從一萬點不斷上行，在二〇二四年已經突破兩萬點。低利率與青年優惠房貸，讓資本大量聚集在房地產市場，許多投資客從中獲利，但多數青年依舊無法負擔高房價。這樣憂喜參半的發展是否穩健？臺灣是否有足夠的經驗對抗信心崩盤與資本市場衰退？要釐清這些疑問，本書或許對臺灣是最好的借鑑。馬克思曾言：「歷史總是重演，第一次是悲劇，再一次是鬧劇。」看完美國近兩百五十年來的這齣戲，我們應當更有能力避免鬧劇在臺灣上演。

在二十一世紀的新冷戰架構下，有些論者認為美國霸權已經開始衰退，並大力讚頌中國崛起的影響力。最終美國資本主義的命運為何？對此我沒有特定立場，畢竟未來很難預測，只能「想像」，而想像需要「信心」，就如同作者筆下的經濟復甦一般。可以確定的是，歷史的巨輪依舊運作，階級的分工持續：政治人物負責傳播理念、製造衝突以促進國家（與個人）利益；資本家在體制的邊緣試探、創新、降低成本以追求利潤；普羅大眾負責組織家庭、生育、投票和上工，並在下一次的恐慌到來前，滿懷信心地投資和消費。美國資本主義的餘暉依舊耀眼，而她的人民在挑戰中躊躇滿志，關於這點，《我們這一家》的中文片尾曲唱得最是精妙：「夕陽依舊那麼美麗，明天還是好天氣。」

導讀
美式資本主義是怎麼一回事？

哈佛大學經濟系博士生 鄭紹鈺

臺灣人為何要讀一本關於美國資本主義發展的書？

美國對臺灣的影響力毋庸置疑。從戰後的美援，到臺灣人在經濟起飛製造的電視機與電子產品，多半外銷到美國，甚至是戰後臺灣流行的音樂、文化，乃至新竹科學園區與美國矽谷緊密的連結，以及直到臺灣今天在國際上立足的半導體產業，都與美國息息相關。然而，如果閱讀由喬納森・利維所著的《美式資本主義時代》一書，你會發現美國對於臺灣的影響力，並不只在上述的層面，遠比我們所想的深入得多。

比方說，當你仔細的翻閱本書的章節，你會在美國的資本主義發展史裡，看到某一部分你熟悉的臺灣史的影子。這絕不是意外。當你讀到書中的工業大亨卡內基，你會看到他對於工廠營運每一個環節的「成本」的精確計算到了瘋狂的程度，你便會有一種極強烈的既視感，以為你在讀臺塑王永慶的創業傳記。但你看到書中提到紐約的「家庭即工廠」的「血汗照片」，你會苦笑，因為那個畫面曾經發生在臺灣每一戶人家的客廳裡頭。當書中提到美國底特律等大型工廠裝配線上的工人，午餐只有十五分鐘的時間，你會以為是發生在臺灣某工業區的裝配線，又或是鴻海在中國鄭州的某個超巨型工廠。你如果讀到亨利．福特將泰勒主義的科學化管理導入到生產線上，對每一塊零件的良率都極盡苛求，你會在臺灣半導體的製程中看到這種「精神」的體現；當你看到書中提到美國工業起飛的巨大發明——三班輪班制，你腦中會突然浮現一個畫面：在臺灣新竹科學園區的某一廠房，在半夜仍然燈火通明。

這些既視感都不是偶然，這正是因為臺灣是美國工業主義之子。在我們經濟起飛的過程中，我們把美國當年摧枯拉朽全世界製造業的模樣，刻在了我們的日常生活當中，儘管一如這本書的後半部所形容的，這樣的「工業資本主義」早已不是美國的主流。換句話說，臺灣的戰後資本主義發展，繼承了某部分美國的工業資本主義精神。美國資本主義發展模式對臺灣的影響，已深入骨髓，透過閱讀本書，你將發現，臺灣人在經濟奇蹟中所開展出的工業資本主義，其締造者並不是其他西方國家，正是美國。

儘管美國在全球上乃最重要的國家，也對戰後臺灣的形成至關重要，但古怪的是，臺灣對於美國的立國與經濟變遷的理解，卻非常的少。但這其實不是臺灣人的問題，因為在美國經濟史界，也是費了好一番功夫，美國經濟史才漸漸取代了英法的經濟史，成為了當今經濟史研究的主流。在過去，我們對於理解工業革命跟資本主義，文必稱西歐的歷史經驗——但其實說穿了只有大英帝國的歷史經驗才被當作歷史發展的道路，甚至連美國學界也曾深受其害。

筆者很幸運能在哈佛大學經濟系讀博士，目前是二〇二三年的諾貝爾經濟學克勞蒂亞・戈丁（Claudia Goldin）的「經濟史讀書會」的召集人，有幸每週能跟這位本世紀的經濟史大師研討經濟史。戈丁作為美國目前最有名的經濟史家，師承另一位諾貝爾獎得主羅伯特・福格爾（Robert Fogel），在讀書會研討的過程中，戈丁甚至給了我一個書單跟歷史材料的索引目錄，讓我可以循序漸近的理解美國經濟史。在某次餐會後，她跟我提到，美國人過去相當依賴歐洲人的敘事來理解資本主義的發展，但英法的發展經驗，都跟美國的經濟變遷相差甚遠。從她老師福格爾那一代人開始，美國人嘗試要將「經濟發展」這一觀念，內化到美國歷史當中，從而取得美國人的內在理解，這一學術工程，可謂是透過她跟她老師這兩代人的努力才算成功，目前仍方興未艾。現在由戈丁主持的「哈佛經濟史學群」的工作坊跟研討會上，近九成的報告人，都是在講美國經濟史的研究（反而是戈丁讓我在這學群裡不斷推銷臺灣、日本、南韓等地區的經驗，此乃後話）。

也就是說，我們對於英國工業革命的許多理解，不只是對東亞經驗不適用，甚至對於美國都不適用——像是另一名經濟史大師喬爾・莫基爾（Joel Mokyr）強調的英國工業革命與行會學徒制度的關聯，但美國過去甚至不存在行會學徒制度。反倒今日在東亞所熟悉的「工業資本主義」的許多元素，多是美國所發明出來，從政府的普查制度、專業化的工程師訓練、企業與工程師的有機複合體，到利用低利貸款來促進固定工業資本的形成，以及複雜工業製程裡對每一個繁複程序的精密追求，就連固定資本投資又如何與會計觀念結合，這些工業資本主義的元素，多半在美國誕生並發揚光大。

然而，你讀到這邊，或許會感到疑問：你如果坐一趟飛機到美國，似乎再也看不到這些「工業資本主義」的存在了。美國的工業資本主義如何誕生，再如何被金融資本主義的思維所取代，中間究竟經歷了怎樣的轉變，其實也是本書所爬梳的美國資本主義史的核心敘事。

本書的史料建立在許多重要的經濟史研究，包含戈丁等人的重要著作，並提出了一個有趣的新觀點：「無流動性偏好」（illiquidity preference）。作者一直所圍繞著觀點便是：工業資本的形成，乃實業的生產行為，有巨大的流動性代價，如果資本家只是想顧著盈利（韋伯在《新教倫理與資本主義精神》一書所形容的資本家「為了利潤而利潤」），相較於搞製造業的固定投資，有更好的標的，與其建立複雜的生產線，資本家為何不帶著滿滿的鈔票進到華爾街去坑殺散戶呢？

於是乎，美國的工業起飛，以及歷史上長期生產力的實質上升，不可能只單純靠在華爾街的買空賣空所達到；於是乎，在美國歷史裡，你會看到像卡內基、福特等人，對於把某些「很特別的玩意」製造出來的執著——之於卡內基便是新式的煉鋼廠，之於福特則是所謂的Model-T，之於現代的矽谷就是賈伯斯的麥金塔電腦與iPhone，讓他們得以無視華爾街資本市場的短線投機的誘惑，專注在工業資本的長期形成，這便是書中所謂的「無流動性偏好」，那是一種偏執的工業資本家精神，也是在美國福特主義與工業資本主義背後的「資本主義」驅力，也是我則在這篇導讀反覆提及的「工業資本主義精神」。

但本書也提到，美國的資本主義發展，還伴隨著另一種驅力，這驅力在美國一九八〇年代解管制浪潮（或大家所熟悉的「新自由主義」）下，取得了全球性的全面勝利，這種資本主義精神單純為了利潤而利潤，更關注於用於投機的短期流動性，巴不得要將沉重的實業與製造業固定投資從企業營運跟美國經濟裡頭消除掉，這便是本書所形容的企業經營「摩根組織化」(Morganization）的現象。

本書對於「摩根組織化」的探討，金融資本家摩根（J.P Morgan）在美國當時許多的私營鐵路公路有營運問題的年代，僅僅是透過修改企業估值的會計方式（從工程師與實業習慣的歷史成本的權重加總，轉換成對「未來」盈收的部分折現），便大規模重構了這些公司的「估值」，並進一步以債務轉換成股權，用上槓桿大規模併購，使得旗下少數企業得以壟斷市場，再進一步提升商品售價。儘管摩根對於實際生產一點興趣都沒有，但透過這些金融操作跟市場策略，便推升了公司「價值」，哪怕這些新增的「價值」，與實際的生產力是脫勾的，完美了實踐浮在雲上的「為了利潤而利潤」的金融資本主義精神。

對於部分讀者來說，這「摩根組織化」的論述聽起來十分熟悉，這便是所謂的「金融化」，也是社會科學界對於一九八〇年以降對於全球新自由主義經濟常見的批判，但由此觀之，許多人批評「新自由主義」並不新，若細讀美國資本主義書，早已在華爾街行之有年。

本書所整理的史料告訴我們，包括亨利．福特的工業資本家，都在與這一種金融化的驅力對抗，而美國二戰後的政策調整，則讓天平愈來愈傾向金融資本主義這一邊。果不其然，本書的後半章節循著戰後美國不同聯準會主席的腳步，以及多次的解管制立法，描述了金融資本主義如何取代工業資本主義，這體現在商學院畢業的管顧人員取代了傳統工程師，也體現在美國製造紛紛外移的事實上，美國不只是把工業外包到了世界外頭，美國也把自己工業資本主義的精神都外移到世界的其他地方去了。

不過，這兩股力量也有合流之處。書中僅隱誨的提到（但沒有很清楚的分析出來），但未詳盡的分析這合流的發展過程，所以筆者可以藉此在這導論中強調，這一合流的結果，似乎就是矽谷的科技創業家。一方面，矽谷充分利用了美國華爾街幾乎無窮無盡的資本銀彈，但同時這些矽谷大公司創辦人卻又不願意被金融資本所挾持，仍然保有某種創新的「偏執」，想要把某些奇怪的新發明做出來，並「擴大規模」（Scale up）到全世界的每一個角落——那些卡內基與亨利．福特的奇怪匠人脾氣，在美國的大街小巷已不容易見到，但仍然能偶爾的在棲居於矽谷的一些獨角獸（unicorn）公司的創辦人身上見到。

最後，本書並不只有在談這兩股資本主義力量的分與合。本書提供了一個非常完整的架構，讓我們得以理解亞美利堅如何從面對大英帝國「門戶開放」的殖民地獨立，並在傑佛遜等開國元勳的運籌帷幄下，讓美國北方變成了一個相對封閉、自成一個系統的市場。儘管美國依賴奴隸與棉花的南方仍然與英國市場緊密相連，但最終南北戰爭會使得南北這兩個資本主義系統併而為一，而在南北戰爭的戰火下，我們將看到公私結合的軍工複合體的崛起、美國以債券為主的財政系統的誕生、廢奴與反廢奴的激烈對抗——內戰結束後的美國，已然有了現代美國的雛型。而美國又如何在二戰跟冷戰的過程中不斷調整政策，使得金融資本主義獲得全面勝利，也與其中歷史發展脫不了關係。

本書作者喬納森．利維除了是芝加哥大學歷史系的教授，也在芝加哥大學的「社會思想委員會」

此一機構任教，我國已故院士林毓生老師，便曾在該「社會思想委員會」從學於經濟學家海耶克之門，取得了哲學博士的學位。該委員會以博雅通學聞名，強調以跨學科的取徑來關懷社會的核心問題。這一特色也反應在《美式資本主義時代》一書的寫作上。作者相當博學，其歷史解釋的立論，並不限於傳統的馬克思主義政治經濟學的立場，多半穿梭在凱因斯等早期經濟大師的思想之間，其思維也受到不少當代經濟學研究的影響。

我們未必要同意利維的每一個論點，但當中許多分析，卻值得我們思索再三。對於美國資本主義發展史有興趣的讀者，本書適合作為入門之作。

序言

任何一位歷史學家都可以告訴你，起源非常棘手。一個開端只會揭示另一個開端。儘管如此，我很清楚近年來自己基於什麼原因而撰寫本書。

十多年前我人在紐澤西普林斯頓，那天是二〇〇八年九月十五日星期一。隔天，我原本要到鄰近的紐約市與一位在華爾街工作的朋友共進午餐。

但是，我臨時收到朋友傳來的訊息，因為發生了某件事，他無法如期在週二與我碰面。發生了什麼事？我不清楚。一個月前我來到普林斯頓大學，擔任一位努力完成博士論文的新手助理教授。我能找到工作算是非常幸運，當時學術界的就業市場就跟大環境一樣不景氣。為了保住飯碗，我全心全意衝刺論文，完全沒意識到自己研究的學術主題資本主義正經歷最驚人的內爆。原來，在二〇〇八年九月十五日星期一那天，紐約投資銀行雷曼兄弟（Lehman Brothers）宣布破產。銀行業籠罩在驚懼與恐慌的氛圍中，交易幾乎全面停擺。全球金融系統動彈不得，瀕臨崩盤。美國財政部長漢克・鮑爾森（Hank Paulson）接到消息後震驚不已，甚至對著辦公室的垃圾桶乾嘔。全球開始陷入經濟大衰退。

我寫完了論文。二〇〇九年春天，銀行開始進行「壓力測試」，市場的恐慌情緒終於消退。過去我曾為一小群熱情的大學部學生上了一門美國資本主義史的課程，當這門課結束在在二戰後不久時（幾乎是既有歷史文獻記載的終點），他們非常失望。他們想瞭解資本主義發展的來龍去脈，希望能拼湊事情的全貌。我也是。

在那之後，我出版了第一本書，內容講述十九世紀風險與金融的演變。同時我也持續教書，最後在芝加哥大學取得了博士學位，而我目前就在那兒任教。每次我教授美國資本主義史，課程的終點都更靠近現代一些，距離二〇〇八年的風暴則又遠了一點。我試圖解釋整件事的來龍去脈，勾勒全貌，於是動筆撰寫本書。正當我在二〇二〇年寫完時，全球經濟又再次遭受重擊。

寫作伴隨著學習。自二〇〇八年以來，我身處的學術圈一直在討論「新的資本主義史」。不管我本身是否喜歡這個標籤，在外界眼中都是其中的實踐者之一。雖然這個主題有大部分的新奇學問都令人嘆為觀止，但在我看來，它們沒有和經濟學接軌。為了寫作本書，我研讀與汲取經濟學的思想傳統，這些觀念在二十世紀由凱因斯（John Maynard Keynes）、范伯倫（Thorstein Veblen）、熊彼得（Joseph Schumpeter）、約翰．希克斯（John Hicks）、尼可拉斯．卡爾多（Nicholas Kaldor）與阿爾伯特．赫緒曼（Albert Hirschman）等思想家所延續。此外，我也援引了二十世紀前所謂古典政治經濟學家的主張，他們與許多前述的思想家都有所交流，尤其是亞當．斯密（Adam Smith）與馬克思（Karl Marx）。在這些學者論點的啟發中，我努力建立了本書採用的經濟框架。

這裡提到的每一位學者都已經作古，而且幾乎都辭世了滿長一段時間。那麼，為何要回頭向這些在當代享譽盛名、但久別人世且主張早已過時的學者請益呢？畢竟這些年來，經濟學在知識方面取得了重大進展。然而，這些進展的方向始終如一，開闢了一條比經濟學家自己鋪設還要狹窄的求知之路。今日的主流經濟學依循的數學道路極為嚴謹，而正是這個特質，大幅擠壓了其他關於經濟生活與歷史的記述空間。我一直企圖在歷史研究中為經濟學騰出一個位置，包括當代經濟學及其「經濟史」分支，倘若沒有這方面的學識，本書不可能完成。但是，我認為歷史分析應當在經濟學中占有一定的地位，也認為應該從更寬廣的角度去看待經濟的發展。停滯已久的經濟思想傳統便曾秉持這種主張。為了重振這樣的立場，我不斷嘗試開拓一條更寬闊的道路，讓政治與社會或環境與心理等許多學科加入其中，因為這些領域在過去共同建立了我們對於所屬經濟的認識，如今卻不然。我深信，這些學科及其他許多領域都互有關聯，而正是因為需要涵蓋這些面向，本書才會卷帙浩繁。

因此，除了將本書視為一段經濟史之外，也可以把它當作一部全新的美國史。這部編年史以美國經濟生活為主題，從十七世紀的北美英國殖民時期一路講到經濟大衰退，分為四個美國資本主義時代：第一部，商業時代（一六六〇至一八六〇年）；第二部，資本時代（一八六〇至一九三二年）；第三部，控制時代（一九三二至一九八〇年）；第四部，混亂時代（一九八〇年至今）。

由於美國經常被視為典型的資本主義社會（也確實如此），因此從經濟角度而言，其歷史演變的確值得探討。美國經濟史無疑包羅萬象：人口結構趨勢、交易模式、成長率、能源體制、誘因與生產力評估，其中也必然包含美國總統傑佛遜（Thomas Jefferson）對英國人的厭惡、梭羅（Henry David Thoreau）對商業的道德批判及赫爾曼・梅爾維爾（Herman Melville）的回應；林肯（Lincoln）

政府的腐敗；勞工暴力；前美國總統小羅斯福（Franklin D. Roosevelt）的笑話；始終存在的白人至上主義；二十世紀的購物中心；第二波女性主義對婚姻的批評；許多誘人的股市投機活動；雷根（Reagan）總統對市場的樂觀態度；歐巴馬（Obama）對銀行家抱持的矛盾心態；還有其他許多因素，都將在後續章節詳述。

資本主義的定義

對歷史學家而言，沒有比犯下時代錯誤，也就是過分地從現代的角度去解讀過往還更深重的罪孽了。儘管對此有所警惕，我仍須承認自己寫了一本「現代中心」的著作，而且基於之前發生的事，我在寫作時總是關注我們所處的非凡經濟時代及往後的變化。在繼續往下之前，我想先簡單介紹一下本書的經濟願景、核心概念與主題，以及三個貫穿本書、關於資本主義及其在美國發展史的總體論點。

我先從資本主義一詞說起，是有原因的。這個詞彙通用了一個多世紀，卻備受爭議地缺乏一致且精確的意義。因此，有些學者拒絕使用它。

就常理而言，我對資本主義理解的核心是資本。我認為，正是由於資本位處經濟生活核心，資本主義的運用才如此不可或缺又啟發人心。在接下來的章節中，「資本」一詞是作為理解經濟與其變遷的架構，而不是學者經常用來描述經濟歷史的引導性框架，例如市場、成長、經濟理性或工業化等。

在學術界，有關資本意涵的爭辯跟有關資本主義的爭議一樣激烈。我在其他著作中討論過這個議題，因此這裡沒必要贅述。[1] 然而，工業革命過後，許多經濟思想家開始將資本定義為具體的「生產要素」。就此觀點而言，資本是單一的物質「存量」。最終，許多二十世紀的經濟學家將資本連同另一個生產投入要素「勞動」一起套入「生產函數」中。這些年來，經濟學家看待資本的觀點變得複雜許多，但資本作為具體生產要素的概念始終存在。

那樣的定義太過狹隘了。本書的第一個論點是：

論點一：資本不是一種具體的生產要素、一種東西，而是一個過程。確切而言，資本是為法定資產投入金錢價值的一個過程，而投入價值的多寡端視資本在未來能創造多少金錢利益而定。

首先，資本是金錢投資的標的。唯有如此，它才有可能成為生產工具。作為投資標的，資本是一種法定的財產形式。資本化標的之所以與眾不同，是因為它有能力在未來產出高於創造它、購買它及／或維護的成本的金錢收益，因此成為某種資本「資產」。[2]

資本並非一成不變，它具有內在價值。在歷史事件的洪流中，資本投資的價值隨時都在變動。行動一致的人類行為主體必須資本化標的或者為標的注入金錢價值。[3] 他們經由投資與撤資來創造與摧毀資產。如此一來，在美國史上，「資本化」將各式各樣的實體化為資產，顯著的形式如土地、黑奴、工廠、不動產或金融證券。在資本主義經濟中，經濟生活圍繞對未來的習慣性預期打轉，也就是希望資本資產能為持有人賺取高於成本的金錢報酬。

就此而言，資本與資本主義的定義不僅與生產或市場交易有關。我認為，投資作為先行者，是觀察資本主義運作的最佳視角，如果沒有它，就不會有可創造財富的勞動與生產、商品的市場交易，以及經濟生活的重點：消費。

關於這個主要的投資焦點，「資本」的這項定義具有幾個關鍵面向：金錢、信用與財務的重要性；預期所扮演的必要角色；資本資產必須具有稀缺性；以及資本與收入之間的差異。

首先，我們對資本的定義將金錢、信用與財務視為資本的基礎要素，缺一不可。在主流經濟學中，商品生產、交易與消費的「實體經濟」，一般會與相對無形且抽象的金錢、信用與財務領域有所區別。[4]在此「實體」偽裝之下，資本同樣以生產要素的形式呈現（例如工廠），並在生產過程中被耗盡，以創造財富與金錢收入。這種活動定義了工業革命，是資本主義發展史核心的劃時代事件。然而，生產要素只是資本的其中一種形式。股票或債券等金融資產在市場中可能會升值，進而為持有人帶來金錢收入。凱因斯說過，「與其將資本視為一種**生產工具**，倒不如把它當作一種在生命週期中始終超越原始成本的收益。」[5]資本是一種評價過程，人們預期在這當中資產可以創造未來的金錢利益。這個過程有可能取決於勞動與財富的生產。但是，只要不把「資本」局限為一種生產要素，這種寬廣的定義便足以涵蓋金錢、信用與財務，將它們視為資本經濟中密不可分的齒輪。

除此之外，我們對資本的定義凸顯了預期的力道。[6]資產要成為資本資產，關鍵在於其附帶的預期收益。如果資本純粹被視為具體物質，那麼根據定義，其必定源自於過去，必定代表過往的積累，通常是儲蓄。相較之下，以我們的定義而言，不只過去與現在之間的關聯重要，未來與現在的連結也必不可少。一如美國經濟學家爾文．費雪（Irving Fisher）多年前在《資本與收入的本質》（*The Nature of Capital and Income*，一九〇六年）中解釋：關於資本資產，「考量其價值時，應該從未來的角度回頭看待現在，來探討兩者的因果關係，而不是從現在的角度去看待未來。」[7]在資本主義時代，除了過去留下的傳統之外，對有別於過去且充滿未知未來的預期，在極大程度上決定了現代經濟的面貌。舉例來說，純粹由對未來預期的信任所構成的信用貸款對資本投資的資助，並不亞於過往累積的物質財富（就如同在農業背景下，儲集起來的種籽從收成時節一路放到冬季）。因此，資本主義經濟的現在，取決於各種來自過去的預期（持續透過行動努力實現）及現在的預期（對未來不同時期的願景往回連結到現在）。如果預期占了上風，那麼個人與集體對未來的心理投射便會在資本主義經濟中發揮不斷變動的影響。

如果資本作為一種過程的定義有充分彈性，那麼它的界線也確實重要。資本資產必須具備稀缺性，其法定所有權與控制權不能是毫無約束且全面開放的。一個支持資本主義的經濟體不能只有資本，還得要有資本家，也就是資本持有人，他們擔負著依自身偏好的時機與地點投資資本、進而推動資本主義經濟過程的重要任務。如范伯倫主張，基本上資本家壟斷了資本資產的市場。[8]而馬克思所強調，這正是為什麼非資本持有者必須努力工作才能維持生活，更別說是尋求發達的事業了。

資本持有人握有資本決策的控制權，而正是因為擁有投資權，資本家的權力才會如此龐大。

有很多方式可以操縱與維持資本資產的稀缺性，像是將土地圈地圍欄，不過主要手段還是法律，尤其是財產法。[9]就原始的貨幣形式而言，資本的稀缺價值在很大程度上取決於利率。利率的決定因素相當複雜，但是數世紀以來，貴金屬本位制限制了貨幣存量（包含信用可貸性），如利率的價格走勢所示。近年來國家權力機關，包括中央銀行（在美國就是聯準會〔Fed〕），藉由利率的制定，掌握了提高與限制貨幣存量和貸款額度的最高權力。當局再次重申貨幣的稀缺價值後，社會往往會經歷通貨膨脹，有三次是在戰後，一次在承平時期，即一九七九至一九八二年、以聯準會主席保羅．沃克（Paul Volcker）為名的「沃克衝擊」（Volcker Shock）。基於前述原因，這些時期全是美國資本主義史上的重大時刻。在所有其他條件相同的情況下，一個人的資本愈少，能藉此得到的東西就愈多——如果他擁有資本的話。

最後是資本與收入的區別。資本資產的價值與其預期的金錢收入有關，但該資產必須區分資產及其獲益，也就是區分資本與收入，這對於勾勒重要的經濟轉變非常重要，也有助於釐清在美國政治經濟的演變過程中出現的變化。美國的政治經濟原本就取決於生產性資本廣泛分布的白人手中，這些資本以地產為主，但也包含黑奴。在工業革命期間，私人資本所有權更加集中在人數更少的資本家手上。美國政治逐漸轉移焦點，開始關注資本收入的分配，而不是資本。羅斯福推行新政後，在二十與二十一世紀之交，我稱之為「收入政治」的現象成為主流，不論是所得稅收、工會集體協商、非營利慈善或重分配福利政策。因此，資本與收入的區別帶來了有利的觀點，讓我們得以瞭解政治與經濟在資本主義下的關係，尤其當它牽涉平等與否議題的時候。本書的其中一個基礎論點即探討「收入政治」與資本的政治之間有何差異。

謀利動機至關重要，但光有它還不夠

我在上一節主張，基於未來的資本性質，若想瞭解資本主義，就必須瞭解人們對未來的心理投射。如果說人們普遍誤解資本只是一項生產要素，那麼另一個錯誤觀念就是，相信所有經濟行為主體全都純粹理性，包括資本家在內。一般人對資本家的認知是，他們就像偉大的計算機，時時刻刻都有充分動機去理性地投資資本，以追求最高的金錢收益或利潤。這是經濟效率的結果。

但本書則認為：

論點二：資本的定義取決於對未來金錢利潤的追求。倘若沒有資本對金錢利益的習慣性追求，資本主義便不存在。但是，資本家的謀利動機從來都不足以推動經濟史、甚至是資本主義史的發展。

我建議各位將這個論點視為一套可行的經驗法則，而不是一項硬性法則。無可否認地，這個問題錯綜複雜。在極端情況下，有個病態的例外，那就是資本持有人只想尋求資本的最高金錢收益，其他什麼都不管。在此同時，資本主義經濟有許多手段，可約束尋求金錢利潤的行為主體，像是許多法律合約，尤其是債務。再說了，在資本主義經濟中，利益難道不是以一種深刻的結構性方式在發揮作用嗎？對金錢收益的需求與動機，難道沒有長久影響著所有人的生活？即使是討厭的工作，我們又豈能不工作？我們豈能不消費？而這些全都是為了讓資本能夠創造收益嗎？答案似乎是肯定的！

然而，這種即便是有史以來最偉大的資本家，也總是基於純粹理性的動機而不惜一切代價、不顧所有其他考量去尋求利潤最大化的假設，根本禁不起歷史的考驗。資本主義經濟由人性固有的理性經濟計算本質所支配、而且致力追求財富的這種意識形態信念，在我們的文化中根深柢固，難以撼動。但是，光從謀利動機根本無法解釋經濟中發生的事情或原因。資本需要助力，就如同它會利用壓力去追求利潤那樣。它所得到的助力以及對其要求的抵制，都具有決定性意義。

這就像是一種悖論。對利潤的預期為經濟生活帶來的引力定義了資本主義。然而，資本主義經濟的參與者必須要基於其目的（也就是利潤）以外的動機去達到目標。明確來說，這種動機未必公正無私，也未必值得讚賞，兩者都有可能。對資本主義極其重要的技術創新，往往來自人類培育出的可貴的聰明才智。大膽企業家的冒險行為也常常值得我們強烈讚揚。但是，奴隸主是具有企業家精神的資本家，他們在乎自己的底線，即使追求種族主宰是他們最大的動機。又或者，像是在工業化時代，安德魯・卡內基（Andrew Carnegie）在一八七〇年代投資鐵路股票與政府債券，賺了不少錢，之後轉而從事鋼鐵製造商以獲得更多利潤，但他的初衷很簡單，就如他憶起過往時所說：「我希望創造一些實質的東西。」因為他認為之前從事的金融投機是寄生他人而活。[10]另一位傳奇的工業營利商亨利・福特（Henry Ford）儘管嚮往邊緣極權主義，內心仍然秉持匠人精神。福特最親近的一位夥伴表示，「汽車工業」只是「副產品，他真正在做的是人才的培養」。[11]我不相信學生來到芝加哥大學這個世界上最高學府之一，僅僅是為了從自身家庭對他們的「人力資本」的投資中獲取金錢收益，儘管有充分證據顯示，近幾十年來，高等教育在勞動力市場的金錢收益不斷飆升。在經濟大衰退期間，高盛集團（Goldman Sachs）總裁洛伊德・布蘭克梵（Lloyd Blankfein）表示，他的銀行正忙著「做上帝的工作」，由此可知他可能也相信這一點。[12]畢竟，自我欺騙是資本家道德心理學的重要主題之一。在此同時，有鑑於氣候變遷的風險，長遠而言，資本主義對化石燃料的持續投資真的有利可圖嗎？或者應該說是一種相當非理性且具破壞性的人類動機表現？

總而言之，資本對金錢收益的追求，一向都會因為各種理性與非理性的人類動機而變得複雜，有時受到這些動機所激發，有時則因此而變得頹弱無力，這些接下來都會討論。謀利動機雖然存在，但始終都深深牽扯了更大規模的個人與集體計畫。例如，我認為，美國資本主義時代的分界，不完全是經濟變數，還牽涉了政策倡議，像是：大英帝國在一六六〇年代的重商主義計畫讓遠在北美洲的殖民地煥然一新；一八六〇年代反奴隸制度的美國共和黨在大選中贏得勝利，以及南方奴隸州的分裂；一九三〇年代因應經濟大衰退的新政；還有一九七九年沃克利率衝擊，隨後，雷根在一九八〇年贏得總統大位。

此外，重要的不只是資本家。以年輕的美利堅共和國為例，如果不是許多家庭嚮往土地所有權可帶來的政治獨立與社會自治，並渴望抱持平等主義，商業擴張一點意義也沒有。若想瞭解工業化，就得先瞭解十九世紀男性創業欲望與女性顧家之間的道德與心理分歧。關於二十世紀收入的產生與分裂，必須從工會的宿命說起，包括勞工對資本家無限營利的抗爭。消費主義深刻影響今日民眾的收支流動，而這背後的汰舊換新現象，往往與個人和集體認為購買物品可以讓自己改頭換面的幻想有關。說到美國資本主義，就不能不提到「非營利」慈善財富的崛起。如果不留意這類型的計畫，我們就無法徹底瞭解所處經濟的運作原則。

簡單來說，推動資本主義的，不是任何單一動力。沒有任何一種人性的本質可以推動資本主義，不論是在經濟上合理的謀利動機或其他因素，都不足以在摘除資本主義的阻礙後釋放資本主義的力量。這個主題的重點是：各種動態因素的結合、相互衝突的欲望與生產性壓力形成不斷加劇的動機與因素（包含經濟與非經濟方面），促成了資本主義經濟的運作。

總結而論，資本主義是一種旨在實現資本目的（即金錢收益）的經濟，是一種製造物品以供消費的工具性手段。資本不是一種惰性的生產要素，而是一種法定資產，是資本家擁有的財產，民眾與機構賦予它有關預期金錢收益的特定價值。因此，該財產受到資本化。資本可用於投資在不同的標的，以不同形式展現。資本主義經濟的先行者不是生產、交易或消費，而是投資，雖然投資與其他相關經濟領域之間的關係必須詳細探討。

儘管利潤是經濟系統的目的，但個人或團體理性的謀利動機從未單獨發揮作用，也不足以推動資本主義。我們必須關注許多驅動與維持資本過程的因素及其所遭遇的阻力，它們促成了包括利潤與報酬的金錢收入得以產生。要這麼做，就必須從各種不同的歷史背景切入探討資本主義經濟，也包括所謂的「非經濟問題」。這些關鍵的非經濟問題是我們必須瞭解資本主義史的主要理由之一，也是本書的後續章節除了圖表與數據之外，也會包含政治言論、家庭主婦的日記及某些詩文與畫作的原因。

如果說資本是資本主義中攸關利害的核心經濟過程，那麼這種主義也意味著，許多一般落在狹義「經濟」範疇以外的事物有多重要。我們必須擴展焦點，深入探究這個領域。資本主義史無疑是經濟的發展史，但它同時也海納了各個領域。

經濟問題

本書提出的第三個總體論點是，投資在經濟視野中發揮的關鍵作用，而這說明了資本主義作為一種經濟系統的獨有特性。自問世以來，資本主義享受了很長一段的經濟發展與成長時期。經濟成長意即人均產值隨時間增加，是資本主義的顯著特色之一，而長久以來，高成長率使美國的經濟與眾不同。然而，資本主義的發展不斷經歷繁榮與蕭條的景氣循環。

在源遠流長的人類史上，資本主義直到近年才問世。不論歷史學家認為它的出現可追溯至哪個世紀，依然十分短暫。在資本主義出現之前，社會通常只能勉強維持生計。物質財富的持有者很少將自身財富視為資本。沒有多少因素誘使他們根據對利潤的預期來調整與投資相關的經濟活動。就此而言，如經濟學家阿爾伯特．赫緒曼所稱，他們缺乏「投資的能力」。[13]在過去，任何多餘的財富通常都會成為積蓄，哪怕僅僅是因為富人把精力都花在累積社會與政治權力上。相較之下，貧窮的底層階級只求不用挨餓過活。之後，事情有了變化。資本主義出現了。財富的持有者成了資本的持有者，他們透過各種方式運用權力，試圖利用財富來換取未來的金錢利潤。某種程度上，資本主義的興起只能解釋成歷史上的一樁奇事：人們開始有了投資的能力與意願，進而開展了新形態創造財富的勞動與生產的現象。

但是，資本主義實現後，窖藏傾向總是差一點就占上風，因此，本書第三個論點是：

論點三：資本主義史象徵著短期的窖藏傾向與長期的投資能力及誘因之間永不止息的衝突。這種衝突充分解釋了資本主義大部分的演變，包含各個經濟發展與成長的時期，以及其不斷面臨的景氣循環。

此主張以第二個論點為基礎，認為長期的投資不會輕易發生。倘若發生了，我們必須嚴格審視其原因；如果企圖從超越歷史的經濟理性去解釋，是行不通的。這時候，在假設上非屬經濟的因素就舉足輕重了。舉例來說，十七世紀新英格蘭的清教徒相信商業利潤證明了靈魂的救贖，因此花錢投資商業。諸如此類的原因數不勝數。但是，窖藏傾向依然有可能凌駕於投資的能力與誘因之上，這在過去屢次發生，而在這個時代又再次出現了。

這個論點的要旨最早由凱因斯在經濟大蕭條時期提出（其實他只有草草帶過）。在《就業、利息與貨幣的一般理論》（*The General Theory of Employment, Interest, and Money*，一九三六年）結尾的一段中不起眼的某處，他推斷：

> 人類史上一向存在著儲蓄的習慣更甚於投資的誘因的一種長期傾向。投資誘因的薄弱始終都是經濟問題的關鍵。[14]

在蓬勃發展的資本主義經濟中，資金流向最有效率與利潤最高的用途，並不是自然的情況。凱因斯認為，長期投資的誘因之所以薄弱，是因為資本持有者的短期「流動性偏好」通常更為強烈。[15]

流動性這個抽象且因此令人卻步的概念，是本書的中心主題，因此必須進一步定義與解釋。[16]流動性是商品的一種相對特性，其中包含商品的子集合，也就是資本資產。最重要的是，流動性資產可在一段時間內保有價值。[17]對持有者而言，它就像價值的保險庫，能夠蓄積財富，平靜不安的情緒。歷史上，貨幣多數時候是一種硬金屬，就如同黃金，擁有不會遭受損耗的物理性質，因此能夠保持穩定的價值。流動性的特性之一，便是假設貨幣在一段時間內都保有穩定價值。

然而，貨幣的流動性由第二種特性所定義。貨幣在運作良好的資本主義經濟中流動性最高，通常是相對具有流動性的資產，但之所以如此，原因在於永遠都有買家。事實上，貨幣的其中一個功用是作為交易的工具，因為貨幣隨時都可以被交易。[18]基於這個原因，在資本主義經濟中，貨幣也是一種投機手段，可供人用來在資本與資產之間快速轉換，以追求短期金錢收益。因此，流動性資產讓持有人不僅可以預防性地緩解焦慮，同時也可積極投機，以供快速投資與撤資。例如，今日的股票市場就是根據流動性原則所組成，意即每一個資產都應該要有人願意出價購買。

流動性的兩個特質彼此有所矛盾。使資產具有流動性（也就是可快速交易）的一個特徵，也可能是資產能在一段時間內保有價值的原因。蓄積流動的儲存價值（store of value）時，持有者有可能進行下一次的投機、完全退出經濟活動，或者累積財富以備不時之需。如果說信貸可以加速供應端的經濟活動，囤積則是有可能削弱需求，因為存款沒有用於投資或消費，使經濟無法發揮生產潛能。

說到這裡，有必要進一步區分流動性，才能解決眼前探討的矛盾問題。我所說的「交易」流動性表明了流動性的一個基礎面向，也就是市場中的商品都找得到買家。再來是第二種，我稱之為「投機」流動性，因為流動性使人們可能透過快速交易各種資本資產以追求短期投機獲利，不論人們有沒有進行投資都是如此。最後是所謂的「預防」流動性，因為擁有財富的人選擇隨時間儲存價值，穩定安全感，甚至可能不惜犧牲可能的利潤。冒險投機與未雨綢繆似乎互相對立，前者積極作為，後者則是小心被動。但是，當資本以流動形式被積存時，冒險投機和未雨綢繆便同時成立，也都以不同方式展現短期窖藏傾向，與長期投資誘因截然不同。

實際上，這條鎖鍊的最終連結，牽涉了各種流動性與長期投資之間的關係。貨幣可作為交易與累積財富的一種手段，但它無法生產任何東西。如果說貨幣是最具流動性的商品，那麼假使你購買了相對缺乏流動性的生產要素（例如將貨幣當作長期投資的工具），便能大幅推進創造財富的事業與生產力。例如，在工業革命期間，資本持有人放棄了流動性，轉而投資大型工廠，而這些資產不具流動性。某種程度上，工業革命需要所謂的「無流動性偏好」。亨利．福特在底特律郊區設立的魯治河工廠（River Rouge）難以估價，更別說是出售了。此外，內部的設備在積年累月的使用下破舊不堪，折舊導致不再有價。然而，工廠和設備卻大幅推動了汽車的經濟生產力，達到劃時代的成就，是這家製造商的最大功臣。無論如何，強烈反對投機活動的福特都是資本主義中罕見的一號人物。

在美國資本主義史上，對創造財富的生產的投資，一般會出現在投機性的投資熱潮中。信心是這些熱潮的情感推力，貨幣則是經濟推力。以一八三〇年代的投機投資熱潮為例，它促成了土地與奴隸的資本化，讓商業活動空間延伸至密西西比河流域，助長了更大規模的經濟生產。相較之下，一九八〇年代投資熱潮雖然催生了金融服務相關的新就業形式，但在經濟生產方面並未發揮多少作用，投機成分遠大於投資。[19]短期投機的風險便是投機本身成為了最終目的，讓資本像是投球練習一般在市場中頻繁流動，卻創造不了實際經濟價值。

同時，資本的流動性也可能造成突如其來的中止、逆轉與重複。如果投資人對未來的信心崩塌，長期投資也會跟著瓦解。在金融恐慌的情緒下，焦慮不安的人尤其擔憂長期投資的風險，未來的展望也隨之消散。預防性囤積會削弱需求，並延伸削弱供給，破壞經濟活動與導致景氣蕭條。舉例來說，在一八三七與一八三九年兩次金融恐慌之後，信貸緊縮、經濟發展的腳步減緩。經歷後新政時期的市場監控後，一九八〇年代的投機投資熱潮，讓反覆循環的資本主義信貸週期及連帶景氣循環再次回歸。

流動性與無流動性為相對特質，必須由市場參與者來決定，並進一步影響其資產。但它們並非資本資產的必要性質。假如市場對某種貨幣失去了信心，該種貨幣的價值便會起伏不定，喪失流動性。在美國史上長達數世紀的期間裡，黑奴相對具有流動性，因為在南方的資本市場中，黑奴比土地更容易被轉手，而且是一種被選定可儲存價值的資產。過去，地產原本可以具有更高的流動性，只是南方聯邦政府在體制、法律或心理上並未試圖用提高流動性的方式來組織奴隸經濟。不久後，奴隸也失去了流動性，因為他們是活生生的人，在勞力遭受剝削的生產過程中為主人帶來了利潤，價值也隨生命週期而折損。近代，也就是二〇〇七年之前，另一種不斷增值的資產「不動產抵押貸款債券」在進行交易的大型銀行眼中極具流動性（幾乎就像現金一樣），直到其價值因為民眾積欠住宅抵押貸款的情形日益常見而受到質疑。突然間，市場的信心崩塌，這些債券與所有其他相關的資產變得完全無法交易，也就是流動性歸零。原因在於，今日的全球金融系統以流動性原則為前提，市場已經預設流動性崩潰，而聯準會有可能完全不介入資本市場以保障交易流動性。資本主義經濟若要運作，必須要有某樣資產具有流動性。資本主義經濟需要一種流動性相對高的資產來安定市場的心理，即使不是貨幣，也會是其他東西。

根據流動性偏好來追溯投資誘因的相對強弱，有助於全面釐清資本為何有時被用來投資企業，有時則否，以及資本透過哪種方式進行投資。從中可摸索出一段歷史，以瞭解供給端大規模的長期非流動性投資熱潮，以及資本主義不斷轉變的生產方式，這是關於勞工、市場擴張、技術革新、企業家精神，以及財富與金錢收入的成長（不論公平與否）的歷史。但是，這也可以幫助我們掌握資本在不同資產間的投機性轉換（包括金錢與類金錢資產），以及削弱需求的窖藏傾向在哪些時刻出現，因為資本主義的經濟興衰循環，正是積極投資與恐慌囤積不斷交替的展現。

總而言之，流動性偏好將本書提出的三個論點串聯在一起。使得我們得以分析資本過程中各種關鍵因素，這些因素可推動生產，但不能被視為資本的生產力，這是因為資產的流動性可能會促成不理性的投機與預防行為，削弱任何認為經濟過程背後總有純粹理性的謀利動機在發揮作用的操作式觀念。流動性促使生產繁榮，也導致了令人窒息的景氣蕭條。這些並非圍繞任何「真實」市場均衡的振盪，而是一段重大且因果相連的資本主義史。

在此總體架構下，本書前半部分講述美國資本主義崛起的故事，聚焦於投資能力的廣泛擴張，而標的主要為商業、土地與黑奴。在商品市場並非始終存在的經濟體中（每一個經濟體都是如此，直到近年才改變，包含早期的美國），交易流動性的出現難以預測。多個世紀以來，商業在市場體制的緩慢建立下逐漸崛起，意味著交易流動性的增加，包括買賣的可能性擴大，進而帶來更多商機。關於這種現象的由來與成因，本書第一部〈商業時代〉花了大部分的篇幅詳加闡述。第二部〈資本時代〉則從美國南北戰爭之後與黑奴制度及奴隸資本的廢除說起，解釋人們如何及為何開始對工業革命中由化石燃料驅動的高能「生產要素」進行長期的固定投資。

本書的前半部描述一段長期的經濟發展，記錄了一段關於擴大商業機會的歷史，也描述了其他人遭受支配的經驗。這段歷史最終讓創造財富的生產方面成就驚人，先是透過商業的加乘效應，最後經由工業投資的加乘效應。蓬勃的發展吸引了許多資源投入新興的資本主義經濟（包括人力在內），讓經濟昌旺繁盛，改變了經濟生活與人際關係。在十九世紀的某個時期，美國成為財富創造與金錢收入擴增最快的經濟體。到了該世紀末，已是全球最大且最富有的國家經濟體，即便經濟不平等的情形在資本主義的發展過程中日益惡化。截至目前為止，十八與十九世紀的美國可說是史上最出色的經濟發展實例。因此我們必須解釋美國在這個時期的強烈投資誘因。

但是，隨著金錢收入的提升，有損投資的投機與預防心理出現的可能性也增加了。矛盾的是，金錢收入愈高，貨幣促成投資減少的流動性偏好的風險也愈高，也就是人們更傾向將更高的金錢收入用於儲蓄而非投資。一九二〇年代，工業革命的發展隨著電力驅動的福特式大規模生產普及而達到巔峰，是世界史上產能的最大躍進。然而，加速了這項成就的是一波投機性貸款投資熱潮，也就是一九二〇年代的牛市；緊接在後的是資本主義史上最嚴重的低潮，也就是一九三〇年代的經濟大蕭條。

本書後半部則梳理從經濟大蕭條到二〇〇八年金融海嘯期間的漫長演變，以第三部〈控制時代〉為始。一九三〇年代，新政秉持的自由主義企圖控制資本，透過調節資本與鼓勵私人投資就業生產的方式雙管齊下。雖然政策本質上依然將收入從資本轉移至勞力。而如今，出現了一個囤積財富的新理由，那就是資本家反對政治干預他們的投資力。除了投機性與預防性的傾向之外，新的流動性偏好類型逐漸成形，我在書中稱之為「政治性」流動性偏好，因為資本持有者威脅政府，除非滿足其政治需求，否則資本家拒絕進行長期投資。[20]儘管如此，二次大戰期間，美國終於出手干預，並透過軍事生產中公共投資的財政乘數（fiscal multiplier）*終結了經濟大蕭條。至此，美國晉升為世界經濟中的霸權。戰後時期，工業迎來了私人企業投資熱潮、消費主義的崛起，以及冷戰自由主義穩定國內外經濟的企圖。

但是，冷戰自由主義失敗了，工業社會逐漸凋零。一九八〇年以後，一個新時代揭開了序幕，這部分可見於第四部〈混沌時代〉。我認為從那時起，社會便開始相對轉至由極度投機的流動性偏好所定義的資本主義。資本離開了固定的實質結構，變得更加偏向金融層面、難以捉摸、運用槓桿、自由流動且起伏不定。

我將這種現象稱為資產價格升值的資本主義，其將大量新進的收入獲益導向資本持有者，不論是時代的金融資本、「人力資本」或「社會資本」，反正不是勞工的所得或報酬。這種嚴重加深不平等的資本主義背後的推力，來自資本家信貸循環與投機投資熱潮的回歸，而就以往的標準而言，這些現象可謂相當猛烈。在新的投機投資模式中，潛藏了二〇〇八年九月（也就是我那位在華爾街工作的朋友因故無法與我共進午餐的下一週）市場恐慌與隨後經濟大衰退再現的可能性。二〇〇八年之後，經濟的復甦迎來了相同的事態，引人注目地延續了經濟大衰退之前的經濟模式，直到美國經

* 譯註：政府支出乘數、稅收乘數與平衡預算乘數的統稱。

濟在二〇二〇年春天經歷了更劇烈的崩潰。經由流動資產的管道，投機性流動性偏好再次敗給了市場因恐慌而做的各種預防性措施，削弱了經濟生產與就業狀態。

因此，大量儲蓄的傾向在我們的時代再度贏得了勝利。投資的品質與金額頹弱，成為經濟問題的關鍵。如果說本書有反對任何一項在過去幾十年來相當著名的論點，那便是假使放任資本自由流動，資本就會符合任何理性或明智的計畫——也就是說，私人投資將導致經濟潛力得以充分發揮，商品也能以合理、適當且公平的方式獲得分配這種說法，在過去幾十年來備受尊崇，但我嚴正反對這種看法。

隨著本書的開展，我的道德與政治同情心也將益趨明顯，但我的主要動機是希望釐清史料的記載。深信某種經濟機制存在，且透過這樣的機制，資本投資模式只要不受到干擾，就會產生最好的結果這種說法，並未從歷史上得到驗證。一個可能的結果是，窖藏傾向將會勝出，加劇經濟的不平等並削弱經濟發展的可能性。由於謀利動機不足，因此狹義說來，必須有一個強烈的投資誘因從經濟系統外的某個地方冒出來。由歷史可知，政治與集體行動通常是這種誘因的來源。

無論好壞，歷史記載的案例充滿了這兩種情況的痕跡，顯示投資有可能戰勝流動性偏好。接下來的章節將還原這種現象的由來、成因與出現的時機，以及這在美國資本主義的各個時代造成了什麼樣的結果。

第一部

商業時代

一六六〇至一八六〇年

前言　商業

謀利動機從來都不足以推動長期的資本主義發展。資本主義要能崛起，不只必須消除民間倡議所面臨的阻礙，還需要一些誘因。美國資本主義的起源，可見於一項政治計畫的紀錄，該計畫融合了各種動機，形塑了一個混合動態。這項計畫便是建立一個帝國。

這可不是隨隨便便的帝國。起初，美國資本主義是十七世紀大英帝國企圖殖民加勒比海與北美洲的大西洋沿岸地區所造成的結果。這項計畫的推動者是帝國元老、虔誠基督徒、貴族地主與仕紳資本家，而且他們通常有著相同的形象，譬如第一代沙夫茨伯里伯爵（the first Earl of Shaftesbury）與安東尼．艾希利．庫柏勳爵（Lord Anthony Ashley Cooper，為本書第一章的重要人物）。這項計畫之所以成形，背後有許多原因。不論程度的強弱，商業的私人利益都是其中之一。

商業這種拿一種東西換取另一種東西的行為存在已久。資本主義的商業這種期望透過交換以謀取金錢利潤的行為，則相對近代且具體，特色是透過交易來對收益的產生進行前瞻性投資。早在英國殖民北美洲之前的某些時期，資本主義商業就已存在於歐洲及世界各地許多社會。英國殖民者帶著祈禱書、農畜與海上探險所磨練出的膽識，在十七世紀將資本主義商業的習性傳到了北美大陸。他們遇到了原住民，其中有許多人也渴望進行不同的交易，但是對經濟生活的認知則各異。

在英國人與之後的大英帝國開墾下，北美洲第一個政治經濟聚落誕生了。這個聚落花了一些時間才發展成熟，卻從十七世紀晚期一路存續到美國革命爆發為止。此即為本書首章〈重商主義〉探討的主題。重商主義結合了各種帝國主義的主張，支持這種觀點的統治者認為外國商業是國家財富與權力的重要來源，因此將其視為「國家大事」。秉持重商主義的帝國為了搶占全球貿易的大餅，互相排擠競爭，不論國家與市場、公領域與私領域，彼此都糾纏不清，剪不斷理還亂。因此，在歐洲帝國之間爭相開發大西洋市場的背景下，英國北美殖民地的商業與一項大西洋地緣政治計畫密不可分。

帝國開啟了商業成長的進程，就如一個世紀後亞當．斯密在《國富論》（一七七六年）中所述。開章介紹的「亞當．斯密式經濟成長」（Smithian growth）概念，就是源自商業私人利益、勞力分工與市場範圍之間互動的積累過程，有助於解釋這個時代的長期商業發展。經由擴展市場體制，亞當．斯密式經濟成長一度仰賴與創造更大的交易流動性，也就是買賣的範圍擴大了，商品的交易也更加頻繁。商業活動的增加，帶來了愈來愈多的報酬。這種名為「亞當．斯密式商業乘數」的影響，可為整個群體創造更多財富，不論其分配情況為何。

隨著在早期美國的發展，亞當．斯密式經濟成長過程的核心在於歐洲對非洲與非裔人口的奴役。作為可移動的生產性資本，奴隸有可能受外力迫使而遷移到他們不想去的地方、從事非自願的勞動。雖然亞當．斯密反對奴隸制度，但在他的理論中，種族奴役擴大了市場範圍，並且增進了大西洋勞力的分工。在十七與十八世紀，出現了一連串以奴隸為基礎的殖民商品出口至歐洲的熱潮，包括糖料、香菸與棉花等等。因此，對帝國重返榮耀、種族主宰與金錢利益的渴望形成了緊張的局勢，催化了英國對美國的投資誘因。

商業誘因與嚴格的商業限制在這個時代並存。宗教勢力主張建立商業帝國，但也禁止商業活動中的「貪得無厭」與「自私」。人們在商業過程中尋求己利，同時也堅定承諾會維持社會階層。而在尚未開採化石能源的前工業時代，生態保護對財富的生產設下了嚴苛的環境友善限制。在此脈絡下，本書第二章〈有機經濟，家戶經濟〉介紹截至十九世紀後期一直是美國經濟生活的主要制度，也就是家庭。

家庭集體組織了勞力與生產。雖然一些家庭擁有奴僕，但他們主要的財產與生產性資本仍是土地。一般而言，直到此時代結束之前，多數家庭都直接消耗了自己大部分生產的物資。但是，他們也將多餘的貨物帶到了商業市場，換取自家無法生產的物品，另一方面也可增加財富。每個家庭通常都有一個「首腦」，一個成年男性，他是妻子的丈夫、孩子的父親，也是一家之主（戶主），眷屬則是他的妻子、孩子、僕人與奴隸。政治上，一家之主是「獨立自主的」，擁有可參與政治系統及治理家庭這個僅次於帝國的主權體的公民地位。在英國的北美殖民地，土地所有權分散於不同的家庭。儘管大西洋沿岸地區商業蓬勃發展，但擁有財產、身為一家之主的白人男性，逐漸成為那個年代的主要人物。他們將目光鎖定在帝國的領土、民族與北美洲的原民群體。

儘管在七年戰爭（一七五六至一七六三年）這場全球性衝突中，大英帝國擊退了法蘭西帝國，但整個北美地區依然被扯入了戰爭中，而遠在倫敦的帝國官員這才意識到，當地的殖民者並未擔起他們在帝國財政中應負的責任。帝國對北美商業市場開徵稅賦、加上限制西方殖民化擴張的政策，引起了一場政治危機，最終在一七七六年導致美國獨立戰爭的爆發。

美國革命後，新成立的共和國出現了一起關於後革命時期政經解決方案的政治鬥爭，而這也是本書第三章〈共和國的政治經濟〉的主題。來自加勒比海的革命家漢彌爾頓（Alexander Hamilton）率領了一個由民族精英組成的政黨，集結公、私領域的權威，希望效仿大英帝國，利用銀行的鍊金權力與他所謂的「金錢資本」來刺激商業、農業與製造業的長期經濟發展。結果，漢彌爾頓推行的許多改革措施證明持久有效，促成了嶄新的金融、財政與信用體制，雖然並未立刻展開工業化。最終，維吉尼亞州的湯瑪斯·傑佛遜所提出的「自由的帝國」（Empire of Liberty）中，有對於美國政治經濟與眾不同的長期共和展望，並成功拔得頭籌，使主宰家庭的白人男性廣泛擁有土地與奴隸現象的財產政治成了美國政治經濟的錨點。整個美國經濟聚焦於農業西部商業與奴隸的殖民化，便是為了捍衛這個體制。

經過這場革命，新建立的美國不僅僅是個共和國，還加入了早期現代帝國的行列。在一八一二年戰爭（又稱第二次獨立戰爭）之後，肯塔基州參議員亨利·克萊（Henry Clay）率領一群支持新漢彌爾頓運動的成員立法制定「美國制度」，由上而下引導國家的商業發展，包含興建國家交通基礎建設、制定工業關稅與成立「美國銀行」（Bank of the United States）。這項計畫失敗了，遭到出身民主黨的總統安德魯·傑克森（Andrew Jackson）扼殺（即第四章〈資本主義與民主制度〉的主題）。民主制度的崛起引發了全民對商業參與近乎民粹主義式的激憤，主張商業機會平等的反精英政治於焉誕生。長久以來，秉持君主主義的帝國，統治殖民地的方法都是包容地方性的差異。同一套劇本也在自由的帝國上演，但情節有所轉變。在傑克森掌權時期的美國，各州握有引導地方經濟發展的大部分政治權力。某些州出資鋪路與建造運河等公共建設以擴大市場範圍，促成北美大陸的亞當・斯密式經濟成長。北方各州廢除了奴隸制度，南方各州則否，因為一連串的棉花貿易熱潮與白人對種族主宰的狂熱，將奴隸商業生產模式散播到了西方。

在商業時代，生產性資本以土地與奴隸為主。但在此同時，先是不斷出現信心、貸款與投機性投資的資本主義信貸週期，隨之而來的是一波接著一波的恐慌、窖藏心理與商業緊縮。這種投機性投資中的內在矛盾催生了創造財富的勞工與企業。然而，這兩波來勢洶洶的帝國征服與商業擴張的民主浪潮，分別在一八一九年與一八三七年因為社會的金融恐慌情緒而中斷。本書第五章〈信任騙局〉談論的正是各界人士，包括名人巴納姆（P. T. Barnum）、超越主義者亨利・大衛・梭羅及小說家赫爾曼・梅爾維爾，他們企圖從道德角度去理解商業在美國人的日常生活中日益重要的原因。該章也闡明了人們在探究前述幾個時代中，長期經濟發展與不斷重複的資本主義信貸週期的關係時，應該抱持的重要觀念。

自由的帝國並未持續多久，之後便隨著民主制度的崛起而垮台。傑克森率領的民主黨堅持讓政治經濟自成一格，或者讓政府脫離私人市場活動。舉例來說，在傑克森主張的「反壟斷」政治中，長久以來被視為結合公共與私營實體、必須基於「公共目的」才能成立與取得執照的企業，逐漸獲法律認可為「私營」組織。有別於政府，商業打從一開始就逐漸被貼上私營的標籤，即使政治仍有可能規範其結果。政治與經濟之間新形成的緊張關係，源自於外部的關聯，而不是內部的複雜因素。這種對民主制度的展望受限於聯邦政府的能力，唯恐當局賦予精英政治「特權」，而不是確保商業活動均享有平等的機會。私營商業的紐帶幾乎被預設要肩負結合國家政治聯盟的任務。

但光靠商業，是無法完全這項任務的。因為到了一八四〇年代，數世紀的商業發展促使兩種互異的美國資本主義分別在北方與南方崛起，這便是本書第六章〈奴隸制度與自由之間〉的重點。在南方，如同之前的模式，出現了另一波西方棉花熱潮；相較之下，北方則有遠比以往新奇的變化加速開展。西方殖民化運動提倡的「自由勞動」席捲了五大湖區域。在一八四〇年之前，商業活動透過密西西比河流域將「西北地區」與「東南地區」結合在一起，但是之後，西北地區的貿易開始向東流動，除了藉由水路，也經由新建的鐵路運輸。這樣的流動，將西北地區與新興的都市工業社會串起鏈接，隨之流動的正是新興都市工業社會的經濟趨勢：經濟投資轉移至工業革命的生產性資本，獨立由自我所有權定義，而非土地或奴隸的所有權。同樣重要的是，北方的道德與情感投入也轉變成新興的養家與持家的家庭關係，與以往截然不同。這種由不同人養家與持家的家庭關係，不僅僅是將私人與公共領域分開，也區分了家庭與工作場域，透過這樣的區隔（而非相連），家庭內的穩定緊張關係於焉形成。

最大的衝突介於北方與南方之間。在許多方面，北方與南方資本主義流派之間的差異，在一八四〇年之後變得愈來愈明顯，但沒有確切原因指出，為何這些差異無法透過政治途徑達成妥協。事實上，統治者在打造早期現代帝國時，將不同的經濟、社會與文化融入相同的複合政治秩序，目的是促進不同事物之間的交流，也就是製造更多的商業活動。

讓美國的商業時代步入尾聲的，正是當初開啟這個時代的問題：一場關於商業的地緣政治鬥爭，而且是針對某一種商業運作。從十七世紀開始，奴役資本便推動著北美洲資本主義生產的擴展。如今，北方的自由勞動展望便希望阻止奴隸貿易擴散。在一八五〇年代源自西方奴隸制度擴張的國家政治危機中崛起的共和黨，渴望建立一套全新的政經制度。關於這背後的道德與經濟原因，沒有人闡述得比該黨在一八六〇年大選中推舉的總統候選人亞伯拉罕·林肯更完整了。他表示，奴隸制度只能存在於其行之有年的地方，而且應該在未來的某天徹底消失。

林肯在一八六〇年當選總統時，共和黨宣布，奴隸主的西部征服之旅結束了。美國奴隸制度的崛起與衰落，塑造了商業時代的面貌。

第一章　重商主義

財富就是力量，力量就是財富。一般認為這句格言出自英國人湯瑪斯．霍布斯（Thomas Hobbes），即偉大的政治哲學專著《利維坦》（*Leviathan*，一六五一年）的作者，之後也被亞當．斯密引用在商業經典鉅作《國富論》中。[1]亞當．斯密不是美國人，而是蘇格蘭人，但直到一七七六年，蘇格蘭人與美國人都有一個共通點：他們都是大英帝國的子民。在商業時代，帝國與資本主義共生共榮。

在長達數世紀的期間，各大帝國持續評估政府對土地、人口與稅收資源的控制。在十八世紀的歐洲，商業成為帝國最活躍的財富與力量來源。[2]各國如何才能最有效地提倡商業活動，是亞當．斯密在《國富論》中論述的重點，而這本書出版之時，正是十三個北美殖民地宣布脫離大英帝國獨立的那一年。

亞當．斯密指英國有可能放手讓殖民地獨立，並主張他所謂的「重商體系」。重商體系就是帝國用以定義大不列顛及其殖民地之間商業關係的政策，而當時北美殖民者對此極度反感，因此並未對國家的財富帶來助益。亞當．斯密推崇英屬北美的商業特質，到了今日，許多人都視他為資本主義的守護神，因為據稱他批判政府採取的所有「市場」干預措施。[3]但事實並非如此。[4]亞當．斯密是一位政治經濟的理論家，致力於探究權力秩序與財富創造之間的關係。他從來不曾明確區分政治與經濟或是國家與市場。對他而言，問題在於它們之間的關係，以及其複雜的交集之處所造成的後果。國家的財富未必單純源自良好的政策。

然而，《國富論》的開章並不是一篇政治分析。相反地，這本書的第一部闡明了亞當．斯密對經濟商業化的解釋。若想瞭解前工業時代的資本主義發展，從這部文獻著手就對了。[5]《國富論》的第一部精闢說明美國資本主義從十七世紀英國經由北美戰爭建立殖民據點以來的發展，橫跨了商業時代。

亞當．斯密解釋了，以自利為出發點去追求商業收益的行為在引發更多商業活動的同時，如何傾向日益精細的分工。當需求端對商品的「市場範圍」擴大時（受到競爭壓力下的自利所刺激），製造商就會特製產品，而在供給端，分工就會變得更加精細。勞工的生產力也是如此。市場持續追求「貿易利得」的傾向，誘發了更多的資本投資。在這樣的累積過程中，經濟活動可帶來日益增加的報酬。[6]人人都可從貿易中獲利，國家的財富也會隨之增長。這就是現代經濟學家所謂的「亞當．斯密式經濟成長」，是自利、分工與市場範圍彼此結合及互動的結果。[7]

《國富論》第一部所進行的商業分析提供了詳細的解說，但並不完整。因為北美殖民地及其商業特質是政治刻意創造出來的產物，而在其中，政治與亞當．斯密式經濟成長之間的關係不斷變化。在英國長期投資帝國擴張之前，北美洲並不存在資本主義。在外力逼迫下，國家不得不擴大「市場範圍」。

英國的計畫展現了帝國主義的本質帶有重商主義的色彩。重商主義並無制式教條。[8]亞當・斯密提到「重商體系」時，是在指明自己的敵人，因為不管是他或其他前輩，都不曾使用重商主義這個詞彙。儘管如此，在十七與十八世紀，有一套關於政治與經濟生活關係的共同基本假設足以被貼上重商主義的標籤。

最重要的是，重商主義人士提倡的觀念是，在政治經濟中，國家與市場沒有明確的分界。亞當・斯密繼承了這項傳統。但是，重商主義者與亞當・斯密不同，他們認為國家經濟繁榮的定義是與其他國家達到正額的「貿易差額」。更大程度的市場開放與更多的商業活動可為帝國帶來財富，但前提是當國家出口商品的價值大於進口商品的價值（包括其與殖民地之間的貿易）時。有更多貨幣流入國庫，犧牲了地緣政治競爭者的利益。東印度公司負責人喬賽亞・柴爾德（Josiah Child）在一六八一年主張：「外國貿易創造了財富，財富帶來了權力，而權力維護了我們的貿易與宗教。」[9]重商主義人士將零和博弈的全球經濟視為理所當然，認為這是敵對的國家互相爭奪海外市場機會的一場永久戰役。[10]不是所有國家都能從貿易中獲利，而這也並非一蹴可幾。

在這場經濟戰役中，由於不計其數的貿易活動都仰賴海運（因為在這個時代，商品經由海陸運輸的經濟效益遠比陸路來得高），某些海外殖民地具有決定性的商業地位。英國內戰過後，復辟王朝著手將不受控的初期北美殖民地併入持續擴張的重商主義帝國。之後，重商主義有所轉變，美國資本主義因而誕生。

第一代沙夫茨伯里伯爵

英屬北美經濟發展的重大樞紐是一六六〇年後的那段時期，查理二世（Charles II）的父親在英國內戰中遭到處決的十一年後，國會恢復了他的王位。在那之前，英國的殖民一直是場災難，初期的作為導致了不斷重複的失敗，畢竟殖民地人口連生存都有問題，又該如何從商謀利。[11]一些創投計畫在加勒比海區域、切薩比克灣（Chesapeake Bay）與新英格蘭「培植」了永久的聚落，但這些殖民地當時並未得到英國當局的重視。相較之下，位於亞洲的「東印度群島」引起的關注要來得多。

復辟的英國王室重掌了對大西洋殖民地的統治權，透過諸如一系列由議會通過的〈航海法案〉等立法，來企圖將大部分的美洲殖民地商業活動限制在大英帝國的疆域內（包括因一七〇七年聯合法案〔1707 Act of Union〕生效後英格蘭與蘇格蘭合併而成的大英帝國）。這套政經制度持續了整個十八世紀。[12]大英帝國加強了在大西洋地區的控制，商業興旺發達，北美殖民地繁榮昌盛。

當初，有不少人跨越英吉利海峽到荷蘭說服查理二世結束流亡生活回去英國，而其中之一就是安東尼．艾希利．庫柏爵士，艾希利勳爵之子。一六七二年，身為查理二世御前大臣（lord chancellor）的艾希利，成為第一代沙夫茨伯里伯爵。[13]之後，沙夫茨伯里更成了英格蘭王政復辟的頭號人物。在內戰期間，他先後參與了保皇黨跟議會軍，之後加入了奧利佛．克倫威爾（Oliver Cromwell）的勝利之師。克倫威爾死後，沙夫茨伯里幫助查理二世重拾王位。但是，他依然大力批評皇室的專制主義，並且成立了主張自由開明的輝格黨（Whig Party）。他反對查理二世將王位傳給信奉天主教的弟弟詹姆斯（James）的心願，在一六七三年與國王反目成仇。最終，沙夫茨伯里於一六八二年離開了英格蘭，開始在荷蘭的流亡生活。一六八三年，他在阿姆斯特丹生了重病，同年告別人世。

當時，沙夫茨伯里的名聲已經跌到谷底。查理二世第一次與他決裂時，他的勁敵，也就是偉大的法國重商主義者尚－巴蒂斯特・科爾伯特（Jean-Baptiste Colbert）對這位「英格蘭最無賴、不公不義與狡詐的男人」在政治上的潰敗幸災樂禍。[14]同一時間在國內，艾希利勳爵也遭政敵指控他為了私人的商業自利而玷汙了「備受尊崇的傳統聯邦原則」。

身為公眾人物，沙夫茨伯里的確獲得了不少私人的商業利益。當時，他在逐漸崛起的大英帝國中有「紳士資本家」之稱。[15]作為仕紳階層的一員，他在多徹斯特（Dorchester）擁有眾多地產。如同不少輝格黨黨員、但有別於許多保守黨政敵，沙夫茨伯里是富有創業精神的英國貴族。他企圖「改進」自有土地的開發，進而提高其生產力與商業收益，土地因此變得不僅僅是維持仕紳階級地位的財產與財富，還成為一種生產性資本。

沙夫茨伯里也參與了許多海外的商業計畫，但盡量避免與歐洲及亞洲進行商業來往，對新英格蘭也不怎麼感興趣，畢竟在當時，霍布斯的名言便指出所謂的自然狀態是「骯髒、野蠻又短暫的」、克倫威爾更形容新英格蘭「貧瘠、荒涼且毫無價值」，[16]因此沙夫茨伯里選擇將私人商業利益聚焦於西印度群島。

艾希利勳爵在英國殖民地巴貝多與人共同擁有一座面積約八千三百公畝的農園，並交由契約白人勞工與非洲奴工照料。他也是一艘船的共有人，其取名為玫瑰號（*The Rose*），曾參與非洲奴隸貿易。之後，他還投資了巴哈馬群島、百慕達與新普羅維登斯島（New Providence）的地產。沙夫茨伯里的私人利益散布於西印度群島各地。不出所料，他對大西洋殖民事務的主動關注，使他的公務生涯與眾不同。沙夫茨伯里的其中一位傳記作者聲稱，在王政復辟之後，他「比英格蘭的任何人都還要了解」美洲的「殖民事務」。[17]一六七二年，沙夫茨伯里創立了貿易與種植委員會（Council of Trade and Plantations），並擔任會長。有段時間，這位伯爵就相當於英國管理北美殖民事務的部長。對他而言，私人利益與公共權力的牽扯幾乎成了必然。

結果，他促成了推進的動力。事後看來，我們難以體會沙夫茨伯里與其他帝國紳士資本家試圖建立一個大西洋帝國的計畫在當時有多麼了不起。在這之前，從未發生過類似的事情，過往的傳統充其量只能作為參考。沙夫茨伯里或許是英格蘭最熟悉美洲事務的人，但當時的局勢依然籠罩在一層濃濃的迷霧之中。[18]至少，任何遠洋商業探險行動或建立帝國的努力，都需要花費數個月、甚至數年的時間嘗試。沒有人可以合理預期規模浩大的大西洋帝國計畫能夠在一個人的有生之年完成，包括沙夫茨伯里在內。對權力與榮耀、忠誠與利潤的渴望及其他的個人嚮往全都雜糅其中，使他一心希望能增進大英帝國對美洲地區的影響力，並且製造更多貿易機會。

沙夫茨伯里比其他人更重視一項計畫，那就是卡羅來納州的殖民化，這是他的「寶貝之地」。[19]一六六三年，他是卡羅來納州最初八位大地主之一。他為想像中的廣闊區域設計了宏偉的工程，從維吉尼亞州向南延伸五百六十多公里，一直到西屬佛羅里達州，並宣布向西延伸至「南洋」。

十年後，在前往荷蘭展開顛沛流離、被病痛與死亡纏身的生活之前，三不五時便可以在倫敦的咖啡廳中窺見這位伯爵的身影，懇求人們移居到那片殖民地。今日，南卡羅來納州的艾希利河與庫柏河都以他為名。

沙夫茨伯里上位後建立了一個志同道合的圈子。一六六六年，時任財政大臣的他在走訪牛津時患了肝病，一位年輕的醫生幫他做了腹水引流的手術，救了他一命。這位年輕醫師也是一位哲學家，名叫約翰．洛克（John Locke）。立下大功的洛克跟著沙夫茨伯里到了倫敦，之後擔任貿易與種植委員會的秘書。他甚至拿錢投資了巴哈馬群島的地產，並與沙夫茨伯里共同起草（但從未實際執行）《卡羅來納基本憲法》（Fundamental Constitutions of Carolina，一六六九年）。沙夫茨伯里去世的數十年後，洛克繼續撰寫了《政府論次講》（*Second Treatise of Government*，一六九〇年出版），這是一本針對皇室專制主義的知名評論著作，書中的哲學論點建立在過時的「自然狀態」觀念之上，認為「世界的起源是美洲」。[20]

後來，洛克被視為現代自由主義的創始人。實際上，沙夫茨伯里的知識圈提倡宗教寬容與思想自由。在王政復辟之前，他有幾名同黨也是哈特利布（Hartlib）圈的成員，即哲學家兼政治家的法蘭西斯．培根（Francis Bacon）與流亡普魯士的博學家山謬．哈特利布（Samuel Hartlib）的追隨者，他們相信世界的「進步」有無限可能。[21]最終，這些情感結了晶，折射成為十八世紀的英國啟蒙運動。但是說到政治，沙夫茨伯里一派並不反對國家權力的運用。王政復辟本質上是一項建國計畫。

在眾多公務員中，沙夫茨伯里特別引人注目，因為他試圖讓美洲殖民地的商業成為一件具體的

「國家大事」。在王政復辟之前屬於哈特利布派，之後投奔沙夫茨伯里的班傑明・沃斯里（Benjamin Worsley）解釋，國家的商業利益「與商人的利益有極大差距」，[22]因為商人不會考慮公眾福祉，只在乎「私人利潤」。沙夫茨伯里同意這個看法，他認為國家應該提倡商業，將其視為更重要的帝國財富來源，但國家同時也必須管控自利，確保商業可促成大眾希望看到的結果。其中的悖論在於，國家的當權者應該鼓勵私營商業創造財富，同時仍須限制商業自利，因為商業自利是可能會危害道德與政治秩序的危險欲望。這樣的悖論定義了重商主義，以及之後的商業時代。光有「私人利潤」並不夠。一套歷史悠久的英國政經傳統思想主張，即使私人利益發展活躍，也不能永遠不受限制。

重商主義傳統

透過加深英格蘭與北美殖民地之間的帝國連結，沙夫茨伯里與同道中人改變了重商主義的教條，並開啟漫長的北美商業發展時代。然而，這群人繼承的世界觀，具備了重商主義特質。

英國的商業在十七世紀初蓬勃發展，但是到了一六一八年，荷蘭反抗西班牙的統治，切斷了英國與歐洲的布料貿易，英格蘭失去了主要的出口來源，商業大幅緊縮。[23]這段艱難的時期助長了北美早期的殖民化，但在國內，英國的重商主義思維成為了經濟蕭條的原因，人們不斷爭議辯論。如此的結果促成了沙夫茨伯里的世代必須面對的三個基石：「聯邦」的道德理想；「政治經濟」的國家理論；以及「貿易平衡」的經濟教條。

起初，重商主義是對聯邦概念中宗教衝動的政治轉譯。聯邦是理想化的「政治體」，由相互依存與有等級之分的階層與秩序所組成，就像人體一樣，上帝是頭，再來是貴族，如同存在鎖鏈（chain of being）般一路往下排列，最貧窮的「階級」是底部的平民。組織上，國家的功能是實現公共（或大眾）福祉的集體利益。國家允許圖謀自利的商業活動，但個人的貪婪行為可能會使整個體制陷入混亂。經濟生活的最終目的不是私人商業收益，而是人們應該根據自己在全體政治中發揮的功能來賺取適當的報酬。儘管國家不主張平權，但實現了道德與宗教的公平理想。[24]

商業自利是個難以對付的敵人，因為衛道人士意識到，它源自於人性中一種取之不盡、用之不竭的資源。在基督教神學中，「自私」是原罪的展現，但中世紀的神學家也追隨亞里斯多德（Aristotle）的看法，他在《政治學》（*The Politics*）中主張，自然宇宙是有限的空間，但是在商業領域中，人們會試圖「無限擴展財富」，因為人的欲望是「無止境」的。[25]數個世紀後，霍布斯在《利維坦》中指出，英國商業社會存在著「一種對權力永不止息的渴望，至死方休」，彷彿這早就是眾所周知的事。[26]總而言之，商業對利潤的追求可能會讓人類無止境的欲望一發不可收拾，無止境地追求本質上有限的事物，會擾亂宇宙的自然和諧。

等到英國殖民者初抵北美洲，商業自利的精靈早就從神燈裡冒了出來。英國殖民者將美洲的漁獲、飛禽與自然資源視為「商品」。[27]許多美洲原住民希望與歐洲人交易自己沒有或無法生產的東西，這是相當合理的事，況且當地連結加勒比海與美洲的長程交流網絡存在已久。[28]儘管如此，一些印第安人發現英國的經濟性格有某種奇特之處，而有些英國人也承認這一點。來自新英格蘭的皮草貿易商湯瑪斯．莫頓（Thomas Morton）猜想：「〔印第安人〕過著更快樂自由的生活，無憂無慮，這讓許多基督徒的內心備受折磨。他們不喜歡沒價值的小玩意兒，而是喜歡實用之物。」[29] 於是，「原始印第安人」的傳說出現了，只因為他們並不因商業利益而變調。事實上，對印第安民族而言，商業除了與親族和友誼密不可分，也與囚禁與引戰的盟友脫不了關係。某些英國殖民者試圖逃離居住地，加入原住民群體，更多殖民者轉而從商。

一名歷史學家曾經主張資本主義跟著「第一批船隊」從歐洲傳到了美洲，他認為這整個計畫不過就是一場商業的賭博而已。[30] 但是，各種遏制資本追求金錢收益的手段也來到了美洲，一方面限制了金錢欲望，另一方面也賦予其合法性。深刻影響英格蘭聯邦理想的道德與宗教觀念，也飄洋過海傳到了北美殖民地。新英格蘭清教牧師湯瑪斯．薛帕德（Thomas Shepard）擔憂地表示，商業自利是一片「洶湧狂暴的大海，如果沒有銀行，它將吞沒一切」。[31] 維吉尼亞殖民地於一六〇六年以股份公司的形式成立，它在十七世紀初期的情景被一名歷史學家描述為在「對個人收益一意孤行的追求」下，仿效英國商業而生的拙劣產物。[32] 儘管如此，十七世紀的英國及其殖民地依然充滿了對個人失控「貪婪」與「貪得無厭」的宗教譴責。

早期新英格蘭殖民地苦行禁欲的喀爾文主義，就是因應商業化英格蘭的「貪得無厭」而出現。早期麻薩諸塞灣殖民地總督約翰．溫斯羅普（John Winthrop）是一位富有的律師，出生自英格蘭商業最興盛的區域薩塞克斯（Sussex）。一六三〇年，他登上了開往美洲的阿爾貝拉號（*Arbella*），在途中創作了一篇名為〈基督徒慈善的典範〉（A Model of Christian Charity）的布道講章。溫斯羅普在文中描繪的那座「山丘之城」，正是英格蘭聯邦的翻版。上帝創造了階級制度：「在任何時候，都必須有人富裕，有人貧窮；有人高高在上，享有權勢與尊嚴；有人卑賤與順服。」溫斯羅普問，「放貸時需要遵守什麼規則？」有時候，要求人們按照「商業原則」行事是適當的做法，有時則否。「愉悅」與「利潤」的誘惑永遠都在挑戰道德秩序，但這並非表示商業不存在。貿易活動一定會存在。畢竟，麻薩諸塞灣殖民地（一六二九年成立）也是有執照的股份公司，接受投資人的資金挹注。關鍵問題在於，如何調解商業自利與「公共福祉」之間的衝突。[33]

新英格蘭清教徒為了在兩者之間尋得平衡而苦惱。羅伯特・基恩（Robert Keayne）是一位倫敦商人，在一六三〇年代跟著其他眾多的清教徒移居美洲。一六三九年，一名同業指控他以十美分一磅（四百五十公克）的價格販賣六美分的釘子，賺取暴利。基恩為此遭溫斯羅普重罰了兩百英鎊，還被傳喚到波士頓的第一會堂前公開哀嘆自己的「貪得無厭」，牧師約翰・科頓（John Cotton）更同時斥責他做生意的「錯誤」原則，不該「盡可能哄抬出貨價格與壓低進貨價格」，那樣不是「公平的價格」。[34]那怎樣才算公平的價格呢？科頓間接提到了公共規範與物品的內在價值。沒人說得準多少價格算太貴，但如果售價過高，商人自己也會良心不安。

諸如此類的衝突驅使更多商業活動的產生。宗教方面的顧慮也許會限制商業自利，但依照清教徒的經濟性格，他們也以道德標準來看待商業，互相衝突的動力自相矛盾地點燃了更多的商業投資。一向牽涉大量不穩定因素的商業成功，可能意味著命中注定的靈魂救贖。德國思想家馬克思・韋伯（Max Weber）在《新教倫理與資本主義精神》（*The Protestant Ethic and the Spirit of*

Capitalism，一九〇五年）中便闡述，這種命中注定的可能性，令清教徒帶著焦慮不安地催生了一項商業計畫。

就在基恩為自己的所作所為懺悔之際，英格蘭聯邦正在將共和國的原則從宗教道德化轉譯成國家政策。道德上的譴責效力不彰，有國家強制力作為後盾的良法，是維護商業與聯邦和諧的必要條件。本著這種精神，重商主義的市場規範涵蓋了從商品價格與人力工資到貨物品質，洋洋灑灑、連篇累牘。[35]於是，英國著手展開了「政治經濟」。

以十七世紀的觀念而言，「經濟」並不獨立於人類其他經驗領域，與今日的概念截然不同。[36]十八世紀晚期，亞當．斯密仍在埋首研究「政治經營管理」（political oeconomy）。「Oeconomy」源自希臘文「oikos」（家），從家庭經濟資源的審慎管理之意延伸而來。亞當．斯密形容政治經濟是「政治家的科學」，目標是獲取可供國民消費的「充足」資源，同時為「國家或聯邦」提供「足以維持公共服務的歲入」。[37]政治生活與經濟生活密不可分。一名傳記作者曾經強調，沙夫茨伯里的人生便是政經緊密聯繫的象徵，他是一個「性格複雜、動機多樣」的人，不論是在私領域或公領域，他的性格與動機甚至可以截然不同。[38]在整個商業時代以至十九世紀後期，政治經營管理都保有這個核心特質：拒絕區分國家與市場，同時追求公共福祉與私人利益。即使之後不再是主流，重商主義的這項基本原則依然持續至今。

雖然受到維持本國共同福祉的倫理需求所啟發，但重商主義的政治經濟本質上是對外的。重商主義誕生的背景是歐洲帝國之間一連串看似永無止境的戰爭，導火線往往是為了開拓殖民地的商業市場。[39]東印度公司負責人柴爾德並不認為商業是相互交流，而是將其定義為「一種戰爭」。[40]在大西洋，來自伊比利半島的人首先聲稱在美洲地區擁有統治權。英國人在一六二五年定居巴貝多，一部分原因是西班牙人疏於駐守。為了爭取與保有大西洋地區的殖民地，英國人不得不與西班牙人兵戎相對。在這場戰爭中，克倫威爾於一六五四年派遣一支艦隊到加勒比海，目標是征服伊斯帕尼奧拉島（Hispaniola），但英國最終勉強接受了對牙買加的暴力殖民。[41]在一六六〇與一六七〇年代，英國與荷蘭打了一系列的戰爭，原因無疑是為了進入全球市場。[42]一六六四年，查理二世派遣一支艦隊征服新荷蘭，此地後來成了紐約殖民地。英國在大西洋的殖民運動因此得以展開。

王政復辟、在天主教與新教之間（另一波）泛歐洲宗教流血衝突過後，英國統治者開始轉而從商業利益的角度來思考帝國發展，不再僅是宗教征服。[43]沙夫茨伯里認為宗教殺戮發生得夠多了，此外也在寫給查理二世的信件中表示，如今關於「貿易」的考量「遠比以往來得重要」，過去「受到忽視」的「商業利益」，在「近年來」成了「急需處理的國家大事」，因為「只有貿易與商業才能促成財富的積累，並進一步透過航運在海上爭霸，這是透過其他途徑所無法達到的」。[44]歐洲國家開始飽受亞當．斯密的好友與同鄉哲學家大衛．休謨（David Hume）所謂的「貿易的猜忌」所苦。[45]沙夫茨伯里向國王表示，如果沒有大西洋貿易創造的財富，英國將會無力抵抗荷蘭與法國（甚至還有瑞典）。在國內商業擴張之際捍衛聯邦權益，同時又得代表國家地緣政治利益促進海外商業的發展，是一種困難又棘手的平衡措施。

在此背景下，重商主義的「貿易收支餘額」經濟概念就像一塊不斷更新數字的記分板，記錄著哪一個帝國即將在全球的零和商業競賽中勝出。這項教條具有哲學基礎，與新亞里斯多德派的有限宇宙概念相同，認為平衡是事物的自然狀態，而不是增長。隨著時代的變遷，任何類型的經濟活動的報酬都不可能實質增加，包含商業在內。[46]

作為一種會計框架，平衡的概念借用自商業發達的義大利城市國家，例如佛羅倫斯、威尼斯與熱那亞，在當地，複式簿記系統讓商人得以平衡借貸，追求平衡與比例和諧的文藝復興美學也蔚為風潮。重商主義者希望提高國家財富，但他們生活的環境並不是經濟呈指數性成長的資本主義世界。事實上，這樣的世界並不存在。宇宙以及財富與商業有限的概念，反映了經濟世界中一個無可避免且殘酷的物質現實，那就是大多數的人口都是為了維持生計而掙扎。一個人獲得的盈餘，必定是另一個人付出的代價，即便是來自於所謂新世界的未開發財富，也是如此。

以最粗略的說法而言，當一個國家收入的貴金屬（金與銀）比流出的多，就代表達到了貿易順差。想實現這個目標，國家出口商品的金錢價值就得高於進口商品，現代經濟學稱之為「經常帳盈餘」。

亞當．斯密嘲諷，貿易差額學說是一套誤將國家財富等同於貴金屬儲量的拙劣理論，彷彿重商主義政策旨在盡可能累積金與銀似的。這麼說並不完全是錯的。法蘭西斯．培根曾表示，「我們要努力奠定有利貿易的基礎，出口的本國商品比進口的外國商品更有價值，這樣就能確保國家的財產逐年增加，因為到時候貿易收支餘額必然會以貨幣或貴金屬的形式返還。」[47]然而，近年來的研究指出，許多十七世紀的經濟思想家在金錢的分析上比今日某些經濟學家來得精通，因為當代有些經濟學家認為，貨幣只不過是一種免除實物交易的「中立」工具，不具有任何「實質」的影響。[48]見解敏銳的重商主義者則認為，貨幣是經濟發展中的動態因素，因為除了作為交易媒介與記帳單位之外，貨幣也是一種信用形式，因而也是一種貨幣資本。信貸是資本主義的神經中樞，可為更多的商業、勞工與創造財富的企業提供更多資金，進而延續它們的發展。如此一來，經濟活動便可迎來愈來愈多的報酬。

經濟思想中常見的一個說法是，資本的起源必定是積累與儲蓄，或是消費的節制，這樣的想法堪稱神話。這麼說來，貸款的利率即為平衡儲蓄供給與投資需求的市場價格。儲蓄當然可為投資提供資金，但是，由信任、信心、期望與想像（如果不是全然的幻想）所支撐的信用貸款，也可為新企業帶來資本投資。接著，企業創造新的財富、導致更多的儲蓄，因此投資可以帶來儲蓄，就如同儲蓄可以帶來投資一樣。[49]十七世紀後半葉某些經濟思想家差那麼一點就能偶然發現這個觀念。

十七世紀的重商主義人士經常以人體來比喻英格蘭聯邦，將「血液循環」不佳比作貨幣的稀缺，[50]例如在《利維坦》一書中，霍布斯將貨幣喻為「英格蘭聯邦的造血因子」。[51]借鑑歐洲先前的做法，英國的商業銀行家也開始接受強勢貨幣的存入，並發行對應的憑證。這些憑證像貨幣一樣不斷轉手，進而促進了金錢的流通。商業銀行家甚至可以從事金額大於準備金的投資，或者發放金額大於準備金的貸款。[52]結論就是，「銀行財產」或「信用財產」彷彿經歷了某種鍊金術般明顯膨脹了。這些金錢的數量依然與鑄造的強勢貨幣數量緊密相關，但由於貨幣支持著銀行財產的擴增，強勢貨幣的增加有可能導致貸款倍增、資本投資增加，進而為整個社會帶來更多的企業與生產。亞當・斯密對這個過程瞭若指掌。[53]在經歷了獨立革命的美國，漢彌爾頓大力提倡這種做法。

一六五〇年代王政復辟前的哈特利布圈，背離了主張宇宙有限的新亞里斯多德派的觀念，著迷於信用財產是商業擴張與文明「進步」來源的觀點。在這個修正版的古典重商主義思想中，目標不是累積與囤積貨幣，而是增進貨幣與信貸的循環，以大幅助長商業機會與創造新的財富。為此，這個圈子偏好低利率，而這需要擴大貨幣的數量或供給才能實現。但是，市場對貨幣的需求也可能會影響利率。經濟蕭條所引發的焦慮情緒，有可能致使商人失去對未來的信心，他們也許會出於防備心理提高對金錢的需求，作為安全的價值儲備，而不是把錢當作商業資本出借他人。如此一來，利率便隨之上升。[54]一名英國重商人士在一六二一年寫道，「高利率會導致貿易衰退。利息的優勢大於貿易帶來的利潤，這驅使富有的商人妥協，利用積蓄來賺取利息，而沒那麼富有的商人面臨破產的窘境。」[55]數十年後，柴爾德在《對於商業與貨幣利息的簡要觀察》（*Brief Observations Concerning Trade and Interest of Money*，一六六八年）中主張，「將貨幣的利息降到最低」的做法，無異是經濟繁榮的「直接原因」。[56]自古以來，歷史上的記載都與這種論點相符。[57]

在此背景下，透過法律禁止利率高得驚人的高利貸成了重商主義者的工具。這種禁令顯現了重商主義的宗教起源。透過高利謀取財富的過度貪婪被禁止，因為這危害了聯邦的倫理理想。然而，這種法令也使利率保持在低點，防止商業銀行家剝削貨幣的稀缺價值。藉由削弱商業預防措施，國家的干預可望誘發更多的商業投資與冒險。一五七一年之後，英國的法定利率為百分之十；到了一六二四年，減少至百分之八；一六五一年，利率降至百分之六，就這樣持續到了一七一四年。據悉實際上，十七世紀晚期的英國有許多商業貸款的利率都落在百分之六左右。[58]柴爾德呼籲政府向荷蘭的市場利率看齊，進一步將本國利率調降到約百分之二至三。當然，假使原本商業市場有更多投資與財富生產的機會，就會有更多財政資源可支援帝國之間的戰爭，如柴爾德管理的東印度公司便有足夠的財力開拓亞洲市場。

總而言之，確保強勢貨幣不會從市場流出、中止信貸與商業的增殖，就等於確保出口額大於進口額，也就是達到「貿易順差」。但是同樣地，如果有時盲目迷戀收支平衡，重商主義者也會意識到經濟發展的重要真理。其中之一是，保障市場准入與商品需求的國家愈多，專業化製造的成長幅度就愈大。從那時起，製造業便一直是比農業更能創造財富的來源。因此，產業的出口需求可說等同於近代一位經濟學家所謂的「外貿乘數」，因為額外的需求量可帶來並促進供給更多的生產與創新。[59]重商主義者支持那些有能力製造出口商品的本國產業。除此之外，殖民地也可作為製造商最後的消費市場或「出口」，因為即使商業與製造業一致地擴大規模，都市產業仍會為聯邦帶來風險——也就是說，萬一本國產業陷入衰退，將會出現貧窮與失業的情形。培根也指出：「國內出了亂子的話，是最糟的情況。」雖然這種闡述彷彿英國歷任的統治者都需要他人提醒似的，明明他們並不需要。[60]重商主義者一般都支持透過補貼、稅金與關稅來保護就業密集與可賺取強勢貨幣的出口製造業。[61]他們希望看到更多商業投資，同時也將焦點放在產業上。直到今日，補助國內製造商的政策依然會被貼上重商主義的標籤。

脫胎換骨的重商主義

查理二世復位後，沙夫茨伯里及同黨繼承了這項重商主義傳統，並加以改革。然而，政策的教條不會自動生效，國家必須建立起行使有效權力的能力。就此而言，大英帝國在大西洋地區的統治驚人地成功，為一個世紀的北美商業發展及第一波持久的美洲經濟繁榮奠定了政治與法律基礎。

這項任務令人卻步。委婉說來，不論源自哪個年代，重商主義理論在當時都與英國北美殖民地的做法嚴重分歧。不管皇室的作風有多麼專制或開明，帝國君權的成就都不如其抱負。歷史學家口中的「複合式」與權力分散給不同機構的「多元」統治十分常見，就連在英國國內也是如此。[62]值得注意的是，私人投資者擁有的股份公司（複合式帝國的次主權），首先被賦予殖民北美洲與統治英籍子民的任務。[63]主張國家主權應單一且排他的偉大理論學家霍布斯在《利維坦》的〈那些會削弱或瓦解聯邦的事〉（Those Things That Weaken or Tend to the Dissolution of a Commonwealth）一章中提到了股份公司「不計其數」的現象，指這麼多的「次等政治實體在英格蘭聯邦中，就像人體腸子裡的無數隻蠕蟲一樣」。結果，霍布斯自己就是維吉尼亞公司的股東。[64]

無可避免地，象徵統治權力的主權被各方競逐與共享，因為北美洲存在多個本地勢力。早期，一些歐洲殖民者大力宣傳美洲原住民正逐漸消失的傳說，以推動殖民化進展。[65]事實上，美洲原住民將長久占據廣大的北美內陸地區，並在接觸歐洲人的很久之後繼續統治大部分海岸地帶。抵達美洲後，歐洲人隆重地插上國旗、樹立十字架與朗讀宣言，但這一切對平民百姓來說毫無意義。[66]

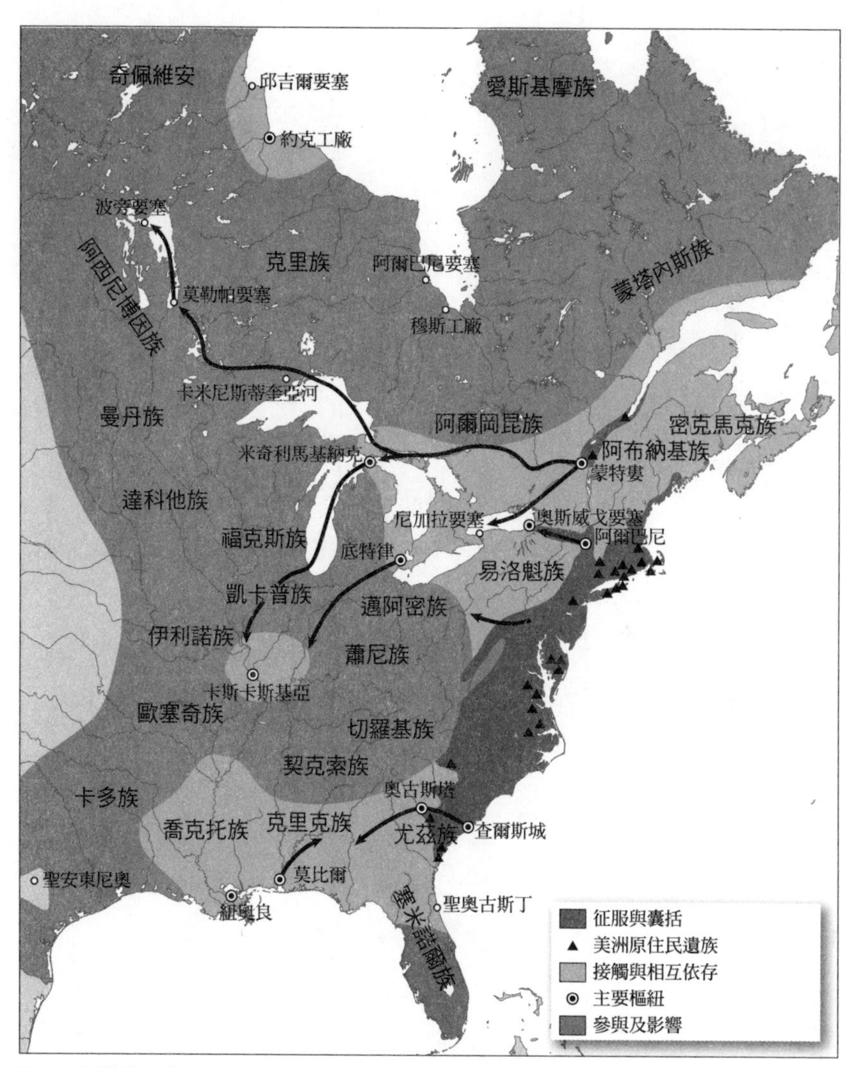

圖 1 歐洲殖民與北美原住民接觸的區域（約一七五〇年）

儘管面臨歐洲的征服，但美洲原住民數世紀以來都控制了北美大陸絕大部分的地區。

英國只能緩慢擴大飛地範圍。一六三六至一六三八年，新英格蘭殖民地與納拉甘西特人（Narragansett）與莫西干人（Mohegan）結盟，向佩科特人（Pequot）發動了毀滅性戰爭。在一六四六年，維吉尼亞殖民地征服了波瓦坦部落（Powhatan Confederacy）。[67]致命的病毒開始肆虐某些原住民族群，在此同時，歐洲勢力從沿海與河岸的前哨基地向外發散，與當地掌控存在已久本地商業管道的政治群體接觸。到目前為止，與英屬北美殖民地接觸、組織最健全的原住民勢力是易洛魁聯盟（Iroquois Confederacy），其與多個不同的印第安民族建立了貿易聯盟。透過動物毛皮貿易，易洛魁族接納早期定居本地的歐洲殖民者進入他們既有的商業網絡。[68]關於原住民勢力的赤裸事實，是沙夫茨伯里等人關注大西洋殖民地與祖國之間商業關係的一個原因。倫敦政府想像未來某天能宣布統領美洲大陸，但在一開始，這只是個幻想。[69]

事實上，英國對大西洋殖民地的統治力道相當薄弱。[70]原則上，殖民地商業的存在是為了有利於貿易平衡，因此這些地方不該生產製造業商品，而是應該從英國進口，刺激英國的就業與出口，且殖民者不得與英國的敵國進行貿易往來，必須為祖國創造商機。克倫威爾推動的《一六五一年航海法案》（Navigation Act of 1651）制定了一個歷久不衰的規則，要求所有殖民貿易都必須使用英國船隻，但這些法規很少造成重大影響。為了回應這項法案，巴貝多的殖民者宣布商業獨立——也就是有權利與所有歐洲勢力進行貿易。牙買加殖民者通常與西班牙人做生意，而西班牙利用波托西（Potosí）的銀礦鑄造而成的「八里爾銀幣」，為英國幾乎所有殖民地提供了最初的「造血元素」。除此之外，英國殖民者也向荷蘭尋求低廉的貸款與船運。[71]這些新英格蘭犯下的違法行為近乎可笑。

麻薩諸塞州公然追求自訂的重商主義政策，鼓勵境內的製造商積極生產、控制商品售價與工資，並且自行鑄造銀幣。[72]新英格蘭的商業經濟試圖向英國依樣畫葫蘆。有鑑於此，加勒比海殖民人士費迪南多．戈爾基斯（Ferdinando Gorges）在一六七四年向沙夫茨伯里為首的議會陳情，抱怨新英格蘭能對帝國做的貢獻有限，比起「為王國帶來利潤」，倒不如說是「造成損失」。[73]

沙夫茨伯里的首要之務是，重申帝國先前頒布的法律與規範，此外也附加了一些條款。一六六〇年頒訂的航海法案確立了英國殖民貿易必須透過英國船隻進行的原則。這項法案也要求，英國船隻須為英國人所持有與擔任船長，英籍船員的人數必須達到四分之三的比例。有別於以往的是，它還「列舉」了只能從殖民地出口至英國的「商品」。這些主要產品為皇室帶來了最多的收入，其中以糖與菸草為大宗。之後，一六六三年通過的主要商品法案宣布，所有經由殖民地運送到歐洲的貨物（不只是先前法案所列舉的商品）都必須先停靠英國港口，在重新裝運之前繳納稅金。這項規定的用意再明顯不過，目的就是在英國與其殖民地之間創造「更多的往來與友好」，意即讓殖民地「更緊密地依附」英國。這些新規定將「推動」英國的「就業」、增進「英國船運」，以及讓英國本土「製造的商品」能夠賣給殖民地的買家。[74]

航海法案確立了帝國的目標。沙夫茨伯里在政府內外都有敵人，他們不認為英格蘭應該繼續投入北美洲的殖民。[75]這位伯爵的影響力不該被誇大。但是，他在一六七三年與查理二世失和之前，一直是英國有效推動美洲殖民政策的主要力量。這項政策的試金石是重商主義的前提，即為了帝國聯邦的福祉著想（無論其定義為何），國家必須指引長期的商業發展。一六六九年沙夫茨伯里提醒國王，即使「商人透過貿易取得了大量利潤」，「國家輸掉這場戰役」的可能性依舊存在。[76]

航海法案需要新的帝國行政與法律體制來實行。有愈來愈多的殖民地臣服於皇室的威權之下，一般都獲准成立殖民議會，也設有一位官派總督。沙夫茨伯里號召的貿易與種植委員會開始一週開會兩次，[77]審查殖民立法機構通過的章程與法案，另外也傾聽當地民怨。委員會向官派總督下達指令，希望確保殖民地的出口貿易「更有價值、賺更多錢，以及打響名號」，[78]並蒐集資訊以保障貿易平衡。一六六八年的備忘錄要求查明，「殖民政府如何對本國任何港口或海關出口或進口的商品進行適當與精準的核算，以達成完美的貿易平衡」。[79]

在此同時，沙夫茨伯里採取低度監管，不容許殖民者無限制獲取私營商業利益，但戰略上必須對其有所瞭解。倘若完全忽視不管，可能會使英國在大西洋殖民地的主權虛有其表。沙夫茨伯里並不支持專制政體。不同於東印度公司管轄的亞洲，美洲商業市場幾乎沒有企業貿易壟斷，而且歡迎所有的英國人前往通商。相對地，當地的殖民者須繳的稅金也不多。沙夫茨伯里的顧問群擔心，新英格蘭「隨時都有可能宣布脫離帝國獨立」，其中一些人建議，無論如何都要「給對方一點顏色瞧瞧」。最後，貿易與種植委員會派遣一支毫無威脅性的事實調查團。[80]沙夫茨伯里很清楚，新英格蘭之所以與其他帝國進行貿易，是因為在商業上別無選擇。或許，如果換作是卡羅來納州，為了發展成功也必然會如此。沙夫茨伯里從未試圖讓英國的帝國政治經濟變成完全封閉的迴路，因此免不了會有「不速之客」（也就是走私犯與海盜），就連嚴格執行航海法案實際上也可能會阻礙英國殖民與貿易的發展。[81]沙夫茨伯里的統治傾向，近似於艾德蒙．伯克（Edmund Burke）後來在美國革命的困境中所稱的「明智而有益的疏忽」。[82]

同時，重商主義的平衡概念開始轉變。不同殖民地必須就各自的商業利益來爭取認可。假使受到適度管制，它們便可以為整體帝國做出獨特的貢獻。在當時，商業仍然是一種零和的地緣政治鬥爭，以荷蘭人為例，大西洋的貨運貿易容不下他們。但是在英國，急遽成長且受到適度疏導的殖民商業活動可以擴展帝國的經濟大餅。這就是「自由貿易」的好處，其原本的意思便是在帝國內部的自由貿易。在井然有序的帝國政治經濟中，即使祖國享有貿易順差，人人都有可能從貿易中獲利。[83]

儘管微妙，但這個觀念仍然代表了對經濟可能性的認知發生了重大轉變。[84]沙夫茨伯里帶領的輝格黨盜用了王政復辟前的哈特利布圈思想，這些想法不久後演變成啟蒙運動的「進步」觀念，關注不斷發展的物質富裕會超越潛在的匱乏。擔任貿易與種植委員會秘書的洛克在《政府論次講》中主張，人類的勞力與巧思是價值與財富的真正來源。因此，沙夫茨伯里的同黨將英國重商主義進一步帶離了財富等於貴金屬貨幣的絕對觀念。即便更多的商業投資不一定會導致報酬增加與財富倍增，也就是資本主義經濟呈指數型成長的可能性微乎其微，在此時仍窺見了一點可能性。

沙夫茨伯里的殖民計畫一直到他在一六八二年遭到流放並匆匆離開人世後，才臻於成熟。一六八五年，信奉天主教的詹姆斯二世登上國王寶座，試圖重新將北美殖民地組織成他的個人領地，並且公布了更專制的航海法案施行原則。一六八八年發生光榮革命，國會決議讓出身奧蘭治（Orange）家族的瑪麗二世（Mary II）與夫婿威廉三世（William III）共同統治英國，隨後，新英格

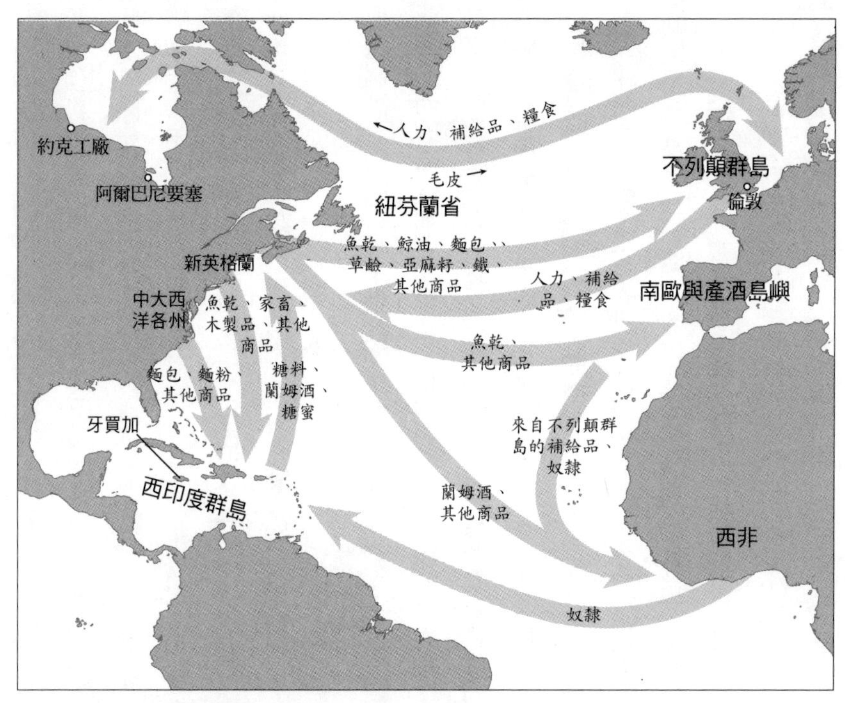

圖 2 英國大西洋商業模式（約一七五〇年）

英國為北美洲殖民商業創造了在大西洋地區蓬勃發展的必要政治條件。此圖簡略表明主要的商品貿易。

蘭、紐約與馬里蘭州爆發了叛亂。[85]輝格黨重新掌權，有意為了商業利益而犧牲擁有大量土地的保守黨貴族階級，此外也不斷舉債，以支付海外帝國戰爭的開銷。一六九四年英格蘭銀行成立，同時依據新訂立的原則提供資金進行貨幣擴張。擁有公共特許權的民營銀行享有專屬特權，可以發行「銀行票據」作為法定貨幣。貨幣的價值依然取決於固定的金屬本位制，但法定貨幣仍可能以超過金銀儲備的形式持續增加，並且促進商業投資。如今，貨幣資本的擴張端視銀行家對未來商業利潤的預期而定。政府權力與民間勢力互相融合，一度推動了長期的帝國擴張與商業發展。[86]

同時在一六九〇年代，北美殖民者與英國國會之間談判的結果或多或少退回到了沙夫茨伯里主張的現狀。英國官員出任殖民地海關的職位。承繼貿易與種植委員會的機構英國貿易局於一六九六年成立，成員包含了洛克。到了這時，英國有將近三分之二的歲入來自稅金與海外貿易的關稅，儼然是一個立基於生財商業的軍事財政國家。英格蘭內部的政經爭議依舊未解，到了一七二〇年代，最初的輝格黨聯盟出現了分裂。然而當時，大不列顛帝國即將成為大西洋主要的商業勢力。西班牙王位繼承戰爭在一七一四年以有利於英國的條件告終，荷蘭在大西洋的影響力也逐漸式微。到了下個世紀，英國將與法國展開對決。但是，十八世紀的英國重商主義政治經濟如今已在北美殖民地深化，殖民化持續開展，商業活動也百花齊放。

亞當．斯密式經濟成長的根源

從一六八八年的光榮革命到一七五六年與法國爆發七年戰爭的這段期間，大英帝國在大西洋地區的殖民體制一直十分穩定。重商制度誘發了很長一段時間的商業繁榮，這個累積的過程即為一種「亞當．斯密式經濟成長」。

處於合適的帝國背景下時，亞當．斯密式經濟成長的概念有助於人們理解美洲殖民地的商業發展。《國富論》是最能解釋前工業時代的經濟如何擴大財富生產的理論。這是一種「分工」的函數。亞當．斯密舉了一個著名的圖釘工廠案例。如果這家工廠將製作圖釘的步驟精細分工，產能便能有所提升。分工可增進生產過程中的「勞動力量」。

那是什麼決定了分工呢？答案是「市場範圍」，或銷售規模。也就是說，必須要有充分的交易流動性：需求端要有現成的商品市場。當市場對商品的需求增加，促使製造商彼此競爭走向專業化，並注入更多資本以從貿易中獲利。他們之所以如此，是人類「買賣、討價還價與以物換物」的天性所致。分工的主要動機在於商業範圍或人性，但其發展程度取決於「市場範圍」。[87]

簡而言之，商業報酬是有可能持續增加的。[88]關於整體社會的財富生產，存在著一種「亞當．斯密式商業乘數」（其中的分配問題是另一回事）。亞當．斯密式經濟成長的必要條件會交互影響，並且隨著需求與供給相輔相成而自給自足。假如不受阻礙，這種循環過程似乎能夠正常運作。這就是亞當．斯密所謂「看不見的手」。[89]但是，亞當．斯密式經濟成長最初怎麼會見於十八世紀的北美洲呢？

沙夫茨伯里在公共與私人領域的利益，直接導致了英格蘭西印度殖民地的奴隸種植。十八世紀的北美殖民地率先藉此實現了繁榮的商業。北美的商業時代有很大一部分始於大英帝國對黑奴制度的支持。如果沒有這項制度，早期美洲的商業發展肯定大幅受挫。[90]

黑奴制度不是一種宿命，而是英格蘭統治者做出的選擇。如果說商業是「一種戰爭」，那麼這個決定，本質上就相當於對非洲與非裔人口持續發動戰爭。起初，美洲殖民地應該要是一個「出口」地，不僅進口製造業商品，也吸納英國過多的人口。在頭幾波移民潮中，人口大都來自英國，其中也包含許多契約傭工，但由於遷徙、瘟疫與內戰，英國人口逐漸減少。如今許多官員認為（包含沙夫茨伯里在內），英國應該留住本國人口。[91]

在那之後，奴隸制度的實施持續讓殖民化扎根。隨著時間過去，在各種原因影響下，並非所有倫敦政府的官員都支持這種做法。因為各方對帝國的看法都不同，種族奴隸制的倡議人士必須在這場爭辯當中拔得頭籌。[92]美洲殖民者起初嘗試走私印度奴隸，尤其是在東南亞地區，由於當地不存在十七世紀北方的易洛魁聯盟那樣的組織性勢力，因此政局不穩，成為奴隸劫掠的生意得以蓬勃發展的契機。[93]合資經營的皇家非洲公司（Royal African Company）在一六七二年改組，壟斷了非洲西岸的貿易。這背後有沙夫茨伯里的許可，顯見英格蘭壯大帝國勢力的意圖。到了十八世紀中期，黑奴生產的商品在所有美洲殖民地向祖國出口的商品中高占八成。[94]商業的擴張不只仰賴帝國的壯大，因為種族剝削的可能性也支撐著長遠的獲利預期，成為刺激北美投資的誘因。[95]

英國在大西洋地區最早挖掘到的商業瑰寶是巴貝多。巴貝多在十七世紀被殖民，想必是有史以來最糟糕的人類社會之一，可自由遷徙的人口根本不會選擇移民此地。這座長約三十四公里、寬約二十三公里的熱帶島嶼，充斥致命的病原體，讓種植作物與精鍊糖的勞工每天都提心吊膽。巴貝多在一六四〇到一七〇〇年期間進口了十三萬名非洲俘虜，到了一六六〇年，島上的黑人人口就已經超越了白人。一六六一年制定的巴貝多奴隸法典保障了人身財產的普通法財產權，並立下了供其他英屬殖民地參照的法律判例，但規定嚴厲又殘酷，[96]而這麼說已經算很委婉了。工頭會將不聽話的奴隸關進鐵籠吊在樹上，讓他們活活渴死，以殺雞儆猴。到了一七一〇年代，英國海盜最早的活動據點牙買加以類似的方式生產了比巴貝多更多的糖。[97]

亞當．斯密憎惡奴隸制度。儘管如此，他可能會選擇巴貝多的一座奴隸農場（而不是英國的圖釘工廠）來闡示分工。當地幾乎所有的經濟生產都預定出售至大西洋市場。生產製糖原料的耕作需要大量資本投資，卻往往遭到賒欠，使地主不得不追求最大化的金錢收入。巴貝多的殖民者專門種植製糖原料。統治者發現，當地綿延至海邊的「每一吋土地」，都種滿了甘蔗。[98]每一片農田平均需要兩百五十名黑奴耕作，維持精細的分工。黑奴屬於資本資產，在大西洋市場中的價格頗具競爭力，[99]可以透過購買來補足。整體而言，不考量黑奴快速貶值的特性往往更合乎經濟效益，換句話說，就是把黑奴操到過勞死為止。[100]啟蒙運動的「進步」理想，就是採用種族主宰的形式。

專產糖的巴貝多必須從其他地方進口許多必要的經濟投入。對信仰虔誠的新英格蘭人而言，巴貝多市場是天賜之物。作為一位精明的重商主義者，總督溫斯羅普要求麻薩諸塞州的居民「出口的貨物」要比「進口的貨物」還多。但是一開始，麻州除了從美洲原住民那兒買來的動物毛皮之外，並沒有出口多少商品。這讓溫斯羅普擔心，新英格蘭可能會面臨商業的潰敗。然而，一名巴貝多殖民者在一六四七年投書，要求「透過交易來換取可以果腹的食物」。套用亞當・斯密的說法，當地的豐盛糖產成功擴大了新英格蘭漁獲、糧食、原木與家畜的「市場範圍」。溫斯羅普在日記中寫道：「蒙主恩寵，我們才能夠與巴貝多展開貿易。」[101]羅伯特・基恩垂涎其中的利益已久，很快就利用西印度的貿易發財致富。不論是受到主或市場中那隻看不見的手所賜，巴貝多與新英格蘭都從貿易中獲益甚多，商機翻倍成長。西印度的貿易信貸幫助了新英格蘭進口英國製品。大英帝國在大西洋實行的多邊三角貿易商業制度逐漸成形。光榮革命過後，清教徒領袖因克瑞斯・馬瑟（Increase Mather）前往倫敦，與當局協商為麻州制定新的商業章程。英國政治經濟學家威廉・佩蒂（William Petty）依然認為，新英格蘭的人民應該放棄耕作荒地這種「無利可圖」的工作，全部移居西印度群島。[102]然而，馬瑟向倫敦官員講了一長串道理，主張若不是新英格蘭供應糧食，西印度群島的殖民地肯定無法生存。實際上，對西印度製糖原料所徵收的稅金，為英國海關帶來了豐厚的收入，因此帝國官員無法反駁馬瑟的說詞。

英國奴隸制持續擴張。一六八九年，皇家非洲公司獨占市場的日子結束了，奴隸貿易就跟大西洋所有的商業活動一樣，向英國全面開放。伊比利人的勢力長久以來支配奴隸貿易，單就人數而言，他們沒有敵手。但英國奴隸主依然將一共兩百六十萬名非洲奴隸帶到了美洲，其中絕大多數發生在十八世紀。據估有三十九萬一千零六十名奴隸在北美洲上岸，其他兩百多萬名則到了西印度群島。[103]黑奴勞動力累積的資本促成了大西洋殖民地一系列主要商品的出口熱潮。

北美洲最南端的殖民地依循西印度群島的途徑迎來了繁榮的商業發展。[104]到了一七〇〇年，沙夫茨伯里「心愛的」卡羅來納州出口了四十萬磅主要由奴隸耕種的稻米。一七〇八年，當地成為第一個人口以黑奴為大宗的北美殖民地。[105]呼應一六六一年的巴貝多奴隸法典，沙夫茨伯里與洛克共同擬定的《卡羅來納基本憲法》宣布，「卡羅來納州每一位自由公民都有絕對的權力與權威去管理手下的黑奴。」如同次主權企業的規定，白人奴隸主的權力是帝國對殖民地其中一個「複合式」規定。如該主題的史學泰斗指出，假使帝國每次都暗示「統治時實施差別待遇」，那麼種族化的奴隸制度就會成為一種可能的統治模式。[106]

一八二九年，英國哲學家傑瑞米．邊沁（Jeremy Bentham）概括洛克所著的《政府論次講》表示：「政府只在乎財產。只有擁有財產的人才有資格獲得代表權。西印度群島是這種自由擁護原則的子午線。」[107]到了一七四〇年，卡羅來納州出口四千三百萬磅稻米，靛藍染料是第大二出口貨物。至於在西部，隨著克里克聯邦（Creek Confederacy）成為一股難以對付的勢力，印第安奴隸貿易衰退，美洲原住民開始生產另一種主要出口商品鹿皮，以換取槍枝、馬匹與金屬。[108]稻米與靛藍染料穩定占據卡羅來納州出口收入的百分之七十五，相鄰的喬治亞州的出口比例不久後便追上。[109]

在維吉尼亞州，殖民者搭上十七世紀的菸草貿易熱潮，到了十八世紀已握有龐大的財富與權力。[110]菸草產自美洲，經阿爾岡昆人（Algonquians）傳入英國。[111]起初，殖民者全靠契約白人勞工來種植菸草。持有小片土地的情況很常見，其中一些農田由獲得解放的契約白人勞工所擁有與經營。但是到了一六七〇年代，由印第安人控制的可耕地逐漸減少，菸草的出口市場也嚴重萎縮。殖民地的商業經濟飽受出口市場的價格波動所苦。[112]有段時間，維吉尼亞州爆發了農民、殖民者與印第安人之間的三方戰爭，[113]結果引起了社會對印第安人的強烈厭惡。等到菸草市場復甦，許多殖民者透過輸入非洲奴工來進一步鞏固自身勢力。相對於付費才能取得的契約白人勞工，黑奴成本效益高。[114]到了一七五〇年，維吉尼亞州約有十萬名黑奴，約占百分之四十的人口，白人種族主宰的意識形態益趨穩固。[115]位於馬里蘭州的切薩比克灣殖民地與德拉瓦州部分地區也如法炮製，發展得蓬勃興旺。

因此，奴隸殖民成了英國在大西洋地區的第一個商業重心。有賴奴隸制度的施行，北美洲南部仍然是最富有的殖民地，僅次於西印度群島。每一片英屬北美殖民地都有奴隸的蹤跡。然而在十八世紀，中部與北部的殖民地儘管沒那麼富庶，在商業活動中卻依然重要，某些方面比南部殖民地更為活躍，發展出更加多元的商業經濟。殖民者「織布、製作手工家具、蝕銀、發行報紙、繪製肖像畫，以及建造船隻、木桶、住宅與城市」，[116]沿岸地區的商業活動欣欣向榮。至於內陸地帶，「市場範圍」依然面臨高築的藩籬。[117]就連在北部殖民地，商業活動也壓倒性地以大西洋市場為主。[118]涵蓋康乃狄克州、麻州、新罕布夏州與羅德島州殖民地的新英格蘭，對外出口糧食、家畜、漁獲、鯨類產品與蘭姆酒，當地商人階級很快就在大西洋貨運貿易（包括奴隸貿易）中大發利市。[119]到了十八世紀中期，紐約州、賓夕法尼亞州與紐澤西州等中部殖民地發展更加興旺，受惠於肥沃的土壤，在大西洋的穀物貿易中無往不利。費城與紐約市各自養成了一群商業精英，最終取代波士頓成為商貿樞紐。[120]在北部殖民地，隨著時間過去，白人男性在議會中的席次變得更具代表性。相對於南方，此地似乎同時出現更大程度的政治平等與企業活力。[121]到了一七五〇年，北部與中部殖民地進口的消費者商品比南部來得多，儘管欠缺道路建設，在當地市場的流動性也遠高於南部。康乃狄克州有位名叫傑瑞德．艾略特（Jared Eliot）的牧師在一七五九年記載：「奴隸的消費量少之又少。」[122]

亞當．斯密所做的不僅僅是解釋商業成長的過程，他還在著作中預示了「商業社會」的來臨，認為人與人的關係將由商業定義，而不是地位、恐懼或暴力。[123]在這樣的社會裡，每個人都會是「某種程度上的商人」，[124]但這並不代表群體將充滿自私的利己主義者。亞當．斯密主張，只要不加以干涉，商業將促成一個意識抬頭的聯邦。比起情況雷同的早期西印度群島面臨的社會災難，十八世紀北美殖民地開始反映亞當．斯密的道德遠見。咖啡廳、圖書館與戲院陸續出現。殖民精英分子爭相參與英屬大西洋地區的消費文化，透過良好的重商主義實踐為英國製造業維持可觀的消費市場。到了一七五〇年代，北美洲成為發展最快速的英國商品出口地。[125]商業的精細區分成了地位的象徵。[126]因克瑞斯之子、約翰．科頓之孫的科頓．馬瑟（Cotton Mather）牧師便順應當時的倫敦風尚，戴上了假髮。[127]在一七三〇與四〇年代的福音派宗教覺醒浪潮中，一些宗教領袖開始將商業收入視為靈魂的養分，稱為第一次大覺醒運動（First Great Awakening）。紐澤西牧師約瑟夫．摩根（Joseph Morgan）在《財富的本質》（*The Nature of Riches*，一七三二年）中宣告：「貪婪成就了大眾的福祉。」[128]唯有像殖民時期的費城這樣的商業社會，才有可能造就班傑明．富蘭克林（Benjamin Franklin）的一生經歷，從博學之士與商業道德家搖身一變成為大西洋地區的名人。富蘭克林曾在一七五九年與亞當．斯密聚餐，敦促對方寫一本關於商業殖民政策的著作，並向他傳授「自由貿易」可帶來哪些好處，包含在大英帝國以外的地方。[129]

倫敦向來是商業貨物的集散地、金融中心與帝國威權的核心。在美洲本地商人開設鄉村雜貨店之前，美洲殖民者先靠一己之力販售本地產的主要商品，或者委託英國佣金代理商販售，就如同切薩比克灣的情況。總之，英國債權人很樂意資助北美貿易市場。[130]英格蘭銀行負責監督那些為十八世紀大西洋商業熱潮提供資金的印鈔銀行所形成的網絡。穩定的價格是日益成熟的英國公私債資本市場的定海神針。低利率讓殖民地取得了信

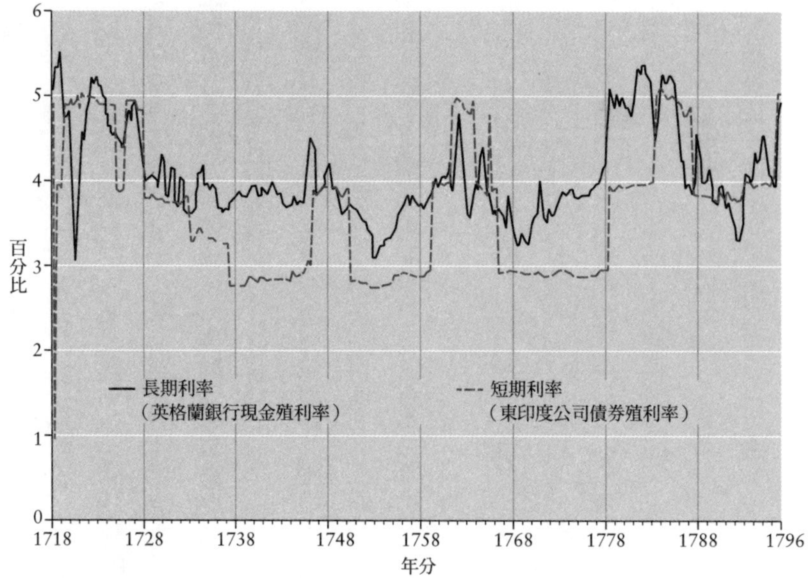

圖 3　大英帝國的利率

歷史上，低利率與商業繁榮互有關聯。在十八世紀的大英帝國，這兩者恰好碰上了北美殖民商業的「黃金時代」。

貸額度，因為《一七三二年國王陛下在美洲殖民貿易與殖民地債權之簡易回收法案》（1732 Act for the More Easy Recovery of Debts in His Majesty's Plantations and Colonies in America）使英國債權人能夠更輕易地收回「真正的」財產，包括奴隸。這項法令提高了債權人對英國殖民投資的信心。[131]在一七五六年與法國爆發七年戰爭之前，英國的短期與長期利率在第一個「廉價貨幣」時代不斷衰減。一七一四年，英國法定的高利貸利率降至百分之五，之後據報的市場利率降得更低（包含大西洋地區的貿易活動），顯示民眾願意拿出財產投資，相信商業發展前景可期。

英屬大西洋世界盤根錯節的商業與金融架構、環環相扣的信貸、廣泛流通的匯票、龐大繁雜的資訊及區分精細的保險與再保險政策，讓人嘆為觀止。由於當地在供給與需求方面的轉變呼應大西洋彼端的情勢，某些經濟史學者認為大英帝國展現了平衡的動態變化。[132]看來英屬大西洋的商業活動似乎能自我調適。

帝國經濟從來都不是封閉的迴路，存在走私問題以及與敵國也有頻繁的貿易往來。[133]儘管如此，大英帝國內部的貿易發展互惠互利，使得航海法案幾乎不必強制執行就能收到效果。殖民者對貨幣的短缺頗有怨言（殖民地立法機關曾經嘗試不顧帝國法的規定發行紙幣），帝國拒絕移民自由入境，並且禁止與拉丁美洲貿易。政治上，大多數的殖民者都站在英國輝格黨的「愛國者」派系這一邊，偏向美洲的商業活動，對西印度群島的糖原料商機比較不感興趣。[134]整體而言，許多在十八世紀鴻圖大展的白人美洲殖民都成了驕傲的英國子民。就這個標準來看，事實證明沙夫茨伯里及同黨所推動的重商主義計畫拔得頭籌，且成果輝煌耀眼。

重商主義之於貿易平衡

在最終的分析中，重商主義對美國的資本主義史留下了什麼樣的影響？其中之一是動產奴隸制的噩夢與現代種族主義的誕生，這些都是美國資本主義至今仍無法擺脫的包袱。在十七與十八世紀幾乎每一個社會中，基本的支配形式依然是常態，但奴隸制已在西歐地區銷聲匿跡。黑奴制度在美洲地區的崛起，是歐洲統治者與資本主義者做出的選擇。

你會問，那貿易差額呢？十八世紀英國與北美殖民地之間的貿易天平傾向祖國那端，就如重商主義教條所認知的那樣。美洲殖民地通常與西印度群島形成貿易順差，英國則與西印度群島存在貿易逆差。雖然光看數據無法準確判斷，但這一切大抵被納入帝國的運作之中。[135]

這重要嗎？亞當．斯密式商業乘數致使創造財富的企業擴大經營規模。信用貸款的流動支持著商業的運作，為市場提供更多的產能。亞當．斯密在《國富論》中多次嚴厲批評貿易差額學說。他將國家財富定義為一個國家所製造之商品的「可交換價值」，而非其貿易差額。之後，這種標準啟發了更多現代的衡量指標，例如今日廣泛採用的國內生產毛額（GDP）。依此標準來看，英屬北美地區的殖民者在大英帝國的「重商體系」下變得極為富裕。基於奴隸的市場價值與勞動，西印度群島依然是最富庶的殖民地，但北美洲與西印度群島的差距逐步消弭。一七〇〇年，巴貝多的人均收入比最初的十三個北美殖民地高出百分之五十。到了一八〇〇年，只比剛獨立的美國高了百分之二十。[136]最佳的概略估計是，美洲殖民者每年的人均收入約增加百分之零點五，若是在前工業化時代，這可是不得了的發展。土地與自然資源的征服，意味著美洲殖民者擁有更好的生活水準。美國革命前夕，「美洲殖民者平均而言比英國人吃得更好、長得更高，活得也更久」，或許對比其他地方的人口也是如此。[137]

一些歷史學家提出反事實的疑問，好奇假使重商主義的限制不存在，美洲殖民地會不會發展得更好。[138]這個問題過於簡化實際發生的事情了。英屬北美地區在光榮革命後漫長的政治經濟殖民時期中迎來了亞當．斯密式經濟成長。這些殖民地不是內部商業範圍有限，就是有管道可進入大陸市場。它們藉由出口貨物到海外的英國市場而致富，將當地作為主要的有效需求來源。國會立法更在後頭持續援助：一七〇五年通過的一項法令對新英格蘭的船舶木材有利，讓波羅的海進口的原料屈居劣勢；一七四八年，國會發放獎勵金，補助卡羅來納州的靛藍染料產業。在此同時，帝國依然保持不過度干涉的立場。到了一七五〇年，在國會毫無異議的情況下，殖民地有百分之八十的出口穀物運往南歐。[139]大英帝國大力提倡北美殖民地的商業投資。最終，從祖國的角度而言，美洲殖民地對英國的財富貢獻良多，也可說有效促成了工業革命的來臨。[140]

因此，隨著時間推移，帝國對空間的征服慢慢卯足了信心與期待。在商業時代，亞當．斯密主張的「市場範圍」主要是一種地緣政治現象。實際上，前工業時代的亞當．斯密式經濟成長屬於空間式的擴張，隨著商業與生產活動延伸到各地市場而逐步落實。英國重商主義所做的是，將北大西洋地區轉變為廣大的帝國貿易區。當時，擴大領土是每個帝國的本能。由歷史可知，帝國極其有效地擴展了商業市場的空間，進而確保不同人民的市場需求。亞當．斯密式經濟發展在所有歐洲帝國中都清晰可見，甚至包括蒙兀兒帝國統治的印度、德川幕府時代的日本、易洛魁聯盟、清代中國、鄂圖曼帝國與波斯帝國，還有撒哈拉沙漠以南的波努帝國（Bornu Empire），就連很久以前的羅馬帝國似乎也是如此。[141]歷史記載得非常清楚。「自由貿易」一向是國家權力法律中一項基礎建設成就。[142]

亞當・斯密曾設想商業若沒有國家的干預會是什麼樣子，這是一個著名的思想練習，但僅此而已。他本身很清楚國家權力的重要性，而今日「自由市場」的擁護者如果讀過《國富論》的第一章，必定能大有作為。亞當・斯密對於「重商體系」有時將財富視同於金銀、而且在十八世紀出現某種腐敗的批判，直到今日依然引起諸多共鳴。然而在最複雜的形式下，許多重商主義法則理應更公正的評估。貨幣與信用一直以來是資本主義經濟發展的神經中樞，現在依然如此，這兩者與「中立」幾乎沾不上邊。在經濟發展的過程中，製造業經證明是一種動態元素。除了第一個工業化國家英國以外，幾乎每個經歷過工業化的經濟體都會在設立保護關稅的條件下推動製造業。事實上，基於這些原因，儘管大英帝國在十八世紀促使美洲的長期商業繁榮，但到了該世紀末，政府便禁止殖民人士自行印製信用貨幣，並鼓勵他們發展製造業，以限制北美洲的經濟發展。就這樣，這些殖民者靠著今日所謂的全球性商品「超級循環」大發利市。雖然如此，更重要的一點是：不論好壞，國家都展現了精心策畫長期經濟發展的能耐。

最後，我們必須考慮到，在基本的重商主義假設中否認了政治與經濟、公共福祉與私人利益及國家與市場的區分。[143]私人利益與公共福祉的結合有可能利於社會，以及兩者之間深刻道德化的矛盾與質疑，將持續存在於美國革命時代。在沙夫茨伯里的一生中嘲諷聲不斷，人們與其說擔憂他推動的政策所造成的結果，更多的是焦慮他推行政策的動機。詩人約翰·德萊頓（John Dryden）所著的《押沙龍與阿齊托菲爾》（*Absalom and Achitophel*，一六八一至八二年）諷刺了沙夫茨伯里伯爵一世：

> 接著，他們為了利益，不惜牽連國家，
> 以便用更高的價格出售他們的職責；
> 壯大自己經營的猶太市場；
> 表面上在乎公眾福祉，實際上圖謀己利。[144]

沙夫茨伯里真的以全體人民的福祉為重嗎？抑或其實是一個狡詐的無賴？一個人，尤其是那些握有龐大權力與私人利益的人士，真的有可能大公無私地為民眾謀求福祉嗎？或者到頭來，難道「一旦商業自利的精靈從神燈裡冒出來後，人人不論有權或無權，都會是自身無限欲望的奴隸」，這種亞里斯多德的觀點是錯的嗎？

第二章　有機經濟，家戶經濟

英國重商主義對美洲殖民商業設下了政治限制。然而，早期美洲經濟面臨的最大界限並非來自人類，而是大自然。

套用歷史學家里格利（E. A. Wrigley）的話，美洲殖民經濟是一種「進階的有機經濟」。之所以稱作「進階」，是因為它的商業特性，而「有機」則是基於經濟生產原始輸入的本質。[1]大部分的產品均為經過加工的有機物質，不論是羊毛、皮革、麥稈或毛皮。水、風，以及人類和動物的肌肉為生產提供了勞動。假使河流乾涸變成小溪或遇冬結凍，水力磨坊就會停止運作（當時還沒有蒸氣）。假如從事紡織的女性得了關節炎，紡車就會停止運轉，因為當時還沒有電力。動物的肌肉一如人類的手肘或牛的後腿，在生產上能夠發揮的作用也有限。

經由直接或間接的光合作用，太陽負責製造經濟生產中絕大部分的能源。陽光的照射量決定了前工業時代經濟生活的步調。不論是為人類與動物的肌力提供熱量，或是燃燒以發光發熱，植物都占了北美殖民地大約百分之九十八的能源供給（風與水維持在百分之二）。[2]推動前工業時代發展的能源流動顯示，大自然並非惰性的「生產要素」，並非有待人類用於勞動與發揮巧思去開發的一種資源。大自然運行過程是經濟生活中主動的行為主體，能源與經濟密切相關，兩者與特定的歷史紀元也有所關聯。

在進階的有機經濟中，土地是主要的生產性資本。生態是殖民地經濟生活的主要因素，而不是商業。土地為人們帶來了糧食、燃料、衣物與住所。人類必須有大片原野可供放牧，才有肉可食，更別說是獲取羊毛與皮革了。在前工業時代的經濟中，倘若不擴大農地的面積或提高生產力，是不可能迎來多少進步的，食物不夠餵飽每一個人，農業自然也沒有多餘的勞力可移轉至製造業與商業，這麼一來就不可能產生貿易收益、分工與亞當·斯密式經濟成長。儘管如此，到了最後，地表就只有這麼多面積可供耕種，即使種植範圍延伸到貧瘠的土地也無濟於事。假如亞當·斯密式商業乘數可能存在於商業領域，使經濟活動的報酬遞增，那麼在農業產業則完全不同，農業生產中殘酷又重要的稀缺性問題，便是起因於報酬永遠都可能因生態變化而減少。

生物圈限制了前工業時代，其中有些約束是偶發且短暫，假設安地斯山脈有一座火山爆發，可能會導致歐洲一連串的作物歉收。[3]據英國神學家馬爾薩斯（Thomas Malthus）在《人口論》（*Essay on the Principle of Population*，一七九八年）指出，最糟糕的抑制手段殘忍至極，也就是飢荒、瘟疫與戰爭。沒有任何政治經濟學家比馬爾薩斯更瞭解大自然如何主動影響經濟生活。他認為，如果「植物與動物王國」的所有物種都有幸能夠繁衍超出世代交替需求的後代數量，則人口的成長最終將面臨「驚人的自然資源」所做出的回應。他在該書第二版提出，人口的提前死亡是眾多可能的「積極抑制」手段之一，讓人口重新與大自然達成平衡。[4]

難怪蘇格蘭歷史學家卡萊爾（Thomas Carlyle）在一八五〇年稱政治經濟學是「陰鬱的科

學」。[5] 數千年來，儘管經歷一個個商業繁盛時期，物質財富仍像手風琴般在世界各地開展又收摺。[6] 限制難免存在。亞當・斯密承認每個人都有機會從貿易中獲益，但他也提到，任何經濟共同體終究都會進入「靜止或衰退的狀態」。[7]

人們必須突破有機經濟的生產極限，才能達到現代又自給自足的經濟成長，而這便是資本主義經濟與文明的標誌。工業革命使經濟體得以利用化石燃料的無機庫存（而非有機流動），讓能源密集度達到指數型成長。當然，自然界不會停止積極介入，有鑑於氣候變遷議題的浮現，馬爾薩斯陷阱極有可能成真，隨時會爆發。大自然有可能依然是最終的贏家。

早期北美地區的生態與經濟

到了十七世紀，英格蘭可供人類耕作與支配的土地所剩無幾。土地的匱乏驅使英國尋求殖民北美洲。[8] 在殖民過程中，讓北美地區轉變成進階商業社會的功臣，是家戶經濟。

在千禧年的頭幾個世紀，氣候暖化，英國的農業生產隨著人口一同擴展。[9] 到了一三〇〇年，英格蘭只有百分之十的土地還保有植披。十七世紀的詩人亨利・沃恩（Henry Vaughan）在作品〈原木〉（The Timber）的開頭寫道，「眾生肯定繁榮過！」[10] 但是，之後氣候逐漸變得涼爽，為考古學家口中長達五百年的「小冰期」揭開序幕。在大飢荒（一三一五至一三二二年）與黑死病（一三四七至一三五三年）爆發期間，英國人口減半，紓解了有機經濟所承受的壓力。[11] 之後，商業活動有了進展，但人口組成變化週期不斷更迭。馬爾薩斯解釋，雖然人口成等比遞增，但財富創造的擴張及由此而生的糧食只呈算術成長。

一些早期抵達北美洲的英國移民表示，他們遇見了一座失落的伊甸園。那片處女地上住有印第安人，而奇怪的是，他們並未完全開發土地。有些人感到疑惑，在想亞當的詛咒是否尚未解除。一六〇七年，維吉尼亞公司將大約六千名移民帶到了殖民地詹姆斯鎮。第一個寒冬來臨時，許多人挨餓至死，倖存者沒有糧食，只能生吃那些人的屍體維生。到了一六二二年，只剩不超過一千兩百人還活著。[12]然而，第一波殖民潮過後，飢荒的陰影已從大多數英國殖民地退散，大部分原因是英國人得以向當地居民汲取生態與環境方面的經驗與知識。不久後，原住民族群開始飽受飢荒、瘟疫與戰爭所苦。在新英格蘭，一六一六與一六三三年爆發的流行病奪走了許多麻州居民、佩納庫克（Penacook）、萬帕諾亞格（Wampanoag）與納拉甘西特族等許多印第安人的性命。儘管如此，在部分美洲殖民地（譬如十八世紀出口鹿皮維生的克里克聯邦），原住民人口實際上反倒增加。[13]歐洲殖民者並未發現失落的伊甸園，美洲原住民人口也沒有減少的跡象。

但是，英屬北美殖民地為資源稀缺的英國提供了一位經濟史學家所謂的生態「幽靈耕地」，緩解了工業革命前的生態限制。[14]相較於英格蘭，北美殖民地的土地面積顯得充裕，土地豐足而不稀缺或許正是北美商業時代的主要經濟事實。因此，美洲殖民地的居民普遍比歐洲人長得更高、更強壯，也更健康。[15]馬爾薩斯發現，北美殖民地出現一種「幾乎史無前例的急遽增長」，證明了他的整體主張：如果不加以抑制，人口「將在二十五年內翻倍成長」。至今，這個理論仍然準確反映了美洲殖民地的人口數字。[16]因此，在十八世紀大西洋地區迎來長期商業繁榮的同時，快速成長的英國殖民者也努力拓展地盤。

這段歷史中，家庭是與有機經濟互動的主要行為主體。家戶是早期美洲經濟與整體生活的核心。[17]親緣、習俗、規則與親密度決定了它們的特性。家戶肩負著「家政」的任務，意即家庭財富的管理。家戶也主導了體制。在一個由「複合」與「複數」主權形成的世界裡，帝國的威權在邊疆地帶有可能鞭長莫及，因此家戶及股份公司便掌握了次主權，在大英帝國中施行統治。個人在家戶的「小型聯邦」中所處的相對地位取決於性別、年齡與種族，而這樣的地位進而決定了他們的公民地位。男性擔任的丈夫、父親與主人是家庭的「獨立」首領。他們的政治「自由」繫於地產，妻子、孩子、傭人與奴隸則是他們的「眷屬」。家庭就是一個社會階層，「施行互惠而不是平等的權利」。愛與殘酷亦然。[18]

家庭的所有成員都過著充實的經濟生活，共同分配資源、分派工作與傳承財產與財富。今日所謂的「家計部門」（其大部分並未計算在當代國家經濟的國內生產毛額中），占了早期美洲幾乎全部的經濟生產，生產出的產品大都用於直接消費，沒有進入商業市場。[19]此刻，若是區分家庭與市場，即住家與工作之間的差異，並沒有太大意義，經濟沒有明顯的邊界，因此重商主義的議題再次出現。家庭將公共與私人生活揉合成緊密且充滿能量的綜合體，與重商主義如出一轍。家庭的混雜特性，再次凸顯了早期北美商業如何在設立箝制的同時往前發展。

在早期的美洲，家戶經濟與有機經濟緊密交織，主因是殖民地絕大多數都是農村社會。美國革命爆發之際，至少有百分之八十的人口依然務農維生，當時對都市的定義是人口超過兩千五百人，而這些都市居民加起來也不過占總人口百分之五。有關早期美洲經濟的文獻必定會提到有機經濟與家戶經濟互動的節奏，而在此消彼長之間，商業日益壯大。

財產

美國的藝術表現一向反映出對廣袤遼闊的北美大陸至高無上的敬畏。在商業時代，這種情感隨著哈德遜河畫派（Hudson River School）的出現達到了巔峰，例如湯瑪斯・道帝（Thomas Doughty）的《大自然的仙境》（*In Nature's Wonderland*）。

表面上，人類無法馴化地貌，然而這片大陸不是一塊無主地，不是一個什麼都沒有的空間，也不是一片等著人類主宰的荒野。

不論是群體還是個人，原住民都控制了資源。儘管歷久不衰的殖民地神話宣稱完全

圖 4 湯瑪斯・道帝，《大自然的仙境》（一八三五年）

這幅作品同時描繪了對自然界的無上敬畏與原始荒野的神話。畫裡有一個在廣闊的自然環境下顯得渺小的人影，是哈德遜河畫派的常見主題。

相反的觀點，但美洲原住民確實擁有財產。第一代的英國殖民者承認這一點，原住民的財產制度與英國部分雷同，成了早期雙方接觸與外交的交流媒介。透過這個媒介，某些原住民族試圖讓歐洲人口融入他們的政治世界，大英帝國也試圖讓原住民族從屬於帝國的複合主權之下。[20]

雖然如此，殖民者移居美洲的同時，也帶來了一套有時在當地原住民眼中並不合理的財產制度。這是英國最奇特的一套法律制度，也就是私有財產制。私有意味著「排除」他人的權力與權利，不讓他人享有財產、使用或交換特定物品，而這個他人，在某種程度上便是「國家」。在美國資本主義史上，英國私有財產制影響最重大的原則是啟蒙運動的「進步」教條。在這個時代，「進步」合乎時宜地確保了英國得以在北美洲同時擴張帝國權力與私人商業活動。[21]

地產之所以私有化，不僅是因為有誰「擁有」了這塊土地，也因為積極在地產上發展商業農作，而大多數的殖民者都認為這是物質進展與文明進步的槓桿。從哈德遜河畫派大師阿瑟・杜蘭德（Asher Brown Durand）創作的《進步—文明的進展》（*Progress—The Advance of Civilization*，一八五三年）中，我們便可一窺其貌。在此繪畫中，大陸的左半部依然是令人嘆為觀止的自然景觀，但右半部變成了日益進步的文明與商業面貌。欣賞早期美洲自然環境的閒情雅致，很快就「在人類對自然界統治權的追求中被棄之不顧」。[22]

資本是一種財產形式。儘管今日私有財產權的範疇包羅萬象，從智慧財產權、人類基因到數位音樂串流都涵蓋在內，從法律上看這種當代私有財產權的起源便是土地。將「絕對所有權」的發展一路溯及古羅馬，便會發現其法律概念與土地所有權有關，主張「所有權是絕對的，獨一無二且排外」。[23]在近代早期歐洲，國家的形成與財產的組成步調一致。歐洲統治者因應己利而改編「絕對所有權」的概念，將其作為對「人民、進而包含疆域」行使主權的一種準則。[24]在殖民北美前，歐洲，尤其是英國，已開始出現明顯有別於公共所有權的「私有」財產權。[25]然而，早期的現代財產法依然將私人「利益」與公共絕對所有權混為一談，使得很難在歐洲不斷擴張的商業行動與對自然環境的馴化中，明確劃分出公共與私人領域。

因此，英美地產的演變史有時是個令人困惑的主題。在英格蘭，一〇六六年諾曼征服之前，土地是自主的，並不屬於任何封建領主。美國後來的「公有領地」，就是源自於此。諾曼征

圖 5 阿瑟．杜蘭德，《進步—文明的進展》（一八五三年）
耐人尋味的是，在這幅哈德遜河畫派的作品中，密集的商業化從東方侵蝕著自然景觀。

服過後，英國國王成為全國土地的所有者。理論上，國王的主權不能交付他人。土地可以由人民「持有」，但並非「擁有」。實際上，英國的土地逐漸形成保有制，直到君主政體放寬限制，地產便落入了世襲貴族的手中。為國王效力建功的人可成為封建領主，於是，封地成了貴族地主的財富與地位的基礎。然而，中世紀的英國人大都為平民（身分是農民，而不是貴族），在法律上不得保有土地。為了生存，農民只能盡力保有約定俗成的土地使用權，但這樣並不受法律保障。地主從農民身上榨取經濟剩餘，但也有義務確保他們的安全與生計。重點是，除了君主，理論上絕對且獨占的私有土地產權並不存在。

十四世紀的黑死病開始改變這種情況。半數人口染疫而死，土地與勞動力的比率飆升。農民侵占空出的土地，地主需要另尋誘因來招募農工。一項全新的土地租佃制度出現，與封地制互別苗頭。「走出莊園」（ut de manore）政策限縮了土地所有者對國王的義務，地主可直接管理莊園住民的權限也變少了。一些農民取得了法定執行且可繼承的「公簿保有地權」。對此，地主展開反擊，拿「公簿保有地權」來換取「租用權」，意即農民如今得以從事土地商業租賃。隨著英格蘭日益商業化，君王以金錢（稅收）代替封建徭役，英國人民與地權之間的商業關係益發直接，財產所有權的層層限制也慢慢鬆綁。古羅馬對私有財產的法定絕對支配權概念，成了財產論述中的新顯學。[26]

地主逐漸成為紳士資本家，在乎土地商業收益。在十七世紀上半葉的英格蘭，關於各種土地所有權的法定特性引發了爭議且愈演愈烈。最終，在沙夫茨伯里的聲勢如日中天之際，一系列的國會行動隨著《所有權法令》（Statute of Tenures，一六六〇年）的發布達到巔峰，簡化了英國財產法的複雜程度。土地所有權逐漸轉變為排他與絕對的法定產權，帶有更強烈的資本主義特質。一名歷史學家表示：

> 絕對的土地財產權代表使用與管理土地的權利；供他人使用土地以獲得收入的權利；透過餽贈或遺產將土地轉移給他人的權利；透過買賣獲取土地資本價值的權利；享有財產徵用豁免權；可不受限制地行使以上權利之權利。[27]

急欲推動商業「進步」的地主敦促租戶「圈圍」無人擁有的土地，包含「公有地」及其他多人共有的零星土地，再劃為自己的私有財產。差別化的農業人口開始成形，不同階級皆參與其中，劃分這些階級的不僅僅是社會地位，更包含了財產所有權。[28]

英國有些「佃農」沒有土地，其中一些人搭船到了美洲。在地主與無土地者之間，出現了一個新的「農夫」階層。許多人成為佃戶，有些人則取得了夢寐以求的平民財產所有權，即「非限嗣繼承」土地所有權。這意味著他們是「地權所有者」，進而成為「獨立的」財產所有者。他們是自主的「首領」，有能力建立自己的家庭。在英國地主之中，最活躍於商業領域的一群稱為「自耕農」（yeomen）。對白人男性戶主而言，北美殖民地宛如自耕農的天堂。[29]

在殖民時代的前夕，英國社會趨向更加排外與個人化的私有土地財產權，換言之，英國的地權與財富緩慢而穩定地變成了資本。然而，這種轉變既不完全，也非注定。英國的地權依然包含了五花八門的租賃、所有權、請求權、反請求權、出租的地產、資格、費用與應得權益，就連永久持有、非限嗣繼承的所有權也面臨阻礙，必須依法納稅，可能被強制徵用或作為女性的嫁妝。當時還不存在所謂的「個人土地獨占權」。[30]英國的圈地運動直到十九世紀才展開，而北美幾乎所有殖民地都開拓了某種形式的共同「公有地」。儘管如此，不論具有多大的商業價值，擁有土地仍然賦予地主珍貴的公民與政治地位，[31]這種「獨立」的身分，意味著不受任何地主的控制，無需任人擺布，擁有自己的眷屬。在思想與經驗上，擁有財產與否往往關乎人格與自我肯定，也可能牽涉了互惠與支配。

在土地產權方面，北美殖民地沒能擺脫封建的過去。國王將「私有」殖民地授予信奉天主教的巴爾的摩勳爵（Lord Baltimore，一六三二年被授予馬里蘭州）、沙夫茨伯里在卡羅來納州的投資者圈子（一六六三年）、紐澤西州的開拓者（一六六四年）及貴格會的貴族威廉・佩恩（William Penn）（賓州，一六八一年），授予他們的土地全都是直屬封地。理論上，這些地主再將土地分配給向他們繳納準封建「免役稅」（quitrent）的殖民者。在哈德遜河谷，來自荷蘭的「特權大地主」（patroon）建立了大型莊園，隱匿自己的荷裔身分，佯裝成封建地主。其他地區的殖民者則採用共有田畝制度，集體享有在廣闊土地上捕魚、搜索糧秣、放牧與狩獵的權利。[32]

然而，相對於祖國，北美殖民地是永久持有土地的自耕農嚮往之處。殖民地的立法單位通常會根據「人頭權」（headright）或家庭人口數將土地分配給所有英國自耕農。在維吉尼亞州，大種植園主投機取巧，將黑奴人口也計算在人頭數裡以獲得土地，這也不祥地預示了美國憲法中五分之三條款（Three-Fifths Clause）的制定。也有家庭乾脆「霸占」土地，寄望之後政府會立法批准他們的財產所有權。法律上，絕大多數的美洲殖民者都享有寶貴的永久土地所有權或非限嗣繼承所有權。私有土地財產權在美洲殖民地更為強烈。[33]

身為一家之主的白人男性擁有以務農維生的祖先求之不得的權利。一位移民紐約的蘇格蘭裔愛爾蘭人在一七三七年的家書中寫道：

> 敬愛的浸禮會牧師波伊德，懇請您讀這封信，並告訴那些貧窮的信徒，上帝為他們開啟了一扇救贖之門……在這裡，個人所做的一切都是為了自己；在這裡，沒有稅收追著我們跑……沒有人會來奪走你們種植的玉米、馬鈴薯、棉花或雞蛋。[34]

在北美洲，資本額較小的地主比歐洲來得多。一名紐約官員指出：「擁有自己的土地、不受地主所控制的心願，是誘使人們來到美洲的主因。」[35]如洛克所述，倘若土地財產權受到任意干涉，那共和國就無法獲得自由。

在美洲自耕農獲得非限嗣繼承土地所有權之前，殖民者必須從印第安人手中強奪土地。這是私有財產與主權支配攜手並進的最佳證據，因為英國人與當地人之間的衝突，往往表現在彼此對「公有地」不同也不相容的制度上，而這種制度開放財產為社會或大眾共享。美國革命前，原住民「遭到殖民公有地剝奪的程度，與任何殖民版本的圈地運動不相上下」。[36]許多美洲東北部的印第安部落會隨季節遷徙，即便他們通常依然務農維生，例如納拉甘西特、麻州與萬帕諾亞格人等新英格蘭地區說阿爾岡昆語的民族。在這樣的原住民體制中，主權與財產通常不等於永久不變的土地占有，不論是公共或私人形式。[37]對原住民來說，主權更多時候來自於人際關係而非地域占有，這些人際關係又會反應在資源控制，因此有多個所有權人主張同一區的資源控制也很合理。原住民控制土地的舉動有其道理，就跟承認另一個民族也擁有分界模糊的地域（雖然構築圍籬的做法並不常見），甚至是某些情況下的使用權交易一樣。建立羅德島殖民地的清教牧師羅傑・威廉斯（Roger Williams）曾如此評論納拉甘西特人：「就我所知，他們會出售一小塊或幾塊地並為此討價還價。」[38]殖民者將土地從人類與靈魂世界中人際關係的「生命活動」裡完全抽離出來，並且讓個人在法律強制力的支持下主張土地獨占權的這種行為，多數美洲原住民無法理解。[39]美洲原住民與英國的財產制度幾乎互不相容。

舊時的歐洲法律傳統認為，在沒有正當理由的情況下，土地不能被剝奪，即便剝奪「野蠻人」的土地也不行。然而，洛克在《政府論次講》的〈財產〉章節中提出了一個理由，那就是進步的教條。首先，他就個人對上帝賜予的自然獎賞的共同所有權做了基礎假設。[40]當一個自主的所有權人將其勞動與自然資源「結合」時，財產就形成了。洛克指的勞動並不只是付出勞力，還指涉了人格在外部世界的延伸。這個過程中，當事人獲得了控制一部分自然資源的專屬權利，而這個自然資源理應是社會共有。因此，洛克寫道，「野蠻印第安人」在「美洲」獵殺一隻鹿，有權享受其屍體與血肉，但無權占有他打獵的森林。土地的清理、耕作與維護需要他有意識地付出努力，這樣的進步，才排除了「其他人的共有權」。[41]儘管洛克知道印第安人確實依照自己的標準讓這片土地變得更好，他依然選擇透過印第安獵鹿人的例子來闡釋。[42]然而，這個關於財產的著名論述，暗示了美洲原住民並未改善這片土地，因此整個美洲的所有權依然是共有的，隨時有可能遭到剝奪。

事實上，洛克引用了殖民者的部分主張。出身英格蘭一處封閉農業區的麻薩諸塞灣殖民地總督約翰．溫斯羅普認為，「那些屬於公眾、從未受到耕植或遭到征服的土地對任何能占有與開發的人來說都是可自由獲得地」。最早在當地生活的印第安人擁有對那些土地的「自然」權利。但是，他們因為沒能「保衛」與「開墾」土地，而丟失了自己的「公民」權。約翰．科頓也附和這種看法。在「一片無人的土地上」（這種說法在美洲原住民看來顯得可笑），誰「占領它，並賦予它文化與耕植它，誰就擁有它」。[43]發展農業的信念根深柢固，以致某些殖民者逐漸相信這或許還能夠改善氣候。[44]儘管如此，開發的觀念被用來解釋為什麼原本屬於印第安人的土地，理所當然地成了英國的公共與私有財產（包括公有地及獨立的小塊土地）。

洛克提出了一個例外情況，也就是那些剝奪他人土地的人們有義務留下足夠的土地，讓有意願的人從事耕作、開發土地並主張所有權。強占土地的行為不得使任何人的處境變得艱難，才算是真正的土地開發精神與文明進展。後來，這個學說啟發了羅伯特．諾齊克（Robert Nozick）在二十世紀關於自然財產權的開創性著作《無政府、國家與烏托邦》（*Anarchy, State, and Utopia*，一九七四年），他在書中提出洛克式附帶條件。[45]這在當時是另一個可能源自殖民地的洛克式主張。難道當初殖民者沒有留下足夠的土地供印第安人過活嗎？（而假使當初異教徒有接受基督徒的開化，難道不會過得更好嗎？）

在洛克寫作這本書之前，許多美洲原住民早就猜想，英格蘭土地稀缺，實際上可能沒有足夠的土地可用。殖民者用於狩獵的自家牲畜往往是剝削的第一步。一六六六年，皮斯卡特維族（Piscataway）酋長馬塔貢（Mattagund）向馬里蘭州的殖民者抱怨，「你們飼養的牛和豬破壞了我們的生活環境，你們的活動範圍離我們太近，逼得我們居無定所。我們無處可躲了，請你告訴我，我們應該到哪裡生活？之後該如何避開那些牲畜的危害？」[46]兩個多世紀後，在歐洲帝國捲起另一波土地強占風潮之際，小說家約瑟夫・康拉德（Joseph Conrad）在《黑暗之心》（*Heart of Darkness*，一八九九年）中寫道，「倘若深入研究，你會發現人類對土地的征服，大都意味著剝奪不同膚色的族群的土地，而這一點也不光彩。」[47]在北美洲，白人長期以來都在剝奪原住民的土地，[48]康拉德撰寫該書之際，這種情況仍持續發生。

土地的資本化

開發是土地所有權的基礎。溫斯羅普提到，「開墾之初，百廢待舉」。那些來到美國的移民「什麼都得做，就像在世界誕生之初那樣」。[49]牲畜與人類的勞動將土地馴化為財產、財富與有機資本。商業需要貸款才能運作，但最重要的是，大規模的勞力投資是將農場資本化不可避免的手段。

許多殖民者對農耕一竅不通，有不少英國移民都來自城鎮或村莊，而非農村，[50]更別提英國的土地開墾在遠古時期便已完成。相較於一些歐洲人有土地開墾的經驗或知識，許多英國人只能不斷嘗試各種方法，或向其他歐洲人、印度人與非裔奴工學習或仰賴他們的技能。因此，美洲殖民發展出一套「混合農業」。[51]

開墾土地極度艱難，必須移除碎礫與巨石，再利用名為石船的木製雪橇拖運。當時人們使用的唯一一種機械是木桿，這是一種歷史悠久的器具。印第安人用火耕清出耕地，歐洲人則是拿斧頭砍伐森林。[52]前者有時也會「環狀剝皮」樹木，斯堪地那維亞移民也使用這種做法。如英國艦隊司令約翰·史密斯（John Smith）所述，所謂的「環狀剝皮」就是「割下一圈一個手掌寬的樹皮」，然後等待樹木在數年後凋零死亡。[53]那些殘幹粗到必須仰賴牛隻來清除。根據旅人描述，美洲殖民開設的農場堆滿了一棵棵在環狀剝皮後枯死的粗大樹木與尚未移除的殘幹。一個人要清理零點四公頃大的土地，得花上約三十天的時間。這項工作大都交給奴工去做，而這也是奴隸出現在北方的原因之一。一匹馬可承擔的工作量是一個人的六倍，換作是公牛又更多了，因此，十七世紀的殖民者經常從大西洋的彼端運來馴養的動物。

殖民家庭結合了英國與本地特有的耕作方式，在三處農田輪流種植玉米、南瓜與豆子，以及歐洲的穀物與豆類。玉米很早就被大量耕種，早在歐洲人來此之前，玉米就已從墨西哥向北傳播到了密西西比河谷。隨著玉米的傳播，各地人口數紛紛飆升，許多原住民開始搬到都市生活。一〇〇〇至一三〇〇年間，玉米傳進新英格蘭，各個原住民族開始將玉米與豆類和南瓜共同種植。[54]玉米可適應各種環境，就連在山坡與丘陵地帶也行，而且幾乎不受雜草所影響，即使在只靠雙手和鋤頭翻耙的土壤中也能生長。在英屬北美地區，鐘子與犁都是木製的（可能附有鐵鞘）。玉米每年僅需照料五十天，產量卻遠比歐洲的小麥、燕麥與黑麥等穀物來得多。零點四公頃的良田可生產十到十七公石的玉米。殖民者會用玉米做成布丁、麵包、正餐、粥與泥糊當作食物。蒸餾過的玉米可釀成威士忌、去除外殼後乾燥處理可當作床墊填塞物、秸稈曬乾後可碾製成衛生紙。一般而言，零點八公頃的玉米田可養活一個殖民家庭，若是兩公頃大，全家人一輩子都不愁吃了。[55]

馬、公牛、乳牛、豬、綿羊與家禽等各種動物，在綠草如茵的草原上放牧或以玉米為食，而牠們的糞便以及豆莢再作為肥料滋養那些土壤。這些牲畜為殖民者提供了能量與生產力。[56]回溯古代，牛隻可能是最早出現的生產性資產或「資本財」，因為牠們為主人帶來的報酬或產出就是繁衍更多牛隻。在「資本」一詞的諸多根源之中，拉丁文的詞源意指「牛隻的單位」，而「pecuniary」（意指「金錢」）的拉丁文字根為「pecus」，意思是「（牛）群」。從古代到十七世紀，動物精力的利用推動了前工業化時代大部分的生產力增長，[57]其中也包含了利用人類。在英屬北美殖民地，奴隸的勞動助長了美洲殖民地的農業「進步」計畫。[58]

除了耕作土地之外，還有很多工作尚待完成。新英格蘭的居民建造隔板屋。在其他地區，木屋則普遍可見。那兒的人們拿斧頭與弓鋸砍下原木，利用鑿邊闊斧將它們鑿成方形梁桁，用窄邊扁斧削切缺口。如此切出的鞍形槽口呈弧形，與源自瑞典的筆直鳩尾槽口不太一樣。他們利用短柄小斧來砍整作為屋頂的木片；木槌和另一種古老工具鐵爪錘則用來敲打木製的方形釘子。同樣透過這種工法搭蓋的建築還有外屋、穀倉、煙囪、豬圈、雞舍、柴房、玉米穀倉及蘋果酒坊。美國特有的無杜鋸齒型圍欄可分隔牲畜與田地，同時劃清財產邊界。

製造與加工是曠日持久的大工程。收成完了，緊接著是屠宰，也就是掏空牲畜的內臟，刮除並拉整其毛皮。橡樹的樹皮是處理動物毛皮用的鞣酯的主要來源。家家戶戶會延展皮革，用以鞣製鞋履；用豬油烹煮食物，並拿豬的膀胱作為儲藏容器；醃製火腿與培根以備冬天之需；清潔並修剪綿羊的毛皮當作織料；用織布機紡紗織衣。還有其他工具可用，諸如鑿子、鐮刀、鑽孔器、長柄鐮刀及乾草叉。大多數農戶都有一座果園。製作蘋果酒時，人們搗碎有外傷的蘋果，然後放在兩片草墊之間榨取汁液，再拿剩餘的果渣做成蘋果醬。殖民者夏天喝牛奶，冬天則靠蘋果酒與威士忌及持續燃燒的火堆取暖。這意味著他們必須儲備劈好的木柴。「懶惰」的家庭則利用玉米當作生火的柴薪。到了春天，又是播種的時候了。耕種偌大的玉米田可不是普通的苦活，一天得彎腰六千多次，非常累人。

一個家庭大約得耗費五十年才能建立一座可正常運作的農場。殖民時期的農場平均面積約五十一公頃，英國的普通農舍簡直難以望其項背。在農場裡，經濟生活的主旋律是週期性循環往復。[59]聖經有言，「只要土地還在，播種與收穫、寒冷與炎熱、酷夏與寒冬、白天與黑夜的更迭就會永不止息。」(《創世記》第八章第二十二節)每年僅有約七十五天能進行犁田、播種與採收。夏天要忙耕作與收成，秋天要宰殺牲畜，冬天則是家庭手工業的時節。就連受精懷孕，在一年之中也有特定節律，以三月與九月為高峰。

在十七與十八世紀，大英帝國悄悄將勢力範圍往西延伸了三、四百公里。西方的本地勢力雖經過重新整頓，依然十分強大。儘管亞當・斯密式經濟成長主要是一種空間現象（擴大跨區域的市場範圍），北美洲的殖民模式卻相當鬆散。亞當・斯密跟當時的人一樣，認為商業化與都市化脫不了關係。在十八世紀的長期商業熱潮中，英屬北美殖民地反而逐漸發展為農村。雖然都市的絕對人口數增加了，但一六八〇年後，殖民人口在都市中占的比例實際上卻減少了。[60]為什麼美洲殖民地並未發展成一個更具都市特質的社會呢？為什麼美洲殖民不停遷徙呢？這是因為，家庭非常強烈渴望擁有獨立地產。富蘭克林猜測，「任何擁有土地、靠自身勞力足以養家活口的人」，都不會長期待在同一座都市，承擔變窮與「淪為奴隸」的風險。[61]由於殖民者不斷往西推進的現象引起法國移民與不少原住民族之間的衝突，倫敦當局並不樂見此舉。「一七六三年皇家宣言」（The Royal Proclamation of 1763）以阿帕拉契山脈為界，禁止殖民在新命名的印第安保留區購買土地或定居（連帶否決了既有的財產所有權）。此令一公布，主要的殖民者很快便要求國會修訂細則。

獨立與依存

擁有土地與正常運作的農場，並不足以讓一個人真正「獨立」。以英國而言，自由具有關係屬性。真正獨立的男性是一家之主，他具有丈夫與父親的身分，也許還是一位扶養多名眷屬的戶主。家戶體制的社會階層與緊密個人關係形塑了所有人的經濟生活。

家庭就如同企業（不論是貿易股份公司或自治區），是大英帝國的次級主權，猶如一個「小型聯邦」，由一家之「長」所統治。這樣的比喻並非偶然。「家長」代表家庭成員做出決策，在公民與公共事務上有發聲的權利，並可參與立法選舉、簽訂合約與擔任陪審團成員，更擁有自身財產的法律地位。由於在這個時代，財產所有權是投票權的必要條件，因此在美國革命前夕，有三分之二的男性美洲殖民具有投票資格（相較之下，英格蘭只有四分之一）。[62]在殖民地區，政治權利與地產的分配在白人男性中相對均等，許多人都擁有小型資本。

此外，早期美國的「扶養率」也高。由於土地豐足，結婚率上升，加上出生率高，因此美國殖民家庭普遍成員眾多。一七九〇年，美國中等家庭的人口數為五點七名自由人；若把奴隸也算在內，就是七點零四。[63]這意味著在美國革命前夕，殖民人口有一半都是兒童。[64]美國有百分之八十的殖民人口為法定眷屬，對比之下，英國不到百分之七十。[65]

以人口結構而言，英屬北美殖民地培植出了最強烈的家戶治理制度，包括父權制度以及父親對孩子嚴厲而疏離的管教形式。父權制度是十七世紀晚期問世的一種政治傳統，意旨對眷屬的絕對權力，甚至包含得以決定其生死的權力。羅伯特・費爾默（Robert Filmer）爵士的政治專著《父權制》（*Patriacha*，在他死後出版，一六八〇年）為試金石，主張父輩的支配是一切主權的基礎。洛克則持不同看法。在公民與政治社會，統治權持續源自於共識。為了不讓財產權受到侵害，一家之主同意受人治理。除了洛克主張的共和主義之外，父權意識形態在殖民地區廣為傳布，尤其是南部的大地主之間。出身維吉尼亞州的威廉・伯德二世（William Byrd II）是費爾默的遠親（據傳他還強姦了多名奴隸），曾引述了《聖經》記載的一家之主的生活：

> 我就跟其他族長一樣，有自己馴養的羊群與牛群，有男奴與女奴，可任意買賣奴隸，過著不依靠任何人的生活——天意除外。然而，這種生活方式雖然不花錢，卻有著許多麻煩。我必須督促每個人善盡職守，確保所有事情順利進行，並公平分配工作。不過在這個沉默的國度，這種生活是一種娛樂，也是一種培養耐性與維持家計的持續鍛鍊。[66]

在十八世紀維吉尼亞州的家戶經濟中，主要殖民者再度採行奴隸制的舉動也成了一項父權自覺計畫，毫無疑問地，這充滿資本主義色彩。

婚姻是一種特殊的家戶經濟關係。英國法定的婦女節操有一個父權面向，將為人妻者定義為已婚婦女，在法律上的人格與丈夫融為一體。英國法學家威廉·布萊克斯通（William Blackstone）在《英國法釋義》（*Commentaries on the Laws of England*，一七六五年）中，將主人與傭人、丈夫與妻子、父母與孩子、監護人與被監護人及不同企業之間的「家戶經濟關係」納入同一個法律領域。[67]至於婚姻，布萊克斯通如此解釋：

> 結婚後，丈夫與妻子在法律上為一體，也就是說，該名女性的存在或合法存在在婚姻中暫時失效了，或者至少與丈夫的存在合而為一，在其羽翼、保護與掩蔽下，她履行一切義務，並

在法律法語中稱為已婚婦女……她在婚姻中的狀態則稱為有夫之婦。[68]

離婚的情況實屬少見，甚至是不可能發生。一般而言，已婚婦女步入婚姻後，便無法擁有財產、簽訂合約或擔任陪審團成員。在《英國法釋義》中，夫妻章節的下一章主題為父母與孩子，而這兩個章節的大部分內容頗為相似。孩子受一家之主所管教，直到年滿二十才可「獨立」生活。[69]

有機經濟與家戶經濟相互呼應。多數殖民者認為，性別差異根源於自然界，成為男性威權的正當性基礎。大自然決定了男女在家戶經濟中扮演的不同角色，男人負責耕田、播種、收割、打獵和捕魚，女人負責生兒育女。住家及周圍的庭院、花園與外屋都歸女性照料。她們負責記帳、煮飯、照顧孩子、擠奶、洗衣、飼養禽畜、採買與織衣。一七六〇年代，麻州薩林（Salem）一名家庭主婦在日記中寫下例行的家務：

洗衣……

熨燙……

拖地……

清除牛腦內的組織……

種豌豆……

摘三十六根蘆筍……

買十一頭鴨……
殺豬，秤七十四公斤的肉……
做兩桶肥皂。[70]

家戶經濟是一項共有計畫，而女性在經濟生活中至關重要。在這個時代，女性付出的勞力不容忽視且價值不凡，成為早期美國經濟的重心。[71]

男性戶主的威權有限。根據法律規定，一家之主可對妻子、孩子與傭人進行「適度」體罰，但不得控制其生命。麻州明文禁止丈夫對妻子進行肢體上的「懲罰」。此外，一家之主有義務養活眷屬。女性可行使的權力通常基於其社會與生理性別。同時，她們可能會在必須宰殺的情況下，對家中飼養的禽畜產生感情。大多數的殖民家庭關係或許比較少有父權上的絕對掌控，而是如父親般的關愛照護。在這種時代背景下，家庭內部會發生各種大大小小的事，以致其經濟與情感生活複雜又矛盾。

婚姻與親職為家庭中四種經濟關係的其中之二，另兩者為主人與傭人，以及主人與奴隸。在殖民時期，約有半數的自願移民為契約傭人。[72]美國經歷了兩波白人契約傭移民浪潮，先是十七世紀的切薩比克灣，後是十八世紀的德拉瓦河谷。合約一般為四到七年，年輕傭人通常會四處遷徙，希望能改善生活狀況與建立自己的家庭。許多人順利如願，但在法律上，白人傭人與黑人奴隸都是雇主家庭的一員。

來自英國的契約傭人威廉・莫雷里（William Moraley）在一七二九年從倫敦搭船，最後抵達了賓州的伯靈頓（Burlington）。雇請莫雷里的那戶人家成員有「一位妻子、兩個女兒、一個姪子、一名非裔奴隸、一名買斷的傭人，還有我自己」，另外還有一位「貴婦」。[73]莫雷里與雇主簽訂五年合約。他修繕屋內的損壞處與器具，以換取食宿與衣物，與家庭成員一同用餐，並與另一名傭工同睡一張床。莫雷里請求雇主將他賣給費城的一戶人家，但雇主拒絕了，於是他偷偷逃走，被抓到後遭到囚禁與毆打。由於勞力短缺，契約傭人能與雇主有一些談判空間。經過費城市長居中協調，莫雷里回到雇主身邊，但合約期限縮短了兩年。

在雇主與傭人的關係中，除了契約之外還有兩種類型。一是計酬工作。美國的工資比英國高，但「受雇者」在法律上依然是從屬地位。受雇者依法不得在契約期限終止前辭去工作。假使這麼做，他們就不能索領之前勞務應得的工資。在這樣的事實下，薪資勞動還不能算是後來所謂的「自由勞工」。[74]作為交換，雇主對雇工也負有義務，他們不能解雇受雇者。如果雇工在工作期間受傷或生病，雇主必須提供其生活所需，彼此享有互惠但「不對等」的權利。[75]

另一種是其他家庭收容的孤兒。殖民地利用家戶體制來改善貧窮的情況。換言之，某些殖民地並未選擇資助貧民所或進行「貧民救濟」，而是付錢給各個家庭的戶長，請他們收容孤兒及老人與殘障者。[76]在這種情況下，「傭人」與布萊克斯通提出的另一種家戶經濟關係「監護人」，有時難以區別。

最後一種家戶經濟關係為主人與奴隸。奴役制度依種族、持久性與可繼承性而有所不同。奴隸沒有法律權利擺脫這個身分，在殖民地區，奴隸解放的現象非常少見。來到美洲殖民地的移民中有四成是非裔俘虜，而在美國革命前夕，英屬北美地區有兩成人口是奴隸。殖民地有百分之九十六的非裔人口是白人家庭的奴隸，[77]其餘的百分之四雖然不具奴隸身分，但在法律上並無確切的資格可獨立成家。

黑奴屬於動產。殖民地的奴役法起初遵照影響重大的一六六一年巴貝多奴隸法典，之後逐漸將奴隸視為如同土地的私有財產。[78]英國國會通過的《一七三二年國王陛下在美洲殖民貿易與殖民地債權之簡易回收法案》，使英國債權人能夠更輕易地收回真正的財產，包括奴隸。[79]至此，奴隸正式成為白人雇主的私有財產。

黑奴受到的待遇通常比任何類型的白人傭人還要嚴酷。莫雷里指出，在十八世紀中期的賓州（在當時對黑奴來說還不是最糟糕的地方），白人契傭的生活「並不好過」，但「黑奴」的處境更加「悲慘」。他逃出雇主家，順利爭取到契約年限的縮減。但是，倘若今天逃跑的是一名「黑奴」，就會遭到「無情的鞭打」。[80]在雇主家時，莫雷里深信他的房間有一名遭到殺害的黑奴陰魂不散。當然，黑奴制度的出現，讓他更加珍惜自己的契傭身分。

自由是個浮動的目標，在這個時期，奴役制便位於經濟依賴與不自由狀態的光譜邊緣。在這個範圍內，肉體強迫是常有的事。白人契傭甚至會被交易販出。奴役制在自由國度裡並非一種奇特的異常現象，但黑奴制是最基礎且低劣的家戶經濟關係。這時期的家戶經濟仍然與家庭生活緊密相關，「家裡的」可指涉家庭或親密情感，但也是馴化與支配。動物馴養與人身奴役的歷史交織已久，如果說牛是世界上最早受人類支配的生產性資產，則奴隸也是。一位歷史學家將奴役稱作企圖將人類「動物化」。[81]威廉・伯德二世提到自家的牲畜與奴隸時，也帶有同樣父權的語氣。美國奴隸主的「父權」意識形態在十九世紀廣泛流傳。據一位歷史學家指出，在十八世紀，奴隸是「家庭及其財產的一部分」，但「通常不被視為家庭成員」。[82]另一位史學家表示，主人一般都認為奴隸是「不幸的野蠻人」，對他們充滿懷疑、疏遠與恐懼，並經常在日記中稱那些奴隸是「魔鬼」，[83]也經常對他們施以殘忍與奇特的懲罰，像是烙刑、肉刑、去勢、割耳、火刑與五馬分屍。

一些主人還幻想將奴隸轉變成完全資本化的勞動力。但是，受人奴役的生活有某些面向始終不隸屬於資本的範疇，不論是個人與群體，非洲人與非裔後代都普遍抗拒為奴，因此非裔美國人形成了自己的家庭與文化。[84]有別於西印度群島，北美洲的奴隸生育率高，賦予黑人的親緣關係一種不同的特質。但在此同時，黑奴的有性生殖與生育勞動對白人奴隸主而言，卻是一種資本的積累。在白人奴隸主眼裡，奴役非裔女性代表資本資產增值的潛力，因為預期的生物性增殖意味著未來的商業性增長。非洲人與非裔後代的生物性增殖，呼應了資本思想的起源及其遞增與成長的概念。[85]

當時的不自由狀態到了今日已不復存在，因此我們很難以現代的標準去評估殖民地的社會秩序。如果我們根據家庭收入與財富來衡量經濟不平等，那麼一七七四年的十三個英屬北美殖民地，在經濟上算是世界上最平等的社會（在可衡量的社會之中），並且享有世界上最佳的生活水準。美國家庭收入平均比英國家庭高出百分之五十六。由於資源豐富，美國的生活成本自然相對低廉，財富、財產與資本的分布也要廣泛得多。在沒有貴族階級的社會中，北美殖民地相對於英國有更多

「中等」的有產戶長，他們也有權參與政治事務。今日許多經濟史學家相信，是更大程度的平等與更全面的政治參與促成了經濟福祉。[86]若我們採用這些衡量標準，一七七四年的北美殖民地在經濟上比二十一世紀初的美國還要平等。當時，前百分之一的所得階級（包含奴隸主）賺取的收入占了總人口收入的百分之八點五；二十一世紀初，前百分之一的所得階級賺取的收入比例則是過去的兩倍，占了美國總人口收入的百分之二十。[87]

這些數字讓人對二十一世紀初的經濟分配模式感到沮喪，但這並非全貌。以家庭收入為基準比較，會發現美國奴隸的經濟生活水準比英國最貧窮的自由民還高，[88]這樣的對比顯然遺漏了一些關鍵。階級制度是殖民家庭的常態，也是美國殖民生活的中心體制。北美地區可能相較其他殖民地來得平等，但「扶養率」高。當時，這些未必會形成矛盾。若要享有自由，就必須與個人眷屬共享經濟生活，不論是控制他們、照顧他們或雙管齊下。

總而言之，在經濟上，北美殖民地對成年白人男性而言無疑是個好地方（不論他們多麼富有或貧窮），而這樣的情況持續了很長一段時間。

賭徒與農民

長久以來，歷史學家對於如何正確解讀早期北美家庭經濟生活一事爭論不休。[89]某些學者提出了明確的問題：這些家庭是否以市場為導向？美國殖民在經濟方面是否具備理性？

問題是，早期的美國家庭是一種複雜又矛盾的體制，因此這種非此即彼的問題對於釐清沒有什麼幫助。真正應該探討的是，究竟是什麼樣的衝突既推動又抑制了家庭商業？是什麼賦予其正當性，卻又同時限制其發展？

偉大的經濟史學家威廉・帕克（William Parker）曾敏銳地指出，早期美國家庭具有一種分裂的經濟性格，[90]他區分成兩個理想類型，分別為「農民」與「賭徒」的心態，而衝突便在兩者的矛盾中發生。所有美國殖民家庭都可說是不同程度上的農民與賭徒。農民渴望獲得地產，包括政治的資格保障、一棟可建立家庭的住宅，以及取得生活基本經濟必需品的非商業管道。對農民而言，地產跟財富一樣可確保一定的生活水準，但它不只是資本而已。對比之下，賭徒將地產視為資本。出於對未來金錢收入的渴望，賭徒追求亞當・斯密所謂的「貿易收益」。

賭徒與農民都希望獲得土地占有權與財產權，但動機並不相同。賭徒之所以希望取得財產權，是為了保障自己對資本資產的金錢投資。在美洲殖民地，投機性的資本主義土地市場蓬勃發展。隨著時間過去，早期殖民者起初與印第安民族經歷「持續多方的談判，包含一系列的贈與、補助，以及針對契約所做的協議與修訂」協調而成的「印第安土地契約」制度，成為殖民者透過強制與欺騙手段以剝奪原住民土地的工具，而這通常是為了將那些土地放到市場上進行私人買賣。[91]到了十七世紀末，土地投機集團出現（就連在信奉清教的新英格蘭也不例外），向非本地居民的投資者募資。[92]國會於一七三二年頒布的債款回收法，使得殖民地的土地遠比其他社會的地產流動性更高且帶有貨幣意涵。一個世紀後，知名的美國法律思想家約瑟夫・斯多利（Joseph Story）在《憲法論》

（*Commentaries on the Constitution*，一八三三年）中強調，土地逐漸成為「貨幣的替代品，因為它具備移轉的便利性且得以迅速轉變為個人財產」。由於土地的適銷性與貨幣的稀缺，土地所有權成了一種保值手段，以備下一次投機之需。

投機交易讓早期殖民者和土地獵人嘗到了確保利益的甜頭。當殖民化的優勢變得顯著，賭徒便可獲得資本收益，也就是資產增值。美國建國世代的人們所寫的信件，有時讀來感覺就像一群精明能幹的土地投機客在互相交流。來自維吉尼亞州的農場主與土地測量師喬治・華盛頓（George Washington）在一七六七年提出警告：「任何人……若是忽視當前獵尋良地並在某種程度上將土地占為己有以免其他人墾殖的機會，將再也無法收回土地。」[93]

一位歷史學家指出，在美洲殖民地，尤其是維吉尼亞州，「土地投機行為異乎尋常地腐敗」。[94]殖民地本身有時會煽動這種行為，將領土分配給投機的「土地公司」，條件通常是對方得在當地定居與從事建設。其中最惡名昭彰的一例，即一七四八年維吉尼亞州授予知情的俄亥俄公司（Ohio Company）約八萬多公頃土地。對此，倫敦政府無能為力。照理來說，殖民者不該直接向印第安人購買土地，因為只有國王擁有那樣的「先占權」。然而，仍有殖民者「直接交易」土地，而這本身就是土地投機行為，造成許多可恥的詐騙情事。一七五七年卡姆登（查爾斯・普萊特，卡姆登伯爵一世〔Charles Pratt, 1st Earl Camden〕）與查爾斯・約克（Charles Yorke）共同宣布的判令侵害了印度當地原住民的權利，並合法化了北美地區許多「直接交易」。對賭徒而言，將預期的土地申報所有權成了一種合法的藝術，這類訴訟到了下個世紀依然存在。

無論是否透過投機的方式，賭徒取得土地後大都會進行商業生產來尋求金錢收益。一開始，殖民化只出現於海岸與可通航水道周圍的土地，因為最容易進入市場。低劣的道路建設限制了內部市場的範圍，但殖民地的農民利用馬車與馱畜跨越長程距離與崎嶇地形來販售商品。[95]賭徒們大費周章地墾殖整地，以建立具商業價值的農場，並提高其作為可移轉資本資產的價值。有些人朝專業化發展，將愈來愈多的土地面積投入商業生產。他們一天比一天貪得無厭，花費更多的時間與精力努力工作，只為了有更多錢可購買夠多的英國消費性商品。[96]在十八世紀漫長的商業熱潮中，隨著大西洋地區的利率下降，賭徒們也相繼債台高築。過去，貸款助長了北美大陸的商業殖民活動，如今，貸款依然在推動當地的商業發展。有鑑於大西洋地區商品價格波動，殖民地賭徒承受了無法償清債務的巨大風險，這表示他可能必須拿財產抵債。為了鞏固投資者的信心，英國國會於一七三二年通過的債權回收法案，保障了債權人的財產權。[97]

相較之下，農民對土地的渴望與獲取土地的意願不亞於賭徒，但原因並不相同。由於缺乏聲討土地的高明手段，農民希望「改良」土地的努力足以作為申請合法所有權的依據。他們之所以尋求不容置疑的財產權，是因為地產與財富是唯二能讓他們的生活免受他人任意干預的事物。為了從印第安人手中取得土地，農民並未採取投機狡詐的方式，而是訴諸暴力攻擊，經常令帝國政府頭痛不已。在美國革命爆發前夕，這種情況在偏遠地區「總督」發起的一連串土地掠奪叛亂行動中達到了巔峰。[98]

農民渴望獲得土地還有一個原因，那就是地產可幫助他們直接取得生活必需品。亞當・斯密就

「貿易收益」提出了許多絕妙觀點，但關於貿易可能造成的損失卻著墨甚少。[99]對不受雇主支配的美國自由民而言，土地所有權不僅讓他們脫離了獨斷妄為的社會與政治勢力（即亞當・斯密最擔心的不確定性），也擺脫了商業市場的變化無常。市場的範圍並非一直都保持穩定。農民直覺認為，市場經濟無法永遠保證製造商供應的所有商品市場都有充分需求。

傑佛遜身為維吉尼亞州的地主、奴隸主與革命人士，以自身經歷所提出的見解最具優勢，雖然他並未親自實踐過。他在《維吉尼亞州筆記》（*Notes on the State of Virginia*，一七八五年）中寫道，「世上的勞工都是上帝的選民」。那些「靠自身的土地與勤勉以維持生計」的人們實現了獨立，不同於那些「仰賴顧客的隨意與任性養家糊口」的人。[100]受惠於商業發展、豐沛資源與奴隸制度，美洲殖民地的自由民（尤其是南方）享有高度生活水準。維持生計的生產未必意味著殖民地會陷入極度貧困，畢竟農民們擁有五十公頃的土地。因此，何必讓所有生產都冒商業風險呢？何必賭上農場的營運呢？傑佛遜言下之意是，光靠商業的經濟生活太不穩定，無法徹底支撐一個「獨立」的家庭。家庭必須有自給自足的能力。唯有當生產大於消耗時，產品才能進入市場，透過交易換取自家沒有或無法生產的東西，抑或是跟貿易收益賭上一把。

多數時候兩者可以同時達到。由於「扶養率」高，家庭往往隨時都有勞力準備從事商業農場的資本化，並同時生產生活必需品。有約五十公頃的土地供他們耕植必要作物與生產市場商品，可說是綽綽有餘。某些區域具有更好的市場准入，某些地方土壤更肥沃（不同於地形多岩的新英格蘭），但很少有地方完全與市場隔絕。市場的參與和緊縮不斷循環。過渡到資本主義的演變並不是一口氣達成，而是一系列層層相疊的「市場革命」，以及某些地理環境特有的反革命，才鋪成了今日的一切。

到了殖民末期，大種植園主與中等階級自由民廣泛實行一套「安全第一」的商業農業制度，家家戶戶都稱之為實現「不愁吃穿的生活」。[101]早期美國家庭一般都直接消耗了自家生產的大部分物資。殖民時期結束時，有百分之九到十三的殖民經濟生產目標是大西洋市場。殖民者彼此往來的沿海貿易可能也呈現了類似的數據，相對的，由於內陸地區交通運輸不便，貿易量相對來得低。概括而言，在高度商業化的地區，[102]約有三分之一至二分之一的商品流入了市場。[103]然而，土地所帶來的心理安全感與物質生計，既推動了商業投資，也抑制投資動力。

但是，有時會發生衝突，因而扭轉了局勢。隨著市場範圍愈來愈大、交易流動性愈來愈高，一旦貿易帶來了收益，商業的自利有沒有可能誘發賭徒的心態，壓制住了農民心理？亞當・斯密式經濟成長有沒有可能加快腳步？資本及其對金錢收益的追求，有沒有可能利用財富的生產來達成目的？

傑佛遜從自己在維吉尼亞州的處境著眼，成了這種經濟意識形態最能言善道的捍衛者與倡議人士。他主張，商業有推動的必要，但也必須被抑制。他將這個願景一路帶到革命的戰場上。

第三章　共和國的政治經濟

有數十年的時間，英國重商主義政府直接對北美洲商業活動開徵的稅收少之又少。然而，與法蘭西帝國打了代價高昂的七年戰爭之後，英國通過《印花稅法》（Stamp Act of 1765）對美洲財產實施全新稅制，以提升帝國歲入。稅金的增加，以及倫敦政府屢次試圖牽制殖民者侵犯印第安人土地的措施，激起了殖民地的反抗聲浪，導致了美國獨立戰爭。北美殖民地於一七七六年宣布脫離大英帝國獨立，最終在一七八三年，國王喬治三世的代理人簽署了《巴黎和約》，承認新立的共和國，美利堅合眾國（美國）隨即誕生。

大西洋世界全新的革命紀元自此展開。[1]然而，甫成立的美國處境依然危險，對外面臨歐洲各大帝國的脅迫，對內又飽受本地勢力的鬥爭與分離主義運動所苦。直到與英國的第二場戰爭於一八一二年戰爭結束後，美國才確保國家獨立地位。當時，源自所謂的「漫長的美國革命」（一七六五至一八一五年）的共和國政治經濟特性，已經逐步顯現。

在這個致力賦予人民主權的新立共和國中，古老的問題再度被提及。在「人民主政」的政體中，商業應該擺在哪個位置？要同時鼓勵與管制商業發展，需要哪種政治力量？又應該採取哪種方式？以何種公共福祉為目的？這場革命在許多方面可說是一場內部衝突，美國人與政治領袖始終無法團結一心，也無法解答有關政治經濟特性的基本問題。[2]數個世紀過後，他們依然如此。

巨大的個人與政治仇恨

一八一五年，漫長的革命紀元結束之際，出身維吉尼亞州、在六年前卸下兩任總統職務的傑佛遜，住在蒙蒂塞洛（Monticello）的莊園宅邸，過著身旁有法國醇酒、書香、任勞任怨的黑奴與各種新奇古怪的玩意圍繞的愜意生活（他本身還是旋轉椅的法定發明者）。這時，漢彌爾頓過世已屆滿十一週年，他在與時任美國副總統亞隆・伯爾（Aaron Burr）的一場決鬥中身亡。

歷史不只記錄偉大先人的作為（傑佛遜與漢彌爾頓無疑都在其中），還描述普通百姓的生活與時代，以及資本主義等由人類策畫卻讓人失望的龐大勢力。當然，在一七九〇年代初，傑佛遜與漢彌爾頓之間「巨大的個人與政治仇恨，堪稱美國編年史上經典之作的傳奇」，為後世廣為傳述。[3]儘管如此，他們對彼此的憎惡，引燃了關於一項共和國政經協議的革命性衝突。若想闡述美國革命在美國資本主義史上的重要性，沒有比這更好的起點了。

這場革命徹底改變了美國人的政治生活，從有關主權的抽象觀念到日常情感不一而足。[4]然而在革命時代，日常經濟生活依然延續，家庭仍是核心單位，性別動態相當穩定，且共和國持續進行鄉村化，以土地、牲畜與奴隸構成主要的生產性資本。此外，經過數世紀的重商主義帝國國家建設，大多數參與其中的人們都充分意識到，政治與經濟生活密不可分。套用歷史學家高瑟姆・饒

（Gautham Rao）的話來說，「國家與市場必須分離的這種觀念根本不存在」。[5]而在這個時代，要為共和國長期經濟願景的勾勒負起最大責任的是政治家而非企業家。例如，有誰會記得，德比（Elias Hasket Derby）這位來自薩林，且在一七八七年向中國敞開直接通商大門的後革命時代美國首富？[6]在革命世代，主導經濟變遷軌跡的是偶然發生的政治事件，而非企業創新。

革命領導階層面臨的任務十分棘手。經濟上，殖民地居民在大英帝國的庇蔭下衣食無虞，一旦脫離英國重商主義，生活就充滿了風險。美國革命戰爭封鎖了大西洋貿易，削減了海外的商品需求，而一個多世紀以來，這一直是殖民者邁向繁榮的主要途徑。軍事行動將農戶與田地摧殘得滿目瘡痍。一名歷史學家將這個時期的艱難情況比作一九三〇年代的經濟大蕭條。[7]混亂失序的公共財政與通貨膨脹從內部破壞了整個信用體制，緊接而來的是獨立後的通貨緊縮與債台高築。而依舊奉行重商主義的英國將美國排除在長久以來視如珍寶的西印度市場以外，使得這一切更雪上加霜。據估計在一七七〇到一八〇〇年之間，人均所得可能減少了兩成以上。[8]

在此經濟背景下，繼一七八八年美國正式立憲後，漢彌爾頓與傑佛遜之間的政治衝突首度攤在陽光下。當時他們兩人都是政府官員，也都是總統華盛頓的內閣成員。撰寫浮誇序文與基礎法規的時機已經過去，現在是實際治理的時候了。

因此，一七八九年是個特別的時刻，對所有後革命時代的社會都是如此。美國革命剛過不久，即使是最平凡無奇的立法，似乎仍會造成最嚴重的影響。由於其中牽涉的政治風險極高，因此政客們可能會將個人的輕視解讀成在挑戰他們的革命理念，真正的政治難題則會被視為人身侮辱。[9]這種態勢可能會導致政治人物遇到紛爭時就採取決鬥等老規矩來解決，漢彌爾頓（及其子）便因此喪命。因革命的記憶與意義而起的戰鬥形塑了未來幾年的政治，革命領袖的性格，也因此成為革命政治分歧中的各個意識形態投射的對象。[10]在一七九〇年代，這種事情就發生在漢彌爾頓與傑佛遜身上。

事後看來，雙方陣營之間出現的第一次分歧顯得微不足道：國會應該對入口的英國船隻課多少稅？這起爭論引爆了一場史詩級衝突。

對外商業政策並不是一件小事。美國不僅仰賴出口市場作為最關鍵的貿易需求來源。在地緣政治上，新生的美國誕生於這樣充滿好戰帝國的世界裡，更是危機四伏。漢彌爾頓選擇在貿易方面與大英帝國重修舊好。同時，身為財政部長的他仿效英國，推出一項野心勃勃的聯邦計畫以啟動長期的國家經濟發展。金融、商業與製造業齊頭並進，實現大規模的啟蒙運動「進步」願景。為了推動經濟發展，漢彌爾頓看準時機重組公共財政體制。他命令聯邦政府對長期公債進行資本化，因為英國經驗表明了這樣得以促進活躍的私人資本與信用市場。此外，他也特許設立以英格蘭銀行為模型的美國銀行（Bank of the United States）。為了推動各項計畫，漢彌爾頓一向積極試圖讓對利潤的追求緊密結合公共權力、市場及國家。

傑佛遜反對這種做法。身為國務卿，他渴望看到美國立刻擺脫對重商主義大英帝國的所有商業依賴。假使向所有國家開放港口，美利堅共和國將可成為全世界「自由貿易」的燈塔。在此同時，如果說漢彌爾頓與生活在都市的商業精英志同道合，那麼傑佛遜便可說與農村的白人戶長、甚至是勢力較小的自由民意氣相投。漢彌爾頓將眼光放在東邊，向英國經濟發展的長期模式看齊；傑佛遜則望向西邊，專注於美洲大陸內部。在他看來，美國的長遠未來在殖民擴張，包括以奴隸為主的殖民行動。共和國的政治經濟目標不該是推動金融、商業與製造業同步發展，而是應該讓白人男性普遍獲得財產所有權。

一七九〇年代，漢彌爾頓與傑佛遜截然不同的個性，以及對立的共和國意識形態，成為美國最早出現的兩個政黨組織的基礎：漢彌爾頓一派為聯邦黨（Federalist），傑佛遜一派則為民主共和黨（Democratic-Republican）。萌芽中的民主政治，將在這兩種對後革命時代政經解決方案的長期願景之間做出選擇。本性使然，漢彌爾頓一心想展開決鬥，而個性溫和的傑佛遜則巧妙地謹慎以對，但別誤會了，傑佛遜非常討厭漢彌爾頓。

漢彌爾頓與「金錢資本」

傑佛遜對漢彌爾頓的憎惡過了一段時間才開始滋長。

緊接在一七八八年美國立憲後，他們以華盛頓總統最重要的兩名內閣成員的身分抵達了臨時首都紐約市。兩人面臨的第一個問題是，政府無力償還獨立戰爭留下的龐大債務。更糟的是，大英帝國拿重商主義來對付舊時的殖民屬地。

退一步來說，美國的金融與財政體制全面失序，尤其是公共財政。在美國政治圈，所謂的貨幣問題早讓人見怪不怪。[11]在獨立革命之前，殖民地居民抱怨貨幣短缺已久。英國的重商主義很早就禁止殖民地鑄造貨幣。儘管如此，殖民者仍嘗試抵押土地以發行紙幣，殖民政府則透過課稅（有時是燒毀）來收回貨幣以抑制通貨膨脹。國會分別於一七五一年與一七六四年頒布的《貨幣法》，進一步限制了貨幣的發行。[12]《印花稅法》要求殖民地居民以英鎊納稅，但這種貨幣就連當地的富人手上也沒有，使得這場政治危機爆發。[13]

為了打這場獨立戰爭，美國人借錢籌款。受惠於十八世紀漫長的低利借款時代，他們以百分之五到六的利率出售歐洲公債，並承諾將用強勢貨幣償還，另外也以相同的利率向本地債權人簽發本票。一七九〇年，財政部長漢彌爾頓估計，原則上聯邦政府還積欠了兩千九百萬美元的債務。除此之外，各州債務總額也高達兩千五百萬美元。但是在獨立革命期間，美國重新引進了紙鈔。

大陸會議（Continental Congress）與各州都廣印不以強勢貨幣為基礎的紙鈔。因此，謀反的殖民地起而主張新主權。大陸會議印製了約兩億四千一百五十萬美元的「大陸幣」。供應軍糧的農產品市場繁榮發展，進而推動了生產。[14]儘管如此，在戰時的混亂下，許多產品都被直接消耗掉，貨幣的數量也超越了可銷售商品的產量。到了一七八一年，一百六十七塊的大陸幣只能兌換一美元硬幣。通貨膨脹破壞了人們對商業前景的預期，削弱貿易信心與市場參與。

漢彌爾頓與傑佛遜上任時，信用制度狀況堪憂。消費者的抵制在美國革命期間向來是有力的政治武器，但在一七八三年簽訂《巴黎和約》之後，後革命時代的美國民眾突然開始恢復購買英國商品，而倫敦政府也再度擴大消費所需的貸款額度。英國國會通過的《航海法案》將美國排除在有利可圖的西印度轉口貿易之外，但在仍是殖民屬臣的時候，這個貿易曾是殖民者賺取貿易信貸以獲得英國進口貨物的重要途徑。來自維吉尼亞州的詹姆斯・麥迪遜（James Madison）抱怨，英國「剝奪了我們與西印度群島進行貿易的權益」。[15]一七八〇年代中期，自英國進口的貨物量是自美國出口的三倍，貿易逆差嚴重，[16]美國只好仰賴債務來填補這道缺口。《邦聯條例》（Articles of Confederation，一七七七年擬定，一七八一年通過）使美國國會在英國重商主義真正來襲前就已命運多舛。有九個州通過了重商主義式的管制，不僅限制英國貨物進口，也限制從其他州運入的產品。例如在一七八〇年代，康乃狄克州對來自麻州的商品課的稅金，比針對英國商品還要重。[17]國家層級的統一貿易政策在當時並不存在。

一七八〇年代晚期，美國對英國的貿易逆差導致了債務危機與激烈的商業衝突。一七八五年，英國債權人的不安心理促成了債款回收並停止放款。同時，大多數州不再印鈔，透過法律強制要求債務人以強勢貨幣還清貸款。多個州都提高稅額，以償還獨立革命所留下的債務。由於貨幣透過徵稅回收，因此市場上的各種消費都大幅萎縮，都市人口的工資與商品的價格雙雙驟跌。然而，許多債務金額並未因為通貨膨脹而減少，依然高居不下。家家戶戶為了還債而努力存錢，但減少開支的結果便促成通貨緊縮。於是，社會進入了二十世紀美國經濟學家爾文・費雪所謂在一九三〇年代經濟大蕭條期間發生的「債務通縮」惡性循環，經濟發展嚴重衰退。[18]

家庭戶長們紛紛向州立法機構尋求政治補償。美國革命的目的是反抗過度膨脹的行政權力，而後革命時代的州政府在當時算是相對民主的機關。[19]農民尤其需要減免債務與稅收。[20]一七八四年，南卡羅來納州副警長傳喚農民赫澤凱亞・馬哈姆（Hezekiah Maham）出庭面對債權人。馬哈姆不但拒絕出庭，還把令狀塞進副警長嘴裡要他吞下去。[21]謝司起義（Shays's Rebellion，一七八六至一七八七年）是一場發生在麻州農村的抗稅運動，驚動了美國各地債權人精英。飽受債務所苦的農民要求以實物償款，例如用玉米或乳牛取代稀缺的現金。還有更多人要求州政府恢復印製紙鈔，希望透過通貨膨脹來減輕債務負擔。某些州答應了這種請求。

這讓債權人心中的警鈴大作，他們大都為世界各地的都市精英，包括漢彌爾頓與麥迪遜（當時傑佛遜正前往巴黎展開一項外交任務）。債務是一種合約，是債權人的財產權。畢竟，美國獨立革命之所以爆發，正是因為英國未經美國人民同意就對他們的財產課稅。如今，支持民主的「多數族群」矯枉過正，竟然無視私有財產權。漢彌爾頓也主張，債務必須全額償還，因為如果像馬哈姆這種人都能死賴著債款不還，富有的美國人必然不願投資國家，更別說是握有資本的歐洲人了。漢彌爾頓擔心投資者失去信心。那些握有強勢貨幣的人們由於太過害怕而不敢放棄手中的流動性資產，票據信用制度也幾乎停擺。到了一七八六年，「國內外的信貸運作不再可行」。[22]

一七八七年在費城召開的制憲會議之所以成行，關鍵便是今日所謂的撙節政治。[23]經歷債務與消費的激增，美國接著面臨信用危機、通貨緊縮與景氣暴跌。債務人要求減免，債權人則反過來指責他們「懶惰」與「奢侈」，並要求以強勢貨幣償還債款。債權人呼籲國家實行財政撙節政策與提高稅額，以防止債務人肆意揮霍。他們及其擁護者主張，國家給予的擔保將能安撫投資人的信心，包括外國投資者在內（英國投資者也不例外），如果不滿足他們的政治需求，他們便會預防性地積貯財富、信貸與資本，對一切袖手旁觀。[24]這套論點在之後的數個世紀內反覆出現。

關於貨幣的問題，一七八七年制定的憲法有很多話要說。其中的條款對債權人有利。第一條第八項禁止州政府印製紙鈔，並將控制金屬貨幣的權力完全交予新立的聯邦政府。各州的印鈔權限到此為止。除此之外，第一條第十項更禁止州政府「侵害契約明定的義務」，包含債務人向債權人償還債款的義務。第三條則建立了全新的聯邦法院制度，在這一點上，立場與漢彌爾頓相同的麥迪遜認為有其必要，部分原因是州立法院對負債的農民過於友善。美國僅有約半數人口支持這套憲法，而麥迪遜與漢彌爾頓共同努力推動立憲，在約翰．傑伊（John Jay）的協助下，於一七八七到一七八八年緊湊地寫就了《聯邦黨人文集》（*Federalist Papers*）。[25]

憲法通過後，麥迪遜與漢彌爾頓這兩位一七八〇年代滿腔熱血的「民族主義人士」抵達紐約市以實行新憲法，彼此成了盟友。在兩人還年紀輕輕時，他們會一起到曼哈頓下城散步，沿路有說有笑，曾有名老婦表示，她在少女時代曾親眼看過他們「逗弄一隻在鄰居後院攀爬的猴子」。[26]但不久之後，他們的關係有了戲劇性的轉折。

一七九〇年第一次制憲會議召開時，漢彌爾頓提出《資助法案》（Funding Act），主張新成立的聯邦政府應負起財政責任，償還各州在獨立戰爭欠下的債務，這項政策被稱為「承擔」。他估計，這些債款加上利息共計高達七千九百萬美元（實際的數字接近七千四百萬美元）。[27]這些金額政治意涵重大。公債可說是革命時代大西洋兩端的社會中最具爆炸性的政治議題。英國的公債促成了一七六五年的《印花稅法》，最終導致了美國獨立革命；法國的公債致使國王路易十六召開「三級會議」，引爆一七八九年的法國大革命。可想而知，美國的公債可能會侵蝕這個剛成立不久的共和國的根本。

在意識到利害關係以及一如既往地從危機中嗅到契機後，漢彌爾頓制定了一項重組美國財政的大膽計畫，於一七九〇年一月的「公共信用報告」中正式公布，這是他第一份出色地闡述共和政治經濟的宏偉願景的公文。[28]他的提議如下：美國應全額償清積欠外國債權人的債款，而國內的債務將透過債券的發行依據票面價值進行再融資，並支付百分之四的利息。這個數字比當初承諾的少了百分之二，一口氣減少了三分之一的聯邦稅收需求。至於國內外的所有債權人，漢彌爾頓承諾將以強勢貨幣支付利息，這也預告了他的下一步：他在一七九一年提出的「造幣廠成立報告」確立了新美元的金銀複本位制。接著，他提議聯邦政府應承擔所有州屬的債務。最後，聯邦債務將永遠存在。重新發行的美國債券並未設定到期日，本金可能永遠都無法償還，但利息的支付將延伸到未來直到永遠。漢彌爾頓表示，目前聯邦政府只會處理利息的償付。據他估算，新成立的聯邦政府每年稅收必須達到兩百八十萬美金才足以支付，對內也將就財產開徵小額稅收，譬如對酒精生產課徵貨物稅。他也建議政府徵收外國貿易「進口稅」，對進口貨物實施適度關稅（其中以英國製造的商品為大宗）。

國會首先就漢彌爾頓提出的債券票面價值再融資一案進行辯論。戰爭期間，許多債權人都購買了低於票面價值的債券。當初，這些票據廣泛發行，政府甚至將其發給士兵以代替薪資。由於戶主缺乏勞工，農場運作大受影響，因此士兵紛紛將債券打折賣給商人。如此一來，戰時的商業停滯消弭了經濟不平等，債券也逐漸流入富裕的都市商人手中。到了一七九〇年，只剩不到百分之二的美國人持有獨立戰爭期間發行的債券。[29]漢彌爾頓的措施將讓這些精英分子獲得一筆意外之財，既符合票面價值又以強勢貨幣支付，而且利率合理。在國會上，評論家認為漢彌爾頓並未「區分」原始債權人與投機買進的族群，做法有失公允。難道那些為獨立革命浴血奮戰的原始債權人不該得到一些補償嗎？而站出來表示反對的，正是國會議員麥迪遜。不過，他並未贏得多數人的支持，最後漢彌爾頓的提案順利通過。[30]

此刻，麥迪遜的同情心背離了好友提出的政策，轉向了自己的故鄉。至於漢彌爾頓的另一個提案，假使聯邦政府「承擔」各州債務，麥迪遜認為自己出身的維吉尼亞州負債不如其他州，將在漢彌爾頓的計畫下付出超過負債數字的代價。對此，麥迪遜的想法獲得國會多數支持，也順利阻止了這項措施的通過。

麥迪遜成功後，某天傑佛遜在街上巧遇漢彌爾頓，地點就靠近華盛頓總統官邸的門口。傑佛遜回憶道，「他一臉憂鬱憔悴，感覺沮喪到了極點。看起來也無心打扮，衣著邋遢。他問我有沒有時間談一談。我們就站在總統官邸大門旁的街邊說話。」[31]漢彌爾頓向他解釋承擔法案對國家行政機關的「整體財政安排」的重要性，懇請他伸出援手。傑佛遜答應了，安排「麥迪遜先生」與「漢彌爾頓上校」到他位於曼哈頓下城的公寓共進晚餐，進行一場「友善的討論」。

對漢彌爾頓而言，國家承擔債務是關鍵，能確保新立的聯邦政府的權力與正當性。同時，這也會擴大國家的負債。就經濟而言，這其實是漢彌爾頓所希望看到的。他稱永久的負債是「國家的福分」。英國的經驗對身處獨立革命不久後的他來說尤其重要。一六八八年光榮革命過後，獲政府特許但由私人經營的英格蘭銀行（一六九四年）資助了英國一筆永久國債，使英國成為今日歷史學家所謂的「軍事財政國家」，坐擁打贏帝國戰爭所需的資源。[32]在公權力的支持下，私人資本市場逐漸成形，利率與期限都隨流通公債而有所調整。英國公債成了國家與帝國力量的象徵，也激發了長期的資本主義發展。工業革命就此展開。

美國與英國不同，考量到可用的自然資源有限及貿易傳統乏善可陳，漢彌爾頓認為「金錢資本」或供私人投資的財富與信貸，並不足以為這個國家非凡的長期經濟發展潛力提供資本。如他在「公共信用報告」中所述，適當的金融體制是讓美國充分發揮經濟潛力的必要條件，關鍵便是「銀行貨幣」或英國所謂的「信用貨幣」。有了由未來收入所支持的永久性國債，美國公債將在私人投資者手裡流通，實現「貨幣的大部分用途」。公債市場也成為私人資本證券市場出現的基礎。漢彌爾頓在一七九一年的「造幣廠成立報告」中，確立了美元作為強勢貨幣的價值，而憲法正式廢止了各州的印鈔廠，保障了貨幣的稀缺性。現在，他可以將增加貨幣與放款的裁量權賦予那些追逐利潤的商業精英。從供給端來看，國家精英分子組成的投資者階層，將能刺激創造財富的企業投資。漢彌爾頓對這個階層瞭若指掌。

漢彌爾頓生於一七五七年，地點很可能是西印度群島中面積狹小的英屬尼維斯島（Nevis）。[33]一七七二年，十五歲的他在聖克羅伊島（St. Croix）商人的贊助下前往紐約，進入國王學院（King's College，後改名為哥倫比亞大學）就讀。十八歲時，他為殖民地反叛運動寫了一本宣傳小冊，題為〈農夫一駁就倒〉（The Farmer Refuted，一七七五年）。十九歲時，他當上陸軍上尉。據說英勇果敢的他，成了華盛頓將軍最信任的副手。此外，他也覓得了良緣，據他妻子的姐姐描述，他的嬌妻擁有「讓人無法忘懷的美貌」。[34]戰後，漢彌爾頓攻讀法律、回到紐約，並在大陸會議中占得一席之地。不久後，他便主張美國需要一個「精力充沛」的「強大」政府。

漢彌爾頓不是重商主義者，因為他並不相信任何一套貿易差額學說。[35]但是，他完全吸收了政治經營管理的教訓，深知貿易有存在的必要，但也必定要有抑制措施。漢彌爾頓在一七八八年紐約憲法批准會議上表示：「改變人性，就跟反抗強烈的自私潮流一樣容易。」但是，「明智的立法者會溫和改變趨勢，盡可能將其導向公眾福祉。」[36]他認為目標是創造正確的組合，這聽來簡直就像沙夫茨伯里伯爵一世再臨。如漢彌爾頓在《聯邦黨人文集》第十二期所解釋的，「如今，商業的繁榮成為所有開明的議員公認最實用且最具生產力的國家財富來源，並因此成為他們在政治上關注的主要對象」。[37]一些反聯邦黨的憲法評論家表示，商業自利本身就可作為「團結的紐帶」。[38]不過，漢彌爾頓並不認同這種看法。在共和國裡，唯有國家權力能夠協調自利與大眾福祉之間的衝突。公共與私人利益必須、也必然牽連在一起，問題在於如何達到適當的整合。

漢彌爾頓堪稱是政治經濟思想家的始祖，論點可統稱為「漢彌爾頓學派」。[39]他熟讀亞當．斯密的著作，經常引述其論點來佐證分工的好處；他對金融議題的敏銳度無人能出其右；[40]他明白資本主義經濟發展以金融投資為首；他大膽假設，若適當運用國家權力，就能夠建立一套可同時為美國的商業、農業與製造業提供資金的財政系統。同樣地，他根據當代英國的案例來判斷，除了商業活動的擴大之外（就如古典重商主義者在世界貿易的大餅中獲利較多），國家經濟的密集發展也正快速成為國際關係中的權力槓桿。最後，漢彌爾頓也希望掌控國家權力，而他做好了放膽一試的充分準備。

漢彌爾頓的經濟世界觀還有一個面向值得一提。出身卑微、為非婚生子又是移民的他，是白手起家的優秀人才。新成立的聯邦政府同樣野心勃勃，正好適合他大展鴻圖。漢彌爾頓是一位革命家與共和主義者，但他認為政府應該由智者、富人與善人組成。他並不支持民主政體，他曾在制憲會議上表示：「人是混亂與善變的，因此他們很少做出正確的判斷或決定。」[41]他欽佩那些出身理想環境的紳商，那是他心目中望塵莫及的家境。那些人彬彬有禮、舉止優雅、通曉世故，可能就如一位評論家所說的，「在普林斯頓大學度過了渾渾噩噩的四年」。[42]當時，這個階層的人口數量可能低於美國人口的百分之五。獨立革命對經濟造成的破壞與一七八〇年代的民主「暴行」，減損了他們在地方與國家層級上的威權。對這群人而言，憲法是在國家層級上重建自身統治階級地位的機會。[43]漢彌爾頓希望讓精英分子的商業自利與建立健全國民政府的計畫緊緊相扣。反過來說便是，一個健全的國民政府必能誘使重商主義精英進行更大規模的私人投資。[44]不得不說，制憲者之中很少有人出身農家。

一七九〇年夏天，漢彌爾頓與麥迪遜一同到傑佛遜在曼哈頓的住家共進晚餐，達成了妥協。麥迪遜接受聯邦政府承擔債務的措施；漢彌爾頓則同意支持最終將首都從紐約市遷至波托馬克河（Potomac River）一片環境惡劣的沼澤，也就是未來的華盛頓特區。

漢彌爾頓沒有就此止步。數個月後，也就是一七九〇年十二月，漢彌爾頓發表了「國家銀行報告」，提議政府發給美國銀行效期二十年的聯邦法人特許經營權。他引述亞當・斯密的觀點，解釋了今日所謂「部分準備金」銀行體系的好處，認為這麼一來，銀行可借出比自身持有的貴金屬硬幣儲備（specie reserve）還多的錢，並以此說明私營銀行如何將貴金屬硬幣（「滯銷庫存」）轉變為「紙鈔流通的基礎」。這項措施讓信貸規模擴大到貴金屬硬幣儲備以上的金額，為金錢資本的形成與貿易的增殖提供了更多資金。逐利的美國銀行將可透過美國各地分行發放私人貸款，進而提升「流通工具的數量與流通的活躍度」，讓金錢資本「持續活動」。[45]

美國銀行將私人利益與公權力牽扯在一起，將金錢與主權融為一體。它就跟革命時期所有獲政府特許的企業一樣，是共和政府底下的次主權，而這個特定的企業次主權及其股東擁有龐大的權力。私人股東將擁有該銀行原始一千萬資本中的八百萬（比當時所有的美國銀行資本總額還要多），而聯邦政府將擁有兩百萬。美國銀行將能獨占聯邦政府的銀行業務。不可避免地，由於規模龐大，美國銀行實際上享有可擴大與縮減美國貨幣與信貸供給的權力。

漢彌爾頓在國會中再次遭遇反對的聲浪。在大英帝國，一七二〇年《泡沫法案》（Bubble Act）通過後，只有皇室有權核予股份公司特許權。在此之前，北美殖民地一直不存在銀行，一家也沒有。獨立革命之後，美國吹起一陣國家特許股份公司經營權的風潮，這些企業全都屬於營利性質，但每一家都具有明確的「公共目的」——包括海上保險、收費公路公司及某些銀行業公司。[46]在反對者看來，那些集團或公司不符合共和體制，帶有君主特權與壟斷的色彩。有些人並不希望公司獲得特許經營權，即便是在州屬的層級上也是。[47]國務卿傑佛遜與議員麥迪遜在憲法上反對漢彌爾頓提出的「國家銀行報告」，主張聯邦公司特許證未明文訂於憲法之「必要與適當條款」內。漢彌爾頓很快地反駁了這兩位來自維吉尼亞州的官員的法律論證。最後，銀行法案通過，美國銀行於一七九一年七月四日開放股票認購，短短一個小時內便銷售一空。

傑佛遜的「自由帝國」

麥迪遜驚恐地看著情況一發不可收拾。他向傑佛遜報告，「炒股的熱潮淹沒了其他話題。咖啡屋（Coffee House）裡時時刻刻都擠滿了賭徒」。[48]投資人不必花四百美金才能買到一股，因為他們可以靠二十五美元就買到「臨時憑證」，也就是未來預先購買股票的權利。這種憑證是可以兌現的，並且開始廣泛流通。僅僅憑藉想像與意志，漢彌爾頓為貨幣資本市場注入了活力。對傑佛遜而言，這無異於背叛了獨立革命的精神。脫離大英帝國獨立，本應促進農村白人戶主的利益，而不是金融資本家的利益。

漢彌爾頓與傑佛遜兩人都是共和主義者，但不是所有共和主義者在政治理念上都有志一同。[49]美國的革命人士自稱「輝格黨」，而漢彌爾頓與傑佛遜都認同一六八八年光榮革命後輝格黨留下的傳統。這兩人推崇十八世紀的大英帝國（當時殖民者的生活無憂無慮），也都認為獨立革命有其必要，因為喬治三世的政策偏離了英國真正的自由原則。然而獨立革命過後，漢彌爾頓秉持的共和主義趨於溫和，傑佛遜則變得激進，或至少帶有比以往更強烈的反英立場。想當然耳，他認為漢彌爾頓「對臨時憑證的狂熱」違背了獨立革命的精神。

傑佛遜跟漢彌爾頓一樣，從小生長在大英帝國的偏遠地區，長大後成了支持共和主義的革命家。[50]兩人的相似之處僅此而已。漢彌爾頓英俊瀟灑，而傑佛遜身材高瘦，個性靦腆。漢彌爾頓出身低微，而傑佛遜出身維吉尼亞州一個官紳家庭。在威廉與瑪麗學院（William and Mary College）初次接觸啟蒙運動的理想後，傑佛遜一路飛黃騰達，二十六歲便成為下議院的一員。他繼承妻子的房地產後，前後於一七六九與一七七三年在家鄉蒙蒂塞洛興建宅邸，名下財產包含四千多公頃的土地與一百八十名奴隸。三十二歲時，他成為大陸會議的一員。在獨立革命期間，他當上了維吉尼亞州州長。戰後，他受命前往法國執行一項貿易任務，在巴黎參與了攻占巴士底獄的行動。之後，華盛頓總統召他回國，任命他為國務卿。

不同於漢彌爾頓（及麥迪遜）的是，傑佛遜不是一位原創思想家。他最大的才能是為啟蒙運動打造口號，而這項天賦令人欽佩不已。說到這裡，就不得不重提之前引述過他在《維吉尼亞州筆記》（一七八五年）中對政治家戶經濟的看法（全文引述）：

> 如果說上帝的選民確實存在，那會是在田裡勞動的人們，他們的胸膛被賦予了豐沛而真實的美德……農民普遍道德敗壞在任何時代或國家都未曾有過。道德敗壞是屬於那些不仰賴上天、不靠土地與勤勉謀生的人們的標記，他們不像農民那樣，全靠隨性與變化無常的消費來

維持生計。依賴會引起屈從與腐敗，扼殺美德的萌芽，並成為狂妄野心的利器。一般而言，在任何一個國家，農民人口與其他階級的公民人口的比例，就代表其健全部分與不健全部分的比例，足以用於衡量腐敗程度。有土地可耕作時，我們絕對不希望看到老百姓忙於靜態工作或紡紗織衣。[51]

這段話是個共和主義者對美國農村家庭安全第一商業策略的解讀。獨立是自由的前提，包括不依賴變化無常的消費或難以預測的商業需求，但這樣的前提沒有任何以市場為基礎的經濟體系能夠擔保。維吉尼亞州每一位種植菸草的農民都清楚這一點，因為這些年來他們眼睜睜地目睹價格極端波動。在商業領域，依賴永遠是個潛在威脅。

共和主義者相信政治代表制。基於這個原因，在政治圈中，美國革命領導階層十分注重個人「美德」。共和主義領袖的所作所為必須「公正無私」，為大眾福祉著想。政治不該是追逐利己野心的場域，因為這樣會導致「腐敗」。如果一名政治代表不能「獨立自主」，如果他沒有足夠的財產，則「依賴」的傾向會使他變得墮落腐化，與共和政府格格不入。對於以上論點，漢彌爾頓肯定會大表認同，但傑佛遜提出更進一步的主張。除了共和國的領袖之外，共和國的公民也必須「善良正直」與「獨立自主」。要實現這一點，他們得擁有特定的財產與財富才行。政府在財政上突發奇想所核發的「臨時憑證」不算在內，因為這有導致依賴的風險。共和國的公民應該真正擁有自己的土地。傑佛遜的意識形態同樣受英國傳統影響。一六九四年英格蘭銀行取得特許權後，銀行與國家之間的牽扯成為政治辯論的主軸。有著「舊輝格黨」、「激進輝格黨」、「舊輝格共和派」或「農民黨」等各種名稱的輝格黨陣營，指謫內閣掌權者羅伯特・沃波爾（Robert Walpole）貪婪腐敗。[52]為了鞏固權力，沃波爾的確將英格蘭銀行的股票分發給身邊的支持者。[53]十八世紀，沃波爾的政敵依然持續譴責其財政腐敗，但他們的影響力已經逐步減弱。然而，美洲殖民地擁有少量銀行股票與大量土地的居民仍對這種意識形態照單全收。[54]英國「農村」政治理論學界的頭號人物，是第一代博林布魯克（Bolingbroke）子爵亨利・聖約翰（Henry St. John）。華盛頓成功將自己的一生規畫得就像從博林布魯克所著的《愛國國王的思想》（*The Idea of a Patriot King*，一七三八年）中走出來的人物。每個人都同意，華盛頓總統具有共和主義的「特質」。

傑佛遜將「農村」的共和主義民主化。他理想中的共和國公民不是麻木不仁的鄉紳，而是剛毅堅決的美洲自耕農。還用得著說嗎？傑佛遜不是單純的自耕農。他奴役黑人，對他們施以肉體、性與情緒上的虐待。他本身的共和主義「特質」令人難以評價。漢彌爾頓稱他為「無恥的偽君子」，而不管他到底無不無恥，再怎麼說都是個偽君子。[55]他具有現代所謂的「個性」而不是「特質」，這也是為什麼他到今日仍令後人深感著迷。相較之下，華盛頓即使更令人欽佩，有時卻給人一種無趣的印象。傑佛遜對他一生中幾乎所有事物都感到矛盾。他討厭城市，但熱愛巴黎；他鼓吹商業獨立，卻死於堆積如山的債務之下。他甚至還認為自己愛上了家裡其中一位奴隸。[56]

但在政治上，傑佛遜對身為自耕農的白人戶主的承諾不容置疑。當然，自十七世紀末轉而憎恨印第安人與非裔奴隸以來，維吉尼亞政治圈一直將白人種族團結視為守則。戰爭期間，傑佛遜提議將土地重新分配給維吉尼亞州的自由民。他成功推動廢除當地長嗣繼承與限嗣繼承制，擴大了白人的土地所有權。大致上，新立的州憲法「取消了封建時代延續至今對土地的繼承、分割與轉讓的大部分限制」。[57]在此同時，獨立戰爭夷平了菸草市場，而傑佛遜跟維吉尼亞州其他觀念改變的農民一樣，甚至考慮廢除奴隸制度。[58]他促使政府於一七八七年通過《西北土地法令》（Northwest Ordinance），禁止舊西北地區，即禁止後來的威斯康辛州、密西根州、俄亥俄州、伊利諾州與印第安那州實行奴隸制度。然而在那之後，傑佛遜就只會嘴上批評奴隸制的邪惡。漢彌爾頓對民主政體的厭惡揉合了廢奴主義，而傑佛遜成為蓄奴的民主制度倡議者，這至今仍是美國史上最令人匪夷所思的悖論之一。

傑佛遜提出的長期政經計畫跟漢彌爾頓的主張一樣滿腔熱血，概念很簡單，就是擴大白人自耕農共和國的疆域，將目光投向西部。[59]最重要的是，美國人民需要生存空間（Lebensraum）。他們必須擁有財產權才能保衛自由。商業終將出現，地產是資本沒錯，但不僅於此。土地可為一個道德化的共和主義者建立「獨立自主」與「美德」的基礎。白人仕紳與自耕農將與農村的「中庸景觀」融為一體，讓商業自利與農村共和主義的真樸擺脫偏見地達到平衡。如此一來，共和國中那些自命不凡的次主權家庭將能盡情享受「快樂的平凡生活」。[60]傑佛遜堅信，奴隸制度必將因為某人的作為而消失，黑人必須回到非洲去，印第安人則應該接受文明的洗禮或征服。一七八〇年，傑佛遜首度將這個願景稱為「自由帝國」。他預期後革命時代將可以看到財產政治的出現，也就是白人男性廣泛擁有財產的政治經濟。

傑佛遜認為漢彌爾頓過度執著於效仿英國的政治經濟。一七九〇年一月，有關漢彌爾頓提出「公共信用報告」的進一步消息，經由財政部副部長威廉．杜爾（William Duer）之口曝光了。紐約投機客安德魯．克雷格（Andrew Craige）與六名新英格蘭議員一同住在供膳宿舍，因為他知道除了知悉「公開資訊」的內情之外，「沒有其他方式可以進行安全的投機買賣」。[61] 聽聞各種臆測謠言，投機客爭相以遠低於票面價值的金額搶購維吉尼亞州八十三萬七千美元的公債與南卡羅來納州三百五十一萬美元的公債，等著坐收暴利。[62] 傑佛遜向麥迪遜控訴，投機客正在交易「聯邦汙垢」。[63] 後來，他回憶漢彌爾頓「是個奇人。從事政治交涉時向來見解敏銳、公正無私、態度誠實而可敬，待人和善，私底下也尊禮重德，卻被英國的榜樣所迷惑與帶壞，以致無可救藥地相信，腐敗對於一個國家的政府而言不可或缺」。[64]

在他看來，共和主義者的建國大業不該跟金融謀利行為扯上關係。永久性公債與法人化國家銀行成立後，傑佛遜確信一連串的英國恐怖陰影，諸如財政壟斷、政府資助、寄生官僚、高額重稅、常備軍力及戰爭將緊接而來。世襲的貴族政治甚或是君主政體都有可能捲土重來。

漢彌爾頓的政策對傑佛遜造成了一個迫在眉睫的問題：它阻礙了傑佛遜與麥迪遜推動經濟發展立法的議程，而這兩人的確預計提出一項法案。他們主張的第一條綱領是反重商主義的「自由貿易」原則，是激進的啟蒙運動理想。在獨立革命期間，美國的各個港口開放來自世界各地的船隻。一七八四年，傑佛遜受命前往巴黎，就他所謂的「全面貿易解放」進行協商。[65] 在務實基礎上，漢彌爾頓認為與英國重商主義和解是穩健的做法，加上他對自由貿易的抽象哲學興趣缺缺。然而，傑佛遜希望能徹底擺脫英國的重商體制，讓範圍橫跨大陸地域的美國將過剩的農產品銷往歐洲那片到處是工作台、紡紗桿、繁忙都會、債券市場與貪商的土地。他到了巴黎，但在外交上少有斬獲。秉持重商精神的歐洲不願讓步。

維吉尼亞州居民捨棄策略性反對行動，轉而巧妙地運用重商體系的限制，以爭取自由貿易。國會第一次開議時，這兩個未來的派別之間關係緊張，當時身為議員的麥迪遜提出了一項抵制英國進口的《航海法令》，幾乎等同於禁令。他以為拿美國市場當籌碼，就能迫使大英帝國坐上談判桌，事實卻不然。不過，傑佛遜認同他的看法。漢彌爾頓公布的財政報告傳遍各地，但很少有人讀過擔任國務卿的傑佛遜發表的全面性「美國對外貿易之特權與限制報告」（一七九三年發布），他在裡頭猛烈抨擊英國的重商主義。

漢彌爾頓無法忍受對英國進口貨物徵收高關稅，因為美國進口的貨物中有百分之七十七都來自英國。[66]他提議的適度稅收不是為了阻礙英國進口，而是希望提高承擔債務所需的財政收入，進而支持永久國債，以及資助他所主張的一整套發展計畫。

最終使傑佛遜與漢彌爾頓兩人之間的衝突變得白熱化的，是後者在一七九一年十二月公布的「製造業報告」。這是漢彌爾頓所提出最大膽無畏的報告。他寫道，美國銀行的成立與流通的公債是「擴大資本」的第一步。[67]接下來，「政府的刺激措施與贊助」將是鼓舞緊張不安的普通百姓投資製造業的必要條件。漢彌爾頓表示，政府尤其必須注意「謹慎精明的資本家對市場的信心」。為了誘使工業投資，他提議政府應直接補助優秀的美國製造商，這項政策今日稱為挑選贏家的「工業政策」。此外，漢彌爾頓核准紐澤西州一家製造公司實用產品製造協會（Society for Establishing Useful Manufactures，SEUM）的特許經營權。其總裁為前財政部部長助理、也是漢彌爾頓的好友威廉・杜爾。

然而，杜爾並非製造業的長期投資者，而是金融投機客。SEUM最初的股份在短短幾天內就認購一空，一股起售價為十九點九一美元的臨時憑證，不久後也漲到了五十美元。[68]杜爾很快地買進又拋售股份以求快速獲利。儘管如此，他最愛的投機路線是美國公債。一七九二年春天，他與其他投機客合資。他跟SEUM借了一些現金，獲取更多擔保物，以期抬高債券價格，但未能如願。到了三月初，杜爾已耗盡信貸額度。漢彌爾頓主掌的財政部要求收回借給杜爾的個人貸款，杜爾的債權人還威脅要把他從監獄裡拖到大街上開腸剖肚。一七九二年為時短暫的金融恐慌風波在美國史上前所未見。漢彌爾頓趁機拿財政部的資金買入資產（這種做法在今日稱為「公開市場操作」），以恢復交易流動性及穩定資本市場的價格，迅速消除社會的恐慌情緒。[69]

此時，傑佛遜難以容忍杜爾的行為。不論漢彌爾頓個人是否貪腐，他都建立了一個有可能出現杜爾這種人的政治經濟體，而光是這一點就夠糟了。

漢彌爾頓涉及的領域無疑超出了他能力所及的範圍。不可否認地，工業化不能被視為理所當然。漢彌爾頓說得對，許多「謹慎精明」的資本家傾向蓄積財富，而非冒險地將資金投入長期工業企業。除了謀利動機之外，工業發展還需要其他催化劑。漢彌爾頓認為，國家的激勵措施可提供這種外部要素。但是，雖然他運用聯邦權力所創造的資本市場可誘發這種投資，讓資產可以轉換為現金的流動性，也能促使潛在的短期投機行為。杜爾即證明了這一點。政府可以提供誘因，但企業家仍須具備投資公司產業的能力及欲望。

最後，在一次政治失誤中，漢彌爾頓忽視了美國既有的製造商，也就是崛起中的「技術工人群體」權益。這群人由技藝精湛的工匠組成，他們以家庭為基礎，而不是公司。他們是財產所有人，但是對資本的需求並不高。基於錯誤的認知，漢彌爾頓並不看好他們可以成為重要的工業化力量，因此提出的工業計畫大都無視於他們的存在。

同時，杜爾宣告破產。「製造業報告」在國會中形同虛設。維吉尼亞州的人民嗅到了一個政治機會可擴大傑佛遜的白人戶主意識形態，並涵蓋北方的技術工人，甚至是無法參與財政部預定舉行的聯邦拍賣的商人。一七九二年，麥迪遜匿名向報社投書，指控漢彌爾頓「偏袒社會的富裕階層」，更指出他堅信「人類沒有自我治理的能力」。[70] 到了該年底，傑佛遜的「共和利益」(即共和黨）公開槓上了漢彌爾頓率領的「財政部」(即聯邦黨）。

華盛頓企圖修補兩邊的關係。漢彌爾頓則開始在報紙上匿名長篇大論地抨擊傑佛遜。他私下向總統辯白：

> 我很清楚。從傑佛遜先生到紐約市就任的那一刻起，他就一直把我視為敵人。我也知道，據可信的消息來源指出，一直以來我經常遭受出自同一區惡意的流言蜚語與影射。長期以來，立法機關中有一個組織健全的政黨在他的支持下一心想推翻我。[71]

在遭到漢彌爾頓排擠而被迫離開華盛頓內閣之後，傑佛遜選擇辭去國務卿的職位。同時，他寫信向華盛頓透露：

> 我不會讓我的退休生活籠罩在一個人的誹謗之下，這個人自從在歷史上引起注意以來，策畫了一連串反對國家自由的陰謀詭計，而國家不但接納他、給他好處，還賦予他無數榮譽。[72]

這段關係永遠沒有修補的機會，傑佛遜也並非真的有意退休。

聯邦黨與共和黨

如今，利害關係已然確立，漢彌爾頓與傑佛遜各自主張的計畫可望開始運作並產生衝突。漢彌爾頓第一次有機會掌權。他提出的財政政策令人驚奇地成功了，[73]促使美國商業發展蓬勃。但不知怎地，他在政治上還是敗下陣來。

起初，一切都朝著聯邦黨希望的方向發展。漢彌爾頓透過國會推動一項主要只具象徵意義的酒類生產國內稅，引起賓州西南部的抗稅暴動，當地苦無現金的農民只能拿威士忌來交換所需的資金。一七九四年七月，華盛頓與漢彌爾頓親自出馬，和平地平息這場威士忌叛亂（Whiskey

Rebellion）。[74]一個月後，美國軍隊展開攻勢，在伐木之役（Battle of Fallen Timbers）擊退了俄亥俄谷由三十五支印第安民族組成的聯盟。最後雙方簽訂《格林維爾條約》（Treaty of Greenville，一七九五年），將俄亥俄谷割讓給美國。[75]同一時間，法國激進的共和黨員處決了路易十六，恐怖時期就此展開。法國大革命期間的多場戰爭為中立的美國商船帶來了絕佳的貿易機會。一七九五年，約翰．傑伊與秉持重商主義的大不列顛簽訂條約，允許美國人進行「無漁獲的航程」，將法屬與西屬西印度群島的物產先運往美國，然後再重新出口至歐洲。有了伐木之役的前車之鑑，英國也同意遵循《巴黎和約》，放棄了北美西部地區的軍事要塞。最終，與西班牙帝國簽署的《平克尼條約》（Pinckney's Treaty，一七九五年）讓美國得以進入密西西比河流域，包括在紐奧良港口的存貨權。因此，聯邦黨取得並擴大了美國在密西西比河以西的立足點。

在此同時，美國的公共財政資金充裕。聯邦政府在一七八九至一七九一年獲得的關稅收入總計達四百三十九萬九千美元，一七九五年更是超出五百五十八萬八千美元。[76]漢彌爾頓宣稱聯邦政府正「蒸蒸日上」，並辭去了財政部長一職。他私下寫道，「在幫助國家人民扎穩腳步之後，我該去照顧家人了，他們非常需要我。」[77]

漢彌爾頓選對了時機。當時的美國正經歷史上第一次的全國性商業繁榮。他所推動的財政改革成功便是原因之一。美國國家銀行延長私人貸款的期限，擴大了金錢與信貸的供給。「金錢資本」增加，各州也如火如荼地發展。在一七九〇年代，各州政府核發二十八家銀行的特許權（一七八〇年代只有三家）。[78]一七九一年，英國貿易局贊成新憲法中保護外國投資者的措施，歐洲投資者也重拾信心，[79]進而帶動金融資本流入美國市場，[80]亞當・斯密式商業化迎來大爆發。[81]

然而，促成一七九〇年代景氣繁盛的直接原因，是法國大革命期間的多場戰爭及其為大西洋地區帶來的商機。歐洲需要美國生產的糧食，而這意味著種植穀物的近大西洋中部各州發達昌盛，受惠於東北都市港埠開放的美國船運，更因此大發利市。南方的種植園主得到的好處雖然沒有這麼多，但發展了新的主要出口作物——棉花。剛成立不久的美利堅共和國與英國重商主義言歸於好，基本上在經濟方面重返殖民地位，與如今位處中立的西印度群島進行必需品的往來與其他貿易。貿易信貸再一次為進口英國製成品提供資金。[82]一位美國觀察家宣稱，「歐洲的紛擾帶來了如雨下個不停的財富，速度快到讓我們連拿盤子來裝黃金都來不及。」[83]

政治科學家指出，前景看好的經濟時代往往能造福在位的政治人物，而這也讓一八〇〇年傑佛遜與共和黨在政治上輕易解決聯邦黨一事顯得更加引人注目。[84]顯然，共和黨員遠比聯邦黨更嫻熟於黨派民主政治的藝術。[85]儘管一七九〇年代大西洋地區迎來了繁榮的貿易發展，聯邦主義依舊缺乏白人戶主選民充分支持，尤其是在鄉村地區。美國東北部主要的波士頓、紐約與費城港口從這場黃金雨中獲益最多。[86]漢彌爾頓推行的改革措施雖然逐漸步上軌道，但自由民、技術工人、具有抱負的普通都市商人與許多南方奴隸主都希望得到更多，而不只是與飽受戰爭摧殘的歐洲共同發展大西洋貿易。[87]

政治上，屬於聯邦黨的約翰・亞當斯（John Adams）率領的政府證實了民主共和黨最糟糕的臆測。美國透過《傑伊條約》（Jay Treaty）與英國友好共處之後，國內貿易面臨的最大威脅，就是法國對中立的美國船運展開的報復行動。到了一七九八年，美國與法國之間的全面戰爭箭在弦上。聯邦黨提高國內稅，並通過印花稅法。漢彌爾頓等人暗示政府應成立永久的軍事機關。對民主共和黨而言，這就像一頁又一頁的英國貴族統治劇本在上演，君主制即將復辟。美國將出現常備軍、國內稅、受特許的法人國家銀行、國債與商界權貴階層。聯邦黨於一七九八年通過《反煽動叛亂法》（The Alien and Sedition Act）後，對政治動亂展開的鎮壓似乎也即將發生。

在一八〇〇年的總統大選中，傑佛遜這位南方代表在憲法五分之三條款的幫助下取得了勝利，這個條款將實際奴隸人口乘以五分之三以作為國會席位分配之依據，增加了南方地區的選民人口。[88]共和黨在各級選舉中一路輾壓聯邦黨。漢彌爾頓發表了一封長達五十四頁的信件，失控地大肆詆毀亞當斯，形同終結了自己的政治生涯。[89]傑佛遜表面上以寬宏大量之姿接掌權位，私下則透露將「樹立共和黨的黨規，好將聯邦黨打入無以復加的深淵」。[90]

備受打擊的漢彌爾頓於一八〇二年歸結表示：「除了退出，我還能做什麼？日子一天天過去，我愈來愈深刻意識到，美國這個世界非為我而生。」[91]兩年後，他在與亞隆．伯爾展開致命決鬥的數個小時前宣告，美國「真正的病灶」在於「民主制度」。[92]

傑佛遜上位時，要求財政部長亞伯特．加勒廷（Albert Gallatin）揭露「漢彌爾頓犯下的失誤與詐欺情事」。加勒廷向他稟報：「漢彌爾頓不曾有過失誤的決策，也沒有設過任何騙局。他沒有做錯任何事。」[93]

後革命時期的殖民

傑佛遜首先在一七八〇年提出「自由帝國」的願景，呼籲形成一個政治聯盟以造福農村地區的白人戶主，也就是共和國的自耕農次主體。要實現這一點，殖民密西西比河以西地區是唯一途徑。此外，這項計畫如傑佛遜所述，也需要將「商業支線」導向密西西比河。[94] 一八〇一年就職後，他便著手進行。若是成功了，就能終止美國對大西洋貿易的商業依賴。這使得在重商主義時代開啟商業時代的現象，包括牽涉市場准入與貿易的地緣政治，皆危在旦夕。

密西西比河是北美大陸貿易的主動脈。《巴黎和約》將加拿大以南的所有英國屬地與密西西比河以東流域割讓給了美國，但英國的某些印第安盟友並不承認這項安排。密西西比河以西為路易斯安那州，是西班牙在七年戰爭後從法國手中獲得的。由該州往東跨越一條狹長的海灣沿岸地帶，即可到達西屬佛羅里達州，西班牙利用此地來控制密西西比河的重要港口紐奧良。他們聲稱擁有路易斯安那州以東、最北到田納西州的地區，並資助印第安盟友，包含克里克族、喬克托族（Choctaw）與切羅基族（Cherokee）。然而，阿帕拉契山脈以西最激進的敵對主體，既不是歐洲各大帝國，也非印第安民族，而是美洲殖民者。有些人意圖脫離美國，而身為自耕白人戶主的他們是傑佛遜的選民。一七八〇年，也就是宣布「自由帝國」概念的同一年，傑佛遜談到西部地區時表示，聯邦政府不能奢望控制當地的殖民化，「必須放手讓它順其自然」。[95]

之後，清除障礙的機會出現了。在法國大革命期間，西班牙帝國債台高築。拿破崙在一八〇〇年再度低價取得了路易斯安那州。接著，他將這片土地以一千五百萬美金賣給美國，令美方外交人士大為震驚。美國政府在歐洲資本市場信譽良好（多虧了漢彌爾頓推行的財政制度），讓傑佛遜的行政團隊有足夠財力在一八〇三年買下路易斯安那州。路易斯安那州面積八十二萬平方英里，與紐奧良及之後出現的明尼蘇達州和愛達荷州形成三角地帶。取得此地後，美國領土瞬間翻倍，似乎實現了傑佛遜就任時誇下的海口——這個以自耕農為主的共和國有「足夠的空間」可以延續到「千秋萬世」。[96]在資本市場中，各界基於對美國政府的信心而出資，提供美國展開長期帝國領土擴張所需的資金。

一八〇三年交易的路易斯安那領地，「與其說是一個地方，不如說是一種所有權」。[97]憲法賦予聯邦政府分配公有土地及與印第安民族建立關係的任務。聯邦黨原本希望控制與延緩殖民的步調，就跟前革命時期大英帝國的官員所做的一樣。他們將透過條約協定取得印第安民族的土地，並將大塊土地賣給富有的投機客（也許是他們本人）以增加財政收入。但在傑佛遜上任後，國會將購買聯邦土地的最低限額從六百四十英畝（約兩百六十公頃）對半砍為三百二十英畝（約一百三十公頃），售價為一英畝兩美元，並提供寬鬆的信貸條件。一八〇四年，面積六十英畝（約二十四公頃）的土地以一點六四美元的單價出售。[98]西部土地的投機市場隨之成形。賭徒與農民一同來到此地。白人殖民者不是前來購地，就是違反條約、霸占並「改善」印第安人的地盤，期待之後能取得合法所有權。在一八〇〇到一八三〇年之間，國會三十三度通過將土地霸占行為合法化的「先占」法規。[99]在美國獨立革命之前，只有英國皇室具有先占權。而今，自耕農家庭也得以如此，人民主權於焉誕生。一七九五年，阿帕拉契山脈以西的美國人口為十五萬；到了一八一〇年，人口數已超越一百萬。美國持續推展鄉村化。

諷刺的是，傑佛遜的「自由帝國」願景在某些方面類似十八世紀的大英帝國。[100]國會廢止了所有國內稅收，並將軍事預算砍半。[101]一七八九年美國憲法通過的「貿易條款」（Commerce Clause）授權國會規範「各州之間」商業活動的權力，禁止州與州之間出現重商主義壁壘。結果是，政府成功遏制州際間的貿易壁壘，開闢了單一的貿易空間，擴大市場範圍，進而促進了商品需求。帝國在建立共同政治管轄權的同時，也包容多元主義與統治差異，如此通常能讓國內的不同組成分子皆參與商業活動。就此而言，路易斯安那購地一案本質上讓美國在密西西比河谷下游地區擁有了自己的西印度群島。[102]到了一八一〇年，美國已有百分之十六的奴隸人口居住在阿帕拉契山脈以西一帶。北美大陸新出現了以奴隸為基礎的三角貿易，形成逆時針走向的國內貿易活動。

舊西北地區並未將東北部生產的糧食運送至西印度群島，而是將糧食與必需品沿著俄亥俄河與密西西比河運至耕種棉花的南方；反過來，棉花也沿著河岸被運送至北方。[103]隨著大西洋奴隸貿易於一八〇八年畫下句點，獲得解放的奴隸人口經由國內市場（而非大西洋市場）這條「第二條中間通道」轉手。本地、都會區與區域內部的商業活動遠比跨區域貿易來得興盛繁榮，尤其是東北部與近大西洋中部各州。在一七九三到一八〇七年之間，國內貿易成長了四倍。[104]儘管如此，不同區域之間的連結有助維持這個年輕聯邦的凝聚力。「自由帝國」征服西部地域之際，市場的無形之手牢牢抓住了白人奴隸主的鞭子。亞當・斯密式商業乘數在北美大陸各地開始發揮作用了。

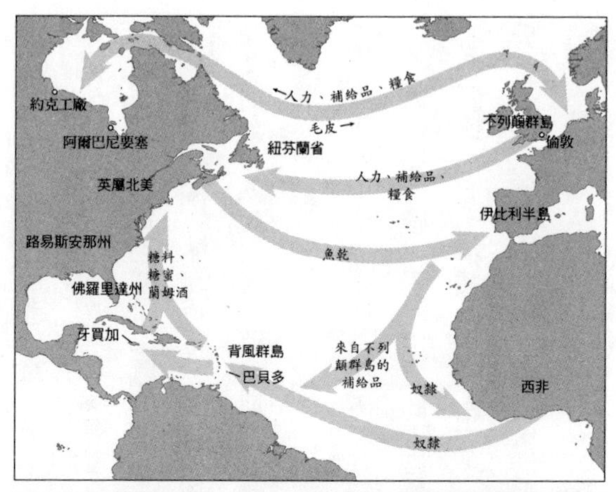

圖 6 上圖為英屬大西洋商業模式（約一七五〇年）／下圖為早期美國國內的商業巨輪（約一八二〇年）

諷刺的是，十九世紀美國「自由帝國」願景下的商品貿易反映了十八世紀大英帝國的大西洋商業活動，讓密西西比河谷下游地區彷彿成了美國版的英屬加勒比海奴隸社會。

「從大陸的一端到另一端，」希望破滅的聯邦黨員、也是哥倫比亞大學教授山謬・米契爾（Samuel Mitchill）在一八〇〇年表示，「全民都在怒吼著要貿易！貿易！無論如何都要貿易！」[105]一個獨特的美國「商業社會」開始成形。[106]這是一場大混戰，粗暴而原始。亞當・斯密與十八世紀許多其他知識分子都相信，商業能使這個社會變得和平與文明。一位英國旅人指出，美國人動手打架的可能性跟討價還價一樣大，激烈到挖出對方的眼睛、咬斷對方的鼻子，還會「互相扯斷生殖器」，尤其是在鄉村地區。[107]美國的風土文化跟文雅完全扯不上邊，即使民主開放，依然俗不可耐。像蘇珊娜・勞森（Susanna Rowson）的《夏綠蒂的神殿》（*Charlotte Temple*，一七九四年）這樣的情色小說在當時極為暢銷。講述一個平凡人「白手起家」的傳奇生涯的《富蘭克林自傳》（*The Autobiography of Benjamin Franklin*，一七九一年）也是如此。

在此同時，傑佛遜總統依舊對一種商業形式抱持懷疑態度。他希望自由帝國及其商業活動以西方為重心，但在一八〇三年後，拿破崙發動的一連串戰爭愈演愈烈，大西洋的中立船運再度興旺了起來。從一八〇五至一八〇七年，光是貨運費就超越了美國本國的出口值。

戰事纏身的英國在一八〇五年對中立的美國船運施加了許多限制條款。[108]在共和主義的原則下，聯邦政府欠缺抵擋這些限制的國家能力，包含制海能力。因此，一八〇七年十二月，國會遵循傑佛遜的路線，通過一項禁令，禁止所有美國船艦航行至外國港口。外國船隻也不得出口美國貨物。它們可以運來特定的進口商品，但必須空船離港。傑佛遜扼殺了貿易繁榮。一八〇八年，美國出口量暴跌，關務稅收亦然。[109]這項禁令在國內引起諸多民怨，在海外也成效不彰。歐洲與美洲各大帝國未能實現自由貿易的榮景。

隨著政府部門潰散，傑佛遜宣布退隱蒙蒂塞洛。然而，他受夠了美國在貿易方面對歐洲的依賴。[110]他認為這項禁令能夠將美國人的經濟生活轉向內需，國內市場將能補足需求。傑佛遜大談美國本土的「製造商」與「農民」並肩合作的前景，期待雙方永遠努力對抗寄生謀利、與共和主義背道而馳的投機商人。[111]這項禁令成功刺激了國內的小型家戶商業與製造業，但也助長了更多開創性且持久的紡織工廠與機械工廠發展，[112]催生了一個與殖民時代截然不同的重大轉變。如今，美國人對自己的定義不再是作為英國子民的消費者，而是支持共和主義的「生產性勞工」。

國會於一八〇九年三月廢除這項禁令，同月，麥迪遜宣誓就任總統。然而，與英國之間的戰爭眼看無可避免。一八一二年戰爭爆發時，美國並未做好準備。在麥迪遜的批准下，美國銀行的聯邦特許經營權至一八一一年到期，因此無法協助聯邦政府調動各種資源。國家開始拖欠債務。軍事戰役近乎可笑，在一八一四年夏天，英國舉兵入侵大西洋沿岸，軍隊殺得美國措手不及，戰火一路延燒到了華盛頓特區。

華盛頓是麥迪遜總統在三十年前與時任財政部長的漢彌爾頓談判之後爭取到的首都。如今漢彌爾頓不在人世，傑佛遜也退休了。麥迪遜總統與美國軍隊坐在首都郊外眼睜睜看著白宮付之一炬。他相信，美利堅共和國的長期實力既不是來自國家的執行力，也與此時此刻狂燒竄煙的宏偉公共建築毫無干係，美國的力量源自於白人戶主由下而上的共和主義。不用說，這股實力也並非來自逃亡率高達百分之十二的美軍。美國打不贏這場戰爭，但英國也無法占領範圍從大西洋延伸至密西西比河流域的北美大陸。《根特條約》(Treaty of Ghent,一八一四年簽訂)終結了一八一二年戰爭,確立了南北戰爭前的國家狀態。不久後,拿破崙吃了敗仗,因此無論如何,大西洋地區的中立貿易權不再是問題了。

如果說傑佛遜施政不當,至少他的直覺是準確的,因為自由帝國變得逐漸以西方為重心了。宣戰時,麥迪遜指控英國激怒了西方「野蠻」的印第安人。[113]大英帝國的複雜地理環境為原住民族提供了一些迴旋餘地,包括商業,但現在卻被其他事物所取代。[114]自由帝國與歐洲各大帝國並不相同,因為它沒那麼尊重印第安人的主權。自由帝國不希望貿易,而是想征服原住民。這也使得民眾對印第安人的暴力行為肆意蔓延。[115]

一八一二年戰爭的英雄人物是田納西州義勇軍中備受愛戴的少將安德魯·傑克森。如今在西南地區,傑克森將軍發動全面戰爭。[116]一八一四年三月,他在馬蹄灣之役(Battle of Horseshoe Bend)中消滅了一支克里克軍隊。他自誇道,我們征服了「克里克族的精華地帶,打通了喬治亞州與莫比爾(Mobile,位於阿拉巴馬州)之間的管道」。[117]毫無疑問,密西西比河以東的美洲原住民是漫長的美國獨立革命中最大的輸家,鄉村地區的白人戶主則是最大的贏家。美國與生俱來一套以財產為核心的政治體系,形成白人男性廣泛擁有財產的政治經濟體,而這種情況會一路持續到十九世紀後期。

在漫長的美國獨立革命時代中誕生的共和政治經濟,導致了以下種種。漢彌爾頓為「金錢資本」擴張奠定了基礎。美元與強勢貨幣掛鉤,金錢資本的稀缺價值也得到了保障。美國銀行藉由發行超出貴金屬硬幣準備的紙鈔,擴大貨幣與信貸供給,有效促進了經濟發展。傑佛遜就任後也無法將這套新興資本金融體制連根拔除。等到美國銀行的聯邦特許經營權在一八一一年到期時，州級的銀行特許制度已上路一段時間。實際上，各州政府積極扶植經濟發展，從特許企業經營、創造可增進市場範圍的基礎建設，以至廢除北方的奴隸制度。[118]但是，在國家層級上，廣泛流行的白人戶主的民主動員，徹底顛覆了君主制度還有貴族政體或寡頭政治的遺風。[119]聯邦黨作為全國性的精英政黨沒能接管美國這個聯邦。國家制定的經濟發展計畫遭到捨棄，傑佛遜的「自由帝國」願景獲得了最終勝利。由下而上且受民眾支持的共和民族主義、美洲原住民土地的殖民化、家戶治理、奴隸制度的擴展與商業自利，將必須負起使聯邦團結一心的責任。

這樣夠嗎？一八一五年，麥迪遜總統呼籲建立全國性「道路與運河」系統，目的是「讓各地形成更緊密的聯盟」。[120]南卡羅來納州參議員卡爾霍恩（John C. Calhoun）也附和表示：「讓我們征服全宇宙。」[121]然而，共和黨內部對聯邦基礎建設計畫的合法性未能達成共識。無論如何，漫長革命的政經爭議迎來了終曲。一八一二年戰爭結束後，民主共和黨承認漢彌爾頓一直都是對的，國家銀行的成立既必要且正確。一八一六年四月十日，麥迪遜總統簽核了美國第二銀行（Second Bank of the United States）的特許經營權。

第四章　資本主義與民主制度

最初的美國並不是民主政體。獨立革命之後，人民的投票權受到財產所有權的限制，就連白人也是一樣。漢彌爾頓與其他革命人士將民主制度視為一個可疑的主張。民主制度需要在美利堅共和國「崛起」，直到一八一二年戰爭結束後關鍵的數十年，這個主張真的實現了。[1]到了一八二八年，財產所有權不再是白人男性獲得選舉權的必要條件。那一年的總統大選中，傑克森將軍乘著一場自覺民主動員之勢高調入主白宮。

在此必須強調的是，選舉式民主有其限制，包括女性不得投票，而美國白人男性擁有選舉權的邏輯，意味著自由非裔族群不具有選舉權。[2]儘管如此，經歷傑克森的兩屆任期後，美國政治大幅重組。自稱繼承了傑佛遜傳統的人士開始自詡為傑克森主義者，並自封為「民主黨」。其對手則自稱輝格黨。要重頭檢視美國資本主義與民主制度之間的政經關係時（這種連結可說是世界史上的頭一遭），我們必須考量資本主義與民主黨之間的關係。

在美國資本主義史的這段時期，政治仍值得深究。經濟生活與漫長的獨立革命時期一樣，都存在顯著的連續性。有機經濟生產持續發展。自由帝國下最大的次主體家庭依然是主要的經濟制度。亞當·斯密式商業經濟動態持續存在，意味著地緣政治下跨空間的市場擴張是成長的動力。白人強勢奪取印第安民族土地的行為，讓自由帝國的領土向西擴展。財產政治作為後革命時代的核心解決方案依然屹立不搖。

哪裡改變了？首先，商業活動變多了，但也充滿了新的政治意涵。[3]托克維爾在《論美國的民主》（*Democracy in America*，一八四〇年）中主張，民主制度代表的不只是正式的政治體制，還包含了一個國家的社會價值觀。就美國而言，社會價值觀在於商業發展。[4]托克維爾絕對不是唯一如此看待美國人的歐洲旅遊作家。英國小說家芬妮・楚洛普（Fanny Trollope）在《美國人的風俗習慣》（*Domestic Manners of the Americans*，一八三二年）中評論道：「蜂窩裡的每隻蜜蜂都日夜不懈地尋找海勃拉山（Mount Hybla）*的蜂蜜，那蜂蜜在俗世中就相當於金錢。不管是藝術、科學、求知或樂趣，都無法誘使牠們停止對金錢的追求。」[5]歐洲貴族的觀點雖然勢利，倒是捕捉到了部分事實。

美國民主制度的興起伴隨兩次由信貸引領的投機商業投資熱潮而來。第一次熱潮自一八一二年戰爭的結束後開始，持續至一八一九年的經濟恐慌；第二次自一八二〇年代晚期開始，持續至一八三七與一八三九年的經濟恐慌。美國第二銀行將貨幣與信貸擴大至超出強勢貨幣儲備量，並且資助全國各地創造財富的勞工與企業，就如漢彌爾頓所預料的那樣。[6]一種源自美國民主文化深處的強烈商業投資誘因熾烈地延燒各地。亞當・斯密式商業乘數發揮了作用，貿易經濟成長到超過人均國內生產毛額的百分之一點五，儘管美國的工業化才剛起步，便已成為在此現代標準下世界上發展最快的經濟體。[7]

黨派民主政治影響了每一個驅動商業活力的人。一八一二年戰爭落幕時，一群之後加入輝格黨的全國性政治人物在肯塔基州議員亨利．克萊的號召下，推動一項長期的全國性貿易發展計畫，這是繼漢彌爾頓之後的第一項商業計畫。他們希望聯邦政府能管理土地的徵收與買賣以創造財政收入；對外國製造商制定高額關稅，以保護新興的美國製造商及贊助工業生產；並將來自前述兩者的收入拿來資助公共投資，建立一套前後連貫的聯邦「國內改善計畫」，或興建擴大市場需求管道所需的道路、付費公路與運河等公共基礎建設。有了以上的基礎，美國銀行便能管理貨幣的稀缺價值，適時延展民間信貸。克萊將這項計畫稱為「美國系統」(American System)。

以傑克森為首的民主黨就跟之前的傑佛遜及民主共和黨一樣，在國家的經濟規畫上躊躇不前。到了最後，美國民主制度的興起並未促成任何正向的全國經濟政策系統。

這是民主黨刻意操作下的結果，因為美國系統違反了傑克森總統主張的「平權」原則。在貿易成長之際（尤其是美國金融體制的發展），這段時期出現愈來愈多經濟不平等的狀況。[8]民主黨將問題歸咎於政府，認為聯邦政府偏袒精英的經濟利益，才導致了這種不平等的現象。獲得政府特許經營與補助的美國銀行將信貸額度分配給特定對象，因此被指控是侵犯平權原則的「腐敗」機構。關稅政策也厚此薄彼，袒護北方的製造商，犧牲南方的英國製成品消費者的利益。基於相同原因，民主黨對聯邦基礎建設計畫的公共投資也抱持懷疑態度。最終，傑克森主義者認為，應由有時動用暴力的民間，來主動殖民印第安人土地，而非仰賴無為而治的聯邦管理政策。

* 譯註：海勃拉山位於西西里島，當地名產蜂蜜風味濃厚甜郁。

整體而言，民主黨對美國政治經濟所做的轉變，是一種嚴重程度更甚於獨立革命的斷裂。傑克森總統在一八三七年的告別演說中總結道：「安全守則只有一個，那就是嚴格限制政府不得越出其適當的職責範圍一絲一毫。」[9]民主黨要求政府解斷國家機關與市場、公領域與私領域之間的連結。[10]這樣的分隔，導致了新的政經衝突，且焦點放在政經界線而非牽連程度，並關鍵地影響了之後的商業時代開展。傑克森主義打著平等原則的旗幟，一度阻礙了聯邦政府推動的長期計畫，並催生了民眾對於市場不應受政治力干預所抱持的一種民主信仰。

如同一名歷史學家所述，這段時期迎來的一個結果是貿易「活力」大量釋放。[11]另一個結果是，美國獨有的反精英、早期民粹主義原型與支持商業的「反壟斷」政治的出現。若想達到反壟斷，就必須實現商業機會平等，因此需要禁止政府做出贊助與偏袒特定對象的「腐敗」行為。傑克森大動作除掉了美國銀行。民主黨在美國各州發起了社會運動，爭取民主的公司「開放管道」。長久以來作為次主權的股份公司開始擺脫公共地位，移動至私部門的經濟領域。[12]最終，在民主原則下，全國性的總體商業發展計畫將不復存在。

諷刺的是，這些對政治特權與政府精英的攻擊，很快就成為經濟特權與企業精英增長的基石。不論矛盾與否，美國民主制度的興起引發了大眾對政府權威的質疑。同時，這個國家也彷彿在進行一場亞當．斯密式經濟成長的自然實驗。[13]全國市場擺脫了政治指揮，黑奴制度的持續擴張成為市場的驅動力，在往後的數十年裡帶領美利堅共和國走上了一條危險的政治道路。

棉花產業發展興盛，銀行業委靡不振

在一八一五年拿破崙最終兵敗滑鐵盧後，英國的工業革命進入了最密集發展的階段。本地的紡織製造業者創造了原棉的需求，南方奴隸制度則刺激了戰後商業生產的投機性投資熱潮。棉花為經濟發展開展了新的步伐。[14]

一八〇七年傑佛遜頒布禁運法令之前，棉花出口量就占了美國總出口的百分之二十二，[15]後於一八一六年達到百分之三十九。[16]當時，美國種植的棉花比長期以來產量居世界之冠的印度還多。[17]

長久仰賴稻米與靛藍染料生產的南卡羅來納州與喬治亞州很快便改種

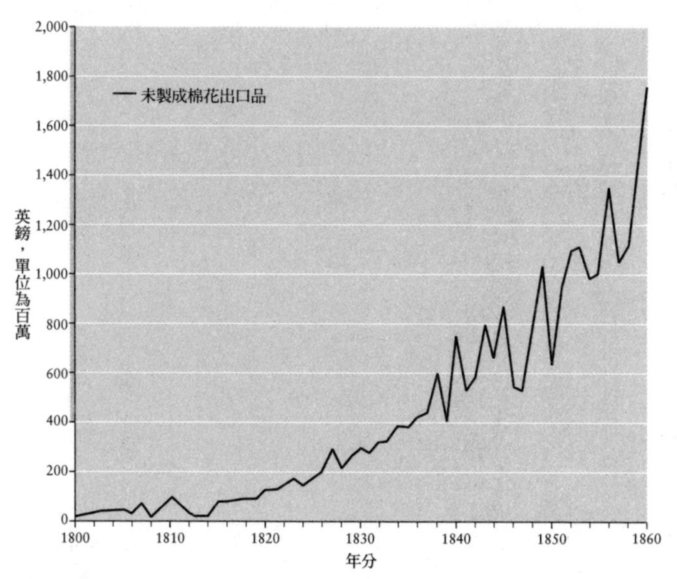

圖 7　棉花出口量

南北戰爭前，棉花直到當時都是美國最大宗的出口商品，讓南方的白人奴隸主賺進大把鈔票。請注意，出口量增加的幾段時期恰巧都遇上信貸循環的投機性增長。

棉花，耕植更具生產力的「短纖維」棉花，並採用效率較高的「鋸齒」軋棉機。[18]同時，西部殖民活動更促成了產量激增。

土地掠奪與投機的現象變得惡化。當時，相較於其他國家，土地在市場更發達的美國仍是相對具有流動性的資產。國會試圖平穩殖民化的過程，但徒勞無功。[19]在佛萊徹訴佩克案（Fletcher v. Peck，一八一〇年）與強森訴密托施案（Johnson v. M'Intosh，一八二三年）中，美國最高法院在「改善」原則下支持投機客的行為，助長了擅自墾荒的合法性。這樣的判決保障了私有土地財產權，使民眾預期未來西方殖民化可能帶來的商業利益。本質上，投機客與擅自墾荒的人有時會攜手合作。「這個年輕國家的歷史上」出現了「前所未見的西向移民潮」。[20]

在一八一二年戰爭期間的舊西南地區，傑克森將軍從克里克族手中奪取了約五十六萬公頃的土地。「克里克族領土割讓」是一塊長約四百八十公里、寬約四十公里的新月形土地，從田納西州西南角往南延伸至密西西比州（一八一七年建立）中部與阿拉巴馬州（一八一九年建立）。此區域在不久後成為世界上最具農業價值的土地。

聯邦政府在一八一二年成立土地總局（General Land Office），不久後公共土地買賣激增，[21]在舊西南地區掀起一陣「阿拉巴馬狂熱」。一八一〇年，密西西比州與阿拉巴馬州的人口達到四萬，不包含印第安人。到了一八二〇年，當地住有十三萬兩千名白人與十一萬八千名黑奴。切薩比克灣已將十二萬四千名奴隸送到西部。女性黑奴發達的生殖力實現了白人奴隸主對奴隸資本在未來增值與金錢利潤的預期。不分男女老幼的黑奴清理了土地，耕種數十萬至上百萬公頃的棉花田。[22]棉花

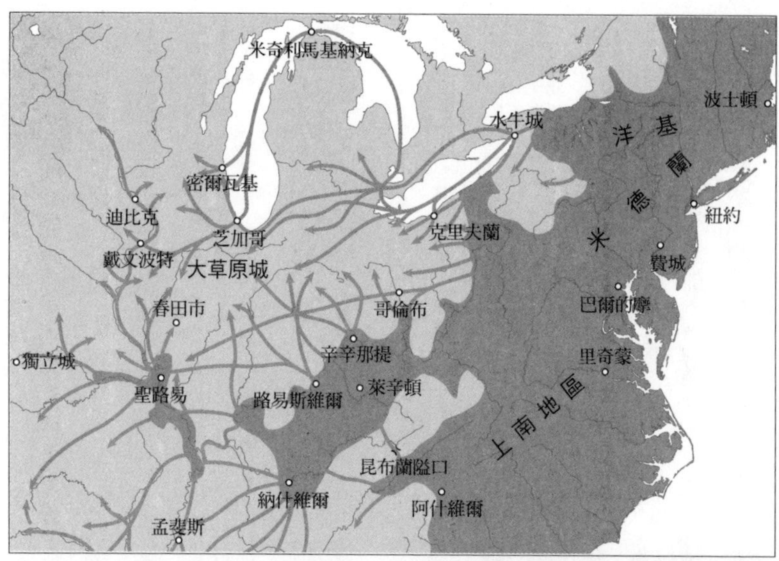

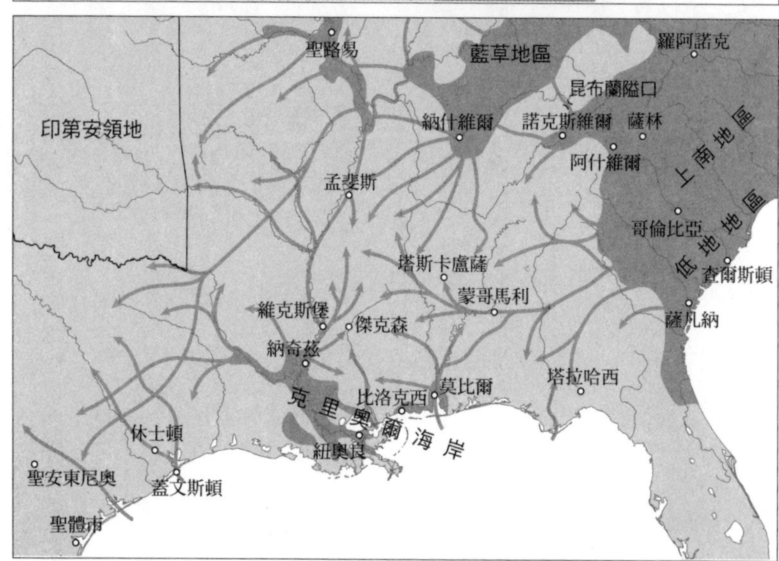

圖 8 早期全美的殖民化情況（約一八二〇年）

圖中的箭頭代表舊西北與舊西南地區美國殖民化與聚落發展的主要推力。在貿易與政治上，俄亥俄河與密西西比河緊密連結了這兩個地區。

雖然是新作物，但白人奴隸主已為西部的征服與殖民化過程準備了好幾個世紀。

在此同時，殖民者也遷往舊西北地區。在俄亥俄河北方，隨著玉米田與養豬場延伸至俄亥俄州、印第安那州（一八一六年建立）與伊利諾州（一八一八年建立）南部，匹茲堡、辛辛那提與路易斯維爾這三座新城市開始向外擴張。許多南方的「白胡桃」（butternut）＊違法帶著黑奴北漂，借助他們的勞力開墾土地。[23] 多支印第安民族依然合法擁有五大湖周圍的土地，密西西比河以西的原住民勢力仍舊強盛。舊西北地區面朝密西西比河南進擴散。

俄亥俄河銜接密西西比河的這段流域是主要的商業動脈，連接舊西南與舊西北地區兩地。在這段時期，交通運輸大都為順流而下。最可行的商業運輸方式是長約六十五公里的水路。之所以會出現「阿拉巴馬狂熱」，是因為阿拉巴馬州至少有五條河流將棉花運送至莫比爾的低窪港口，包含阿拉巴馬河、湯比格比河（Tombigbee River）、卡哈巴河（Cahaba River）、塔拉普沙河（Tallapoosa River）與庫沙河（Coosa River）。地勢艱險崎嶇的程度，決定了市場範圍。假如賓州西部有一戶農家想將貨物運送到費城，那麼經由總長超過一千六百公里的俄亥俄河與密西西比河、然後沿著海岸運輸，會比直接經由陸路向東跨越山脈運送更具成本效益。平均而言，五十公里陸路的運輸成本大約等於跨越大西洋的貨運成本。[24]

舊西北地區生產的糧食順流而下，供應出口，有時也會用來供養舊西南地區的奴隸，讓他們有力氣耕種面積龐大的棉花田，好增加現金收入以償還債務。這種做法與十七世紀巴貝多的糖料種植極為相似。棉花沿著海岸運送到東北部，目的往往是轉口至歐洲。然而，地方與區域內的貿易量仍大於全國與跨區的貿易量。[25]儘管如此，棉花的確串聯了全國與跨區貿易，既是重要經濟需求來源，也是國家聯盟的政治紐帶。

大規模的家戶西遷，擴大了商業市場的空間範圍，促成了亞當・斯密式的經濟動態。就連擅自開墾的占住者也需要資金與信貸來開發土地的新商機。美國第二銀行於一八一六年取得特許經營權，總部設於費城的這間特許銀行便成為開路先鋒。這間半公營企業擁有三百五十萬美元的資本，比前一個獲取特許經營的美國銀行多了兩百五十萬。一八一七年，第二銀行在國內開設了十九間分行。那些位於新興城市的分行，不論是在肯塔基州的萊辛頓或俄亥俄州的奇利科西（Chillicothe），都發行了超過銀行本身貴金屬硬幣儲備量的紙鈔。美國銀行的信用貸款讓各州的特許銀行得以放心地進一步發行紙幣。[26]隨著美國銀行網絡向蓬勃發展的棉花產業注入資金，再加上貨幣與信貸擴展，以及被資本化的勞動與生產，整個資本市場益趨活躍。[27]

一八一九年，朝氣蓬勃的貿易熱潮急轉直下，信用只能靠想像與信任來支撐。金融體制必須先滿足那些預期，為充足、但不過剩的生產提供資金。不論原因是美國的供給量真的多過英國當時的需求，或者買家開始預期市場將供過於求，結果都是利物浦的棉花價格慘遭砍半。美國銀行及各分行成了英國信貸與資本流通的管道。倫敦當地的各家銀行臨陣退縮收回信貸，引發了一連串效應。各地債權人紛紛要求收回借款，換取強勢貨幣。這使得鄉村地區的貴金屬硬幣儲備大量外流，商品

* 譯註：指稱十九世紀初至中期居住在俄亥俄州、伊利諾州與印第安那州南部的人們。

價格與土地價值同時驟跌，債務人因而更難還款了。鄉村地區需求的崩塌嚴峻衝擊了都市的賣家。大眾對美國的銀行體制信心全毀。社會一片恐慌，人們急於囤積強勢貨幣，加速惡性循環。信用耗盡、物價崩跌，這是自一七八〇年代以來第一次債務通貨緊縮（簡稱債務通縮，debt-deflation）的螺旋循環。

美國銀行對此無能為力。一八一八年，為了如期償還向法國購買路易斯安那州所欠下的債務，它提取了價值兩百萬美元的強勢貨幣。其在海內外的金融負債超出了貴金屬硬幣儲備量的十倍。在隔年的市場恐慌中，美國銀行召回州核照銀行的債款、兌換強勢貨幣，擠壓了各地的授信展期，使商業活動陷入停滯。過去在一七九二年的經濟恐慌期間，財政部長漢彌爾頓反應機敏地進入金融市場維持貨幣與信貸市場的交易流動性，平息了這場恐慌。對比之下，美國第二銀行並未這麼做，反而使一八一九年經濟恐慌更加惡化。

投機性的投資熱潮是有可能陷入低迷的。有別於一七九二年的情況，這次的恐慌向外擴散，導致了貿易經濟的不景氣。例如，密西根州被迫終止當時正推行的殖民化；在密西西比河以西的地區，印第安民族的毛皮貿易受到重挫；在東部地區，都市人口面臨失業與破產的窘境。然而，生產棉花的南方遭受的衝擊最為嚴重。棉花永遠無法回升到像一八一〇年代那樣高價，也不再是國家貿易的主要驅動力了。

賭徒們感到心痛。然而，作為財富的地產依然不只是資本而已。土地仍然為鄉村地區家庭提供基本生活必需品。這場金融恐慌造成的影響並不像日後的危機那樣嚴重，因為屆時資本支配經濟生活的程度更大。過了一八一九年，農民族群再度出現，從貿易經濟退回到家戶經濟。來自費城的政治經濟學家馬修・凱瑞（Mathew Carey）在《論政治經濟》（*Essays on Political Economy*，一八二二年）一書中，引述紐約州北部一名酪農的看法，他內疚地表示，「我們這些人很快就會變得只顧著自給自足」，完全把商業拋在腦後。[28]這次的經濟衰退確實讓某些美國人躊躇。他們還沒有「市場」、「景氣循環」或「經濟體」的觀念，無法從概念上去理解這些詞彙。倫敦各銀行臨時拒絕放款的行為，為何會導致巴爾的摩的失業潮？一切是在什麼樣的機制下串聯在一起的？

對此，美國人民一致將矛頭指向政府，並且指責美國銀行。美國銀行高層管理不周是事實，他們經常利用無擔保的貸款來牟取私利。在美國銀行宣布暫緩發行債券之後，巴爾的摩記者赫澤凱亞・奈爾斯（Hezekiah Niles）驚呼道，「就讓每個夏洛克離開自己的巢穴，在光天化日下磨刀霍霍，從誠實的鄰居割下胸口的『一磅肉』吧！」*[29]對絕大多數的美國人而言，經濟事件的始作俑者必然是政治與政府。

美國銀行遭遇政治的強烈抵制。[30]就如同上一次的債務通縮時期，也就是後革命後的一七八〇年代，債務人與債權人之間產生了階級衝突。因應眾多債權人施加的壓力，田納西州、肯塔基州、俄亥俄州及其他西部各州的州議會紛紛通過延遲債務起訴期限的緩償法，及防止土地贖回權遭到取

---

* 譯註：典故出自莎士比亞喜劇《威尼斯商人》（*The Merchant of Venice*），夏洛克是主要人物之一，一位為人貪婪吝嗇的猶太富商。有位借款人因意外無法如期還款，夏洛克竟殘忍地堅持要從對方身上割下一磅肉，不能多也不能少。

消的返還法。[31]一八二〇年通過的聯邦土地法案（The Federal Land Act of 1820）讓之前的土地買主暫時解除危機。[32]債務減免法讓家庭有資金能立即進行消費，而不是咬牙存錢以在未來償還過去欠下的債款，有助於維持經濟消費與造福市場中的每個人。（這些正是美國國會在二〇〇八年的次級房貸風暴過後未能通過的法規。）

然而在華盛頓，仍舊有人為美國銀行的作為辯護。一八一九年在美國最高法院審理的麥卡洛克訴馬里蘭州案（McCulloch v. Maryland），首席大法官約翰．馬歇爾（John Marshall）根據馬里蘭州的稅法指控美國銀行違憲。此舉似乎永固了美國銀行的基本合憲性，而這個議題可一路追溯至傑佛遜與漢彌爾頓針鋒相對的那個時代。在華盛頓，最積極為美國銀行辯駁的人就屬眾議院議長、同時也是肯塔基州的議員亨利．克萊。

美國系統

如果說在商業時代，聯邦政府曾掌控了國家貿易發展的長期過程，必定就是指美國史上第一次真正經歷短期的投機性投資興衰循環過後的那段期間。

景氣蕭條時，大眾的直覺反應是指望國家有所作為。奴隸主並不信任聯邦政權，但棉花產業的繁榮與蕭條尚未促使棉花大亨發展出自我意識。人口快速往西遷移的現象，意味著居住在新聚落的美國人口比例比以往任何時候都來得高。政治方面，聯邦黨的時代已經過去。民主共和黨掌握大權，沒有其他組織性的政治派別或黨派來搞分裂。在這背後，聯邦政府至少有做出以一致的公共利益為導向的表面工夫。在這個時刻，全國實際上迫切需要由國家號召的團結合作，而亨利・克萊自信地肩負起這項重責大任。

克萊於一七七七年生於維吉尼亞州的沿海地區，一七九七年在里奇蒙市攻讀法律，之後也加入了遷往肯塔基州的大批移民潮。他在萊辛頓安頓了下來（距離東邊的路易斯維爾與俄亥俄河約一百一十公里遠），成了奴隸種植園主、土地投機客與商務律師。但是，他不是棉花種植者，沒有棉花種植者的思維，在議會中也沒替他們發聲。路易斯維爾的種植園栽種麻。演說才能傑出的克萊在一八一〇年三十三歲時當選議員，人稱有著一雙藍眼睛且作風辛辣的他為「鷹派」，一心希望與大英帝國開戰。在第一屆任期中，他超乎預期地登上了議長之位。他在戰後的經濟蓬勃時期致富，但在景氣蕭條期間卻因私下支持不良紙幣而損失慘重。一八二一年，他離開議會，回到肯塔基州整頓自身財務。身為律師的他為債權人辯護，其中一名私人客戶正是美國銀行。金融恐慌過後，肯塔基州五年來的議會多數都是站在債務人一方的債款免除黨（Relief Party）。克萊私下曾感嘆，議會總通過一些「對債權人不利的法規」。[33]一八二三年，等克萊整頓好財務後，儘管他的立場偏向債權人，肯塔基州仍讓他重新回到議會。

他重拾了議長寶座。在議會一整天的演說中，他提到了一八一九年經濟恐慌後籠罩「全國」的「普遍困境」，並主張實行美國系統。他冷不防提起了跟沙夫茨伯里伯爵主張的重商主義共和國理想一樣古老的政經議題：

商業會自我調節！沒錯，一個大肆揮霍豐厚家產的繼承人最終也將自我調節，但這樣的克制終將會讓他鋃鐺入獄。商業會自我調節！但是，明智的政府難道沒有義務監督這個過程，並事先透過謹慎的立法來預防尚不急迫的禍害嗎？[34]

商業活動必然、也應該有所增長，但政府必須引導與管制商業發展，以滿足大眾福祉。克萊合理地認為，眼前的主要問題是，美國的貿易依然仰賴「外國」，尤其是大英帝國。情況就跟十八世紀一模一樣，美國仍舊向英國出口農產品，並從英國進口製成品、資本與信貸。克萊錯誤地感嘆債務人享有債務減免待遇、並將景氣蕭條歸咎於過度投資，解釋了盲目投資如何導致棉花產業的蓬勃發展。人們將信貸集中在棉花的投資上，犧牲了其他事業機會，西方殖民的迅速擴張更讓許多政治制度無法跟上，包括交通基礎建設。然而，美國需要一個更大規模的「國內市場」來確保有效需求，唯有如此，才能為「國內勞工的生產過剩」找到合適的「出口」。[35]克萊借用了這個古老重商主義原則，轉譯後套用在國家政策上。同樣地，要建立這樣的全國市場，必然要仰賴刻意創造公共政策。這些政策必須能夠控制私人利益，尤其是制約常見的白人男性戶主，他們以驚人的速度殖民印第安人的土地。

美國系統是一項全國性經濟規畫的聯邦計畫，由四大架構組成。第一，克萊明確表達支持美國銀行，而美國銀行目前交由費城銀行家尼可拉斯．畢德爾（Nicholas Biddle）穩健謹慎地管理。

美國銀行依然是克萊的私人客戶，一八二四年，他在美國最高法院開審的奧斯本訴美國銀行案（Osborn v. Bank of the United states）中成功讓該機構全身而退（更推翻了一起稅法控訴，這次是在俄亥俄州）。美國銀行是獲得政府特許的半官方機構，是一個法人次主權。公共利益與私人利益難免會糾纏不清，但只要兩者達成和諧就好。根據這個觀點，只要美國銀行能夠造福大眾，那麼即使克萊議員從替其辯護的工作中獲得私利，也沒什麼不對。

第二，克萊主張放緩西方殖民速度，至少要讓國家基礎建設能夠跟上腳步。聯邦政府應提高公用土地的售價，進而增加國家的收入。

第三，克萊認為應提高外國製成品的關稅。這將有助於培植東北部的製造業，並讓美國得以擺脫對英國進口貨物的依賴。一八一六年，他推動通過一項保護主義的關稅法案，但規定不夠嚴格，因此英國在工業革命下生產的大量製成品仍舊淹沒了美國的消費市場。一八二四年生效的關稅是到當時為止最具保護主義色彩的稅則，使進口商品的稅金平均增加了三成。

第四，土地買賣的收入及關稅規定將能成為國家公共投資的資金來源，推動「國內改善計畫」。改善的概念是舊時的啟蒙運動理想，將私有土地財產權視為大眾福祉的一環。若想為私有財產賦予價值，就必須進一步改善公共基礎建設。一八一一年全國性道路的興建成功動土，從波多馬克河的馬里蘭州昆布蘭（Cumberland）一端開始興建，於一八一八年在俄亥俄河一端完工。但除此之外，國會只資助單性的專案工程：例如從喬治亞州的雅典通往紐奧良（一八〇六年），或者從俄亥俄州蕭尼鎮（Shawneetown）通往伊利諾州的卡斯卡斯基亞（Kaskaskia）的道路（一八一六年）。

一八一六年，克萊有意拿一百五十萬美元的「獎金」來建置一項全國國內改善計畫，這筆資金源自於美國第二銀行為換取特許執照而繳付給聯邦政府的費用，但麥迪遜根據憲法條文予以否決。「如果國會有餘力蓋運河，就代表可以透過更適當的方式解放奴隸。」北卡羅來納州一名議員附和表示。[36]一八二四年，克萊與戰爭部長約翰．卡爾霍恩合作通過《普查法案》(General Survey Act)，仔細核查各項基礎建設方案是否適合納入綜合性全國計畫。[37]

克萊的美國系統是一項立法計畫，但同時也是他在一八二四年總統大選時許下的競選承諾。那一年，民主共和黨員在幾位候選人之間出現了分歧，包含克萊、卡爾霍恩及來自麻州的約翰．昆西．亞當斯（John Quincy Adams）。在選舉期間，第四位候選人所屬選區的選民展開了反建制動員，這個人就是陸軍名將與時任田納西州參議員的安德魯．傑克森。

之後，赫爾曼．梅爾維爾在《白鯨記》(*Moby-Dick*，一八五一年）中寫道：「偉大的民主之神！……祢拯救了在鵝卵石堆中的安德魯．傑克森，把他扔到戰馬的背上，讓他登上比王座還高的地位！」[38]哲學家愛默生（Ralph Waldo Emerson）未必認同這種說法，但他稱傑克森將軍是美國的「代表性人物」。傑克森在一七六七年出生於沃克斯華（Waxhaws），位於北卡羅來納州與南卡羅來納州邊界一處偏遠的蘇格蘭-愛爾蘭聚落，出身貧寒，幼時就成了孤兒。十三歲時，他加入獨立革命的游擊行動，從那之後終生對英國懷恨在心。傑克森求學時攻讀法律，並在二十一歲時移居納什維爾（Nashville）。不久後，他憑藉堅強的意志努力躋身地方上的權貴階層，靠著土地投機買賣致富，後來成了奴隸種植園主。一七九六年，他默默當選了眾議員，成為民主共和黨的一分子，但他真正嚮往的是為國征戰。一八〇二年，他成為民兵少將，一八一二年戰爭爆發時，他發號施令，宣布國家的「復仇時刻」近在眼前，率軍對抗英國與印第安人。從各方面來說，安德魯·傑克森是一個脾氣火爆、復仇心強的男人。

他也是一位平民戰爭英雄，與西部邊境居民丹尼爾·布恩（Daniel Boone）等人同屬白手起家的美國民間英雄神話：「我的出身可追溯至丹尼爾·布恩上校及他開墾的布恩城（Boonesborough），在當地，有著褐色皮膚的居民都是他的子民，全都臣服於這位狂放不羈的民間英雄、手持長獵刀的印第安戰士。」[39]

然而，一八一九年經濟恐慌爆發時，生活富足的傑克森站在了債權人的那一邊，也就是克萊那一邊。人在納什維爾的他感嘆民眾拚命積存強勢貨幣，「這裡的情況糟透了，人們信心全毀，貴金屬硬幣無法兌換紙幣，也沒有外國的票據可買，有超過六百起〔債務人〕訴訟退回到這裡的地方法院」。[40] 傑克森實在不懂，為什麼大家「如此同情債務人，但一點也不在乎債權人的感受」。[41] 一八二三年，他考慮角逐田納西州州長的位子，卻因為支持債權人的立場不受歡迎而遭到勸退。

到了一八二四年的總統大選，政治時機已然不同。[42] 一八一九年之後的債務人起義終於在立法機關中吃了敗仗。[43] 傑克森並未就債權人與債務人的議題公開發表言論。他出乎眾人意料地成了總統候選人，支持他的除了國家戰爭英雄追隨者之外，還有覬覦印第安人地盤與西部土地的占住者與投機客。他還吸引了那些不支持克萊所提的美國系統的精英分子，主要為擔心聯邦政府擴大權力與憎恨英國商品關稅的奴隸主。[44]他們希望發展「自由貿易」，也不認為一八一五年後棉花產業的蓬勃發展與蕭條有任何問題。維吉尼亞州參議員約翰・泰勒（John Taylor）在《暴政的真面目》（*Tyranny Unmasked*，一八二二年）中指出，克萊提出的國家利益「只存在於想像中」。操弄商業「自利」的「鍊金術士」足以創造所有可能的「互惠互利」。[45]

最後，有另一個選區的支持者將他們的想法投射在傑克森將軍身上，這個群體對國際性的國家精英心懷不滿，克萊、卡爾霍恩與亞當斯毫無疑問地被嚴重憎恨。[46]有了傑佛遜主義者的動員作為基礎，堅忍不拔、慷慨激昂的美國民粹主義傳統首度出現。

一八二四年，賓州一位觀察家指出，「傑克森主義與所有事物融為一體，同時也來者不拒」。[47]民主派的民粹主義支持者包括商業範疇以外的鄉村地區白人戶主，他們擔心克萊發起的全國性國內改善計畫會串聯起都市的重商主義精英而忽略了他們，而這種擔憂很有可能發生。他的支持者中也包含都市地區的「技術工人群體」，即獨立的小規模製造業業主。如果大型製造商在克萊提議的關稅法規下蓬勃發展，那麼這群小規模業主便可能淪為依賴工資的薪資勞工。反對美國第二銀行的人也在傑克森的民主派支持者之列，他們認為政府對貨幣與信用的內部管控，破壞了他們在興旺發達的貿易中闖出一番事業的抱負。此外，他的支持者還包含了那些不贊同銀行與其他股份公司在州政府許可下合併的人士，他們控訴州議員暗搞裙帶關係，為自己及親友謀求法人特權。這些人團結一心的基礎，是對私領域精英獨享政府「特權」的批評與不滿。然而，他們卻肯定所有白人男性都應享有「平等的權利」。

在一八二四年的總統大選中，傑克森贏得了多數選票，但選舉人團得票數不足。投票結果送交眾議院裁定。克萊策略性地支持另一位落敗的候選人約翰・昆西・亞當斯，無視家鄉肯塔基州支持傑克森的議會所給的指示。亞當斯總統提名克萊擔任國務卿時，傑克森的支持者嚴厲譴責這椿「腐敗墮落的交易」。但克萊打錯了算盤，因為亞當斯的總統職位形同虛設。亞當斯口若懸河地向國會發表野心勃勃的首次演說，請求聯邦政府採取行動。他向議員們表示，萬一他針對各種國內改善措施包括道路、運河、天文台與國立大學的提案未能獲得選民支持，議員們仍然應該投下贊成票。結果，議員們沒有這麼做。亞當斯在總統任期中通過了一項更具保護性的關稅規定，將稅率提高到約百分之六十左右，也就是後來南方地區所稱的一八二八年的「嫌惡關稅法案」(Tariff of Abominations)。但除此之外，他的作為寥寥無幾。

一八二八年的選舉充滿黨派惡鬥甚至是齷齪的手段，但並非一場競賽。相較於一八二四年僅僅百分之二十五的投票率，這次有百分之五十六的合格選民投下手中的一票。[48]結果出爐，傑克森將軍成了國家元首。

「范布倫先生，美國銀行想殺我，我要先下手為強！」

傑克森在就職演說中大力歌頌「美國系統的首要原則，即**多數決原則**」。[49]傑克森準備將自己對人民主權的理解轉化為行動時，第一件事就是讓國家的公權力與腐敗的私人利益脫鉤。政府與商業領域必須有所區隔，界線分明。如此可確保持有財產、財富與土地及奴隸資本的白人戶主享有平等的商業機會。

美國憲法明確授權聯邦政府可採取行動的領域就是與印第安民族打交道的權力，而非商業。傑克森的首要任務是，讓印第安人遷出密西西比河以東的地區。這不是事先就決定的政策。在一八一五到一八三〇年之間，美國向印第安人購買了七千三百多萬公頃的土地，而許多白人透過暴力奪取了更多地產，但是等到傑克森就任時，仍約有十三萬名印第安人占據密西西比河以東約三千一百多萬公頃的土地。有一些殘存的印第安聚落分布於舊西南地區，美國白人稱之為「五大文明部落」，包含切羅基族、契克索族（Chickasaw）、喬克托族、克里克族與塞米諾爾族（Seminole）。切羅基族簽訂了條約，明確承認政府對其祖傳土地擁有主權。他們接納了商業性農業（包括黑奴制度），訂立部落憲法，並在許多情況下改信基督教。喬治亞州的民眾可就沒這麼好惹了，他們一律反擊來犯者。一八三〇年，傑克森推動並簽署了《印第安人遷徙法案》（Removal Act）。戰爭部獲得五十萬美元的公款以遷移密西西比河以東的所有印第安人，傑克森也有權拿該區土地換取西部領地。印第安人的遷徙是一段緩慢、暴力而悲慘的過程。[50]

一八三四年的《印第安交流法》（Indian Intercourse Act）在密西西比河以西建立了一處印第安保留區。白人墾殖密西西比河谷流域已有數世紀的歷史，但是現在，他們來此不是為了與印第安人進行貿易往來，而是奪取土地。[51]一八四一年《先買權法》（Preemption Act）終於授權那些占有與開發聯邦土地的占住者，讓他們能以每四十公畝最高一點二五美金的價格購買面積三千兩百多至六千四百多公畝之間的土地。密蘇里州畫家喬治・迦勒・賓漢（George Caleb Bingham）的畫作《占住者》（*The Squatters*，一八五〇年）紀念了白人自耕農的勝利。

同時，在一八三〇年五月，也就是國會通過《印第安人遷徙法案》的前一天，傑克森總統否決了一項立法。國會針對肯塔基州一所企業的股票投資案進行表決，其名為梅斯維爾、華盛頓、巴黎與萊辛頓付費公路公司（Maysville, Washington, Paris, and Lexington Turnpike Company），而最後法案通過了。這間股份公司之所以能在肯塔基州取得特許經營權，是因為興建道路的「公共目的」，該條道路連接克萊的家鄉萊辛頓與終點為俄亥俄河口的全國道路的其中一段。這條道路預定將穿越肯塔基州，但國內改善計畫延伸了一條東西向的陸路，經由俄亥俄河與密西西比河從北邊通往南邊。但傑克森否決

圖 9 喬治・迦勒・賓漢，《占住者》（一八五〇年）
出身密蘇里州的賓漢支持輝格黨，他如此解釋這幅畫作：「占住者是一個階級，他們不喜歡辛苦的農耕勞動，而是在國境內的邊遠地區蓋一座又一座簡陋的小木屋，獵捕野味來滿足生存所需。當這個生計來源因為周圍地區的開發而逐漸萎縮，他們通常會脫售輕度開發的自有土地（連同『先占權』），然後再次跟隨野蠻人的退化腳步。」

了這項「梅斯維爾道路法案」(Maysville Road Bill)，國務卿馬汀．范布倫與田納西州議員詹姆斯．波爾克（James K. Polk）則協助他草擬隨後發表的咨文。這位總統大致上支持公共基礎建設計畫，但認為梅斯維爾投資案違憲，因為國會提議興建的這條道路只會經過肯塔基州，不足以成為全國性支持的投資。對於克萊在國家「系統」原則下所推行的個別工程，傑克森一律不予考慮。

具體而言，傑克森反對國家將公共資金注入一間獲肯塔基州特許的企業，如此會圖利其私人股東，其中有些甚至是政客。一八二八年，聯邦政府在國內改善計畫的直接公共建設上花了四十萬一千一百八十三美元，在認購州特許企業的股票上則花了一百萬美元。[52]但是如今，傑克森總統宣告聯邦對於企業股票的公共投資違反了共和主義原則且涉及貪汙，「美國政府擁有每一間州立企業的半數資本，可以藉由腐化與摧毀人民的道德，來操縱州內部的選舉」。[53]傑克森並不反對純粹具有公共福祉的基礎建設計畫。不久後，國會向他撥款一百二十萬美元，其中包含不同議員提案的重點項目。對此，總統並未動用否決權。事實上，在他的兩屆任期中，國會針對國內改善計畫所核定的預算比以往都還要高。在此同時，美國郵政服務的發展，促成了不同區域之間的貿易擴張。[54]傑克森就是不肯在一個簡單的原則上讓步。亞當斯任內，政府花了超過兩百萬美元認購州特許股份公司的股票，但在傑克森任內，這筆支出為零。總而言之，傑克森絕對不會贊成聯邦政府動用公帑來贊助私人企業的股東。

當然，有一家股份公司把其他企業都比了下去，那就是握有聯邦特許證的美國第二銀行，其三千五百萬美元的股本中有五分之四都由私人把持，其餘則為聯邦政府所有。美國銀行的高層主管同樣有五分之四由民間所有權人指任，其餘則由聯邦政府指派。美國銀行為聯邦政府處理財政事務，每年收取一百五十萬美元的費用。在畢德爾的帶領下，該銀行的聲望自一八一九年經濟恐慌之後有了起色，在一八一六年取得的特許經營權效期長達二十年。然而，四年前，即一八三二年總統大選前夕，克萊察覺到了政治優勢並與畢德爾合作，決議讓國會重新向美國銀行核發特許證。克萊在會場辯論時聲明：「假如傑克森否決，我就否決他！」美國銀行在七月取得了執照，畢德爾為此在華盛頓的住處舉辦慶祝會，喧鬧聲傳到了傑克森位處的白宮。幾天後，范布倫到白宮晉見總統，當時傑克森病痛纏身，在戰場上受的傷也還未痊癒，但他虛弱地倚靠在躺椅上聲明：「范布倫先生，銀行想要我的命，但我會毀掉它的！」[55]

美國第二銀行握有影響美國經濟生活的龐大權力。貨幣與主權、公權力與私人利潤彼此交織，美元的強勢貨幣地位保有貨幣的稀缺價值，但美國銀行有權透過發行紙鈔與放貸來擴大紙幣的數量與圖利股東。一八三〇年，其發行的紙鈔在美國流通的紙幣中約占百分之四十，基本上以每一美元的貴金屬硬幣儲備發行兩美元紙幣。美國銀行負責國內約百分之十五至二十的商業貸款，以西南與西北地區為大宗，同時也有權停止發行貨幣與信用。美國第二銀行設有許多地方分行，可購買國家特許發行的紙幣以向總行「贖回」強勢貨幣。光是這一點就形成了威脅，使州立銀行的紙幣發行受到限制。民眾廣泛信賴美國銀行的紙幣價值，使州特許銀行發行更多紙幣，進而擴展了貨幣與信貸數量。信貸的增加為更多創造財富的投資、企業與生產提供了資本。一八三〇至一八三二年，美國銀行將紙幣與貸款發行量提高了六成。[56]利物浦的棉花價值再度上揚，而美國銀行也積極放款，尤其針對西南部的棉花產區。[57]

在此同時，畢德爾要求政府取消監管，讓美國銀行享有完全的自治。他主張，「從總統以降的任何政府官員，沒有一個人有權利或職權可以干涉銀行的運作」。[58]另一方面，他也請求政府施予恩惠。他拿美國銀行的基金來幫關係友好的政客助選，准許主流報社編輯的貸款申請，以寬鬆的擔保條件為國會議員核貸，有時還形成呆帳。例如，他讓麻州參議員丹尼爾·韋伯斯特（Daniel Webster）保有永久合法財產保留權。有一次，韋伯斯特致信畢德爾表示：「我的財產保留權還沒續約，或一如既往地自動更新。如果你們希望繼續跟我保持友好關係，最好照老樣子處理。」[59]如果認為這種安排顯得「腐敗墮落」，那是因為是從傑克森式民主體制角度看待這件事。畢德爾、韋伯斯特與克萊認為美國銀行的所作所為既能造福大眾，又有助於他們的私人利益，一點也沒錯。這就是政治經濟的本質。

傑克森總統並不認同這一點。他否決了美國銀行的特許證更新案。財政部官員阿莫斯·肯德爾（Amos Kendall）與檢察總長羅傑·托尼（Roger B. Taney）協助他撰寫隨後的聲明稿，而這無疑是美國政治史上最具爆炸性的文件之一。傑克森判斷的依據是，美國銀行或政府特許的法人「特權」對「人民的自由有害」。[60]

他公開表示，金融業「就跟農業、製造業或任何一種職業一樣」，是一種生意，因此應基於公平條件開放所有公民參與。然而，「最多數百名且主要來自極富階級」的私人股東（除了外國股東之外，尤其是英國），控制了美國的金融與信用系統，利用政府給予的獨占特權中飽私囊。這家銀行的「權力都集中在少數幾個不顧大眾福祉的人士手裡」。最後，傑克森總統以振奮人心的一番話為美國銀行特許證否決案作結。他感嘆，「遺憾的是，權貴階層往往迫使政府屈服於他們的私利」，因為：

> 在充分享受上天的恩賜與卓越勤勉、經濟及美德的成果時，人人都同樣有權受到法律的保護；但是，當法律承諾在這些自然與公平的優勢之外加上人為的區別，而授予頭銜、酬金與專屬特權，使富人變得更富有、權勢者更強大時，社會中的卑微成員，像是農民、技術工人與勞工，他們既沒有時間、也沒有方法能爭取類似的好處，有權抗議政府的不公。[61]

民主國家本來就不該對特定的經濟階層施予特權或恩惠，必須確保所有人都享有「平等的權利」與平等的機會。

克萊與畢德爾感到欣喜。畢德爾表示，銀行特許證否決案讓他想起了法國大革命的激進人士馬拉（Jean-Paul Marat）與羅伯斯比爾。他寫道：「這種憤怒就像一隻被拴住的豹拚命想咬斷籠子的欄杆。」之後，他便利用美國銀行的基金來為克萊參選總統進行宣傳。[62]很快地，他不得不想辦法堵住媒體的嘴，因為銀行特許證否決案廣受矚目。傑克森透過這樣的操作，證明了自己是民主政治話術與溝通大師。在金融與商業大規模擴張以及經濟不平等問題日益加劇之際，他手段高超地煽動社會對銀行業與政府精英的憎恨情緒，讓後者始料未及。他們以為景氣的繁榮時刻即將到來，完全沒有預料到事情會如此發展。

克萊主張的美國系統殘破不堪，美國銀行的特許權也即將到期。政府對國內改善的公共基礎建設並未制定任何全國性計畫。國會也未放慢西方殖民化的腳步。接著，傑克森簽署一八三二年的關稅法案，降低外國製成品的進口稅率，削弱了對北部工業的保障——畢竟他認為這又是一個特殊利益團體。關稅的減幅對南卡羅來納州來說並不夠，當地參議員是之前辭去副總統一職的約翰·卡爾霍恩，他便宣布這項法案在該州「無效」。然而在總統動怒之前，南卡羅來納州還是讓步了。關稅稅率持續下降，對南部當地的英國商品消費者來說是好事，讓當地部分奴隸主願意支持民主黨。一八三二年，以民主黨員

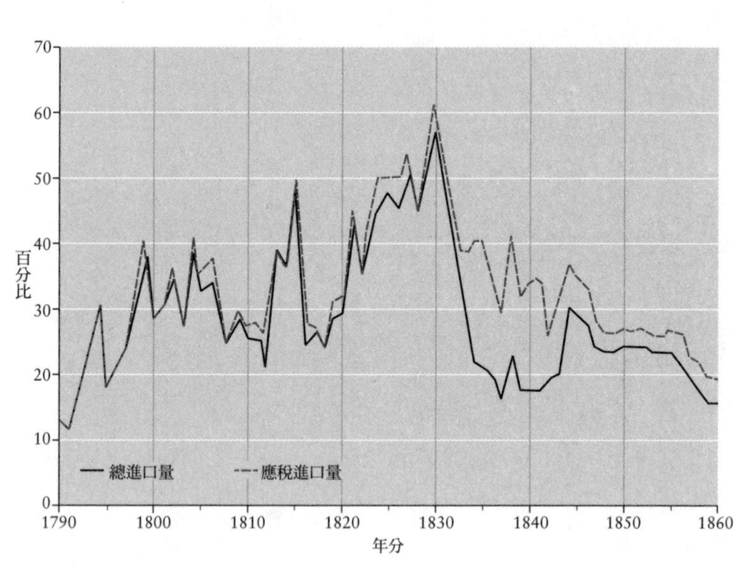

圖 10 美國貿易關稅

遭到南方的英國商品消費者所憎惡的貿易關稅，是一個備受爭議的政治議題。傑克森總統反對克萊在美國系統架構下主張的高關稅，卻在採行奴隸制度的南方地區實行關稅。

身分參選總統的傑克森以壓倒性的勝利擊敗對手克萊。親傑克森的《華盛頓環球報》（*Washington Globe*）在同年表示，「傑克森的理想就是民主制度與人民的理想，目標是打擊貪汙腐敗又寡廉鮮恥的貴族階級」。[63]一位民主黨員宣布，「毀掉美國銀行之後，必須掃除所有壟斷情事，消滅所有特權」。[64]

民主黨試圖限制聯邦權力，以區隔公私領域，目的是解除私人商業領域從政府取得的壟斷特權，公平開放給所有白人戶主。然而，瓦解特權的舉動，不僅僅意味著確保平等的商業機會，實際上也代表削弱聯邦政府制定長期全國性計畫以引導國家貿易發展的權力。

然而，支持貿易的「反壟斷」政治誕生了。紐約記者與民主黨員威廉・萊格特（William Leggett）呼籲「全面區隔銀行與政府」，並且徹底斷絕政府對「自然經濟」的干預。任何私領域都不該有權將貨幣供給擴展到超出強勢貨幣基礎之外的數量。[65]愛默生表示，這些人「是自由狂熱者，他們憎恨規費、稅金、付費公路、銀行、統治者等幾乎所有法規」。[66]

事實上，公私領域的區分並未導致目無法紀的現象，而是引發了一連串新的政治經濟緊張局勢。為了合法確保開放的貿易機會，支持傑克森主義的法學體系應運而生，主要關注私有土地財產權，但反對任何「特殊」或「階級」立法。[67]公私部門的分隔並不意味著國家權力在受憲法規範的適當領域中一定是頹弱的，完全不是如此。民主黨建立了一套更為公開且專業的國家官僚體制。[68]在「反壟斷」的旗幟下，紐約與其他城市解除對公共食物市場的限制。但是，市立水道設備等其他設施逐漸成為公共設施，由政府經營管理。[69]傑克森主義者接受公共管制，並承認地方層級的國家

「警察權」。在各種情況下，傑克森式政治經濟產生了新的問題——該如何監管公共治理與私人商業的界線？

民主黨希望界定私人商業領域，並且希望所有白人男性在「平等權」的保障下都可自由參與。這樣的渴望直接促使大眾有了爭取更多貿易機會的民主動力。

發展中的經濟

經濟生活持續發展、欣欣向榮。都市化終於開始推展，尤其在東北地區。儘管如此，在東北，截至一八四〇年仍有百分之八十一的人口居住在鄉村。[70]自由帝國的政經制度依然根植於白人戶主財產所有權，而傑克森決心維持現狀。土地的開發仍舊是最大的生產性投資類別。[71]礙於欠缺的道路建設與不宜通行的河道地形，有機經濟依然限制了生產與市場範圍。有許多家庭依舊處於商業世界的邊緣，他們大都是傑克森的支持者。

自十七世紀以來，邁向市場經濟的過渡期並非一氣呵成，而是充滿了市場的布局與緊縮、革命與反革命，這一切全與地理環境密切相關。雖然如此，貿易發展仍是趨勢。在這當中出現了一個循環：也就是由景氣蕭條與緊接而來的投機性投資熱潮所組成的重複資本主義信貸循環。

實際上，傑克森的第二屆任期正好遇上了另一次的亞當・斯密式經濟成長信貸熱潮，而這全拜政府的基礎建設計畫助長了白人持續殖民印第安民族土地所賜。但是，商業的擴張並非由全面國家政治計畫引導，而是受到市場情緒與投資者心理所驅動，促使這一切的是野心、謀利、對土地的貪婪、對種族支配的渴望。種種對未來繁榮的預期成了美國人投資土地、商業與奴隸的強烈誘因。之後，這股熱潮同樣陷入蕭條。

南方的棉花經濟從一八一九年經濟恐慌復甦後，重新迎來繁盛的光景。紐奧良的棉花價格從一八三一年的每磅九美分躍升為一八三五年的十五美分。舊西南地區的棉花邊境再度延伸開來。一八三一到一八三六年之間，棉花的出口量翻倍成長，達到歷史新高，占全美出口的百分之六十三。舊西北地區的玉米農與豬農再次將紐奧良視為貨物中轉站，有時也直接賣給舊西南地區的種植園。俄亥俄河與密西西比河之間的航運繼續取代東北部與西北地區的貿易往來。新式的蒸汽動力內河船的發明助長了下游運往上游的航運，並打通了密西西比河的多條支流。蒸汽內河船一小時可跑約三十二公里，從紐奧良逆流通往俄亥俄河的航程從三個月大幅縮到八天。紐奧良的人口突破十萬大關，成為美國第五大城市，在全國的商業地位也攀上巔峰。同樣的情況也發生在位於北部的翻版，那就是上游約兩千五百公里處的俄亥俄州辛辛那提，又名「豬肉之城」。這兩座城市的市場價格開始趨於一致。長久以來作為西部印第安皮毛貿易中心的聖路易（St. Louis）逐漸成為棉花、玉米與豬肉交易的商業重心。[72]

儘管如此，在交易量方面，美國的跨區貿易遠遠超越區域內貿易。[73] 相互連貫的區域與都市商業經濟逐漸成形。例如，新英格蘭的農民轉而從事「園藝農業」為鄰近的城市供應牛奶、肉、奶油、起士、水果與蔬菜。勤奮一點的農夫還能滿足地方上的製造商多數消費需求。畫家強納森・費雪（Jonathan Fisher）的作品《藍山村的晨景》（*A Morning View of Blue Hill Village*，一八二四年）描繪了多元的商業面貌，背景是一座座比鄰而立的城鎮，前景可見山坡上為這些居民供應糧食的農田，兩者之間以一條地界線區隔。

近大西洋中部地區的農民享有穀物生產優勢，但他們也必須負擔該區不斷擴張的都市糧食需求。在紐約、費城與巴爾的摩，小型製成品大都賣到大都會與區域市場。巴爾的摩是麵粉與造紙貿易的重鎮。東北部的都市核心逐漸成形，亞當．斯密式分工的配置也出現了。波士頓與普洛維登斯（Providence）成為多樣化製造業中心；新英格蘭的鄉村城鎮專門生產織品與鞋靴；康乃狄克州的城鎮出產錫器、鈕扣、湯匙、盤碟、時鐘與帽子；紐約市則是「成衣」中心。東北部的商業經濟更以本地貿易為主，經濟成長率甚至高於生產棉花的南方。[74]

之所以出現亞當．斯密式經濟成長，部分原因是市場範圍的擴大提供了強而有力的需求來源。即使在傑克森主義讓聯邦政府變得綁手綁腳之際，州政府在市場基礎建設中主導的「交通運輸革命」仍促進了商業發展。在一七八七至一八六〇年間，聯邦政府一共在交通運輸基礎建設上投入了五千四百萬美元，各州的公共投資總計高達四億五千萬元美元。[75]

這段歷史最早可追溯回一七九〇年代，當時有許多州都向付費公路股份公司核發特許證，尤其是東北地區。之前，道路一般都是在森林中開闢的崎嶇路徑，而開鑿者通常是為了「繳清」稅款而努力勞動的市民。一八〇四年，俄亥俄州通過一條法律，規定路面上的樹木殘幹高度不得超過三十點五公分。許多農民得等到冬季才方便利用雪橇在結冰積雪的道路上載運作物。在南方，奴

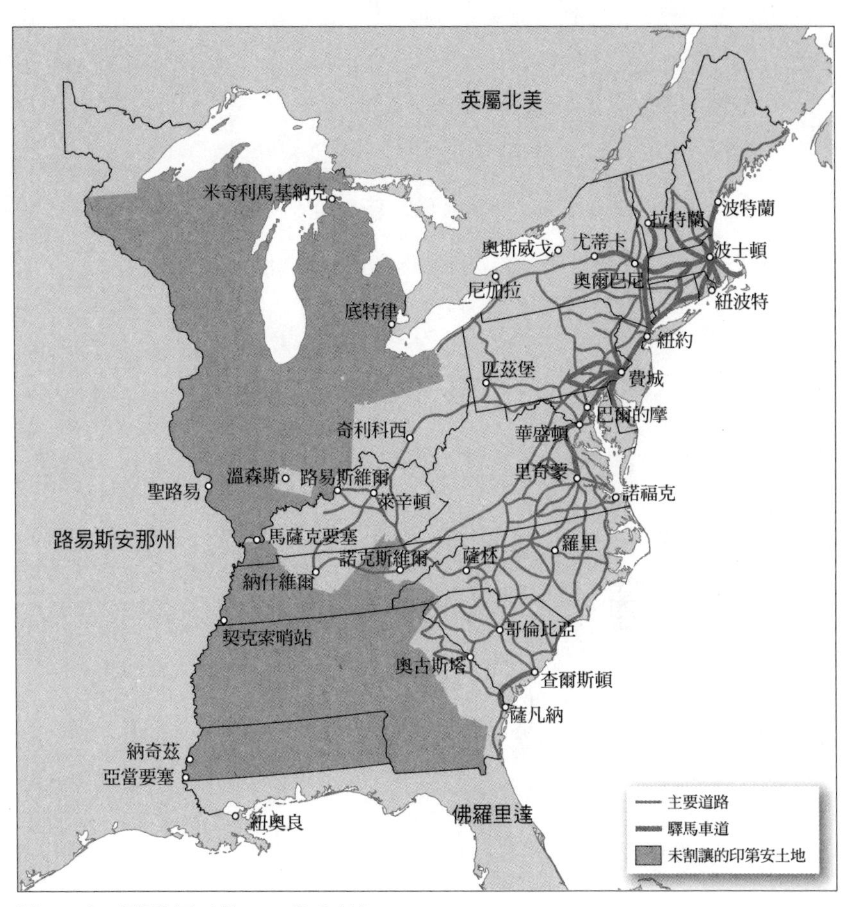

圖 11　主要道路圖（約一八〇〇年）

在商業時代，交通運輸基礎建設大幅削減了市場範圍，因此促成了亞當．斯密式經濟成長的可能性。

隸將棉花拖搬到「載泥船」上，運送至距離最近的河流或溪岸。在沼澤與濕地，人們將一根根原木整齊擺放，鋪設成「木排」路。橋梁多為木造，只有少數用石頭搭建而成。跨越河流意味著越過淺灘。一七九〇年代，第一條成功興建的大型付費公路，也就是連接蘭卡斯特與費城的蘭卡斯特公路（Lancaster Turnpike）才正式通車。

付費公路公司是因「公共目的」而獲得特許經營的股份公司。他們自東北地區開始從多條可航行的水路為基礎向外延伸修建，其中品質最佳的一條以石頭築成並經過填平處理，鋪有碎石且挖設排水溝。在一八〇〇至一八三〇年間，新英格蘭與近大西洋中部地區的各州核發特許證給將近一千家的付費公路公司。這些公司都有向用路人收取過路費，但只有幾間獲利。農村投資者似乎未必都以謀利為目的。他們花錢反而是為了促進一項可同時帶來龐大私利的公共福祉，也就是市場准入。東北地區的付費公路公司擴大了都會與區域性商業市場的範圍。[76]

接著是運河的開鑿。一八一五年，美國全境的運河只有一百英里長。一八一七年，紐約開始興建伊利運河（Erie Canal）。該州向國會申請資金但遭到駁回，於是透過州稅與公債來籌集所需資本。伊利運河連接伊利湖（Lake Erie）與哈德遜河河岸的奧爾巴尼（Albany），途經水牛城，跨越約五百八十公里。這條運河的中段於一八一九年通行，到了一八二五年有賴通行費的收入才得以完工。運河竣工後，紐約上州的小麥產業隨即興旺了起來。在一八二一年，羅徹斯特（Rochester）的居民僅一千五百人，十年後增長至一萬人。[77]原本控制了南方棉花中轉貿易的紐約市，如今擴大涵蓋了來自北部農業腹地生產的貨物，成為自由帝國名副其實的商業重心。

貿易的地緣政治是商業時代的重要主題。美國憲法中的貿易條款禁止各州互相施行貿易關稅，但並未禁止藉由完成公共基礎建設計畫來擴大市場准入。伊利運河的成功，有部分得歸因於其單一管轄權。其他地區的商業精英對這條運河的成功感到心慌，急欲開發可連通大西洋港口與密西西比河以西地區的航線，但那些行經多州的建設經常遭受政治阻撓。連接費城與俄亥俄河流域的匹茲堡的賓州主線運河工程在一八二六年開工。州政府為此發行公債募資。這條運河穿越阿勒格尼山脈（Alleghenies），地勢險峻，到了一八三三年才好不容易開放通行。其他州就沒這麼順利了。各州興建個別的運河，往往顯得多此一舉，無法形成全國性系統。然而，到了一八三〇年，全國各地總計興建了兩千多公里長的運河，大部分的資金都來自州政府的公庫。[78]到了一八四一年，運河總長達到五千三百多公里。一八三六年，伊利諾州開始興築伊利諾州與密西根運河，為的是打通從密西西比河經由新建的芝加哥市通往五大湖的貿易水路。在各州之中，俄亥俄州的運河工程最令人稱奇。[79]

聯邦政府與各州的行動背道而馳。公共財政方面，各州關注的焦點逐漸從稅金轉移至資本市場。相反地，傑克森則在一八三五年清償了聯邦政府的所有債務。總的來說，州債務從一八一五年的近乎零，一八三〇年增加為八千萬美元，然後一八四一年增加到兩億美元。[80]傑克森終止了聯邦對股份公司的國家投資，但當各州政府沒有興建基礎設施時，便將資金注入州特許公司，希望能透過股息增加公庫收入。比起投資股票，西部各州更常出售債券，甚至還賣給外國投資者，尤其是英國。在公共基礎建設落後的西南地區，州政府透過債券的收入來投資特許金融股份公司。奴隸抵押

圖 12 一八二〇與一八三〇年代的交通運輸革命

州政府主導的道路與運河興建工程促成了貿易熱潮，而這正好碰上了美國民主制度興起的時期。

貸款通常會作為公債抵押品或股本。[81]美國是成長快速的發展中經濟體，吸收英國的資金，而英國也經歷過工業革命、曾是資本累積的世界中心。英國資本追求北美商品邊界擴展所帶來的預期收益，包括採行奴隸制度的南方。

如果公共財政有效刺激了經濟成長，那麼私人資本也是如此。美國不再欠缺漢彌爾頓過去所謂的「金錢資本」了，[82]人均投資額從一八一九年的十四美元激增至一八三五年的二十美元。[83]傑克森或許扼殺了美國第二銀行，但美國擁有的州核照金融企業數量在全世界名列前茅。[84]銀行特許證的發照集中於東北部。[85]與公債市場一樣，愈往西部，外國資本愈重要。從一八二〇到一八三六年，美國貨幣供給量之所以會年增百分之七，正是為了因應貿易需求的增加。[86]

債務往往會迫使資本主義持續發展。公私領域的債務激起了更多的勞動與生產，因為農民必須追求金錢收入最大化。雇主對奴隸的剝削更甚以往。總而言之，在西部（尤其是西南地區），一八三〇年代的繁榮景氣深受金融槓桿所影響。美國預估十九世紀的赤字率（債務在國內生產毛額的占比）高於百分之六十。在一八三一與一八三六年間，紙幣發行量從一億一千九百萬美元攀升至兩億零三百萬美元，商品批發價整整漲了一半。只要物價飆漲，一切就沒問題。

然而，在一八三七至一八三九年間，金融恐慌爆發。在傑克森拒絕向美國銀行重新核發特許證之後，他與政敵組織之間的銀行戰爭，在一八三〇年代鬧得沸沸揚揚。這些反對者自稱輝格黨，代表革命世代對無限君權的反抗。當時，許多人將景氣的蕭條歸咎於傑克森或輝格黨。在那之後有很長一段時間，歷史學家也這樣認為。[87]傑克森率領的政府將美國銀行的國有存款提出，改存入州特許的「寵物銀行」（pet bank）*。[88]輝格黨指出，這些寵物銀行發行的貨幣超出了潛在經濟生產的規模。美國銀行失去了驅逐流通劣幣的權力，使信用過度擴展，超越了潛在的商品供給量，導致必要的修正伴隨著恐慌，經濟蕭條緊接而來。證據顯示，情況確實如輝格黨所言。[89]然而，國際事件才是關鍵。

此時期貨幣與信用擴張的主因在於，美國的強勢貨幣儲備量增加，奠定了紙幣發行量提升的基礎。其中，墨西哥開採的白銀是最大的強勢貨幣來源。由於英國在亞洲推動鴉片貿易，銀礦不再作為英美交易用資金流向中

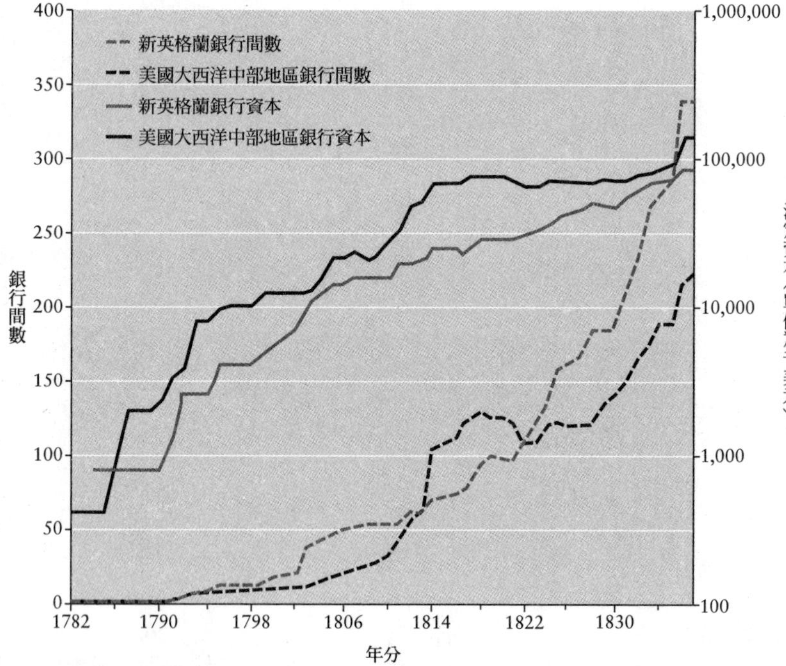

圖 13 國家銀行的成長

州特許銀行為美國早期的商業發展提供了資本。

國，而是留在美國，進一步擴大了國內信貸供給。[90]同一時間，英格蘭銀行飛快發展金融業務。英格蘭銀行網絡放貸的最低利率，即「銀行利率」，決定了貴金屬硬幣儲備量與紙鈔發行的比率。一八三六年，因為英國對美國的資本投資，讓黃金儲備量逐漸減少。為了維持英鎊與貴金屬的匯率，英格蘭銀行提高銀行利率，希望存款利率的提升能吸引貴金屬回流。此舉奏效了。但是，英格蘭銀行優先考慮的是維持英鎊的稀缺價值（即英鎊與黃金掛鉤的匯率），而非滿足國際貿易的信用需求。

英格蘭銀行提高銀行利率之際，大量資本移出美國，重新回到了大不列顛境內。銀行利率的提升相當吸引人，使市場追求更多的貨幣與信用，負債鏈上的債權人也紛紛開始催收債款用來支付。在美國，貨幣與信貸則是開始緊縮。物價隨之下跌，包含棉花在內。投資棉花貿易的英美商行還有大量庫存未消化，就開始搖搖欲墜了，有些撐不住而宣告倒閉。紐奧良與紐約市借款給這些商行的銀行因貸款變成呆帳而蒙受損失。民眾察覺到銀行所面臨的危機，爭先恐後地提領存款，拿紙鈔換取強勢貨幣。然而，強勢貨幣的囤貯妨礙了信貸與投資的持續流動，而美國銀行特許證過期，更導致了市場逐漸失去對整個金融體制的信心與信任。[91]此外，傑克森於一八三六年發布「鑄幣流通令」（Specie Circular），規定人民只能以強勢貨幣購買公有土地，使得東部各家銀行的強勢貨幣流向西部，儲備量也跟著下降。[92]然而，發展中的美國經濟落入了英國銀行利率所控制的資本市場陷阱，

* 譯註：貶稱經美國財政部指定接收國家多餘基金的州立銀行。

才是造成景氣蕭條的終極原因。貨幣與信用緊縮，消費頹軟無力。這是美國史上第三次的債務通縮。

美國銀行失去聯邦特許證後，畢德爾很快便在賓州成立了另一家銀行。該行投資棉花貿易，認購美國證券並向歐洲兜售，尤其是美國國債。一八三九年，畢德爾的銀行倒閉，一部分原因是棉花的投機買賣失靈。[93]這引發了銀行體制中另一次負面的連鎖反應，導致一八三九年的經濟恐慌。之後，賓州爆發了主權債務危機。

一八四一年，美國的債務總額達一億九千八百萬美元，其中有超過一半都是在一八三七年之後發行的。西部的土地價格崩跌，銀行相繼倒閉，許多公共基礎建設工程也陷入停擺。隨著外資撤出美國，各州無法再徵收稅捐還清債款。一八四一到一八四二年，路易斯安那州、馬里蘭州、伊利諾州、阿肯色州、密西根州、密西西比州、印第安那州及佛羅里達領地全面臨債務違約，俄亥俄州與紐約州差一點也陷入危機。[94]

一個以與固定強勢貨幣價值掛鉤的貨幣為前提的國際金融體系，可以透過吸引稀缺的資本進入發展中的經濟體，來充分穩定投資者的信心與預期——美國就是一例。但是，當作為霸權中心的倫敦政府提高利率以維持強勢貨幣標準，尤其是在資本向周邊地區外流之時，資本可能會突然回歸霸權中心，使信貸停止運作、價格崩潰。於是，一個全球性的信貸週期就這樣結束了。

自此之後，這種循環屢次出現，因此我們可辨別出大致的模式。然而在當代，絕大多數的美國人只模糊地意識到，英國霸權下全球經濟相互依賴的嚴重性。儘管如此，諷刺之處比比皆是。傑克森曾經譴責英國擁有美國第二銀行資本股票，克萊則注意到美國商業經濟對英國棉花需求的依賴。

某種意義上，他們評估美國出口經濟對英國資本與信貸的依賴，比他們在政治上的相互指控來得更有意義。到了一八四〇年，美國再度陷入經濟困境。

終曲：股份公司

政治圈也同樣再度面臨難題。一八四〇年，傑克森的繼任者范布倫在總統選舉中輸給了輝格黨的候選人威廉・亨利・哈里森（William Henry Harrison）。哈里森提出推動全面「改良」的政見，支持國內改善、道德改革與公共教育。[95]儘管如此，在政治上，經濟的衰退對各州造成了嚴重後果。[96]公司深受其害。

在金融恐慌之前，有別於聯邦政府，各州政府對特許的股份公司投資了數億美元，不論是運河建設公司或銀行。此外，他們也對公司資本課稅，免去了不受選民歡迎的財產稅，而這裡的財產指的就是土地與奴隸。股份公司執行公共任務，使公共主權與私人利潤牽扯不清。首先，州政府向這些股份公司核發特許證，是因為它們具有「公共目的」。立法機構投票表決每一張「特殊」的執照，從這個角度來看，金融股份公司與慈善機構、醫院或大學是相似的。基於公共目的（為商業活動發行貨幣或提供高等教育），公司享有法律特權，例如法人地位、有限責任（某些情況下）甚至是壟斷。公司跟家庭一樣，都是自由帝國中的次主權。

民主黨肯定不認同。企業壟斷即便不是貴族特權，也多少帶有寡頭色彩。在《何謂壟斷？》

（*What Is a Monopoly?*，一八三三年）一書中，西奧多・塞治威克（Theodore Sedgwick）寫道，公司的封閉式特殊特許經營是一種「立法機關恩惠的分配」，它既「違背了自由貿易的基本準則」，也與「主張平等的民主制度」互斥。但是，如果公司「可由所有人自由承擔」，便「與權利平等及貿易自由完美相容」。[97]羅傑・托尼是傑克森的前內閣成員與銀行否決法案的共同起草人，他在此時擔任最高法院的首席法官，在查爾斯河大橋訴沃倫大橋（Charles River Bridge v. Warren Bridge，一八三七年）一案中推翻了州級法人壟斷特權。[98]一八三八年，紐約州通過了《自由銀行法》，支持者稱其「取代了腐敗的政治壟斷，是值得讚揚的一大進步」。[99]只要符合一般的儲備條件，紐約州的任何公民都可以特許設立銀行。一八四〇年代，許多州開始為金融業、製造業甚或所有企業制定「一般公司法」，有些州則完全禁止「特殊」的特許經營。雖然直到一八七〇年代，一般公司法才遍及全美各地，但這樣的趨勢已經無法回頭。[100]到了一八六〇年，十八個州通過了《自由銀行法》，揭開了「自由銀行時代」的序幕。公司執照數以萬計地增長，股份公司成為美國獨特的協會與企業載體。[101]

「一般公司」的合法地位是一項重大變革，也是對支持平等權利與機會的精英的沉重打擊。關於法人人格的最古老的法律理論，是「授予」或「特許」理論。只有主權者才能授予法人特許證，進而建立一個新的次主權。[102]然而在人民主權主導的民主國家，授予理論是一個矛盾的概念。主權本來就存在，立法機關又怎麼能重新將主權授予「人民」？為何法人組織的特權不該是一項人人公平享有的民主權利？

一般法人組織法將股份公司硬是歸入新興的私人商業領域，剝奪了它們某些公共義務與作為治理次主權的角色。一八三九年主權債務危機的恐慌過後，出現了傑克森主義反對國家資助的國內改善舉措。各州不再投資私人公司股票，而是開始徵收財產稅以提高稅收。[103]這是政治經濟中傑克森式領域劃分的另一個例子，試圖在意識形態與法律上區分私人商業領域與國家侵權。

隨著一般法人組織的興起，股份公司變得更加「私有化」，但公私領域並未徹底區隔。無論是有限或永久存續，公司仍然享有國家授予的法律特權，即使法人組織已經開放成立。政府當局依然可以管控私人公司。除此之外，民主控制（一位股東一票）與金權控制（一股一票）的對立不斷延續。[104]任何公司在法律上都沒有義務為了追求商業利潤而排除所有其他專案，就連股份有限公司也是。[105]二十世紀末與二十一世紀初為人們所熟悉的利潤最大化公司尚未出現，而且必須先對法人形式進行大量試驗，因為它仍然具有相當的可塑性。[106]但是，對政治特權的攻擊（無論有意或無意），確實開啟了潛在的意外後果，也就是公司有可能淪為私人經濟權力擴張的工具。

在政治經濟中，傑克森式的區域劃分計畫導致了一系列新的緊張與矛盾，這些衝突的前提是外部的邊界，而非內部的糾葛。區分私人與市場領域的計畫，削弱了任何為進行中之商業化過程提供長期政治指引的企圖。

相反地，經濟的發展控制了短期的信貸週期。物價直到一八四四年才終於開始上漲，美國的商業經濟得以走出最近一次債務通縮的低潮。衰退始終存在於貨幣與信貸體系，但無論市場價格如何，經濟生產與產出都持續擴大。民主派將發展迅速的國家市場從政治經濟精英的僵化控制中解放出來，至於之後它會把共和國帶向何方，還有待觀察。然而，美國的商業再度恢復運作，市場又重拾了信心。

第五章 信任騙局

「想想我們的生活方式。這是個充滿交易的世界，永遠都一片喧囂忙亂！」[1] 美國超越主義思想家梭羅在一八五四年一次公開演講中如此感嘆。他指的不是政治經濟。他對公司特許、關稅稅率或國內改善計畫知之甚少，也不關心這些事。畢竟，他的導師愛默生在「超越主義」（The Transcendentalist）運動中表示，「銀行與關稅」是「平淡又無趣」的話題，「無聊的人」才會談論。[2] 梭羅想探討的是「人們的生活方式」。

那個年代的美國人經歷了信貸推動的一系列商業熱潮，接著是金融恐慌與債務緊縮的衰退。但一八三七與一八三九年爆發恐慌不久後，商業經濟又重新活躍了起來。不只是梭羅，許多人逐漸有感商業以前所未見的方式衝擊經濟生活，就算只在日常生活上也是如此。商業的自利漸漸脫離舊時施加的枷鎖自成一個世界，無論是道德上責難或地理限制導致的河流通航問題，此時都不足為懼。市場範圍確實擴大了，而且深入美國人的生命。除了政治經濟、社會與文化生活之外，就連心理與道德生活似乎都岌岌可危。什麼樣的社會稱為「商業社會」？什麼樣的人在這當中成功或失敗？商業活動的擴展，對人類的靈魂造成了什麼影響？

這些問題始終存在，由來已久。但由於亞當·斯密式經濟成長的力道猛烈，這些問題在梭羅的時代益趨嚴重。不久前，亞當・斯密曾說過，商業的活力不應來自於國家，而應源自普遍的「人性」。亞當・斯密在《國富論》中深入探討人性，並在同樣卓越非凡且具教育意義的《道德情操論》（*The Theory of Moral Sentiments*，一七五九年）中解釋，商業社會需要成員具備一種特殊的道德才能蓬勃發展，那就是誠實、謹慎與尊重的資產階級美德。[3]亞當・斯密將這些品行比作友誼。[4]商業以自利為前提，但需要同情心才能運作。其中可能會存在道德上的衝突，但商業的先決條件是願意在互相同意的價值與代表性協定之範圍內談判，而不訴諸暴力。這正是亞當・斯密及當代其他思想家如此喜愛商業的原因。長久以來，宗教始終鄙視商業，認為它不道德，貴族階層也譏諷商業的可恥與不光彩。但在經歷了數世紀的血腥宗教戰爭後，許多啟蒙知識分子逐漸將商業視為文明的影響，[5]認為其促成了道德的「進步」。[6]從班傑明・富蘭克林到湯瑪斯・潘恩（Thomas Paine），許多著名的美國人都繼承與支持這個思想傳統。

美國的「商業社會」最終變得相當混亂，但啟蒙運動支持商業的倫理主張得以通俗化成各種文本，例如約翰・佛羅斯特（John Frost）的《青年商人》（*The Young Merchant*，一八三九年），這本書是抱負遠大的美國商人所撰寫的必讀之作，刻意安排在一八三七年的金融恐慌之後出版。這種題材並不新奇，可追溯至文藝復興時期的義大利。富蘭克林所著的《窮理查的年鑑》（*Poor Richard's Almanack*，一七三二至一七五八年），更讓這種題材在十八世紀的美國蔚為風潮。[7]《青年商人》的目標讀者為商業人員，也就是近代商業繁榮的先鋒。[8]書中的重點在於，呼籲商業生活的誠實與公正。或許，對商業自利的適度監管並不如重商主義者所認為的那樣，需要一個國家權力機構來取代，甚至不需要道德勸戒商人維持「公平的價格」。它只需要現代所謂適當的「企業倫理」。《青年商人》教導年輕從商者「永恆不變的是非原則」，但也指出，「商人的高尚品格」在於「最佳與最重要的信用」。[9]《青年商人》提供的指引包含了古老的形而上二元論，即表象與現實之間不可避免的矛盾：商業社會的表象（往往以信貸與債務為前提），以及不可改變的道德原則所聲稱的現實，彼此之間的矛盾。商業表象需要未來的表述，而未來在某種程度上一向充滿了未知。因此，表象的未知與現實的必然之間出現了一個缺口，其中包含了是與非的道德必然性。

在商業中，有沒有可能表面上這麼做，實際卻那麼做，依然能取得成功？當然有可能！如果商業社會中的人類不是針鋒相對，而是為了存活而討價還價，偶爾還虛情假意地彼此相待，藉此實現未來的個人商業目的，那會如何？假使他們都是矯揉造作、虛偽狡詐的騙子，一切都只是為了賺錢呢？

在紛亂擾攘的商業環境下，許多屬於南北戰爭前的美國作家與藝術家都深受這種困境所苦，他們擔心商業的表象已經吞噬了現實，生活變成一場信任騙局而已。梭羅的《湖濱散記》（*Walden*，一八五四年）是這類文學題材的里程碑，其他還包括愛倫．坡（Edgar Allan Poe）偉大偵探故事〈失竊的信〉（The Purloined Letter，一八四四年）。視覺藝術方面則出現了透光主義（Luminism），也就是利用明亮的色彩使現實表徵栩栩如生的畫風。[10]換言之，美國文化處處都存在對「騙術」的迷戀。

在商業發展的影響下，如何區分事實與虛構，或是區分企業家真正的巧思與精心偽裝的欺詐？如果美國人必須終日內省這些問題，他們所處的道德宇宙又會是什麼樣子？

在赫爾曼・梅爾維爾的小說《騙子》（*The Confidence-Man*，一八五七年）的開場，有個啞巴站在密西西比河的輪船上，胸前掛了一塊寫著「不要相信任何人」的牌子。[11]如果與你打交道的人是個愛耍花招的騙子，你就必須退出這場遊戲，建立信心與信任。但是，如果沒有信心或信任，商業就不可能存在。建立信任就跟囤積資本一樣有可能造成危險，在這兩種情況中代價都是在未來缺乏投資活動。漢彌爾頓曾提出明智的警告，「謹慎睿智的資本家」會造成有害的經濟效應。

數世紀以來，每一次的金融危機都是一場信任危機。為什麼資本主義如此仰賴人與人之間的信任及環抱信心的心理狀態？畢竟，在一八三七年的恐慌中，美國人的茫然失措是千真萬確的。[12]為什麼資本主義總帶有信任騙局的意味？

騙術

梭羅與梅爾維爾活躍的時代，在文學史上被學者稱為美國的文藝復興時期（American Renaissance）。在短短七年內，愛默生的《自然；講話與演講》（*Nature; Addresses and Lectures*，一八四九年）、納撒尼爾・霍桑（Nathaniel Hawthorne）的《紅字》（*The Scarlet Letter*，一八五〇年）、梅爾維爾的《白鯨記》（一八五一年）、梭羅的《湖濱散記》（一八五四年）、佛瑞德里克・道格拉斯（Frederick Douglass）的《我的束縛與我的自由》（*My Bondage and My Freedom*，一八五五年）、沃爾特・惠特曼（Walt Whitman）的《草葉集》（*Leaves of Grass*，一八五五年）及瑪格麗特・富勒

（Margaret Fuller）的（遺著）《國內與國外》（*At Home and Abroad*，一八五六年）相繼出版。愛倫·坡發表了短篇小說；艾蜜莉·狄金生（Emily Dickinson）寫作詩歌。一般認為，這是美國文學自覺性民主表述的開端，但在後世看來，當時已經達到了巔峰。[13]

在這份輝煌的名單上，還必須加上另一本著作：《巴納姆的自傳》（*The Life of P. T. Barnum, Written by Himself*，一八五五年）。巴納姆是一位了不起的騙子，自稱「花招王子」。[14]他將欺詐變成了一種藝術與一種誠實的生活方式，而且有別於梅爾維爾與梭羅，他還是一位暢銷書作家。《巴納姆的自傳》一推出就熱賣；另一本自傳《奮鬥與勝利》（*Struggles and Triumphs*，一八六九年）也是如此，內容以成功的個人經歷為主，並在之後二十年裡屢次更新。《巴納姆的自傳》創下約十六萬本的銷售佳績，這位花招王子可謂發明了一種新的題材——通俗的創業自助書籍。

巴納姆於一八一〇年出生於康乃狄克州的貝塞爾（Bethel），家裡以務農維生。他的工作是耕田與擠奶。他坦承，在一個崇尚工作倫理的文化中，「我從未真正喜歡過工作」。[15]踏入他所謂的「表演家」行業之前，他是一名職員，之後還開過一間店。如今，巴納姆最為人所知的是他擔任巡迴馬戲團主辦人的告別之作。不過，他起初是在博物館行業中成名的。一八四一年，巴納姆美國博物館（Barnum's American Museum）在紐約市下百老匯大道開幕。當時，博物館還不完全是今天我們看到的樣子，更像是文化奇觀或劇院，博物館內設有德拉蒙德燈光（Drummond light）及管弦樂團配樂，讓觀眾眼花撩亂。到了一八四〇年代中期，每年吸引四十萬名顧客上門消費，據說為當時美國最多人造訪的景點。

巴納姆美國博物館之所以能鴻圖大展，是因為巴納姆巧妙玩弄了表象與現實之間的區別。他在自傳中寫道「裝出生意興隆的樣子」，並強調，「通常就會成真」。[16]巴納姆的顧客在門口掏錢，就是為了看到馬戲團經紀人承諾的表演。他們想看的或許是喬伊絲・赫斯，這個人曾當過華盛頓的保母、號稱一百六十歲的奴隸，有著得天獨厚的金嗓，巴納姆當時用一千美元買下了她。讓觀眾慕名前來的也可能是巴納姆的第五個表弟，也就是侏儒兒童模仿演員拇指將軍湯姆。不管是什麼表演，它是真實的，還是虛假的？巴納姆的工作是製造懸疑。歷史學家詹姆斯・庫克（James Cook）指出，每一件事都「貌似值得認真看待，也可疑得使人半信半疑」。[17]巴納姆讓觀眾自行判斷。他並沒有端出權威的架子，他賣的是令人不可思議的奇妙體驗。

想搞清楚巴納姆博物館內在搞什麼名堂，得先瞭解博物館外發生了什麼事。當時，紐約市打敗了波士頓與費城，抵擋了紐奧良的挑戰，成為全國性都市貿易中心，是南方棉花轉運貿易的本營，也是伊利運河的轉口港。一八四〇至一八六〇年間，該市的人口從三十一萬二千七百一十人攀升至八十一萬三千六百六十九人。都市化在美國來得很晚，但也終於起了頭。一八四〇年，美國的都市人口比例為百分之十一，到了一八六〇年，比例幾乎翻了一倍達到百分之二十，從兩百萬增為六百萬。[18]

巴納姆迎合了新都市商業階層的需求。市場範圍的擴大與分工的增加，促成了一個更廣泛的差異化從商階級，包括商人、職員、銀行家、批發商、股票經紀人、經銷商、投機客、零售商、雜貨商、商販、旅行推銷員、保險經紀人、代理商、拍賣商與會計出納。他們的主要任務是建立連結眾多生產者與消費者的市場制度，以創造貿易意義上的交易流動性，也就是創造更大的銷售規模。自殖民時代以來，商業「中等階層」便主導了美國。在一八三九年的創刊號中，《商人雜誌與商業評論》(*The Merchant's Magazine and Commercial Review*) 指稱，美國人「本質上與實際上都是一支貿易民族」。[19]

即便如此，紐約並不同於小型貿易城鎮，更不用說是鄉村了。大都會是個充滿陌生人的世界，許多初來乍到的就業者湧入這座城市人滿為患的供膳宿舍，在家庭以外的範圍尋求大眾娛樂。商業上，大家免不了會跟陌生人交涉。由於普遍缺乏傳統的信譽關係，因此商人們採取了一些補救措施。一八四一年，為了恢復人們在經歷一八三七與一八三九年恐慌後的信心，紐約商人路易斯・塔潘（Lewis Tappan）成立了商業徵信所（Mercantile Agency），並在不久後將其更名為「R.G. Dun & Co.」。[20]然而，人們依舊懷有許多疑問：那些查報的價格真的是市面上現行的價格嗎？商人對外宣稱的名字是真名嗎？還是一切都是一場騙局？商業的領域充斥著人際間的疑慮。

此外，貨幣問題又增添了更多不確定性。所謂的「部分準備金銀行制度」，從來沒有足夠的貴金屬硬幣儲備來支持其發行的所有紙幣與信貸。如果所有紙幣持有者因為缺乏信心與信任，一次全把它們「贖回」換成強勢貨幣，所有銀行都會倒閉。這種「銀行擠兌」現象伴隨著一八一九、一八三七與一八三九年的恐慌而來。巴納姆在一八四一年成立美國博物館時，曾利用市場操縱力量驅逐劣幣的美國第二銀行已不復存在。許多州開始進入了「自由銀行體制」或開放銀行自由註冊的時代。各州當然也有設立銀行委員會以監管紙幣的發行與增強民眾的信心，但銀行發行的紙幣價值仍然高於本身的儲備量。唯有當人們對銀行紙幣具有信心與信任時，這些機構才能發揮作用。就如同精明的巴納姆並未自稱是騙術權威一樣，紙幣的世界裡不像之前那樣有一個中央監管機關可向大眾宣明，他們所見的東西是否具有真正的價值。

在傑克森扼殺了美國第二銀行之後，人際間的信任與信用更加成為漢彌爾頓所謂的「金錢資本」的基礎。農民擁有自己的土地、奴隸主擁有自己的奴隸、商人擁有信任，如果商人沒有信任，而是不斷創造信貸，最終的清算總有一天會到來，也就是所有債務都到期的時刻。假如那天真的來到，結果將會是銀行擠兌與金融恐慌。設計上，這個體制沒有足夠的貴金屬硬幣可償還所有債務，因為今天的匱乏無法補足對未來的預期。由於資本主義金融體系是一種永無休止的放手一搏，是一次又一次的投注信念，因此信心成為經濟活動的情感與心理的主要推力。

沒有人比巴納姆更明白這一點。他的騙術，與票據信貸經濟中的人際想像有著驚人的相似之處。他利用懸疑的體驗，玩弄人們對於表象不是現實、現實不是表象所懷抱的恐懼。美國博物館坐落於百老匯與安街（Ann Street）的街角，鄰近紐約市金融中心華爾街。大多數的遊客都是新興的中產商業階級。白天，他們互相討價還價；到了晚上，他們聯手合作，試圖搞清楚巴納姆究竟葫蘆裡賣的是什麼藥。

巴納姆最成功的作品是一八四二年首度公開的「斐濟美人魚」。斐濟美人魚是一具由風乾的猴子與魚縫合而成的偽標本，巴納姆宣稱牠是原產於太平洋斐濟島的稀有物種。在門口付錢買票後就可以親眼一探究竟，自己判斷牠是真的還是假的。巴納姆是個行銷天才，一開始他如此宣傳：「這個動物曾經有過生命，會動會跳，真實存在過，就像它現在的樣子……無庸置疑，所有看過它的人都必須承認這點。」幾天後，巴納姆匿名在一家報紙上發布了一篇報導，透露博物館內部有員工「覺得」這條美人魚是「假的」。隔天，他再親自回應表示感到非常憤怒，說這些指控毫無根據！接著，他秘密成立了另一間博物館，展出另一條斐濟美人魚。這兩間博物館的獲利都進了他的口袋。在紐約的一家報紙上，有兩則廣告並列，互相指控對方無憑無據，一則是原版斐濟美人魚的廣告，另一則是山寨版廣告。[21]

一八四二年，也就是斐濟美人魚問世的那一年，商業活動逐漸從近期的恐慌中復甦。在不斷重複的循環中，人們開始重拾信心，信貸體系也在展望未來。他們值得被信任嗎？每個人都必須自己判斷。

有什麼可以限制或抑制商業劇烈的不確定性？顯而易見地，有誰不在美國博物館裡？少了什麼非商業形式的權威？那個世界裡沒有國王、沒有政客，當然也沒有中央銀行可區辨表象與現實。美國博物館不是家庭農場，沒有戶主掌管一切，也沒有奴隸幫忙做工。至於神呢？從位於百老匯的美國博物館走路約十分鐘，有一間查塔姆街禮拜堂（Chatham Street Chapel），就在市政廳過去一點。成立商業徵信所的塔潘將這座教堂租給了查爾斯．芬尼（Charles Finney），在第二次大覺醒運動（Second Great Awakening）*中，他是當時最受歡迎的福音傳教士。

* 譯註：從十八世紀末持續至十九世紀初。

芬尼本身也喜好賣弄。他說，靈魂的救贖是個人的責任。你必須決定自己是否想得到救贖，相信自我意志，而不是交由神來定奪——這個主張迥異於新英格蘭清教徒信奉的喀爾文主義，喀爾文主義堅信唯有上帝是真理，唯有上帝是真實的，唯有上帝才知道眾生靈魂的真實狀態且值得信賴，像是個人在審判日過後能否上天堂。芬尼宣稱，個人必須決定自己是否得救。放手一搏的資本主義信用體系與芬尼孤注一擲的神學之間的相似性不言而喻。兩者都不存在至高無上的權威。如果你不抱著信心奮力一搏，靈魂就無法得救。除此之外，資本主義金融體制也可能由內而外崩壞。[22]

巴納姆屬於支持傑克森的民主派，從小生長在聯邦黨為主的康乃狄克州，而他的騙術也帶有對民主政體的敏銳度。[23]真相的民主化就在美國博物館中上演，它將做出判斷的民主義務交到了遊客的手上。在美國的政治經濟中，主導蓬勃商業的，既不是亨利．克萊的美國系統，也不是任何其他的長期政治發展計畫。貿易與商業生產所需的貨幣與信用，如今由下而上地湧出，透過民主、人際間的信任形式以及信心與預期的普遍狀態逐一展現。由種種興奮、疑慮與問題而生的情緒狀態及心理動力，助長了信貸週期中的投機活動，進而誘發投資與推動商業發展。

斐濟美人魚的展覽一炮而紅，在商業上大獲成功，但並非每個人都認同。《紐約先驅報》（*The New York Herald*）刊登的一則評論指出：「這隻美人魚絕對是場騙局。我們勉強可以接受合理範圍內的騙術，但這太過分了。」[24]人們不禁想問，這則評論是否也是花招王子背地裡搞的鬼。

《湖濱散記》

梭羅對騙術絲毫不感興趣。一八四二年，斐濟美人魚在曼哈頓展出時，梭羅人住在家鄉麻州康科德（Concord），與導師愛默生一同生活。他的父親跟巴納姆一樣，在生意上遭遇了困難。亨利曾短暫跟著父親一起製作鉛筆維生。這段期間，愛默生鼓勵梭羅養成書寫日記的習慣。一八四五年，梭羅在瓦爾登湖附近一座簡樸的小木屋住了一段時間，環境閒適，相較之下，巴納姆在康乃狄克州布里奇波特（Bridgeport）的豪宅顯得像是一隻裝飾誇張可笑的建築巨獸，他甚至稱之為「伊朗尼斯坦」(Iranistan)。巴納姆著手寫作自傳之際，梭羅則將他對自身經歷的省思集結成超越主義的經典之作《湖濱散記》。

《湖濱散記》是對資本主義商業的嚴厲控訴，他抨擊資本主義商業並非以物易物的貿易形式，而是以金錢收益為目的的交換。有人曾批評梭羅，因為他從未有過像《湖濱散記》一般壯麗的孤獨與自給自足的簡樸生活。[25]事實是，他經常進城拿待洗的衣服給母親，請她幫忙清洗，而《湖濱散記》對這件事隻字未提。然而，這本書在探討的絕非任何實際存在的地點，重要的是心靈與存在的狀態。梭羅表示，想尋找現實，即使只是在自己有意識的想法中，仍必須有能力放下喧囂紛擾的商業世界。理想的情況下，你應該尋求自然，尋求通往內在真理的世界。這應該是一種回歸根本的過程。寫日記可以幫助你跟自己對話，而不是與他人對話。或者，你可以與好友談談。梭羅認為，他對自身獨立思想的經驗才是真實的一切，其他都只是表象，不值得信賴。相對的，《巴納姆的自傳》

沒有提到自然，沒有森林、河流與田地。巴納姆將有機經濟完全拋諸腦後。

《湖濱散記》是知識分子換個方式思考商業道德價值的一個重要範例。過去對商業自利的批判較為保守，是帶有貴族階級色彩的宗教批判。在美國的政治傳統中，傑佛遜主義的話語與其說是在批評市場，不如說是在抨擊社會對特定市場的依賴，無論股票市場或公債市場皆是如此。畢竟，傑佛遜對「自由貿易」的地緣政治可能性抱持不切實際的看法。他們的共和主義已經轉化為傑克森主義式的民主倡議，更加質疑特權與寡頭政治。儘管如此，仍有許多支持傑克森的選民嚴厲批評壟斷現象，極度嚮往商業機會的平等。不同於宗教對於商業過度發達所提出的過時警告，也不同於傑佛遜對潛在市場依賴性的批判，《湖濱散記》背後所隱含的是一項嶄新、跨大西洋的知識運動，又稱為浪漫主義，這項運動徹底懷疑資本主義的商業化。

這些浪漫主義者擔心，充斥著商業表象的殘酷世界正逐漸凌駕現實。引領其思想的大師為十八世紀的法國人盧梭，地位相當於反商業化啟蒙運動中的亞當．斯密。浪漫主義的基石是盧梭的《論人類不平等的起源與基礎》(*Discourse on the Origin and Basis of Inequality Among Men*，一七五四年)，經過長期以來對經濟發展所做的思索，盧梭認為商業與分工對文明有所助益：「沒有任何一個社會可在交換行為不存在的情況下存續。」[26]與亞當．斯密不同的是(他寫了一篇反對《論人類不平等的起源與基礎》的評論)，盧梭擔憂商業未必在道德上改善人際關係，反倒會滋生不良的依賴，意即有害的社交關係與自我關係。商業社會是人為產物，沉迷於不真實的虛偽。自由獨立及人類的原始本性被個人的「自愛」所破壞，他們不斷從別人的角度來評估自我(譬如現代的社交媒體，要是盧梭生在這個時代，肯定嗤之以鼻，但仍會使用）。[27]盧梭對商業社會的探索是一部關於道德墮落的悲劇性敘事，儘管他晚年時在《社會契約論》（一七六二年）中隆重宣布自己發現了一個解決方案：將小型共和國交由平等公民所組成的自由群體之「共同意志」來治理。之後，年事已高、與流言蜚語滿天飛的巴黎社會格格不入的盧梭，獨自在鄉間散步，寫下了作為超越主義原型的遐想，其中夾雜了他對社會宿敵的指責。[28]

浪漫主義對商業的批判傳到了德國的「狂飆突進」（Sturm und Drang）世代，然後經過康德與黑格爾的哲學過濾，再影響了青年馬克思的《經濟學哲學手稿》（*Economic and Philosophical Manuscripts*，一八四四年）。馬克思將盧梭的依賴性概念轉化為「異化」（alienation）。[29]有段時間在英格蘭，關於商業的評論一直很保守。至於社會，保守派的散文家卡萊爾在一八四三年感嘆，「現金支付」逐漸成為「人與人之間的紐帶」。[30]在工業革命期間，一股發展成熟的左派知識評論風潮也在英格蘭崛起。例如，狄更斯在後期小說如《艱難時世》（*Hard Times*，一八五四年）中提出的批判性社會評論，與他早期風格詼諧的小說如《匹克威克外傳》（*The Pickwick Papers*，一八三六年）中對商人的滑稽但同情的描述大不相同。到了一八五〇年代，新興資產階級子弟的知識潮流開始批判資本主義商業。於是，對永無止境、無所不包的商品化的批判誕生了。一個世紀後，在《資本主義、社會主義和民主》（*Capitalism, Socialism, and Democracy*，一九四二年）中，奧地利經濟學家約瑟夫・熊彼得表示，資本主義往往提供必要的物質財富，讓知識分子有時間與閒暇去批判它。[31]

如同狄更斯，梭羅的導師愛默生也經歷了多個思考階段。他先是大致認同亞當・斯密與潘恩的看法，也就是商業交換行為具有道德與政治上的好處。在物價終於從一八三九年恐慌中回穩的同一年發表的〈年輕的美國人〉（The Young American，一八四四年）一文中，愛默生寫道：「嶄新與反封建的商業力量，是此時此刻對美國人最具意義的政治事實。」[32]然而不久後，他的立場開始偏向浪漫主義。狄更斯在遊記《美國紀行》（*American Notes for General Circulation*，一八四二年；書名為美國前不久經歷的金融恐慌的雙關語）中批評美國文化後，愛默生則在《英國人的特質》（*English Traits*，一八五六年）中提到工業化的英格蘭時表示，「每個英國人的靈魂都存在粗糙的邏輯規則」。[33]愛默生與梭羅默默觀察周遭的商業化世界，判定有某種東西喪失了。表象與騙術侵蝕了某種更真實、更深層的東西，也就是人心的感受與情緒。就此觀點而言，亞當·斯密對商業自利可造福大眾的頌揚，成了為道德墮落所做的保守辯護。[34]跟亞當·斯密一樣，愛默生與梭羅也推崇友誼，但不同於亞當·斯密的是，他們跟隨康德的腳步，都強調友誼中與商業及手段無關的特質。商業並未教化人類，並未馴服人類最惡劣的情感，反而它使人心變得粗劣，並且損害了建立親密感與信任的可能性。

梭羅認為商業社會是一場騙局，而美國人都上當了，如今就連鄉村地區也面臨威脅。到瓦爾登湖定居之前，他起初有考慮要務農。一如既往，他實地走訪了康科德的民宅農田，瞭解農民的生活方式。當時，康科德的農場正在商業化。[35]勤奮耕作的農民各司其職，增進分工、長時間工作、要求基礎設施改善（當時有愛爾蘭工人在瓦爾登湖附近建造鐵路）、砍伐森林、圈圍大草原的公有地、利用農場申請貸款、生產更多可銷售的作物，並且向都市購賣愈來愈多消費商品。梭羅認為，康科德有機經濟精細微妙的生態平衡岌岌可危，而事後證明，他是對的。在《湖濱散記》筆鋒尖刻的首章「經濟」中，梭羅特別向康科德的農民喊話：

> 但是，人們在錯誤下進行勞動。人生的美好之處還來不及綻放，就被犁進土裡當作肥料了。如一部古書所言，人們從事的勞動為一種通常被稱為必然的表面命運所支配，不過是累積財富讓飛蛾來蛀咬、讓鐵鏽來侵蝕、讓盜賊來偷竊罷了。到最後他們會發現，這樣的生活愚蠢至極。[36]

農場不再是供人們逃離商業的避風港。

梭羅並不反對將工作當成實現目的的手段，而是反對將工作當成目的本身。畢竟，文學創作也是工作，是一項行業、一種追求民主藝術表達的手段。金玉良言從這位真正自力更生的作家筆下純樸地流露而出，可知他生活的環境自然純淨。梭羅可謂從頭到腳都浸染在瓦爾登湖原始天然的草葉與土壤之中。在不借助任何牲畜的情況下，他親手耕種了幾畝田地，種植的多是豆子、豌豆、玉米、馬鈴薯與蕪菁，並拿這些作物去換取其他需要的東西——金錢利益除外。有鑑於「靈魂的重要性」，他做得「比康科德任何其他農夫都還要好」。梭羅從瓦爾登湖的生活中學到了：

> 如果一個人過著簡樸的生活，只吃自己種的莊稼，自給自足，不換取稀有的奢侈品，那麼他

只需要耕種幾塊田地，省下錢不要用牛犁田，而是使用鍬鏟，然後時不時挑個新的地方施肥，如此一來，他便可以在夏天閒來無事時輕鬆做完必要的農活。

梭羅不認為商業化的農民會永無止境地追求物質。專業化與分工並未增加國家的財富，而是讓每個人變成了「九分之一的人」。*37

這項指控切中了「超越主義」的核心。湯瑪斯．傑佛遜稱頌共和國的獨立精神，並認為獨立精神的前提為私有財產權與對地產、財富與資本的控制。土地必須為人所擁有與管理，才得以彰顯獨立的精神。對梭羅而言，除了個人的生命，沒有任何私有財產足以作為獨立與自治的基礎。他希望以最糟糕的方式獨立生活。他環顧四周，發覺土地的所有權不再是獨立的基礎。因此，他對世人提出了勸告：你必須依靠自我、探索其深度，在宇宙中尋找真相、尋找「超靈」(over-soul)，才能擁有自我、認識自我、依賴自我、相信自我，最終創造自我。[38]梭羅在自然環境下所產生的思想與寫作的日記，全都關乎於此。唯有經歷了這一切，他才能重新融入社會，與那些尋得真實自我的人們建立友誼。之後，也唯有等到那時，人人才有可能以民主方式共同生活。

追求金錢收益的商業無濟於事。你得找到屬於自己的瓦爾登湖，因為資本主義商業會不斷使你無法專注在真正重要的事上。梭羅在〈沒有原則的生活〉(Life Without Principle，一八五四年)的演講中發起了挑戰。他主張：「你賺錢的各種方式幾乎都會導致墮落。」他也抱怨鄰居猖狂的「輕浮」與「虛偽」舉動，[39]指這種生活方式錯得離譜——這是一項驚人的哲學控訴。如此這般不只輕浮、邪惡，還有些虛偽的生活，究竟有什麼意義？那是否虛偽到一切都不值得信任，因為每個人都是騙子，發生的一切也都是一場信任騙局？這一切是否正如梅爾維爾的小說《騙子》中的那個啞巴所舉的牌子，「不要相信任何人」？

美國的民主制度逐漸變得虛偽，因為對外的商業表象凌駕了內在的現實。兩者之間的隔閡不斷加深，以致表象不再能代表現實。美國人「不崇尚真相，但追求真相的倒影，因為我們在一味奉獻給貿易、商業、製造業與農業等的生活中變得扭曲與狹小，但那些物質只是一種手段，不是最終目的」。

《青年商人》裡提出的實用商業價值觀，正使年輕世代逐漸腐化墮落。然而，梭羅沒有就此打住。他對當代擴大了市場地理範圍的國內改善計畫提出了看法：「你可以籌到足夠的資金去開鑿隧道，但你用再多金錢也請不動一個專注於自我的人。」梭羅不禁感嘆，「人們改善了做事的方法，卻沒有提升最終的目標」。在亞當．斯密看來，有「哲學家盲目的認為進步與文明正是仰賴這種交流與活動而生，就像一群蒼蠅圍繞在裝滿糖蜜的木桶旁那樣」。[40]梭羅不敢相信，世界上第一個採行成文憲法的民主國家所能帶給世人的，就只是像一桶糖蜜要賣多少錢的這種庸俗之事而已。然而，在他抱怨的同時，巴納姆已開始征服歐洲。拇指將軍湯姆的表演令維多利亞女王著迷不已。

＊　譯註：典故出自英國文藝復興時期作家約翰．海伍德（John Heywood）的諺語，「九個裁縫才算得上一個人。」（It takes nine tailors to make a man.）

最後，梭羅主張，資本主義商業與民主生活互不相容。判斷斐濟美人魚是真是假的自由，不能算是自由。人們的內心深處必定有某種特質值得透過民主的方式去滋養與培植。結束歐洲巡迴之旅後，巴納姆表示，「雖然創造幸福的方法普遍為人所知，但大家還是不快樂呀！」他認為問題在於休假，因為「我們沒有假期可放」。[41] 梭羅則在書中總結了自己的觀點，表示：「即使美國人的確擺脫了專制統治者的掌控，但他們依然是經濟與道德暴君的奴隸。」[42]

朋友

對梅爾維爾而言，梭羅的超越主義就像一位道德暴君。他也承認並擔憂許多對商業活動的道德規範很快就失效了，但之後對於資本主義商業的道德性，令他的想法開始與梭羅分道揚鑣。梅爾維爾並不推崇市場，或是抵制其向來有害的影響，而是想知道，商業投資是否可作為實現道德目的的適當手段。他覺得有其可能，但仍存有疑慮。

梅爾維爾生於紐約市一戶聲望顯赫的家庭，從小在百老匯高級住宅的上流環境長大。他的父親揮霍成性，很年輕就去世了。之後他們全家搬到奧爾巴尼投靠親戚。二十歲時，梅爾維爾開始旅行，最遠到過西邊的密西西比河，然後加入捕鯨船的行列環遊世界。他最早完成的小說《泰皮》（*Typee*，一八四六年）與《歐木》（*Omoo*，一八四七年）描述自己到玻里尼西亞（Polynesia）旅遊的所見所聞，推出後大為暢銷。這兩本書之所以熱賣，或許跟人們付錢觀賞另一個來自玻里尼西亞的異國珍品（巴納姆的斐濟美人魚）的原因一樣。愛默生也曾在日記中讚賞這位年輕小說家的才華。

不久後，梅爾維爾帶著妻子與年幼的子女住在曼哈頓雅士達廣場上一棟聯排別墅，就在沐恩堂的對街。他開始認真投入小說寫作，晚上也會出外散步一段時間，途中往往會經過華爾街金融區。他只需往西走一個街區，到了百老匯後左轉，就會抵達美國博物館。一八四七年，一家《洋基歌》（*Yankee Doodle*）報刊登出了草草寫就的〈巴納姆展示的珍品〉（*View of the Barnum Property*）一文，而作者很有可能就是梅爾維爾。[43]毫無疑問地，巴納姆舉辦的展覽令他大開眼界。同年，他描述美墨戰爭的短篇故事系列〈老札克的真人真事〉（Authentic Anecdotes of Old Zack，一八四七年）中，更有以花招王子為原型的角色。

梅爾維爾可能曾與這位騙子始祖擦肩而過。騙子的文化原型幾乎無所不在，其中一個版本是商業社會表述中的典型角色，典故至少可追溯至義大利文藝復興時期的即興喜劇傳統。然而，**騙子**一詞的典型似乎是美國人。一八四九年，一位名叫威廉．湯普森（William Thompson）的男性在曼哈頓因竊盜案遭到拘捕。湯普森的伎倆是隨機找個路人問：「你願意相信我，把你的手錶交給我保管一天嗎？」他靠這種方法騙到了不少支錶，之後終於被捕並關進紐約辛辛監獄（Sing Sing）。他入獄沒多久，《騙子》（*The Confidence Man*）這齣劇便在紐約上演。《紐約月刊》（*The Knickerbocker*）一名作家認為，湯普森跟典型的華爾街商人一樣糟糕。這些事想必梅爾維爾都知道。[44]

梅爾維爾帶著家人搬到鄉間生活，好專心寫作一本關於捕鯨的「形而上著作」。在兩筆抵押貸款的資助下（他身為著名麻州最高法院法官的岳父萊穆爾．蕭〔Lemuel Shaw〕提前將部分財產過繼給女兒，以及向幾位朋友調頭寸），他買下麻州皮茨菲爾德（Pittsfield）的一座農場，地點就在家族一棟老房子的旁邊。此外，他還當起了農夫，種植玉米與馬鈴薯。然而，當堪稱最偉大的美國小說《白鯨記》首度出版時，銷量讓人慘不忍睹。一八五六年，梅爾維爾賣掉農場的部分土地，還好有岳父出手相助，他才免於步上父親的後塵。

在此同時，騙子回來了。出獄後，湯普森在奧爾巴尼以山謬．威利斯（Samuel Willis）的化名遭到逮捕。這次他的招數是假扮共濟會成員。不論是否知道湯普森重出江湖（他應該知道），梅爾維爾都撰寫了《騙子》這本書。這部小說起初打算分篇連載，但正如當時一位評論家所批評，其記敘的不過是乘客在密西西比河一艘輪船上「進行四十五次交談」的內容。[45]《騙子》一書沒有什麼情節或故事可言，有點類似《巴納姆的生平》，同樣具有虛化、軼事的特性。事實上，《騙子》的各個章節向讀者陳述了四十五筆不同的商業交易，其中有許多高深莫測、讓人探不著虛實，因為梅爾維爾希望讀者能深入思考商業當中表象與真實之間的關係。另一位評論家公道地指出，這本書倒著讀就跟順著讀一樣，不必按照章節排序也行。（我曾經讓學生這樣做，結果的確可行。）不出所料，《騙子》有別於巴納姆的自傳，出版後乏人問津，而梅爾維爾只能繼續過著捉襟見肘的生活。

《騙子》分為兩部分。第一部分描述了一些不同的「老千」設下的騙局，他們善於喬裝打扮，有可能是、也有可能不是同一個騙子。首先，名為黑幾內亞的黑人乞丐到處懇求施捨，向其他乘客提供了一份能證明他所言不假的名單。每位乘客將在後面章節中陸續出現，而且都搖身一變成了騙子。一位「別了一根野草」的男人向一個好騙的商人借錢，而作為回報，他將黑潮煤炭公司（Black

Rapids Coal Company）的股票內線消息給了對方；一個名叫皮奇的角色抵抗了一名詭計多端的藥草師的誘惑，最後卻不敵來自費城一家職業介紹所的一名代表的話術。第九章的標題是「兩位商人做一筆小生意」；第十一章題為「一頁左右的故事」，而實際上也是如此。書中提到了巴納姆、美國博物館裡展示的「瘦子」與來自暹羅的連體嬰。除此之外，還有一個騙子對一名理髮師虛晃一招的故事，讓人想起了巴納姆自傳中的一段情節。相比之下，小說的後半部趨於平靜，敘述「四海為家」的法蘭克．古德曼（Frank Goodman）與各個人物的相遇。有時候，讀者會難以分辨到底是誰在騙誰。整本小說就在一片疑雲之中結束了。如同美國博物館，《騙子》當中也沒有敘事者可幫助讀者判斷騙局或裁決真相。

歷史上，衡量資本主義存在的最佳標準，與其眾多的決定性特徵如資本、市場活動、技術創新或薪資勞動等無關。因為上述這一切都或多或少存在已久，只是有些相對不被重視。定義資本主義存在的，並不是「存在」，而是相對的「缺無」。在美國，商業時代已經到了讓梅爾維爾提出以下問題的時刻：如果經濟生活，或應該說是生活本身，不過是為了追求未來的金錢收益而進行的一系列商業交易，會發生什麼事？他寫了一整部小說來思索的這個問題，帶有特別的意涵，就如巴納姆的美國博物館一樣，《騙子》中虛構的輪船「菲德爾號」（*Fidele*）上，沒有國王、貴族、農民或地主。沒有家人、沒有家戶，沒有父親、兒子或女兒。沒有主人，也沒有奴隸。這些人物沒有背景。國家不存在，法律權威也不存在，就連土地的穩定性也不存在。整部小說的故事發生在密西西比河上，因為當時的商業活動往往沿水路而行。在菲德爾號上，除了討價還價的交易之外，沒有發生任何事情。商業本身就是人際關係的經緯線。市場擴大時，亞當．斯密曾寫道：「每個人都以交換為生，或在某種程度上成為商人。」[46]在《騙子》中，從各方面而言所有乘客都是「進行交換的商人」。[47]

當然，無論有多寬泛，資本的緯度從來都不完整。唯有在小說中，我們才有可能想像只有商業活動的世界。至今，梅爾維爾在這個虛構領域的省思仍然具有啟發意義。

菲德爾號瀰漫著一種疏離與不信任的氛圍。梅爾維爾不厭其煩地告訴我們，這些乘客「互不認識」。「陌生人」這個詞彙在書中出現了至少六十次。小說的開頭描述一個男人上了船。「他沒有友人同行。」梅爾維爾寫道：「從人們的聳肩、交談傻笑、竊竊私語及臆測明顯可知，他完全全是個陌生人。」[48]不斷有新乘客登上菲德爾號，「因此，儘管載滿了陌生的旅客，這艘船的陌生人仍然不斷增加，或者以更陌生的臉孔來取代原有的旅客。」問題跟疑惑無所不在。黑幾內亞人四處懇求同船旅客的施捨。這是騙局嗎？他的主人在哪兒？有人暗示，黑幾內亞人實際上可能是白人。即使是美國身分最基本的標誌「種族」，在這裡也不是明確、可以信任的。黑幾內亞也許刻意假扮黑人？一八三六年，巴納姆便曾帶一位非裔吟唱詩人兼舞者在南方巡迴演出。在這部小說中，性別也不是一個固定的身分標記。一切都有可能改變，猶如交易般流動多變。《騙子》中的每個人物都至少有一次被稱作陌生人，這是一個永遠不會從美國藝術表現中消失的形象。（想想二十世紀的黑色電影就不難明白了。）如果亞當．斯密曾說過「某種程度上每個人在商業社會中都會成為商人」這句名言，那麼或許可以說菲德爾號的所有乘客都彼此互不相識，甚至對自己也相當陌生。

在小說中，有個騙子聲稱，他比某個人更瞭解他自己。那人回道：「為什麼，我希望我能瞭解自己。」騙子解釋說：「但是，自知這件事對某些人來說沒這麼容易。誰知道呢？親愛的先生，也許你一度以為自己是別人？這世上無奇不有。」這聽來彷彿是盧梭在擔憂，商業社會中，流言與名聲會危害個人的自主權。事實上，盧梭曾出現在《騙子》一書中，也就是第二十六章的標題。如果我們在商業社會裡連自己都不瞭解，似乎也就不可能實現真正的自知與獨立了。[49]

這聽來也很像梭羅會說的話，他呼籲人們從商業回歸到更真實與真正的私人思想。但是，這樣的回歸在菲德爾號上無處可尋。在小說的某一章，有個騙子試圖與自我認真對話，但失敗了。「社會能激起他的動力，孤獨則使他無精打采。」在菲德爾號上，孤獨所滋生的不是自知之明與獨立自主，而是「憂鬱」與「沮喪」。[50]那些人過度沉浸於商業交易，以致一旦從中脫離，就連自己也認不得了。商業活動之外再也沒有任何錨點，沒有法律，沒有上帝，沒有自我，沒有現實，也沒有真理。一切都是場騙局嗎？我們已經沒有獨立的立場能夠辨別真假了！《騙子》是一部以懷疑為主角的小說，關於故事人物所產生的懷疑，以及讀者在試圖揭開看似騙局的層層真相時所產生的懷疑。藉由這本書，梅爾維爾描繪了高明又深奧的頂級騙術。

這就是梅爾維爾對商業社會的描述。至於他本身對商業社會的看法，他自己也沒有定論。《騙子》一書所呈現的道德世界無疑有些嚇人。每個人都是騙子，一切都是一場騙局。事事都只有表象，沒有實質。人們對真理的認知，臣服於深刻的懷疑之下。倘若完全退出商業活動只會變得無精打采和憂鬱，而且沒有任何社交活動，那麼除了孤獨，我們還剩下什麼？生活僅存的，似乎是一種更可怕的虛無，如梭羅所述，是一種真正存在的「虛假」。

就此而言，《騙子》中最可怕的一號人物是守財奴。梅爾維爾筆下的其他人物都為了是否該信任他人而掙扎，但通常到了最後，他們都會捨棄信任，與對方進行交易。至少，這讓騙局得以繼續。守財奴則是一號近乎例外的人物。有一個同是「陌生人」的商人偶然發現了這個守財奴，他躲在甲板下狹窄走廊的盡頭，這是移民船艙的一個黑暗角落，宛如「煉獄」一般：

> 這個守財奴是個瘦弱的老人，他的皮肉就像鹹魚，乾得彷彿遇火就會燒起來似的；頭顱像一個笨蛋從樹瘤上削下來的木節；那扁平的、瘦骨嶙峋的嘴巴掐在禿鷲般尖薄的鼻子與下顎之間；表情一會兒像是卑鄙小人，一會兒又像是頭腦遲鈍的傻瓜。

他的身體狀況很糟。口渴難耐的他向陌生人喊道：「哎，哎——水！」那位陌生人給了他一杯水。守財奴問道：「我要怎麼報答你？」陌生人回答：「把你的信任交給我。」他還要求：「給我一百塊。」守財奴聽了驚惶失措。他朝枕頭底下胡亂抓了幾把，胡言亂語道：「信任？聽你在胡說八道！信任？哼，那全是幻影！信任？你在敲詐我是吧！一百塊？好邪惡啊你！」那位陌生人允諾，把守財奴的一百塊拿去投資後會變成三倍，但他不願透露投資什麼東西，因此守財奴必須相信他。守財奴的內心天人交戰，提議給他十美元，讓他拿去投資。那個騙子拿到錢後，哀嘆這就是「人在奄奄一息、臨死關頭時能給予的信任」。但是，這個陌生人正要離開時，守財奴改變了主意。「不，回來，回來，我們要白紙黑字寫下來才行！哎，哎，哎！你是誰？我幹了什麼好事？你去哪兒？我的錢啊，我的錢！哎，哎，哎！」[51]

這位守財奴的不幸遭遇為我們上了一堂道德課。在商業社會，任何對他人有所保留，也就是拒絕相信他人的人，都會遭到孤立，面臨悲慘的處境。那個守財奴不是睿智的超越主義者，不像梭羅那樣平靜地坐在瓦爾登湖畔獨自書寫日記。事實上，他有病。以道德觀而言，梅爾維爾認為在商業社會中超脫世俗是吝嗇的舉動。他的意思似乎是，人有時仍必須接受社會的表象，現實才會存在。商業社會或許本末倒置，優先重視形而上學，但已經沒有轉圜餘地了。我們唯一能做的是拿回掌控權，建構自身的道德價值觀，這雖然是未知的道德投資，但仍有可能開花結果。相較之下，守財奴一說到金錢就恐慌了起來，焦慮到神智不清、胡言亂語。因此，比較好的做法是放手一搏，相信騙子，也相信自己內心的騙子。這麼一來，商業才會發展，而梅爾維爾也藉此暗示了，唯有如此，生命與其在商業社會中的意義也才能存在。

守財奴的悲慘遭遇也帶有經濟方面的寓意。《騙子》各章幾乎所有情節都不只涉及商業交易，還與可能的投機投資有關。金錢在菲德爾號上不僅僅是交易的媒介而已，還是一種潛在的投資手段。不過，它就只是一種或許可行的手段罷了。你可能會像那位守財奴一樣將錢財視為安全的價值儲存工具，並基於病理上的安全感需求，或者對他人保證且不可改變的投資具有的必然風險感到不安，而選擇死守金錢不放。但是，假如沒有這種投資行為，資本主義就沒戲唱了，經濟也會全面停擺。假如一個人可以進行投資而不必承擔長期風險，不是兩全其美嗎？可以只靠短期的投機獲利，盡可能保有愈多選擇，而無需付出機會成本，那不是很好嗎？可以看準機會進行交易，但總是能夠連本帶利地拿回來，就像守財奴所希望的那樣，不是很棒嗎？

梅爾維爾的小說剖析了這些相互矛盾的欲望與情緒狀態。他的分析十分精準的點出，當代剛崛起的資本主義繁榮與蕭條的信貸週期是由矛盾的投機性投資所驅動。其矛盾之處在於，雖然由信貸驅動的積極投機可促成真正的資本主義投資熱潮，帶動創造財富的企業，但個人也有可能屈服於短期投機的誘惑，並受惠於資本市場的交易流動性，他們只會不斷利用一部分的資產押注與獲利，自信地單純尋求短期收益。然而，這樣的投機行為，並不會將資金長期投資固定對象，無法實現長期的經濟發展。這樣下來資本只不過是四處流轉。保有所有潛在的投資選項的投機欲望，只是一種幻想。因為，如果所有選項都維持開放、但從未執行過，實際上什麼都不會發生。

接著，如果市場信心崩潰，守財奴便有可能再次出現。出於恐懼，守財奴不會為了任何理由消費，更遑論短期投機與投資了。因此，最終的矛盾在於，貨幣資本的屬性使人性的投機與防備、市場的欣欣向榮與低迷衰退同樣都有可能成真。

梅爾維爾說明了，偏執的投機或防備如何破壞創造持久、寶貴的價值觀所需的長期穩定投資，不論是存在的價值、共同的道德價值、經濟價值皆然。正如他在小說中所述，極端的短期投機行為，會飽受沒有故事、沒有包羅萬象的發展情節所苦。同時，梅爾維爾所刻畫的守財奴（出於預防而非投機原因積貯黃金這項貴金屬強勢貨幣），展現了最大的流動性，因為他讓所有的未來選擇、所有的欲望、所有可能的未來投機行為都維持開放與可行。然而，守財奴持續病態地囤積財富，從未行使任何選項。在享受到生活的任何美好之前，他會先面臨死亡。囤積與投機是同一種情結。

一七八〇年代，漢彌爾頓曾警告人們須提防「謹慎精明的資本家」，但在當時，眾多的家庭生產並非以商業與金錢收益為導向，以致他擔心的是欠缺密集的經濟發展，而不是缺乏經濟活動。數十年後，梅爾維爾著手撰寫小說時，許多家庭依然維持生產。但在《騙子》的虛構世界裡，極端且破壞投資的囤積行為，讓經濟走向虛無。

除了梅爾維爾之外，還有其他思想家也呼籲社會正視資本主義經濟中守財奴這種人可能造成的災難性經濟後果。比他更早、更廣泛探討這個議題的文學作品為法國小說家奧諾雷・德・巴爾札克（Honoré de Balzac）所著的《歐也妮・葛朗台》（*Eugénie Grandet*，一八三三年）。馬克思是巴爾札克的書迷，而或許是這個原因，他寫作的《資本論》（*Capital*，一八六七年）中才會出現守財奴這號人物：「這種無限的致富動力、對價值的狂熱追逐，是資本家與守財奴的共通點；然而，守財奴就只是失去理智的資本家，而資本家是理性的守財奴。」他寫道，囤積金錢是不理性的，因為資本主義的積累需要「一再將金錢投入市場中流通」。[52]到了二十世紀，守財奴又出現了，是有關財富貯藏的精闢經濟研究中，也就是英國經濟學家凱因斯於經濟大蕭條時期所著的《就業、利息與貨幣的一般理論》（一九三六年）的關鍵核心。[53]有別於馬克思，凱因斯並非從過往的積累來思考資本問題，而是從未來的「預期」著眼。他創造了「流動性偏好」一詞，以反映資本所有者在短期內投資流動性金融資產或過於謹慎地緊抓金錢不放的傾向，而這兩者需付出的代價都是長期投資與經濟發展。[54]

在資本主義信貸市場中，維持交易流動性是個制度性問題。今日，它是中央銀行的分內工作。在梅爾維爾的時代，英格蘭銀行訂定短期利率的權力，影響了大西洋兩岸的流動性。身為小說家的梅爾維爾，關注一系列不同的問題。當然，在《騙子》的虛構世界裡，不存在國家、更沒有中央銀行。儘管如此，「不要相信任何人」的堅持存在一種道德解藥，可將分析從純粹的心理層面轉回社會範疇。這種解藥就是友誼。

友誼是商業社會的核心道德主題，在有關商業道德價值的辯論引起熱議。巴納姆在自傳中經常提到他的朋友；亞當．斯密在《道德情操論》中讚揚友誼；黑格爾將友誼視為自由的精髓；愛默生在《散文一集》(*Essays: First Series*，一八四一年）中創作了有關友誼的偉大文章；哈德遜河畫派大師杜蘭德的畫作《同類的精神》(*Kindred Spirits*，一八四九年）描繪了自己與他的朋友及同伴湯瑪斯．科爾（Thomas Cole）的友情；梭羅則在《康科德河與梅里馬克河上的一週》(*A Week on the Concord and Merrimack Rivers*，一八四九年）中收錄了一篇歌頌友誼的優美文章；他的詩歌〈友誼〉(Friendship，一八三八年）更將友情比喻為「兩棵堅實的橡樹」，「它們的樹葉幾乎沒有互相碰觸，但在暗地裡，一直到最深層的根源，你會驚奇地發現，它們的樹根交織在一起，密不可分」；而友誼是許多傑出奴隸敘事的一個偉大主題，包含道格拉斯的《我的束縛與我的自由》。[55]

《騙子》裡的每個角色都被貼上了「陌生人」的標籤。但是，當陌生人彼此信賴時，他們就會立刻成為「朋友」。例如，守財奴拿錢出來時大聲說：「我信任你，我信任你；朋友啊，你要幫我，不要讓我看走眼！」[56]《騙子》在第三十九章「假設的朋友」中明確探討了友誼的主題。騙子法蘭克．古德曼遇到的「陌生人」，偶爾扮演「洋基小販」、偶爾扮演「韃靼牧師」。在故事的最後，揭露了他的生平：他是神秘主義者馬克．溫瑟姆（Mark Winsome），是愛默生的投射，而與他同行的門徒艾格伯特則顯然是梭羅的化身。古德曼要求艾格伯特試想以下情況：

> 有兩個朋友從小一起長大，親密無間；其中一人手頭有困難，生平第一次向對方開口借錢，而對方生活寬裕，要幫助他完全不是問題。

依照溫瑟姆的哲學，艾格伯特應該伸出援手嗎？艾格伯特拒絕了，因為利用朋友來實現商業目的是錯的，而「借貸的談判是一種商業交易。我不會跟朋友做生意」。人的確會有「生意上的朋友」，但「真正的朋友與借貸無關，他應該擁有一個超越借貸的靈魂」。這必定就是梅爾維爾所謂超越主義的「超靈」。若要借錢，應該只跟「沒有靈魂的銀行」借。艾格伯特引述溫瑟姆的「友誼論」來證明，朋友之間若有金錢往來，只會導致彼此「漸行漸遠」。[57]

梅爾維爾掩飾了「愛默生」與「梭羅」的投射，並藉由這兩人的主張來表達維多利亞時代日益強烈的情緒，也就是商業不值得信賴。商業是冷酷無情的，必須被控制在適當範圍內。必須有一堵堅硬的牆將市場與友誼及家庭的溫暖情感區隔開來。市場不斷地擴展邊界，可能會侵害其他領域，因此有必要小心將其與之隔絕。

但是，市場與道德也得互相對立嗎？[58]梅爾維爾認為，倘若這麼做，會讓市場擺脫道德的束縛，同時削弱道德準則。不過，還有另一種可能性，也就是嘗試將資本的金錢運作導向具有價值、與金錢無關的目的。儘管這樣的嘗試帶有些許風險，但可能創造市場與道德的新紐帶。當然，梅爾維爾也曾向朋友借錢，在箭頭農場（Arrowhead Farm）定居，寫作《白鯨記》。贏得朋友信任的他希望世界能「慢一點認可一種主張不該幫助他人的哲學」，因為這是一套「不人道的哲學」。[59] 如果超越主義禁止朋友之間的經濟援助，就會變成道德上的暴君。資本主義以不確定性為前提，使懷疑態度變得理所當然，但不確定性並不需要破壞真正的道德價值與承諾。務實的道德希望是可能存在的。[60]

此外，人類不是自給自足的個體，或至少可以說，堅忍卓絕的獨立是個薄弱的前提，無從創造真實的友誼。因為作為人類，我們相互依存。不願相信別人的梭羅，在《騙子》中被諷刺地比喻為道德吝嗇鬼。梅爾維爾寫道，一個不存在「信任」的世界，是「孤獨」而「沒有人性」的。或許，這正是造訪美國博物館的遊客都十分願意給花招王子巴納姆機會的原因，因為有可能是真的。[61]

梅爾維爾最好的朋友之一是作家納撒尼爾・霍桑。兩人在麻州西部鄉村是鄰居，距離東部愛默生與梭羅所鍾愛的康科德一百多英里遠。梅爾維爾從岳父那兒借到了一筆錢，一部分是為了繼續住在箭頭農場，哪怕只是為了與摯友保持聯繫。梅爾維爾寫作《白鯨記》，是為了向霍桑致敬。完成《騙子》一書後，他想找地方紓壓放鬆，於是再度在岳父的資助下前去歐洲度假。在英國，他與霍桑到利物浦附近的一處海灘散步。霍桑記下了兩人的談話：

梅爾維爾一如往常地推敲天意與未來，以及人類所無法理解的一切，他對我說，他「已下定決心要離塵脫俗」，但他似乎仍然不安於這樣的預期。而且，我認為在他得到一個明確的信念之前，永遠不會停下腳步。他的堅持令人不可思議——自從我認識他以來，他始終堅持不懈，而且可能很久以前便是如此。他既不能相信、也不安於自己的不信任，他太過誠實與勇敢，肯定會嘗試實踐其中之一。

梅爾維爾則在日記中寫道，這次的談話「讓人收穫滿滿」。[62]

第六章　奴隸制度與自由之間

隨著社會的信心回流，美國南部在一八三七年恐慌過後迎來了另一波棉花貿易熱潮。棉花農為了新鮮的沃土遷往西部，這些土地有些是從印第安民族手中奪來的，有些則是在併吞德州（一八四五年）後獲得，更有些則在一八四六到一八四八年的美墨戰爭中贏得。在理查・卡頓・伍德維爾（Richard Caton Woodville）廣泛為人所複製的畫作《墨西哥傳來的戰報》（*War News from Mexico*，一八四八年）中，可見白人興高采烈地宣布這個消息，而角落的一名黑人與黑人小孩顯得疲累又難過。

白人奴隸主強迫黑奴遷至自由民不會去的地方、做些沒人願意做的繁重苦活，全是為了生產人人都需要的消費品。

如今，熟悉的景象又出現了。商業時代的基礎經濟動態關乎地緣政治，牽涉了擴大跨空間市場生產範圍的投資。數世紀前，奴隸的孳殖是十七世紀英國在大西洋地區的重商主義運動的前鋒，假如那個時代的巴貝多糖農能穿越古今、將糖料運送至一八五〇年代的下密西西比谷，他們肯定會對新式汽船科技與作物種籽經過生物「改良」後的大幅躍進感到驚嘆不已。[1]其餘的變化似曾相識。如同十八世紀的大英帝國與十九世紀的自由帝國，擁有資本的族群信心滿滿地投入金錢，對未來種族奴隸制的擴展空間寄予厚望。事實上，南方有不少統治者都對奴隸制的未來懷有不切實際的帝國想像。[2]

在此之前，美國經歷了兩波棉花貿易熱潮，每一次都正巧搭上資本主義信貸循環的投機上行趨勢。一八四〇、一八五〇年代出現的第三波熱潮與前兩波的不同之處在於結果，結束第三次熱潮的不是金融恐慌，而是南北戰爭。這次怎麼會造成如此大的災難？

資本主義的發展本身與種族奴隸制的終結毫無關聯。雖然在抽象意義上，金錢投資過程定義了資本主義，但具體來說，社會有可能存在著不同的資本主義，而在這當中，資本家及他們所屬的群體會優先投資不同形式的資本。單就經濟方面而言，如經濟史學家蓋文·萊特（Gavin Wright）所述，美國南方的

圖 14 理查·卡頓·伍德維爾，《墨西哥傳來的戰報》（一八四八年）

以歐洲為居的美國畫家伍德維爾是一位致力開展新畫風的大眾藝術家，他關注北美邊界的社會動態。畫中有一個人高舉帽子，歡欣慶祝戰爭傳來的捷報。右下角的黑人與黑人小孩做出了截然不同的反應。

非裔美籍奴隸為「資本化勞工」，屬於「對潛在勞動的固定成本投資」。[3]到了第三波棉花貿易熱潮，美國南方已成為獨特的奴隸（或「奴隸種族」）資本主義的大本營。[4]

原則上，多種類型的資本主義是有可能在同一套帝國政體內共存共榮的。事實上，早期現代帝國在歷史上向來都是接納地方差異與建立複合的政治秩序，目的正是為了讓不同區域之間的商業能夠蓬勃發展。畢竟，帝國的作用之一是確保境內不同商品的市場需求。直到十九世紀末，現代民族國家對其領土（包括帝國殖民地）聲稱擁有更明確的管轄權時，民族國家內部各種經濟秩序之間才開始出現潛在的衝突。

到了一八四〇年代，美國南方的商業活動之所以發展，便是仰賴其他不存在奴隸制地區的工業化資本主義。同時，萌芽中的工業資本主義也同樣依賴南方奴隸生產的原棉。一八六〇年，棉花占美國總出口總值的百分之五十四，在英國棉花進口量的占比則高達百分之九十九。[5]然而，棉花貿易並未打破以奴隸制為基礎及非基於奴隸制的資本主義之間的顯著差異（就像一九七〇年代美國與蘇聯進行的小麥貿易並未打破資本主義與共產主義之間的藩籬那樣）。在商業時代，棉花貿易凸顯了美國南方對大英帝國需求的依賴程度，而後者當時已在推動奴隸的解放。[6]同時，在自由帝國的複合秩序中，奴隸制存在於路易斯安那州，而沒有奴隸制的麻州，當時一套嶄新的工業資本主義正在崛起。

國家統一特質益發強烈的美國資本主義，是共和黨開創的政治歷史的結果。共和黨是一個誕生於一八五四年的激進政治黨派，它獲得局勢瞬息萬變的北方經濟所支持，並在一八六〇年入主聯邦政府。它將「為全國賦予自由」，使北方資本主義蔓延全國各地。

美國從一八三七年恐慌後復甦的數十年裡，北方逐漸形成的資本主義經濟生活比南方的任何發展更具開創性。北方資本主義根源於過去，因為自十八世紀以來，北方在商業上比南方更密集、更具進取精神，也更平等。[7]然而直到一八四〇年後，美國的工業資本主義才因為對固定工業資產的投資而顯露端倪。其他顯著特徵也逐步浮現，包括：「自由」的男性薪資勞工；蒸汽動力的生產應用；家庭與工作的區隔；男性與女性「分離領域」的意識形態；以及兒童從勞動轉向學校學習的過程。總之，動產奴隸制終於開始顯得異常。再加上北方同時出現的反奴隸制與廢奴社會運動，最終催生了共和黨。

一些歷史學家認為，南北戰爭的爆發與經濟無關，而是道德革命的結果，或者純粹是成事不足的政客所造成的政治偶發事件。在這些學者看來，這絕對不是紐約共和黨員威廉・西沃德（William Seward）在一八五八年發表的煽動性演講中所謂的「不可抑制之衝突」的結果。[8]但事實上，區域衝突的根源，在於一八四〇年後南方的僵化與北方的轉型所致的顯著經濟差異。最重要的是，我們必須回歸商業時代的核心問題，這個問題從第一代沙夫茨伯里伯爵的時代直到一八六〇年共和黨員林肯參選總統的期間不斷發揮影響力，也就是帝國的商業地緣政治。

這正是導致南方各州在林肯一八六〇年總統大選獲勝後脫離聯邦的關鍵。南方對於經濟的預期，以及白人對奴隸資本的投資，都根植於未來持續不斷的西部擴張，而這樣的擴張受到了聯邦政府的保障。林肯及其共和黨同志表示，在未來，奴隸制度只會存在於它已經存在的那些州。密西西比河以西的地區會有任何一塊聯邦領土繼續採行奴隸制度嗎？或者完全廢除？這個互斥的問題一旦浮上檯面，傑佛遜期望打造的自由帝國的未來將岌岌可危。

以奴隸為基礎的晚期資本主義

雖然我們關注的是一八三七年恐慌後的棉花貿易熱潮，但仍然值得退一步從更全面的角度來評估美國奴隸制度的資本主義特質。除了衡量美國奴隸制在南北戰爭前最後的發展情形之外，我們會將重點放在南方與北方奴隸制之間的對比，因為北方奴隸制見證了更多新穎的經濟變遷。

對於資本主義與奴隸制之間的關聯，歷史學家的看法嚴重分歧。這裡我沒有多餘的篇幅可以公道地評論這些爭議。[9]本書的出發點是資本。奴隸制是一種古老的制度，多個世紀以來展現了許多共同特徵，但並不包括資本化。[10]

然而，綜觀美國歷史，受奴役的黑人屬於資本資產。[11]某些問題在一八四〇與一八五〇年代最後一波棉花貿易熱潮中得到了解答。如馬克思在死後出版的《資本論》第三卷（一八九四年）中所述：「為奴隸支付的成本……就跟預期的資本剩餘價值或可從他們身上榨取的利潤一樣多。」[12]然而，由於謀利動機永遠都不嫌多，因此奴隸的價格取決於許多不同的動機。[13]總而言之，白人投資黑奴的誘因非比尋常。

在發展成熟的南方資本市場中，作為財產的被奴役者在法律上是可以被轉讓的，因而具有交易流動性。同時，奴隸為生產性資產，其勞動可創造財富，這正是奴隸資本所有者預期從投資中獲利的原因。馬克思說得對，奴隸的價格與奴隸所有權的預期金錢收益互相對應。[14]此外，《里奇蒙詢問報》（*Richmond Enquirer*）在一八五九年解釋：「眾所周知，在南方，棉花的價格〔，〕基本上決定了奴隸的價格，一大捆棉花與一個『符合需求的黑奴』在金錢增值的天平上不相上下。」[15]一八五〇年，一個奴隸的平均價格為三百美元。一八六〇年漲到八百美元，而在紐奧良，一名「優質」農工的價格高達一千八百美元。當時，近四百萬名美國奴隸的總價值為三十億美元。南方的奴隸財產遠比南方的土地、甚至比北方的廠房更有價值。[16]要知道，三十億美元可是一八六〇年全美國工業資本存量價值的三倍。[17]儘管如此，他們並不是「廉價勞工」，成本取決於作為奴役人力資本的稀缺性，而這與他們未來能創造的金錢收益息息相關。

樂觀的預期反映在資本市場中黑奴的價格上漲，說明了一般推估奴隸制直到一八六〇年的命運會是什麼樣子。值得注意的是，南北戰爭前夕的那段時期，南方的利率下跌了。[18]南方地區對貨幣甚至土地的需求都下降了，因為奴隸主更願意將財富投資在奴隸身上，就此而言，奴隸的流動性在當地所有資產中居冠。一八五四年，《里奇蒙明察報》（*Richmond Examiner*）誇口表示：「黑奴在這裡，永遠在這裡；他們是我們的財產，永遠都是。」[19]

奴隸也逐漸出現其他資本資產的許多特質。他們是私有財產權的物件，具有可轉讓與預期未來可創造金錢收益的屬性。同時，作為資本資產，他們具備一些獨特的經濟特性。首先最重要的是，奴隸「可自由轉移」。奴隸資本可依需求在不同空間中移動，這也是為什麼在商業時代，奴隸制度會是經濟擴張的一項動態因素。[20]土地無法被移動，工廠與機器更是笨重得多，安置好後一般便不會搬動至他處。在一八四〇年後鐵路與電報普及之前，貨幣與信貸的流動速度不可能比人還要快。在前工業時代的背景下，奴隸的墾殖作為一種生產單位，可以相對快速地跨越不同空間。

以奴隸為基礎的殖民化計畫最早始於十七世紀，在一八三七年恐慌過後的棉花產業繁榮期間持續推展，但最後的西進運動涵蓋了南方密西西比河谷下游的肥沃土地。從地圖上看，廣闊的棉花田分布區就像一塊鐵砧。鐵砧的一角是孟斐斯（Memphis）以南的密西西比河三角洲，其中一個錨點為密西西比河支流沖積而成的窪地，一路往下到巴頓魯治（Baton Rouge），另一個錨點則是阿拉巴馬州中部肥沃的黑土地帶。有兩支移民墾殖群體在此區定居，分別是：來自東部的是南卡羅來納州與喬治亞州的棉花農；來自南部的是路易斯安那州的農民，他們與東北部地區有密切的商業往來。一八五〇年代，棉花田的墾殖逐漸進入阿肯色州的沖積平原與德州東部的紅土地帶。到了一八六〇年，美國有四分之三的棉花都產自阿帕拉契山脈以西地區。[21]這一切都不斷重複：黑奴再次墾殖土地，再次開闢新的農田，以奴隸財產為抵押的信貸，再一次透過與美國東北部與歐洲商人及銀行家錯綜複雜的金融系統，提供了必要的周轉資金。[22]

在一八二〇到一八六〇年間，約有八十七萬五千名奴隸離開上南方地區，大批遷徙至深南方地區。[23]這個人數是一八〇八年美國奴隸貿易終止前被帶到北美地區的非洲奴隸的兩倍，更是在一七九〇至一八二〇年間從上南方遷往深南方的奴隸人口的八倍。此波遷移的奴隸人口約有六到七成來自境內的奴隸貿易。[24]巴西與古巴國內都有奴隸市場，但在美洲，沒有其他地方像美國那樣擁

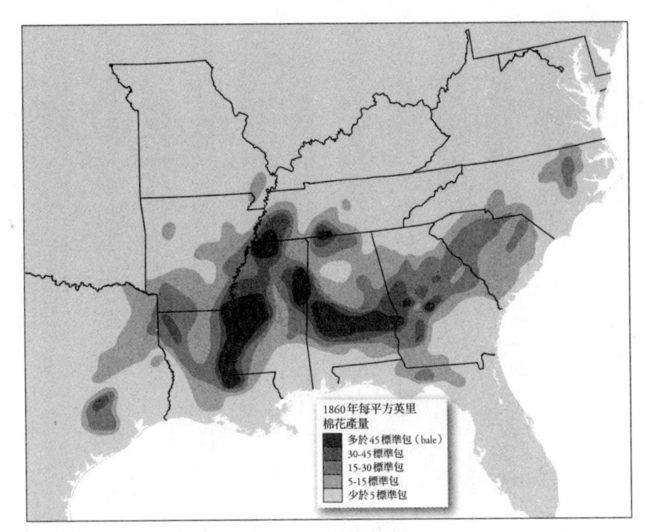

圖 15 每平方英里的美國棉花產量（一八六〇年）

美國南北戰爭前夕，密西西比河以東的鐵砧狀地帶為奴隸制棉花生產的主要區域。

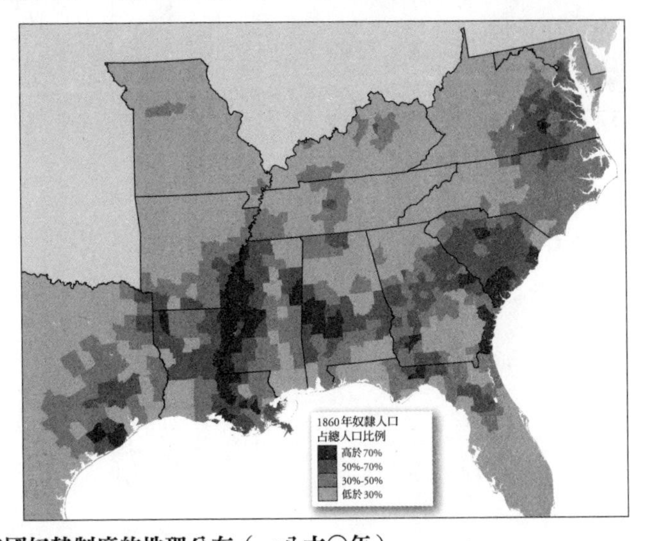

圖 16 美國奴隸制度的地理分布（一八六〇年）

奴隸高度集中於密西西比河流域的現象，是奴隸主強迫黑奴西遷的結果。作為資本資產，奴隸之所以有價值，是因為他們是相當易於移轉的生產要素。

有如此大規模的跨區奴隸市場。奴隸貿易商會走訪南方的墾殖區與視察都市的奴隸市場，其中規模最大的位於紐奧良，在當地，拍賣會上的奴隸有如砧板上的肉般任人戳捏掂量。[25]有大量的奴隸買賣都在當地進行。曾在肯塔基州為人作奴的亞美莉亞．瓊斯（Amelia Jones）回憶道：

懷特主人對奴隸很好，他讓我們吃好睡好，也只在必要時懲罰我們，但他賣掉我們的時候一點也不猶豫。他說：「你們全都屬於我，不高興的話，就等著看我怎麼處置你們。」[26]

北卡羅來納州的班．強森（Ben Johnson）憶起自己當奴工的經歷：

我在橘郡出生，在希爾斯波洛（Hillsboro）附近的吉爾伯特．格雷格先生底下做事。我對親生父母一無所知，但我有一個名叫吉姆的兄弟，他被賣去當年輕夫人的奴僕，幫新娘梳妝打扮。吉姆被賣掉的時候，我就坐在身後的這棵樹下目睹了整個過程。我坐在那裡不停哭泣，尤其是當他們用鐵鍊綁住他、硬是帶走他的時候，那是我人生中最孤單無助的時刻。從那之後，我就再也沒有他的消息，有時我會想他是否還在人世。[27]

資本有一種常見法定屬性名為可讓渡性（alienability），而這些經歷，正是可讓渡性對許多黑奴所代表的意義。

歷史學家對殖民者達到生產力增長的原因眾說紛紜。依照亞當・斯密式觀點，採行「集體勞動」系統的大規模棉花產業進行了專業化與複雜的分工。[28]一八三三年，《南方農業報》（*Southern Agriculturalist*）報導亨利・福特在二十世紀開創的工業生產線系統時指出，「我們可以將農田視為一台機器，若要成功運作，它的所有零件都應該要是統一且精密的，動力也應該保持規律且穩定」。[29]種植園主發明了一種衡量標準，利用「單手可拿起的一捆貨物」來追蹤、評估與改善奴隸的生產效率。湯瑪斯・艾弗列克（Thomas Affleck）所著的《殖民地紀錄與帳簿》（*Plantation Record and Account Book*，一八四七年）在一八五〇年代暢銷一時，書中提供的方法讓種植園主在記錄數據時事半功倍。[30]可能被讓渡的威脅、九尾鞭的鉤扯、牛皮槳的拍打及牛鞭對皮膚的撕裂，構成了奴隸勞動的壓迫本質。暴力情況在棉花產業的前沿地區可能更加嚴重，因為當地的種植園主負債更高，棉花田的面積更廣。最後但同樣重要的是，在一八三〇年代，墾殖者從墨西哥進口了新的棉籽品種，名為「小海灣棉」(Petit Gulf)。根據最佳的統計分析，此後那段時期的生產力提升主要得力於新品種的傳播與繁殖，也就是生物「改良」。[31]

棉花產業是南方經濟中最重要且活躍的領域。棉花屬一年生作物，「可不受限制使用的女性耕田勞動力，是奴隸制度在南北戰爭前的主要經濟優勢之一」。[32]從四月到七月，奴隸們將種籽依照約三十公分的間距整齊種植，然後進行「間苗」，利用耙犁與鋤頭清除雜草，讓土壤保持疏鬆。九到十一月是收成的季節，需要付出極大的努力、精力與熟練度。採摘下來的棉花需軋製以去除棉絨中的「雜質」，之後再交由奴隸壓捆成包並拖運至碼頭及港口。以任何標準來看，南北戰爭前夕，棉花種植的經濟產能與效率相當高。種植園主不僅在空間上擴大了生產規模，還成功提高了經濟生產的強度。一八三〇年代，每個奴隸平均每天採收超過近七十公斤重的棉花。一八六〇年收成異常豐足，每人每天的平均採收量更達到了一百三十六公斤。[33]

棉花經濟並不代表全部。在主人的命令下，奴隸們還種植了其他作物：在南卡羅來納州是水稻，路易斯安那州則是糖料。紐奧良、莫比爾及薩凡納（Savannah）以棉花貿易為主，但里奇蒙與伯明罕等城市也發展了精緻的都市製造業。上南方地區的農田種植了菸草、大麻甚至小麥。其中，維吉尼亞州的奴隸經濟催生了麥考密克（Cyrus McCormick）發明穀物收割機。[34]這個地區的商業與製造業變得更加多元化。一八五〇年代，推動大南方地區產業多元化與農業「改良」的組織性運動蓬勃發展，並集中於維吉尼亞州。[35]但是，即使上南方與深南方地區非完全仰賴棉花產業，兩地仍受國內奴隸貿易所影響。維吉尼亞州一位作家為此提出最好的解釋：維吉尼亞州的奴隸價格並不「取決於地方產業的利潤，而是由奴隸在其他州的勞動利潤來決定」。[36]

總之，經歷了一八一二年戰爭、一八一九年經濟恐慌、一八三七與一八三九年恐慌過後資本主義信貸週期一連串的持續上行，南方的白人奴隸主變得愈來愈強大且富裕。對外糧食出口的三波貿易熱潮（其中以棉花為大宗）不斷地堆高了他們的財富。依賴外國需求而生的商業榮景，可以使那些與全球市場緊密結合的地區變得富有，但也面臨了明顯的發展限制，例如，缺乏在當地亞當・斯密式商業乘數效應或產業投資的連鎖效應。[37]舉例來說，種植園經濟未能在商業上整合大批住在內陸地區的白人農戶，他們不少人仍是自給自足。[38]若想理解美國奴隸經濟，最好的著眼點，便是白人奴隸主利用投機性信貸週期的上行與下行，盡可能從有機經濟的稀缺資源中榨取生產力收益，不論這是否意味著壓榨男性與女性奴工的勞力、開墾生態肥沃的土地，抑或是作物種籽的基因改良。隨著時間推移，這些因素都可能面臨邊際報酬遞減，譬如黑奴體力透支或土壤變得貧瘠。

儘管如此，在一八六〇年，以人均國內生產毛額而言（當然，這只是基準之一），南方比英國以外的任何一個歐洲國家都來得富裕，經濟趨勢似乎也十分強勁。一八五〇年代，南方的殖民新闢了約一億二千一百萬公畝的棉花田，在那十年內，大種植園主的財富平均增加了七成，既得益於棉花的銷售，也受惠於奴隸資產價格的飆升。[39]南卡羅來納州參議員詹姆斯・亨利・哈蒙德（James Henry Hammond）勇於為許多南方奴隸主發聲，一八五八年，他在議會中公開奚落來自北方的同僚，引起軒然大波。他說：「不，諒你們不敢向棉花宣戰。世界上沒有任何勢力敢向棉花開戰。棉花是一國之主！」[40]

看來，歷史學家尤金・吉諾維斯（Eugene Genovese）評論哈蒙德時可能過於仁慈了，他描述這位參議員「是一個不忠的丈夫，一個不怎麼照顧小孩的父親，一個好色淫邪的叔叔，還是一位苛刻嚴厲的奴隸主」。任何二十一世紀初的商業顧問倘若讀了哈蒙德提供給奴隸監工的守則，肯定會對他那種強烈要求效率的執著會心一笑。但是，哈蒙德也在日記中寫道：「我深愛我的家人，他們也深愛我。這是我在世界上唯一的牽掛。我用愛來對待底下的奴隸，對我來說，這就是我的世界，在此之外的一切都不重要。」[41]哈蒙德在一八五六年囑咐他婚生的白人兒子哈利，「不要讓路易莎或我的其他孩子淪落成陌生人的奴隸。在這個家當奴僕，他們才能擁有最多的快樂。」[42]沒有哪個十八世紀的美國奴隸主會寫這種信給自己或自己的小孩。哈蒙德擁護的是一種經過重組、白人至上的蓄奴意識形態，而這種意識形態根植於殖民家庭的親密關係，也就是父權制度之中。[43] 一八四〇年之後，南方地區最大的改變不是經濟，因為一八三七年恐慌過後的棉花貿易熱潮與之前的情況頗為相似。新的現象是一種父權式蓄奴意識形態的興起，而這種意識形態公開反對不受約束的商業發展。在父權主義的勝利下，美國的奴隸制資本主義有了轉變。

在此背景下，歷史學家所謂的「父權主義」，是十九世紀基督教為了改革奴隸制度的殘酷，而發起的一場令人難以想像的「叛亂」。[44] 父權主義有兩個主要特徵。第一，有別於十八世紀將奴隸視為動物的普遍觀念，父權主義聲稱承認黑奴的「人性」，但依然認為他們是低等種族。南卡羅來納州哥倫比亞市一位權威的神學教授詹姆斯·亨利·索恩威爾（James Henley Thornwell）便堅稱，「我們的奴隸是有道德的生物。」[45] 與舊時代的許多奴隸主不同，父權主義者相當樂見奴隸皈依基督教。他們反對北美殖民地的父權蓄奴思想（一家之主對眷屬施以嚴酷、疏離的管理），支持「亞伯拉罕式」思想，主張主人與奴隸之間的關係應該更加親近。上帝的法律制約著奴隸主的支配方式。[46] 第二，父權主義將維多利亞時代家庭情感的道德光輝投射到南方的家庭生活。黑奴不只是家戶的成員或經濟單位。情感上而言，他們還是家庭的一分子。藍道夫-麥肯學院（Randolph-Macon College）院長威廉·史密斯（William A. Smith）在《奴隸制的哲學與實踐講義》（*Lectures on the Philosophy and Practice of Slavery*，一八五六年）一書中闡述了這個核心觀點，他宣稱，「家戶奴隸制是家庭關係的一部分。主人便是一家之主，奴隸就跟其他家庭成員一樣……都是家長的眷屬。」[47]

父權主義運動目標明確、前後一致，花了數十年才取得了成功，而且發生在一個不斷變化的經濟環境。一八〇八年大西洋奴隸貿易終止後，奴隸主再也無法從海外添補資本存量。奴隸資本只得靠自我繁衍來持續累積，使得白人奴隸主愈來愈依賴黑人婦女的生殖勞動，從一七九〇年到一八六〇年，美國的奴隸人口每二十八年成長一倍，每年增加百分之二點五。[48]除了「可轉移性」之外，相較於其他形式的資本，正生育率是奴隸資本第二個獨特特徵。

大西洋奴隸貿易畫下句點的既定事實，為父權主義者開啟了一扇道德的大門，對他們而言，這是一個從道德上改善奴隸制，同時挽救其長期經濟可行性的機會。一八三七年經濟恐慌的餘波，導致了下一個決定性的經濟事件。許多奴隸主飽受債務通縮之苦，決定提高自家農地在經濟上自給自足的程度，減少對商業市場糧食的依賴。他們依舊仰賴市場的棉花需求，但某些耕地用品改採自行生產的模式。美國出現了成熟的「棉花與玉米」體系，這與過去以經濟作物為導向的西印度模型不同，奴隸主將面積充足的農田拿來種植玉米，以滿足自家的基本生存需求。因此，這種嶄新的「安全至上」策略有效抑制了商業風險。

這種轉變的背後有一套資本主義邏輯。奴隸資本的決定性特徵是「固定不變」的品質。如果說奴隸相對具有流動性，因為他們可輕易在市場上脫手，屬於投機商品，那我們也可以說他們屬於非流動性資產，因為隨著時間推移，他們的價值會減少，不論是因為體力不堪負荷或年紀過大。[49]在此嚴格意義上，奴隸資本就像一間愈來愈無法運作又日益貶值的工廠。除此之外，一旦擁有了奴隸，就必須持續提供食物、衣服與照顧等，就跟工廠不管使用情況如何都會老化生鏽一樣，這類養護成本不可能減少。因此，為了讓養護成本回本，奴隸勞動租賃的市場與法規誕生了。[50] 換言之，奴隸所有權的成本正是經濟學家所謂的「沉沒」成本。

閒置奴隸是一種附帶成本。棉花是季節性作物，每年依循春耕與秋收的時節。種植的工作沒有多到占滿每個奴隸清醒時的每一刻，因此其他閒暇時間就會被要求從事生計生產。一八五〇年，在美國的棉花產業中，奴隸平均有百分之三十八的勞動時間分配給棉花的種植，但有百分之三十一的時間用於耕種玉米及照料牲畜，所生產的大部分作物都直接供給種植園。另外百分之三十一的勞動時間則花在生產其他生活必需品（如馬鈴薯與豌豆）、家庭製衣、土地清理、建築工程，以及主人與監工為了不讓奴隸閒著而巧立名目的各種古怪工作。童奴在三、四歲時就開始工作（擔任家庭幫傭或加入「垃圾幫」〔trash gang〕），平均九歲便開始投入生產，並將自己生產的多餘物資奉獻給主人。男孩可能從十一歲便開始採收棉花。在三十幾歲達到體力與產能的巔峰後，奴隸縱使年紀大了、患有病痛或殘疾，但依然能幫忙看顧小孩或飼養雞禽，持續為主人創造剩餘價值直到平均的七十多歲。[51] 一八六〇年，隨著棉花價格的飆升，只有在奴隸超過十五人的農場，棉花生產量才有可能占種植園輸出作物五成以上。[52] 奴隸主會開放一些小面積的「黑人耕地」供奴隸們在週日休假時耕植。那些奴隸頑強地堅守這些田地，要求非正式財產權，並將這些土地轉變為個人與群體自治的基礎。[53] 總的來說，一八四〇與一八五〇年代棉花產業繁榮時期的奴隸墾殖，比一八三七年恐慌及隨之而來的經濟蕭條發生之前更加自給自足。[54]

矛盾的是，一八三七年後改採的「安全至上」策略，即使可適當地解釋成是預防風險的一種資本主義做法，以及盡可能壓榨奴工以獲取經濟價值的一種方式，但也為父權主義的意識形態創造了機會，將種植園家庭重新塑造成商業活動以外的家庭溫馨場域。表面上，父權主義對不受約束的商業發展懷有敵意；實際上，父權主義者接受了像愛默生與梭羅那樣跨越大西洋、從浪漫主義角度對商業提出的批判，但卻有不同見解。[55]在奴隸主新塑造的「家戶」基督教義務與責任中，沒有什麼比滿足奴隸基本生計（而不是商業）需求更值得公開頌揚的了。在父權意識形態中，殘酷的商業與溫暖的家庭親情之間的道德隔閡壁壘分明。有鑑於奴隸資本的經濟邏輯將奴隸視為運作與固定成本，並進一步催生龐大的墾殖家庭生計行業，使父權主義者得以在意識形態上自稱，南方的經濟生活對商業的入侵設下了嚴格規定。

最能從古典經濟學角度詮釋父權主義精髓的人，或許就數密西西比州墾殖者學院（Planters' College）院長艾略特（E. N. Elliott）了，他在自己編著的奴隸制經典文集《棉花為王與支持奴隸制的論點》（*Cotton Is King and Pro-Slavery Arguments*，一八六〇年）中表示：

> 奴隸制是奴隸為了主人與奴隸的共同利益而勞動的責任與義務，在任何情況下都必須保證奴隸可得到保護與舒適的生活……作為這整套體系的首領，奴隸主有權要求奴隸服從與勞動，但奴隸也有對主人提出要求的權利，即尋求保護、建議與指導、生存，以及生病與年老時得到照顧與關懷的權利。[56]

父權主義似乎喚起了舊時的前資本主義傳統，或是喚起已逝去的封建制度。但實際上，它是南北戰爭爆發不久前那段時期的奴隸資本主義所發明的。說到這裡，商業時代的老問題再次浮上檯面，也就是我們該如何促進商業，但又同時將其控制與保持在適當範圍內？歷經數個世紀，到了一八四〇年代商業已大幅躍進。南北戰爭前夕的父權主義認為對商業最好的道德與社會制約，便是「家戶」的主奴關係。

父權主義者這樣做，並不代表南方地區支持資本主義的程度較低。事實上，父權主義對商業的批評，反倒讓南方地區的白人可合法投資黑奴——即使這種推動奴隸資本主義的誘因非常矛盾。至於對商業的適度約束，南北戰爭前夕的北方提出了不同的答案，他們優先考慮一系列不同的經濟、道德與心理投資，展現了截然不同的有益張力。父權主義者的確將奴隸制道德化，但方式卻令人厭惡地有違道德。[57]只想壓榨奴隸勞力的主人跟躍躍欲試想改造奴隸靈魂的主人，誰的道德罪行更嚴重？

儘管如此，父權主義的成果不容小覷。在南北戰爭前夕，主人有責任養活與照顧奴隸，這一點在許多南方相關法令中都有明確規範。在若即若離的關係之下，主人不能再基於單純的惡意無故謀殺、更別說是肢解奴隸了，而奴隸也逐漸擁有準法律意義上的人權。父權主義協助推動了另一波經濟成長熱潮，同時也改變了傑克森登上總統大位後數十年的政治局勢。隨著主人將奴隸視為家庭成員，並區隔公私領域，父權主義者產生了新的觀念，認為家戶奴役屬於私人領域的事務。一八五七年，詹姆斯．布坎南（James Buchanan）總統在初上任時向國會宣告：「主奴等關係屬於『家戶制度』，與政治制度截然不同。」[58]這意味著，聯邦政府除了無權徵用南方人民的私有財產之外，也無權干預當地的私人家庭生活。事實上，這呼應了法人公司在同一時期的轉變，原本公司與蓄奴家庭長久以來一直是帝國的次主體，如今都被歸入了私人領域。

總而言之，南北戰爭前夕的南方奴隸制與後革命時期政經解決方案之間呈現了顯著的差異。在早期的共和國，象徵著南方自由的基石及自己也有蓄奴的湯瑪斯．傑佛遜口中的「獨立」的，一直都是土地所有權而不是奴隸制度。然而，不斷升高的奴隸價格導致財產集中，加深了南方經濟不平等，這或許是一八四〇年代北方收入增長超越南方的原因之一。[59]南方地區未蓄奴的白人變得遠比北方未蓄奴白人來得窮。為了維持他們的政治忠誠，南方的精英們極力煽動白人男性戶主的種族情結與鞏固男性優勢。[60]一八三七年，出身南卡羅來納州的卡爾霍恩發表的言詞擁護了新的奴隸制思想，在在展現了南方的轉變。他在參議院大聲疾呼，「世界自由體制最安全且穩定的基礎」是黑人的奴隸制與白人的種族團結，而不是廣泛普及的土地所有權。[61]有別於當時北方民主體制，父權主義合理地解釋了舊時奴隸制資本主義的遺產，以及南方未來可能推行的新奴隸民主制度。[62]南方地區有權有勢的白人男性幾乎盡心竭力地奴役美國黑人。

工業社會的興起

在南方，不論父權主義者對商業有何看法，家戶依然是經濟活動的基本單位。相較之下，北方則出現了斷層。在不同的經濟背景下，對家庭生活的浪漫理想化帶來了不同類型的活力與張力。隨著男主外、女主內的家庭逐漸興起，北方的經濟生產開始與家戶有所區隔。家庭生活的歷史與北方資本轉變為生產性資產的過程密不可分。這些生產性資產的性質與奴隸相似卻又截然不同，那就是工廠。

從數據上來看，美國工業史上成長力道最強勁的二十年，發生於一八四〇至一八六〇年之間。在東北地區，工業生產每年增加百分之七點五，總共成長了五倍。[63]

作為對照，以下概略介紹一八四〇年之前北方工業生活的情況。「工業」一詞或許會讓人聯想到規模龐大、屋頂有陣陣濃煙冒出的工廠，在鐵製拱道下，滿臉煤灰、肩膀塌陷的工人步履沉重地穿越大門，而裡頭有一堆笨重的機具在等著他們操作。這是美國製造業在南北戰爭前夕給人的一種錯誤印象。在一八四〇年之前，有機經濟的限制仍然存在，主要的經濟生產單位依舊是家庭，而亞當・斯密式商業乘數依舊是其中的動態因素。

換言之，這段期間依然屬於商業時代。一八四〇年，美國只有百分之八點七的勞動力從事製造業。[64]最重要的是擴大商業市場的範圍。歷史學家湯瑪斯・考科藍（Thomas C. Cochrane）很久以前就解釋過：

> 在十九世紀初的美國，機器紡紗廠的重要性不如硬面道路。比起促進製造業增長，早期的蒸汽機對河道運輸更為有益。鋼鐵的煉製與滾軋對當前的進步遠不如運河來得重要。[65]

擴張的動力是對商品的需求，而不是生產方式的改變。有鑑於東北地區商業活動密集，促使製造業成長的是來自地方與區域性的都市及鄉村商品需求，[66]不論是新英格蘭的紡織品與鞋子、康乃狄克州的鐘錶與銅器、紐約州北部的麵粉與奶酪，還是紐約市的成衣、紐澤西州特倫頓（Trenton）的鐵器及費城的機器與爐具都是如此。交通基礎設施是工業擴張的關鍵來源。[67]到了一八四〇年，由於國家推動國內改善計畫，交通運輸突破了地理限制，一條前後連貫的東北工業走廊逐漸成形。

一如過往的生產模式，人類勞動與水力依然是工業的主要動力來源。煤炭使用率低，主要用於家庭取暖。由於水車可透過木軸將動力傳送至磨石，製造業與水路緊密相依。一八五〇年，幾乎所有地方的蒸汽動力單位馬力成本都比水還要高。[68]即便出現了大規模製造業，也大都分散於鄉間。[69]就連煉鐵也成了農村產業，沿著維吉尼亞州的礦脈，散布在賓州、紐約州，以及最北的佛蒙特州。

此外，到目前為止，美國大部分的製造業生產都涉及有機材料的加工——小麥、皮革、羊毛與棉花。木材也很重要，因為在持續發展的城市，營建業無可避免地主導了製造業。西方的殖民化也需要來自農村的建築材料，以建造房屋、磨坊、穀倉、馬車及製造車輪與家具。由於資源豐富，木材——不是鐵，更不是鋼——依然是主要的建築材料。

一八四〇年，美國的製造業工廠平均只雇用了四名工人。[70]家庭仍然是工業生產的主要單位，並以小型生產為大宗。生產性資本門檻低，高技術勞工變得不可或缺。一八四一年，辛辛那提一位

圖 17 約翰·尼格爾（John Neagle），《在鐵工廠的帕特·里昂》（*Pat Lyon at the Forge*，一八二六至一八二七年）

直到一八四〇年，小型家庭製造才成為美國工業的主力。這幅美國早期的著名畫作描繪一位以鐵匠起家的波士頓富商與發明家。里昂向畫家提出這樣的請求：「先生，我希望您能幫我畫一張真人比例的全身畫，以鐵匠鋪為背景，周圍有鼓風機與鐵鎚等工具。尼格爾先生，我希望您能清楚瞭解，我不想在畫裡看起來像個紳士，我不喜歡那種調調⋯⋯」背景中那名年輕學徒也十分引人注目。

居民代表美國工業界的多數人誇耀道：「除了少數幾個例外，我們的製造業機構從字面意義上來說就是製造，是**手工業**。」[71]在商店裡，雇主與員工就像「主人」與「僕人」。身為「技師」的主人雇用「學徒」與「助理匠師」（也就是那些學徒出身、希望有朝一日成為「能獨當一面」的技師的人）。[72]僕人在法律上有義務履行雇傭合約，並接受主人的紀律管束。居家與工作環境往往是同一個。

一八四〇年之前，即使他們離家工作，也常常被家庭追著跑。在農村的製造業中，商人通常會在農閒時「釋出」布匹，讓婦女編織以賺取「論件計酬」的外快。之後，在傑佛遜頒布禁令後收回了投入大西洋地區商業的資本新一代的工業資本家，在羅德島、康乃狄克州與麻州南部雇用整戶人家到大型紡織廠做工。此時，最關鍵的是將生產性資本投入節省勞力的機具。不具技術的婦孺則負責操作水力紡紗機。

接著，工業公司出現了。一八一三年，曾在大西洋沿岸工作的商人在麻州創辦了波士頓製造公司（Boston Manufacturing Company），並因一八一六年之後通過的保護性關稅而受益。[73]他們採用英國製造的動力織機，同時處理紡紗與編織，儘管當時仍靠水輪驅動生產。馬修・凱瑞在一八二二年的《論政治經濟》中指出，麻州沃爾珊（Waltham）的第一座磨坊雇用的員工多半是「附近農民的女兒」。[74]位於洛威爾（Lowell）規模更大的磨坊情況也是一樣。[75]一八三二年，美國製造業至少有四成的有薪勞動力為婦女或孩童，他們從事的工作與成年男性相同，報酬卻比較少。製造業工廠的規模愈大，資本需求愈高，也就愈多企業依賴無技術的女性與兒童勞動力。在擁有十五名以上雇員的紡織企業中，有百分之七十三點四的員工是婦女或女孩。[76]對大型棉花種植園與大規模紡織製造商而言，婦孺的勞動為關鍵變數。[77]

然而，大約在一八四〇年之後，東北部出現一種不同的工業化。在生產過程中，分工與更密集地運用新形式生產性資本相輔相成。透過擴大城市與鄉村的市場範圍與商品需求，亞當・斯密式商業乘數成為工業投資乘數的基礎。工廠愈蓋愈大，生產力也愈來愈高。

根據後來的生產力成長估計，一八五〇年代是轉捩點。[78]工業中出現了一套關於提供固定資本投資的新邏輯。[79]意味著工業結構與設備價值的生產性資本「密度」相對於勞動而言有所提升。企業家利用傑克森時代的一般公司法成立公司，籌集必要的資本與信貸，以擴大經濟生產的規模。從一八四〇到一八六〇年，美國製造業的就業人口翻了三倍。[80]到了一八六〇年，各製造業企業的平均員工人數為一八四〇年的兩倍多，來到九名勞工（幾乎等同奴隸種植園的規模，也就是十名勞工）。[81]工廠的規模超越了家庭，因為大型工廠需要一個獨立於家庭之外的實際空間。比起技術勞工，工業對非技術勞工的需求更大。美國勞動力逐漸由三百三十萬名歐洲移民組成，而不是婦女與兒童——這些勞工大都出身愛爾蘭與德國，在一八四七至一八五七年間來到美國。[82]最終，在一八五〇年代，北方的製造業突破了有機經濟的生產極限。許多生產線開始使用燃煤蒸汽引擎作為動力來源。[83]英國政府的調查報告《美國製造業體系》（*The American System of Manufactures*，一八五五年）點出了美國工業長期的獨特特徵：在製造裝配時使用「標準化」零件，這麼一來，機器運轉速度快，工作密集度更高。總之在一八六〇年，美國東北部的製造業勞動生產力，或是相同的勞力輸入所貢獻的產出，可能比世界上任何其他地區都來得高。[84]

紡織品就是一個典型的例子。在東北部，一八四〇年家庭製造業的產值為九百萬美元，但在一八六〇年只有兩百五十萬美元——這主要是因為紡織業長期是南方地區的主要產業。[85]在北部，紡織品的生產脫離了家庭範圍。[86]機具與非技術性的男性移民勞動力取代了婦女與兒童。一八三六年，在洛威爾的某家紡織廠中，移民男性勞工只占勞動力的百分之四。到了一八六〇年，他們占了百分之六十二。

若進一步檢視，這種發展的面貌會是什麼？讓我舉波士頓的「工匠企業家」約納斯．奇克林

（Jonas Chickering）為例。在湯瑪斯・傑佛遜當選總統之前，奇克林出生在新罕布夏州的一座農場，十七歲時成為櫥櫃木工學徒。三年後，他到波士頓從事助理匠師，然後在一八一九年進入一間小型製琴工坊工作，不久後便成為一位技藝精湛的製琴大師。

奇克林滿懷雄心大志，但他需要資本。新英格蘭的銀行業排外性極強，不願提供資助。一八三〇年，他與一位富有的退休船長成了生意夥伴。但當這位船長在巴西海岸尋找木材的任務中失蹤後，奇克林便買斷了繼承人的股份。在一八三七年的恐慌之後，奇克林先是經歷了事業的停滯，但之後慢慢擴大了經營規模。他的公司成了一座新工廠，並提高分工程度，降低了優質且標準化鋼琴的生產成本，全國性行銷網絡也隨之建立。奇克林本身是資本家，但也是非常貼近生產過程的「修補匠」。這樣的工匠企業家齊聚在網絡中，互相交流學習。[87]後來，奇克林向美國專利局申請了許多工業「改良技術」的註冊，而當時專利的大量出現也顯示民主創新文化正在崛起。[88]

一八五〇年，巴納姆委託奇克林為有「瑞典夜鶯」之稱的女高音珍妮・林德（Jenny Lind）的全國巡迴音樂會打造一架鋼琴。從一八二九年的四十七架逐年增加，到了一八五〇年，奇克林平均一年產出一千架鋼琴，高占美國總產量的九分之一。一八五三年，他又蓋了另一座工廠，當時公司的固定資本投資為十萬美元，其中包括一座六層樓的工廠，設有二十多個獨立的專業部門，雇用了一百多名薪資勞工。奇克林富有了，但一些報導指出，他有時會捲起袖子與員工一起工作。各方面而言，他待人隨和，還是一位親切友善的老闆。[89]

在北方，有薪工作的狀態大幅轉變，相對於以往的家務依賴，各種自由勞動紛紛出現。意識形態上，有薪工作不再是與女性特質相關的依賴關係，轉變為男性獨立的標記；法律上，它將主人與奴僕的角色轉變為具有不同法律義務的雇主與員工。值得注意的是，與其他國家相比，美國逐漸興起的自由勞動主義頗為「激進」，[90]這並非資本主義發展命中注定的結果。

北方廢除奴隸制度的舉措，為當地的自由勞動史揭開了序幕。新英格蘭開了第一槍，時間點落在獨立革命期間或革命結束的不久後，[91]其他地方則晚了一些。[92]當奴隸主試圖逼迫恢復自由身的奴隸簽下長期僕役合約時，關鍵時刻來了。北方制定的法令囿限了這些奴隸主的伎倆，削弱了各種長期合約的效力，其中甚至包括某些形式的學徒制。[93]想實現自由勞動，需要的不只是廢除非自願的奴役而已，還必須依法取締職場中各式各樣的強迫與不自由待遇。

在這段時期，美國勞工的辭職權逐漸浮現，這種信條在數十年後取得了正式法律地位，稱為「自由就業」。契約奴役與在勞動合約期間對「棄職潛逃」的法定懲處遭到了中止。對工人的體罰即使在合法的地點與時間進行也不再可行了，因為工人若是遭到雇主毆打，通常就會乾脆離職，並就之前完成的工作要求報酬。英國普通法明訂，勞工必須「完整」履行合約才能拿到補償金，而在美國，如果沒有特別註明，勞動合約一般為期一年，麻州直到「斯塔克訴帕克」(*Stark v. Parker*，一八二四年）一案發生時仍堅守這項原則。不久後，美國法律認可實務上的改變。大約到了一八四〇年，美國有薪勞工均享有提前告知就可辭職走人的法律保障，而且可就已完成的工作收取「部分報酬」。於是，採行「高流動性規範」的勞動市場逐漸成形。[94]這些變革有利也有弊。美國的工資收入者獲得了新的權利，但同時也隨著雇主義務的減少而失去了長期工作保障。對於後面這一點，南方支持奴隸制並擁護父權主義的意識形態便批評不斷。[95]

奇克林是一位支持資本主義的老闆，一路從領取工資的學徒爬到高位。這樣的向上流動不僅僅是令人嚮往而已，更是十足可行。製造業有薪工作的密集度來自機器的運用，但一般合理認為，許多美國工人也會希望從事勞動與賺取更多工資，期望有朝一日能自立門戶，年輕人跟移民對此的渴望也更加強烈。許多有薪勞工希望成為資本家。

同時在東北部，除了市場與國家，以及家庭與工作之間的分界之外，第三種正在萌芽的分界也預示著工業資本主義的未來，也就是資本主義生產與慈善財富之間的分歧。[96]即使奇克林實現了傑克森崇尚的商業機會平等的理想，他仍是政治立場保守的輝格黨員。他相信經濟改善，也相信道德改善的信條，包含社會改革。他靠製琴事業獲利，但並未拿這些利潤來擴大資本投資，而是用於慈善公益。他將這些錢挹注到提倡藝術、教育與宗教的「志願」法人團體。南方很少有這樣的組織，在奴隸殖民地也沒有。

此外，奇克林的身分是鋼琴製造商，而這類樂器正象徵了日益崛起的中產階級仕紳。在北方，鋼琴被放置在全新的家庭空間：家庭起居室。如歷史學家艾米・德魯・斯坦利（Amy Dru Stanley）所言，北方的家庭生活「隔離了家庭的依賴關係」，促使薪資收入從依賴的標記轉變為自由勞動的體現。[97]這道圍牆不僅是展現於道德與意識形態上，更是實際可見地用一磚一瓦隔絕區隔。

這樣的情況，與奉行父權主義且懷有維多利亞時代濃厚的家庭情感的南方之間，可說是天差地別。以南方的住宅建築而言，最明顯的物理邊界將種植園及周圍所有場域與外在世界區隔開來，包括主屋、外屋、農田、庭院與奴隸住的棚舍。在南方，穿過種植園的大門，可以看到住宅通常建有高而寬闊的門廊、陽台及外廊，夏季時可供遮陽乘涼，也方便監督奴隸工作。[98]北方的景觀設計師歐姆斯特德（Frederick Law Olmsted）在遊記《棉花王國》（*The Cotton Kingdom*，一八六一年）中表示，即使是貧窮的南方人，也會在自個兒家中建造「方形小木屋，前面再鋪設寬敞的露天遮棚或外廊」。[99]富裕繁榮的種植園蓋有寬綽雄偉的大房子，門廊更是氣派。一般而言，奴隸住的棚舍不會有門。在種植園裡，家庭與工作之間沒有門檻，意即沒有實際的界線。

南方住宅的門廊與北方住宅的起居室形成顯著的對比。在北方，工業經濟生產脫離了家庭場域，有了新的含義。[100]備受歡迎的紐約建築師唐寧（Andrew Jackson Downing）在《鄉間別墅》（*Cottage Residences*，一八四二年）一書中解釋道，住家必須區隔家庭的內部與外部空間。不同於商業的自利，住宅是一個「追求內心」的空間，供人盡情挖掘非關經濟利益的愛。若以浪漫的說法，住家是「我們心中最親愛的地方」，是抵禦外部惡意的「堅實屏障」。[101]唐寧所設計的建築向來會將起居室立在室內深處，讓「家庭圈」共同居住在一個親密無間的空間裡。這些年來，以起居室為背景描繪中產階級家庭生活的民間藝術畫作層出不窮，艾拉斯圖斯．菲爾德（Erastus Salisbury Field）的《約瑟夫．摩爾與他的家人》（*Joseph Moore and His Family*，一八三九年）就是一個很好的例子。

教育改革家凱薩琳．比徹（Catharine Beecher）是《湯姆叔叔的小屋》（*Uncle Tom's Cabin*，一八五二年）的作者哈里特．斯托（Harriet Beecher Stowe）的姊姊。他在《家政專論》（*A Treatise on Domestic Economy, for the Use of Young Ladies at Home and at School*，一八四一年）中指出，「屋外不能有使用不便的門廊」，這代表著家庭生活與外部世界的界限神聖不可侵犯。這對姐妹將起居室重新命名為「家庭室」。[102]一八四四年，一本代表性中產階級雜誌刊出一篇文章，標題為家是「女性的領域」。在「家」中，妻子與母親的任務是「培育人心最美好神聖的情感」。「女人的主宰」是「情感」；男人的領域則在家庭以外，在「人聲鼎沸的市集，在迂迴曲折卻又光彩奪目的野心之路」。[103]

「範圍區分」的性別意識形態再次例示了公私領域的分隔，導致以外部分界而非內部糾葛為前提的工業社會產生了一股特有的張力。這與父權主義有所不同，

圖 18　「拉科斯特莊園，聖貝爾納郡（St. Bernard Parish），路易斯安那州」（一九三八年）

與北方的家庭起居室相比，南方住宅建築的門廊凸顯了在種植園中，家庭與工作的界限仍然模糊不清。這條門廊可能也是戶主監督奴隸工作的場所。該棟房屋可追溯至一七二七年。

因為父權主義意圖透過剖析莊園家庭的道德與經濟困境來製造對立。[104]當然，中產階級女性依然從事家務勞動。農婦的勞動在一八六〇年的價值仍然與一名受雇男性不相上下。貧窮的女性則在家庭內外都有工作。[105]儘管經濟事實擺在眼前，意識形態的轉變仍是關鍵。隨著自身勞動力貶值，女性的情感勞動變得更容易以金錢量化。這麼一來，男性的產業有薪工作便得以成為男性自立與「自由」而非依賴的新象徵，擺脫原有的依賴意味。[106]

圖 19 艾拉斯圖斯．索爾茲伯里．菲爾德，《約瑟夫．摩爾與他的家人》（約一八三九年）

家居室內設計的風格從十七世紀追求物質享受的荷蘭共和國過渡至十九世紀美國的中產階級環境。摩爾是一位旅居各地的牙醫，也是菲爾德的鄰居。這幅畫作著墨於異乎尋常的細節，這種「民間」性質反映出此時期中產階級家庭生活規範的普及。

最終，北方的家庭生活迎來了與另一類家庭眷屬（孩子）有關的地位變化。婦女的生育勞動並未停止，但現代的「人口變遷」隨著城市化與工業化的發展而早已開始。出生率下降了。[107]在東北部的都市與工業地區，童工變得不如以往重要，尤其是在經濟情況較佳的區域。在輝格黨推行的公立學校運動及奇克林等新興慈善家的遺贈下，兒童開始上學念書。人們也從更純粹的親情角度來重新看待育兒這件事。在教育資源相對稀缺的南方，公共教育得到的支持較少，「人力資本」絕大部分為奴隸資本。[108] 透過繳納公立學校的相關稅金，北方地區的家庭開始在財務與情感上栽培孩子。相較於財產收入的世襲意味，薪資象徵著自由、教育程度更高的人力資本所帶來的回報，在這段期間不僅僅北方的有薪工人逐步增加，平均薪資也逐年上升。南方地區則不然，在當地，奴隸資產的

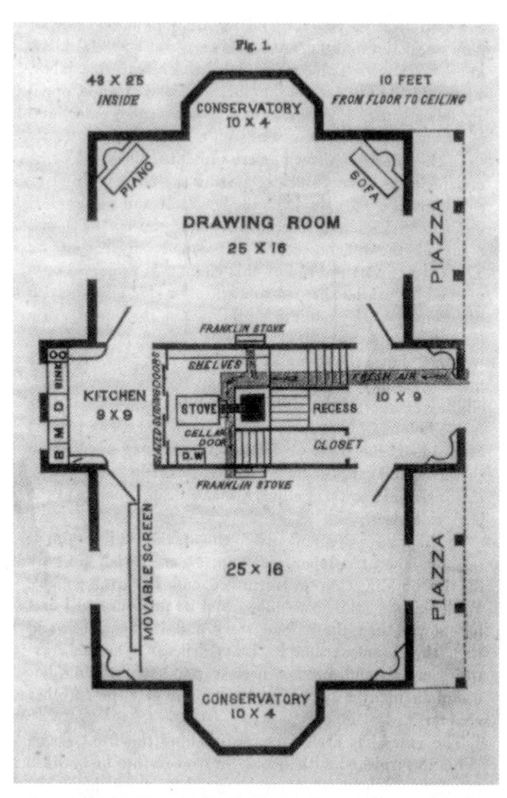

圖 20　凱薩琳·比徹與哈里特·比徹·斯托，「住家一樓平面圖」（一八七三年）

由此可見比徹姐妹重新定位了住宅室內的家庭空間，她們在起居室裡規畫了擺設鋼琴等中產階級飾件的空間。女性化的家庭起居室在實體與情感上都與男性追求自利的商業生活有所區隔。摘自比徹姐妹的《新家庭主婦教戰手冊》（*The New Housekeeper's Manual*）。

增值，主要提高了財產收入而非工資。[109]

總之，「投資」這個詞彙在最廣泛的意義上產生了變化，不僅是資本投資，還有情感依附與性別界定的嚮往。勞動法規出現了重大變遷，新的慈善組織誕生，住宅建築迎來創新，兒童教育也引起了關注。這一切的一切逐步樹立起工業社會的許多特質。經濟上，隨著工業發展逐步轉變了社會，北方不僅僅比以往來得更生氣蓬勃，也比採行奴隸制的南方有更多潛力使經濟活動報酬遞增。相較之下，以農業為基礎的南方社會，運作的前提便是榨取終究會面臨報酬遞減的黑奴勞動力，收益自然無法與北方的工業投資相比。工業投資比任何其他因素更可能使財富的生產倍增。

然而在下一個世紀，對工業秩序來說，沒有什麼比男性養家女性持家的家庭分工更重要了（就連新式工廠也比不上）。這種家庭的出現，是商業時代後期對於「如何促進商業但又同時將其控制與保持在適當範圍內」這個老問題的新解決方法。在一八四〇與一八五〇年代，家庭生活的組織清楚表明了，北方與南方作答的方向天差地別。這種日益加深的差異與經濟上的分歧同時出現，共同造成了政治局勢的震盪。

介於奴隸制度與自由之間的林肯

但是，假使這兩個地區的資本主義變得如此不同，那又如何呢？自由帝國就像所有早期的現代帝國一樣，原本就是設計來適應不同形式的統治。經濟上，帝國確保不同群體的商品擁有出口市場，而政治上，商業連結可促進帝國的團結。自獨立革命以來，跨區域的商業活動顯著地約束了自由帝國，尤其是密西西比河沿岸。然而，揮別一八三七年的恐慌之後，市場這隻無形的手愈來愈難鞏固政治聯盟。商業的擴張非但未能緩解不同地區的歧異，反而讓差異變得愈來愈劇烈。[110] 於是，維繫聯盟的任務落到了政客的手中。最能說明民主政治如何決定資本主義未來發展的例子，莫過於一八五四年後反奴隸制的共和黨的異軍突起了。[111]

當年，美國國會通過了《堪薩斯-內布拉斯加法案》（*Kansas-Nebraska Act*）。這項國會立法之所以轟動一時，首要原因是它破壞了各州先前就西部聯邦領土的奴隸制現況所達成的一些政治妥協。一八二〇年的密蘇里協議（The Missouri Compromise of 1820）承認密蘇里州為蓄奴州，但同時也禁止北緯三十六度三十分以北的前「路易斯安那購地」實行奴隸制。接著，美墨戰爭（一八四六至一八四八年）結束時簽訂的《瓜達盧佩伊達爾戈和約》（*Treaty of Guadalupe Hidalgo*）將加州與今日的內華達州、猶他州、亞利桑那州，以及科羅拉多州、新墨西哥州與懷俄明州的部分地區「割讓」給美國之後，年邁的亨利．克萊推動了一八五〇年妥協案（Compromise of 1850），承認加利福尼亞為自由州，准許南方實施更嚴厲的逃亡奴隸法案，並確立了以「人民主權」原則決定新墨西哥州與猶他州奴隸制的未來。後來，這兩個領地的居民舉行投票，而多數人決定實行奴隸制。

一八五〇年之後，伊利諾州勢力龐大的民主黨參議員史蒂芬．道格拉斯（Stephen Douglas）出手干預了一觸即發的局勢。他要求國會組織一個新的內布拉斯加領地並建造一條橫貫大陸的鐵路，好從中獲利。南方地區的代表十分關切國會勢力的權力平衡。明尼蘇達與奧勒岡的北部邊界由美國在一八四六年與大英帝國簽訂的條約中確立，而它們可能會爭取州屬地位（後來它們的確分別在一八五八與一八五九年正式升格為州）。在北緯三十六度三十分線以上，可能會有更多新的自由州從任何擬議的內布拉斯加領土劃分出來。如此一來，新立自由州數量對南方來說太多了。

道格拉斯在一八五四年提出的《堪薩斯－內布拉斯加法案》推翻了密蘇里協議。禁止奴隸制的北緯三十六度三十分線，不再適用於「路易斯安那購地」範圍內的土地。「人民主權」將決定新領土堪薩斯州與內布拉斯加州奴隸制的未來，其中前者往西延伸至今日的科羅拉多州，後者則往北延伸至加拿大。在這些領土上，白人男性戶主將投票決定是否實施奴隸制。

在《堪薩斯－內布拉斯加法案》的投票中，國會議員的立場幾乎完全按照區域與黨派劃分。自一八三〇年代民主黨與輝格黨崛起以來，這兩個黨派便成為全國政治主力。《堪薩斯－內布拉斯加法案》的投票使輝格黨斷然分裂（實際上已不復存在），道格拉斯的民主黨也陷入了混亂。[112]

同時，一八五四年過後，為了堪薩斯州奴隸制投票，北方與南方的殖民者紛紛湧入該區。互相對立的兩種帝國願景產生了暴力衝突，一邊嚮往自由勞動，另一邊以奴隸為基礎。

西部地區並非向來如此。最初落腳舊西北地區的殖民實際上是南方的「白胡桃」，他們從肯塔基州往北遷徙，某些人更違反一七八七年的西北條例（Northwest Ordinance of 1787），帶上了黑奴。數十年來，俄亥俄河流域種植玉米與圈養豬畜的複合式農戶與舊西南地區的奴隸種植持續進行商業往來。一八三〇年，俄亥俄河連通密西西比河的流域，幾乎占據了西北部所有的商業運輸。往後的幾十年，西北部的商業將從西南地區轉移至東北地區，其中一個直接因素是，南方地區經歷

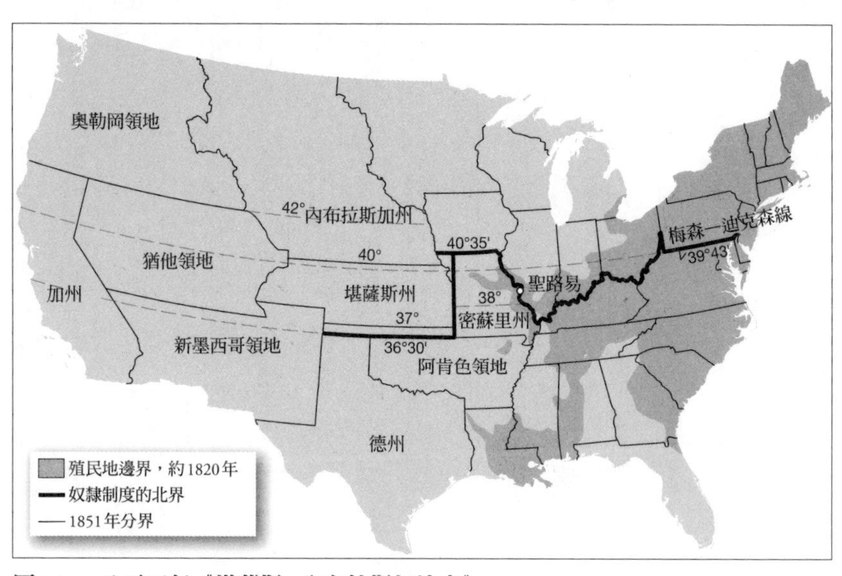

圖 21 一八五四年《堪薩斯－內布拉斯加法案》

一八五四年轟動政界的《堪薩斯－內布拉斯加法案》推翻了一八二〇年的密蘇里協議，該協議禁止北緯三十六度三十分以北的前「路易斯安那購地」實行奴隸制。一八五四年的法案將這些領土的奴隸制問題留給了那些爭取州屬地位的政府來解決。

了一八三七年與一八三九年的恐慌後，在父權主義興起的背景下退而改採「安全至上」的生存策略。[113]南方對西北地區生產的糧食需求較過去來得少。再加上新建的跨區鐵路越過層層山嶺，連接了西北與東北地區。總歸而言，到了一八五〇年代，西北地區大部分的貨物都經由鐵路運到東部，而不是順流而下運往南方。[114]

西部地區的商業擴張不再能凝聚該地。相反地，該區正在分裂北方與南方兩派。在缺乏全國性經濟發展計畫的情況下，州政府推動的公共基礎建設工程使商業不利於政治聯盟。正如反對奴隸制的麻州參議員查爾斯・薩姆納（Charles Sumner）在一八四八年的一場演講中表示，「鞭奴之王」和「織機之王」在棉花貿易下依然互相連帶。紐約市的商人與金融家對南方地區有著濃厚的經濟利益，[115]但在密西西比河以西，奴隸制的存廢引起激烈對抗，商業的效益不再管用了。

這些不斷變化的商業模式反映了新五大湖充沛的殖民化動力。貫穿中西部的小麥產區，在舊西北地區玉米田與豬畜養殖地帶以北的地方蔓延。一八四八年，伊利諾與密西西根運河連接了密西西比河與新建不久的芝加哥市，到了一八六〇年，伊利諾州被譽為美國小麥產量最多的州。西北部的麥農跟南方的棉花農一樣，都是出口商。大英帝國於一八四六年廢除穀物法以及克里米亞戰爭的爆發（Crimean War，一八五三至一八五六年），創造了歐洲的糧食需求，使得五大湖區很快便成為國際性的農業強權。[116]

五大湖強勁的墾殖動力，將來自「自由土地」的殖民者帶到了堪薩斯州與內布拉斯加州。雖然他們以農業出口為導向，但與南方殖民化的對比依然顯著。奴隸資本易於轉手，這正是他們值錢的

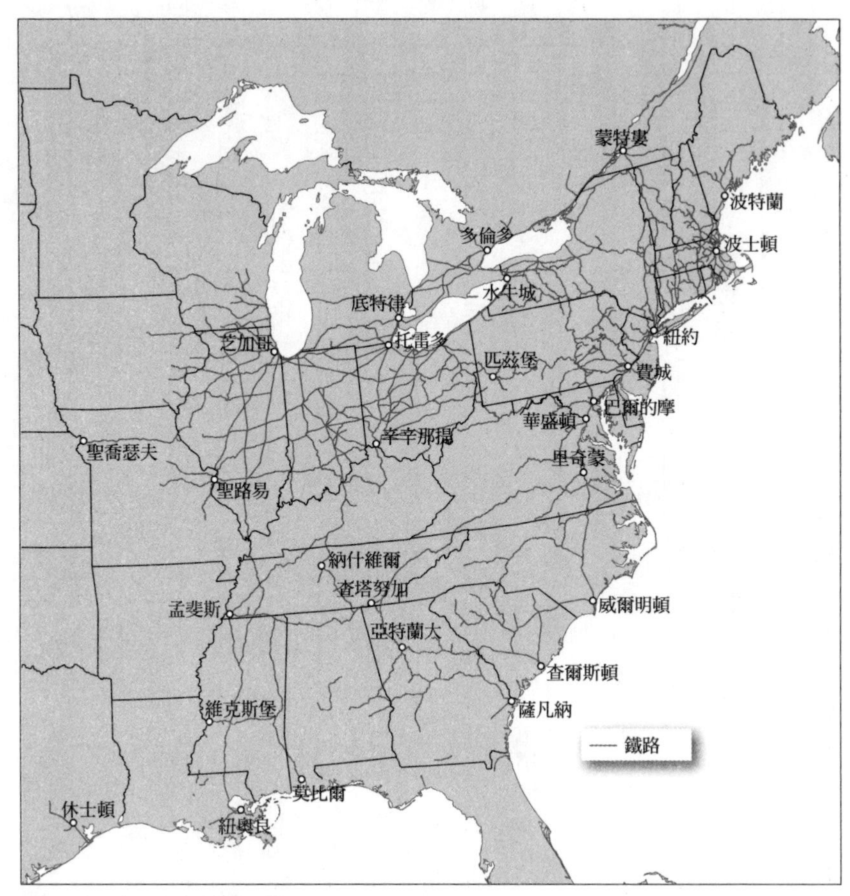

圖 22 一八六〇年的美國鐵路

西北部的鐵路建設在商業上將該區與東北部連接起來，削弱了俄亥俄河與密西西比河沿岸的南向貿易。一八四〇年之後，區域間商業的發展並未改善南北地區之間的政治紛爭，反倒加深了兩者的歧異。

原因之一，但在中西部，奴隸殖民化的速度不及這些來自自由土地的殖民者，因為奴隸並不便宜。不同於南部的奴隸增長，美國與歐洲移民排山倒海地湧入了中西部。一八五〇年，威斯康辛州與明尼蘇達州的外國人口高達百分之四十四。[117]這段時期，主要的資本形式為相較奴隸便宜的土地。一種人口結構與商業資本遠比過去密集的殖民模式應運而生。有別於舊西南地區的奴隸主，西北部的聚落積極建設，自詡為自由移民在發達致富之前會選擇定居的地方。[118]當地的移民不久後便建造了學校、教堂與道路，一整套文明「進步」的公共基礎設施都齊備了。五大湖盆地的居民大都是輝格黨的支持者，期望聯邦政府能資助當地港口建設以增加市場准入。德州一位殖民曾誇口表示：「我相信德州一定會變得繁榮富強。我們不用繳稅……用成本價就買得到土地，也無需履行任何公共義務。」[119]對比之下，中西部地區則透過不同的方式走向昌盛。最後，不同於棉花，小麥屬季節性作物，採收期只有短短兩週。農民在收成時節可能會遇到瓶頸，而這種困境促進了耕具機械化，同時也驅使人口流向芝加哥等城市。到了一八六〇年，當地已經開始出現機械收割機等工業製造農具，龐大的工業化未來近在眼前。[120]

總之，上西北地區正在走向更加多元且充滿活力的經濟體，與東北部愈來愈相似。這兩個地區經由貿易連結，居民無疑在任何方面都比西南地區的居民要平等得多，雖然在一八五〇年，在奴隸財富的助長之下，西南地區的人均收入比中西部地區高出百分之二十五。這個事實肯定激起了近年移居中西部地區的人們的怨恨。[121]

一八五四年，《堪薩斯－內布拉斯加法案》通過之後，反對奴隸制的共和黨在五大湖區的威斯康辛州與密西根州成立，絕非偶然。在前民主黨與輝格黨成員之中，共和黨迅速贏得了五大湖小麥盆地區選民的信任。他們支持保障的自由土地《宅地法》(Homestead Act，被希望減緩自由土地殖民化的參議院南方代表阻礙)，並敦促聯邦政府補貼國內改善計畫以擴大市場准入。東北部的情況則是另一個故事了。在當地，最早從《堪薩斯-內布拉斯加法案》獲益的不是共和黨，而是「一無所知黨」(Know-Nothing Party)。*

這是一個特殊的政治時刻。輝格黨與民主黨形成的兩黨制體系混亂不堪，西部地區基本上陷入了「墾殖占地者主權」的爭奪戰。同時在東北地區，工業變革導致了新的政治問題。實行工業化的當地可能是世界上成長最快速也最富有的經濟區域，但這不是故事的全貌。[122]北方也正飛快地展開都市化腳步。貨幣收入增加，但住房、供水與公共衛生卻相當落後。人均壽命減少，身高與體重指數也有所下降。[123]此外，都市工業化的開展加深了收入的不平等。[124]工業資本產品的投資出現增長，在形成勞動力需求的同時，也拉大了技術與非技術工資之間的差距。一如既往，金融系統的持續發展使大部分的收入流向富裕階層。[125]之後在一八五四年，突如其來的工業衰退讓這個問題更加惡化。[126]由此可見，傑克森主張的機會平等，未必能促成收入的平等。

《堪薩斯-內布拉斯加法案》通過之後，民主黨支持者的分布更集中於南方，他們多半是白人

---

* 譯註：正式名稱為「美國人黨」(American Party)。「一無所知」這個名稱源自於此政黨的半秘密組織特質，成員們被問及行動時會回答：「我什麼都不知道。」

男性平等的擁護者，相對地，輝格黨也隨之解散。但起初在東北部，「一無所知黨」占得先機。這個新政黨將反移民的訴求與對不平等的批判混為一談。在紐約市，國外出生的非技術產業勞工的人口是本地勞工的兩倍。[127]像奇克林這樣的人才在世界各地嶄露頭角之際，由技術純熟的工匠所組成的「中產階級」逐漸空洞化，這是導致不平等現象日益惡化的根本原因。[128]「一無所知黨」指責共和黨受激進廢奴主義者所控制，更關心南方奴隸蒙受的苦難，忽視了當地的北方工人群體中有許多人都在與非技術移民競爭工作機會，正處於生活水準低落、甚至是「薪資奴役」的煎熬。為了與之競爭，共和黨必須傳遞出一個令人心動的經濟訊息。

於是他們高喊：「自由地權，自由勞權，自由人權。」[129]頂尖工匠中產階級的空洞化已十分嚴重，但還未走到盡頭。男性的就業仍然有向上流動，在移民族群中也是如此。[130]隨著共和黨擁護「自由勞動」的希望，人們對業主權與生產性資本所有權的渴望依然非常強烈。每個薪資收入者仍舊盼望未來某天會成為資本所有者。工資的賺取不會破壞白人戶主的獨立性，然而在用語方面，共和黨也必須說服眾多的北方勞動人口相信，「奴主勢力」（Slave Power）在相同、甚至更大程度上必須為他們的經濟困境負責。

美國廢奴主義者曾試過訴諸經濟論點，但成效不彰。約書亞·萊維特（Joshua Levitt）的《奴隸制的金融力量》（*The Financial Power of Slavery*，一八四一年）將一八三七年的恐慌歸咎於南方的奴隸制度，指責南方地區榨乾了北方的資金與信貸。這些控訴沒能造成實際的打擊。廢奴主義者最有力的批評論點是，奴隸制度「嚴重汙辱了家庭」，正如哈里特·斯托所指控的那樣。[131]一八五〇年代初，美國廢奴主義處於過渡期，政治立場薄弱，分成了激進派與溫和派兩股勢力。[132]一八五二年，反奴隸制的自由土地黨（Free Soil Party）在全國性選舉中慘敗。

一八五四年，為了吸引許多對經濟變遷過程中的不平等感到失望的北方選民，共和黨沾染了些許傑克森主義的反壟斷色彩，轉而攻擊奴隸主的不義之財。在過去，反壟斷的目標是「金錢的權力」，但隨著自由銀行業的發展以及加州淘金熱帶來的強勢貨幣擴大了貨幣供給量，一八五〇年代的貨幣問題莫名地從國家政治中消失了。共和黨手段高明地將反壟斷政治目標轉向瞄準「奴主勢力」。《紐約論壇報》（*New York Tribune*）編輯霍瑞斯·格里利（Horace Greeley）堪稱最能言善道的共和黨員，他指控「奴主勢力」試圖控制國人進入西部領土，但最終受害的是來自自由土地的自耕農，而非法人企業。然而，格里利指出，西部是「勞工與資本關係的偉大調解者，是美國工業社會引擎的安全閥」。[133]「奴主勢力」應該為北方低迷的經濟狀況負起責任。許多北方工人或許認為，比起責怪老闆，將收入不平等與生活水準的低落歸咎於奴隸主比較容易，因為他們有不少人依然渴望有朝一日能自立門戶。

結果，共和黨的策略成功了。他們在一八五五到一八五六年的六個月間迅速取代了「一無所知黨」，而這全拜時機和運氣所賜。歐洲移民潮在一八五五年陷入停滯，削弱了「一無所知黨」的吸引力。經濟迅速從一八五四年的工業衰退中復甦，為自由勞動重新注入了一些希望。之後，在「堪薩斯內戰」（Bleeding Kansas）中，自由土地與奴隸殖民者非法掠奪蕭尼族印第安人的土地，並彼此反目成仇。一八五六年五月，激進的廢奴主義者約翰·布朗（John Brown）率領的團體謀殺了五名支持奴隸制的人士。[134]在此同時，一個受人操縱、支持奴隸制的領地立法機構向華盛頓當局提交一部支持奴隸制的州憲法，但國會後來未表決通過。道格拉斯推動的《堪薩斯－內布拉斯加法案》無疑釀成了一場血腥災難。

一八五八年，道格拉斯參加了參議院改選，共和黨則推出亞伯拉罕．林肯應戰。[135]身為前輝格黨員、曾稱亨利．克萊是自己心目中的「政治家典範」的林肯，在一八四〇年代末曾代表輝格黨當過一屆的伊利諾州議員，不過當時沒什麼名氣。[136]之後，他在伊利諾州春田市（Springfield）重操律師舊業，直到《堪薩斯－內布拉斯加法案》引發政治危機，他才重新回到政壇。

林肯身材異常高大，一九三公分，有對招風耳與灰色的眼珠，聲音高亢尖銳。在法庭上，他練就了一種令人著迷又親民的口條，任何熟悉他的人都會提到他的雄心壯志。他不是共和黨元老，卻是雄辯的自由勞動倡議者，他曾說：「自由勞動激發人們的希望，純粹的奴隸制讓人絕望。」他認為「資本」與「勞動」之間沒有根本性衝突，因為薪資勞工有朝一日會成為擁有財產的生產者，[137]另外還強調，擴大「教育」的管道是關鍵。一八五八年，林肯在一系列著名的政治辯論中槓上了道格拉斯，表達了自己對奴隸問題的立場。

林肯一向主張，奴隸制在道德上是錯誤的，建國者們無意持續施行。但在政治上，林肯的作風較為溫和。在合法採行奴隸制的州屬中，奴隸主的財產權受州政府所保護，而聯邦憲法對此隻字未提。[138]在西部領土，聯邦政府有權決定奴隸制的存廢。林肯指出，聯邦政府必須在那些地區採取行動，禁止並遏制奴隸制的擴散，最終使其滅亡。他認為，雖然黑人擁有道德與政治權利，但不同的種族不該共同生活，更別說是繁衍後代了。他追隨克萊，支持將黑人移到非洲定居。[139]

林肯對道格拉斯參議員的攻擊簡單明瞭。他認為「奴主勢力」正密謀將奴隸制推廣到全美國，西部只是第一站，而道格拉斯正是這項計畫的幫兇。首先，《堪薩斯－內布拉斯加法案》使密蘇里協議失去了效力。接著，首席大法官羅傑・塔尼（Roger Taney）與南方控制的最高法院在「德雷德・史考特訴桑德福」（*Dred Scott v. Sandford*，一八五七年）一案中抹除了黑人公民權的可能性，並禁止聯邦政府管控在簽署憲法後取得的任何聯邦領土中所實行的奴隸制，徹徹底底地展現白人至上主義。經過德雷德・史考特一案，奴隸資產價格攀升，因為人們預期未來能從奴隸制的擴散中獲利。[140]林肯預言，最高法院將宣布，各地奴隸制合法化，包括北方地區。美國將成為奴隸制國家。林肯在宣布競選參議員時宣稱，「房子若是四分五裂，終究會倒塌」，美國不可能「永遠維持一半土地蓄奴、一半土地追求自由的狀態」。[141]

道格拉斯對此回應是，如果政府能妥善治理，有何不可？這就是某種程度上聯邦政府存在的意義，確保「每個地區」享有「獨立且特殊的利益」並且獲得承認與接納，好讓這些地方的商業能夠蓬勃發展。「人民主權」允許「每個州與每個領地的人民自主決定如何解決奴隸制問題」，不就是讓國家更能確保這些地方利益（包括奴隸制的問題）嗎？道格拉斯毫不避諱地擁護白人至上主義，他抨擊「林肯先生自覺地相信，黑人與他都是平等的，因此是他的兄弟」。[142]

一八五八年，道格拉斯順利連任參議員，橫掃了伊利諾州南部耕種玉米與飼養豬畜的地區。然而引人注意的是，林肯在北部各郡、芝加哥市與伊利諾州的小麥產區取得了勝利。儘管林肯敗選，他與道格拉斯的辯論使林肯成為全國性政治人物，而雖然他原本在選舉中不被看好，但在一八六〇年依然黑馬般地獲得共和黨提名參選總統。他得知這項消息時，人正坐在春田市家中的客廳。這座房子與公共街道之間只有一道圍籬，沒有面向大街的前廊，因為林肯在一八五五年翻修房屋時把它拆了。

一八六〇年總統大選的選舉地圖是這樣的：儘管新英格蘭有「織機之王」，但他們因為反奴隸制而支持共和黨；雖然紐約市是民主黨的大本營，但共和黨依然有可能拿下紐約州。共和黨還仿效輝格黨爭取關稅保護，尤其是針對五金商，藉此收買了賓州選民。對國內改善計畫望眼欲穿的五大湖小麥產區是共和黨的死忠票倉。林肯若想入主白宮，共和黨必須在俄亥俄州南部、印第安那州與伊利諾州贏得夠多的選票。

在全國性的共和黨政治人物之中，林肯是獨一無二的。他出生在肯塔基州，父親是個木屋農場主，他帶著全家人搬到了俄亥俄河上游，先是落腳印第安那州，之後又移居伊利諾州。數十年來，許多奴隸主違反一七八七年的西北條例，通常透過與奴隸簽訂長期契約傭工合約，將他們違法帶到俄亥俄河沿岸以北的地區。一八一五年，出生於肯塔基州的奴隸瑪莉·克拉克（Mary Clark）就是這樣被主人帶到了印第安那州，直到一八二一年才在當地最高法院的裁決下獲得自由。[143] 林肯與眾不同的地方便是因為他來自介於奴隸制與自由之間的土地。

林肯非常瞭解奴隸制是怎麼一回事，他曾親眼見識，並且鄙視它的不道德。根據近年的估計，到了一八五〇年代，雇請一名薪資勞工進行為期四個月的玉米採收的成本，大約相當於一名成年男性黑奴的年化成本。[144]萬一經濟激勵措施管用，那麼在政府允許下，伊利諾州南部玉米農民基於本身的種族立場，也不排斥購買黑奴。經過德雷德·史考特一案，林肯經常對奴隸制向北方蔓延的現象做出可怕的預測，這在很大程度上是經過算計的政治辭令。然而有人懷疑，林肯的確擔心黑奴制度會在伊利諾州南部等地區重現。俄亥俄河以北的玉米農真的希望奴隸主拿奴隸當抵押品，來購買肥沃的農田嗎？他們有辦法跟對岸或堪薩斯及內布拉斯加州的奴隸勞工競爭嗎？林肯的說詞讓他們倍感驚慌。在一八五八到一八六〇年間，共和黨在伊利諾、印第安那與俄亥俄等郡的選票

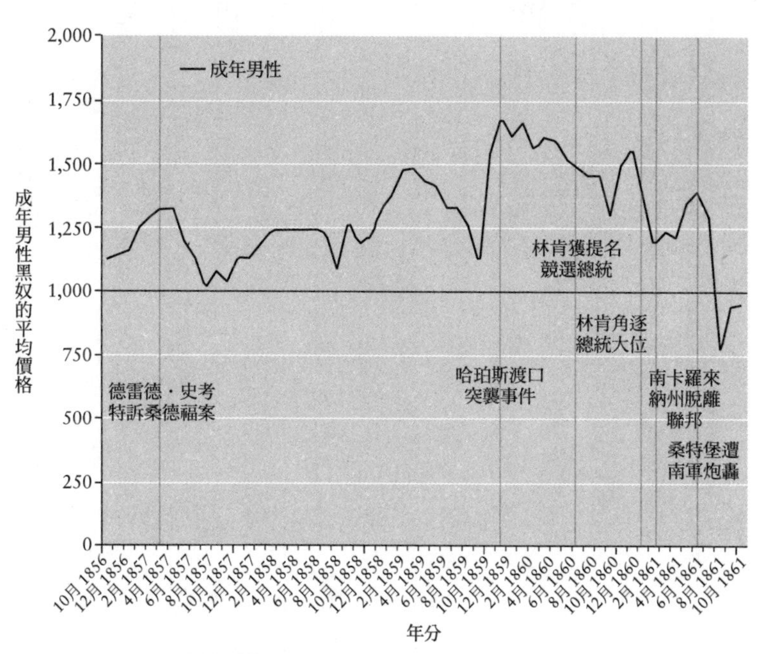

圖 23 成年男性黑奴的平均價格

黑奴的價格反映了白人奴隸主對動產奴隸制未來可行性的長期盼望。在林肯當選後，這些預期有了急遽的變化。這裡的成年男性年齡介於十八到三十歲之間。

增加得恰到好處。他在伊利諾州與印第安那州的得票率略高五成，在俄亥俄州則為百分之五十二。雖然他只贏得了四成的全國普選票，但在選舉人團中得到的票數已足以讓他獲勝。[145]

林肯總統決心要結束奴隸制在空間上蔓延，而正如本書先前所述，這是商業時代的首要主題，是自由帝國政經體系的核心。此外，他宣告美國不可能永遠有一半領土採奴隸制、一半追求自由，這意味著自由帝國已不復存在。共和黨國務卿威廉．西沃德倒是隱約看見了「自由白種人帝國的擴張」新時代，一個屬於自由土地與自由勞動的帝國即將展開。[146]

奴隸資本之所以有價值，正是因為它易於轉手。南方仍有大量土地可供耕種，但不論是否理性，如今當地居民都將經濟預期寄託在奴隸制持續擴張到其他州屬。就如一八五六年喬治亞州一名議員在會中直言不諱地說：「眾議院內外的奴隸主都深知，當奴隸制被限定在特定範圍就注定走向毀滅。」[147]林肯也認同這種看法，無怪乎在他當選總統之後，南方資本市場對未來的預期急轉直下，奴隸資產價格隨之下降了三分之一。

南方各州宣告脫離美利堅合眾國後，戰爭隨之而來。[148]

第二部

資本時代

一八六〇至一九三二年

前言　資本

一八六〇年，黑奴的價值超越了美國工業資本存量的總價值。光是奴隸資本的政治破壞，就注定為美國資本主義開啟一個新的時代。美國史上工業革命發展最強勁的時期發生在南北戰爭的數十年後，這並非巧合。資本時代迎來了工業資本主義的興起。

這場工業革命名副其實地促成了革命性的劇變。在經濟史上，唯有人們從狩獵採集的生活永久地轉成定耕農業社會的重要性能與之相提並論，而這種定耕農業社會的轉變便是發生在一萬至一萬兩千年前的新石器革命（Neolithic Revolution）。對許多屬於這個工業紀元（從一八七〇年代到一九七〇年代）的歷史學家而言，現代工業經濟似乎是一種自然狀態。他們想知道的是，這麼久以來，是什麼障礙阻撓了早期的工業化？然而，工業化並非無可避免，也不以同樣的方式在每個地方上演，因此我們必須對工業革命的奇特性有所認識。

第七章〈南北戰爭與資本的重建〉講述共和黨在奴隸制廢除後創造全新的政治經濟，而這段歷史在極大程度上塑造了美國工業化的未來模式。傑佛遜的自由帝國願景已煙消雲散，奴隸制也遭到廢除。聯邦政府宣稱擁有更為穩健且一致的主權，下放給家戶、企業、各州及印第安民族的支配權相對較少。相反地，政府釋出許多誘因促進私人工業發展，例如向鐵路公司核發補助，這些組織不再是自由帝國的次主權，而是變成全面私營化、追求利潤的行為主體，並在不久後獲憲法保障而擁有財產所有者的權利。密西西比河以西由聯邦政府向居民購買或掠取而來的那些印第安土地，遭到鐵路公司的瓜分及白人殖民的占據。共和黨通過了關稅法案，以保護東北地區尚在起步階段的製造商。聯邦立法創造了單一的全國性貨幣與全國金融體制，可將國內各地的貨幣與信用挹注到紐約市發展迅速的資本信用市場。如今，貨幣資本與信用全集中於華爾街。對比之下，在南方，曾為奴隸的人們成了佃農體系的受害者，從中可獲取的信用貸款寥寥無幾。

南北戰爭結束後不久，形成資本時代的兩股主要動力出現了。一股是工業投資增長的加乘效應促成了生產力直線上升，另一股則是繁榮與蕭條不斷交替的投機信貸循環。

首先，工業革命改變了生產的模式。資本流入了非流動性的「資本財」（即用於增加產量的中間工具），像是建築物、機器與工廠設備。資本財在勞動與進取精神下被消耗殆盡、隨著時間而折舊並失去價值，藉此創造收益。單就資本財在經濟生活中的日益增加，就證明了「資本時代」的名稱有多切題。關鍵是，工業革命的資本財偏向能源密集，挖採新發現的化石燃料，超越了有機經濟從日照與人類及牲畜勞動中獲得的有限能量。隨著時間推移，生產力與成長呈指數增加。有更多的財富被創造出來（即使分配相較以往更不公平），貨幣收入也更高。實際上，商業時代的亞當・斯密式成長是經由商業活動跨越地域或空間的延伸而實現的。在資本時代，經濟生活結合逐步實現繁榮的過程，發展動力有更大程度在於時間，而不是空間。準備就緒的工業生產者開始投資新的能源密集型資本財，有系統地在時間的線性延伸中提升生產力。除了亞當・斯密式商業乘數之外，工業投資乘數也解放了經濟活動的報酬遞增。

這個時代的第二股動力是繁榮與蕭條的投機循環，由信任騙局所主導，也就是取決於精神能量，而非化石燃料能量。這股動力在時間上非線性延伸，而是不斷循環往復。由債務推動的投機心理能夠加速對新資本財的長期投資，進而促成生產轉變。但每當社會信心崩潰、資本所有者之間爆發競爭性恐慌時，這個循環就會反轉。價值與價格急遽下降，使資本持有者短期內囤積貨幣與其他類貨幣流動資產以避免投資風險。工業投資的加乘效應減弱，經濟增長放緩；接著，工業發展的腳步慢了下來，經濟也委靡不振。如此一來，投機性投資的矛盾動力，也就是投機、投資與囤積之間的衝突，導致了週期性的景氣繁榮與蕭條。

資本時代的弧線順著這數十年來工業化最密集發展期間的信貸循環震盪，從十九世紀末到一九一〇與一九二〇年代福特工業電動生產線的史詩級生產成就，再到有史以來慘烈的資本主義低潮，也就是經濟大蕭條，便揭示了這段系譜。在這個時代，不論是依照歷史標準，還是與其他經濟體（甚至是第一個工業化國家英國）相比，美國的投資誘因都異常強勁。對此，學界至今仍未達成共識，還有許多問題有待探討。

第八章〈工業化〉從安德魯．卡內基矛盾地離開重建時期的金融投機領域說起，敘述他在鋼鐵製造業創造的非凡工業成就。接著，文中分析了工業革命的普遍特徵，聚焦於化石燃料與製造業的動力革命，然後探討貫穿美國東北部與中西部製造業地帶、持續一個世紀之久的地理分布格局。檢視完新興的工業城市芝加哥之後，本章轉而探討西部及當地農村的工業化。在這個時代，美國成為世界上的農業強國。土地耕植的報酬遞減，但在當時，這似乎可以克服。在美國各地，資本觸及的商業活動比以往來得廣泛。長久以來，土地不僅僅是資本，還為居民帶來了非商業的生存機會，或者作為共和國公民身分的政治支柱，但此時已漸漸成為單純的資本資產。在農村地區，資本密集型農場從國家公園的原始荒野或家戶的家庭生活中分離了出來。

第九章〈階級戰爭與家庭生活〉論述工業階級的形成。大約二千三百五十萬名來自東歐、中歐與南歐的無產階級「新移民」，增加了美國薪資勞工的數量。從一八七七年的鐵路大罷工（Great Railroad Strike）、一八八六年的大動亂（Great Upheaval），再到一八九二年卡內基鋼鐵公司惡名昭彰的霍姆斯特德大罷工（Homestead Strike），美國工業界的勞資糾紛史爭議不斷且充滿暴力。本章從亞當．斯密的《國富論》出發，透過馬克思的《資本論》來探討薪資勞動在新的工業投資邏輯中的重要性，以及在工業工作場所中，有關工時、工作條件與薪資持續存在的階級衝突。美國勞工聯盟（American Federation of Labor，ＡＦＬ）成立於一八八六年，在薪酬上主張工業資本家與薪資勞工之間存在普遍的階級衝突，即使該組織與對立的資方原則上達成了協議，雙方都同意必須將富含情感與女性氣息的家庭生活與各種薪酬工作區隔開來，並予以保護。

在資本時代，以收入為主的政治經濟已經超過了前一個時代主張財產所有權的政治經濟。南北戰爭爆發前，土地與奴隸的財產所有權一直是美國政治經濟的錨點。戰後伴隨著工業化的發展，一種新的政治觀點緩慢出現，目標不再是資本所有權的分配，而是私人資本投資所產生的更高貨幣收入。美國勞工聯盟採納了由薪資與男性養家模式主導的政治，新的所得稅體制取代了對財產及對外貿易的課稅。除此之外，政府對於私營企業資本投資「報酬率」的管制，也有了新的想法。最後，卡內基率先開闢了慈善事業，透過從營利企業分割出來的非營利性公司分配利潤，以作為慈善資金，而不是資本。

一八九〇年代，嶄新的收入政治經濟已出現輪廓，但尚未定型，尤其是在西部與南部的農村，當地的財產所有權、債務與通貨緊縮問題仍然十分嚴重。一八九三年的恐慌與另一次的週期性衰退，引發了農村社會的起義。第十章〈民粹主義的反叛〉，涵蓋了西部與南部蓬勃的農村社會運動為改變內戰後的政治經濟條件所發起的鬥爭。民粹主義分子攻擊了美國在內戰後重拾的黃金本位制，因為其限制了貨幣與信貸供給，並導致商品價格普遍下降的艱困時代來臨。他們嚴厲抨擊不經民主政體監督且壟斷市場的大型鐵路與銀行企業，高舉傑克森倡議反壟斷與平等商業機會的旗幟，讓「平民」的利益與工業及金融精英的利益針鋒相對。但是，獲民粹派與民主黨支持的威廉・詹寧斯・布萊恩（William Jennings Bryan），卻在一八九六年的總統大選中敗下陣來。黃金本位制穩定貨幣的能力得到了認可。一八九六年後，美國東北部到中西部的製造業地帶迎來了本國史上最大規模的企業合併時刻。大併購運動（Great Merger Movement）重新定義了企業資本。

然而，民粹派提出的主張依然存在，啟發了二十世紀初的進步運動試圖擴大政府權力基礎來監管企業資本收入的企圖，進步運動希望透過這樣的手段來重新詮釋公共利益。

第十一章〈福特主義〉將焦點轉回工業革命，在一九一三年進行得如火如荼之際，亨利・福特及手下的工程師在底特律都會區開設了第一條由電力驅動的生產線。本章述說大規模生產的崛起，以及福特名人形象的樹立。福特一手打造的魯治河複合式工廠（River Rouge Complex）是世界上規模最大的工廠，更成為了工業現代化一個固定、具有標誌性經濟、社會意義甚至美學的象徵。美國人以迅雷不及掩耳的速度進入了機器時代。

在一九二〇年代，蓬勃的景氣伴隨著福特主義的崛起而來。但是，在第十二章〈經濟大蕭條〉的主題中，這樣的榮景也陷入了蕭條。黃金本位制在一戰期間中止後又恢復運作，隨後資本市場迎來了信心滿滿的預期。在這段期間，構成工業化的雙重動力（勞動生產力在工業的大幅躍進與資本主義信貸循環）彼此聚攏的程度前所未見。工業革命所創造的財富遠遠超越商業時代的貿易利潤，促成了更高的貨幣收入，即使分配並不平等。然而，因決策者堅守黃金本位制而惡化的繁榮與蕭條循環，讓資本時代以歷史上最嚴重的蕭條告終。商品價值暴跌，供大規模生產的工廠遭到閒置，這場大蕭條讓數百萬名支撐家計的男性丟了工作，只能成天在街上晃蕩，而資本也深陷預防性囤積的流動性陷阱中，使資本所有者進退不得。經歷了數代以來令人驚奇的經濟活力，此時的狀況讓他們位處崩潰邊緣。

第七章 南北戰爭與資本的重建

從美國革命中誕生的共和國以慘重的失敗而告終。一八六一至一八六五年的美國南北戰爭造成六十多萬名士兵死亡，更有超過六十萬人傷殘，並引發國家的存亡危機。[1]由於動員的規模與對平民的戰略攻擊，這場戰爭可說是世界上第一場「總體戰」，恐怖地預示了之後許多工業戰爭的發生。[2]

南北戰爭結束後，黑奴制度被廢除。[3]至少，這場駭人的苦難並非毫無意義，四百萬名非裔美國人重獲了自由的新生。[4]就經濟而言，奴隸的解放毀了價值三十億美元的奴隸財產。[5]白人奴隸主再也無法強迫黑奴從事勞動，無法拿他們作為貸款抵押物，也無法在日益蓬勃的資本市場中販賣黑奴。這種「完全摧毀」奴隸財產而不給予任何補償的行動，正如歷史學家查爾斯・畢爾德（Charles Beard）與瑪莉・畢爾德（Mary Beard）在將近一個世紀前所主張的，無疑是「盎格魯－撒克遜法理學史上最驚人的財產查封」，[6]使這場內戰成為了美國資本主義史上最重大的轉捩點。

戰後，美國面臨國家與資本的重建。如果不是黑奴，那是什麼會被資本化？資本會以什麼樣的條件被投入到經濟生活中？

形塑這般結果的，是嶄新的國家政治經濟。在南方蓄奴州脫離聯邦並成立美利堅邦聯

（Confederate States of America，CSA）之後，共和黨主政的國度成為真正的一黨制國家，即「聯邦」。他們立刻代表選民推動立法，為西部地區的白人戶主興建住宅，通過一項工業關稅以保護東北部的製造商不受英國出口的平價商品所影響。聯邦政府缺乏調動資源以發動內戰的經濟能力，但它向密集發展的北方商業經濟汲取資源，而即使戰爭期間工業產量下降，它仍將公權力與自利融混成複合動態，「愛國情操與私人利潤」並肩而行。[7]更引人注目的是，為了打贏內戰，它在國際資本市場中發行龐大的浮動公債。這個聯邦將銀行與國家混為一體，在打擊奴隸主的同時，也催生了一個新的紐約金融階層，他們投資聯邦政府的未來，也賴其維生。[8]一個嶄新的政治經濟於焉誕生，開拓了長期的經濟發展道路。

內戰還催生了一個以紐約為基地的全新國家貨幣體系與信貸網絡，其運作及背後的操縱者決定了往後貨幣資本將如何流向企業與生產。戰爭期間，聯盟採用紙幣「綠鈔」（greenback）。[9]紐約金融的崛起迫使人們開始關注「恢復」的政治，意即恢復金屬硬幣本位制。

儘管「南方的實地重建」得到了遠多於以往的關注，但「恢復」的政治依舊決定了重建結果。若要恢復採行金本位制，需要實施財政緊縮，因為聯邦政府別無選擇，沒能花錢推動重建，只能囤積充足的黃金儲備量，以在公開市場中保衛一次大戰前的美元兌黃金匯率。這些措施只會耗損讓南方進行有意義轉型所需的資源。此外，由於解放運動摧毀了戰前南方信貸系統的資產基礎（也就是奴隸），「恢復」的政治影響了南方重獲自由的黑奴的經濟未來，使他們只能繼續在田間幹苦活。戰爭過後，種植棉花的南方求信貸若渴。

東北部的資本家呼籲恢復金本位制，並得到了政府官員的支持。他們期望有一套硬幣本位制可以保證貨幣資本的稀缺價值，用來確保紐約銀行家與資本家在戰後貨幣與信貸體制巔峰時期中引導投資流動的權力。此外，戰後主張恢復金本位制的人士希望藉由美元與黃金掛鉤創造穩定的國內投資環境，並從歐洲吸收新的資本進口，尤其是守護國際金本位制的英國。

最後，儘管遭遇反對聲浪，政府仍恢復了金本位制。[10] 南方飽受不公正與效率不彰的佃農制度所苦，不但阻礙南方經濟的長期發展，甚至因此再次確立了白人至上的政治理念。與此同時，新的資本投資流入了西部領土。畢竟，西部經濟發展是否會採行奴隸制正是南北戰爭開打的原因。由於自由帝國已經不復存在，聯邦政府對地方治理與差異的包容度大幅降低。早在戰爭期間，聯邦軍將奴隸主貶入歷史冷宮的同時，就曾對密西西比河以西獨立自治的印第安民族發動攻擊。[11] 戰後，重建的資本透過股份公司流動，逐漸脫離了公共目的，跟著聯邦騎兵團一同攻進了西部地區。最終，重建的資本所資助的對象，不是黑奴的自由，而是西部的鐵路建設；不是用來推翻南方殖民階級，而是征服密西西比河以西原住民土地。

在那之後，經濟的確迎來了榮景。鐵路建設的投機性投資熱潮引領內戰後的第一次經濟擴張，在一八六八年揭開了經濟榮景的序幕。在北方，恢復金本位制的承諾使社會大眾信心與預期激增，華爾街也將資本轉移至固定、非流動性的工業化投資。然而，華爾街鐵路證券市場的興起，也使短期的流動性投機成為可能。重建時期的政治經濟解決方案一出，立刻引發了投資熱潮，迎來了信貸週期的投機性上行。緊跟在後的是一場逆轉，那就是一八七三年的金融恐慌，也是資本時代第一次的經濟衰退。隨之而來的艱困時期某種程度上導致了南方地區的政治重建在一八七七年遭遇令人遺憾的結局。

但不要搞錯了，套句近代一位詩人的話：「內戰結束，林肯去世後，是買進鐵路股票的好時機。」[12]資本主義的美好幻想，取代了為黑奴制度畫下句點與實現林肯在蓋茲堡演說中呼籲讓自由重生的艱巨任務。

聯邦戰爭經濟

一八六一年二月，傑佛遜．戴維斯（Jefferson Davis）成為美利堅邦聯的總統，致力奉行人人非生而平等的原則。同年三月，林肯就任美國第十六屆總統，共和黨幾乎完全掌控第三十七屆國會。四月，南卡羅來納州的桑特堡（Fort Sumter）傳出了數聲槍響，開啟了一場漫長、昂貴又血腥的戰爭。[13]

聯邦在戰爭初期擁有顯著優勢：人力二點三比一，工業生產為十比一，法人銀行資本為四比一，財產價值為三比一（包括奴隸）。[14]自信滿滿的共和黨首先推動了政府在南方州脫離聯邦前未竟的議案。[15]

甚至在林肯就任前，國會就通過了一八六一年的莫里爾關稅（Morrill Tariff，命名自佛蒙特州一位議員的名字），以履行一項重要的競選承諾，尤其是對賓州的鋼鐵製造商。[16]共和黨再度喚起民族主義計畫、反英情結，以及輝格黨、新重商主義者、新漢彌爾頓主義對「利益和諧」的崇高想像。然而，任何要求關稅保護的人，包含自私自利的國會議員，似乎都如願以償。[17]依傑克森式民主制度的標準來看，共和黨主宰的戰時國會無可救藥地腐敗。

接著，國會通過了農業立法。一八六二年五月二十日，林肯簽署了《宅地法》，向忠誠的公民與移民核發約六十五公頃原屬於公部門的聯邦土地。他們只需支付十美元，便可在土地上生活與耕植五年，之後即可保有土地。同年，一八六二年的《莫里爾法案》將公用地拿來興建各州的州立農業學院（林肯曾說，自由的勞動就意味著「教育」），而在林肯的建議下，國會成立了農業部。《宅地法》兌現了另一個競選承諾，也就是「自由地權」，並為白人戶主清除了在密西西比河以西地區定居的阻礙。這項法案最終分配了將近一點一億公頃的土地。直到一九八八年，最後一份地權請求書才在阿拉斯加送出。[18]

最後一項經濟立法為授權修建橫貫大陸鐵路的法案。政府的支持使潛在的投資遠比以往具有吸引力。國會分別在一八六二與一八六四年通過兩項太平洋鐵路法案（Pacific Railway Acts）。第一項法案創造了繼美國第二銀行之後第一家獲聯邦政府特許的公司——聯合太平洋鐵路公司（Union Pacific），其建造的鐵路以林肯選定的內布拉斯加州奧馬哈（Omaha）為起點往西延伸。同時，獲加州特許的中央太平洋鐵路公司（Certral Pacific）鋪設的路段則以西部為起點，背後金主為沙加緬度（Sacramento）的一群業主組成的「聯營公司」，包括柯林斯．杭廷頓（Collis P. Huntington）。起初，投資者並未湧入中央太平洋鐵路公司或聯合太平洋鐵路公司。但在一八六二與一八六四年法案通過的這段期間，聯合太平洋鐵路獲聯邦授予的土地，相當於新罕布夏州與紐澤西州加起來的總面積，中央太平洋公司則取得了面積相當於馬里蘭州的土地。連同之後政府撥贈的土地，這兩家鐵路公司將獲得一億三千一百萬英畝的土地。除此之外，太平洋鐵路法案向他們核貸一億美元、為期三十年的美國債券。後來，這兩家公司也回報了這份人情。在一八六四年法案拍板之前，聯合太平洋鐵路配發給政府官員二十五萬美元債券。杭廷頓甚至親自從加州到華盛頓特區遊說國會議員，準備了一些未公開的禮物餽贈「具有影響力的朋友」。[19]

在九泉之下的安德魯．傑克森若是得知此事，應該會氣壞了，一條橫貫大陸的鐵路不會對戰爭造成立即影響，但戰爭往往能使公權力與私人經濟倡議之間陷入顯著的緊張關係。運作良好的腐敗政治經濟幫助聯邦打贏了戰爭。以衝突爆發時的兩萬五千名兵力為基礎，聯邦造就了「當時世界有史以來規模最大、裝備最齊全、伙食最豐盛與最強大的戰爭機器」。[20]聯邦軍的人數在一八六三年達到高峰，擁有六十多萬名士兵。公共烘焙坊養活了這些軍人、公用軍火庫提供源源不絕的彈藥，光是軍械署製造的彈藥便占了聯邦的六成以上。然而，聯邦在戰時的支出大都進了私人承包商的口袋。軍需部的合約系統有利於大型企業，讓麵粉加工廠、肉類包裝廠、軍械製造商與軍服廠商賺得荷包滿滿，[21]北方的鐵路公司作為戰爭基礎設施的重要齒輪，同樣獲利頗豐。戰前，聯邦政府還有一項優勢勝過美利堅邦聯，北部的鐵路軌道里程數為二比一，實際數字為約三萬五千四百公里比一萬五千兩百公里。[22]為了統籌人員與軍需品的物流，聯邦政府對州政府特許的私營鐵路公司依賴甚深。[23]

一種新類型的企業家登上了舞台。一八六一年，林肯總統任命賓州鐵路公司傑出的負責人與副總裁湯瑪斯・史考特（Thomas A. Scott）出任戰爭部副部長。[24]史考特在戰爭部長西蒙・卡麥隆（Simon Cameron）手下工作，除了兩人的朋友身分，卡麥隆也是聯邦最貪腐的政府官員。史考特到華盛頓就任時甚至沒有辭去在賓州鐵路公司的職位。他愛怎麼開條件就怎麼開，因為聯邦急需借重他的專長。

最終，在一八六二年，林肯將卡麥隆這個「和藹可親的無賴」逐出了戰爭部，不久後，史考特因涉嫌貪汙也丟了官位，重拾賓州鐵路公司的全職工作。但是，他始終做好準備，隨傳隨到。一八六三年九月，在一次關鍵的軍事行動中，戰爭部讓史考特回來協調鐵路運輸事務。由於不同的公司擁有不同的路網，當時尚缺全國一致的鐵道網絡。[25]史考特前往肯塔基州的路易斯維爾，親自向總統彙報，並在當地替賓州鐵路公司勘查潛在可行路線，以便戰後收購。[26]戰爭結束後，他所屬的這家鐵路公司展開了許多收購案，從戰時大幅轉型的華爾街資本市場中撈了不少好處。

南北戰爭對聯邦造成了十八億美金的損失。[27]美國政府發行公債籌措資金，才得以彌補百分之六十五的支出。林肯的第一任財政部長是來自俄亥俄州的薩爾蒙・蔡斯（Salmon P. Chase），他是共和黨主要的反奴隸制憲法理論家，但在金融財政領域卻是菜鳥。一八六一年秋天，財政部向紐約、波士頓與費城的幾家銀行出售了一筆一億五千萬美元的貸款。然而隔年秋天，聯邦債務卻僅售出一千三百六十萬美元，結果相當失望。與海外交易是不夠的，歐洲的資本與黃金都在撤出美國。[28]因此，蔡斯向家鄉的「朋友」求助，也就是當時住在費城的銀行家庫克兄弟檔傑伊・庫克（Jay

Cooke）與亨利・庫克（Henry Cooke），而他們承諾會向國民銷售小面額的公債。[29]

一八六二年二月，國會授權財政部發行五億美元債券，年利息為百分之六，可在五年內贖回，二十年後償付，這些債券被稱為「五-二十」債券（five-twenties）。蔡斯指任傑伊・庫克為「總認購代理人」，前一千萬美元的銷售他可拿到百分之零點五的佣金，超過一千萬美元後佣金則降為百分之零點二五。到了一八六四年一月，庫克與底下兩千五百位認購代理人已賣出價值五億美元的所有債券，其中面額最低為五十美元。蔡斯將庫克視為一位金融愛國者，但礙於大眾的強烈不滿，他不得不減少給庫克的佣金。[30]

國債從六千五百萬美元增加到二十七億美元，改變了美國的金融體系。一如漢彌爾頓所言，公債市場驅動了國家金融資本的積累。債券的持有也逐漸促使國家形成一套統一金融體系。戰前，儘管美元有統一的金屬基礎，但不同的地方與區域有各種紙幣流通，跨區交易也常出現價值顯著下滑的情況。舉例來說，辛辛那提的紙幣如果到了波士頓，價值就會少一些。到了一八六二年，在紐約市存放的美國債券已成為銀行之間標準化支付系統的基礎。在各地，規模較小的「鄉村」銀行在大型銀行存款，陸續將其準備金「疊加」至紐約的大銀行。紐約準備金的匯票成了整個北方地區的支付方式。這種交易流動性的增加，助長了市場的整合與商業的流動，票據的貼現率也有所下降且比率趨於一致。[31]

國家出現了更多變化。起初政府購買戰爭軍需品，使黃金流入大眾市場，但由於戰時的不確定性，預防性的流動性偏好有所增長，即民眾傾向儲蓄價值與投資被動股票。許多黃金都被私人囤積起來，在歐洲持有的黃金被調回國內。由於銀行貨幣的信貸擴張，金庫中的黃金儲備不足以支撐紙幣的發行。一八六一年十二月，聯邦放棄了金屬硬幣本位制。從此之後，財政部只以黃金來保證公債的利息支付。

一八六二年二月，國會通過了《法幣法》（Legal Tender Act），授權發行不可贖回的紙幣與法定貨幣，其因綠色油墨印刷而被稱為「綠鈔」。戰爭期間，國會印製了二點五億美元的綠鈔。[32]黃金依然是國際交易使用的貨幣，而綠鈔與紙幣及美國債券都成了全國性的商業貨幣。綠鈔開始折現兌換黃金（即「黃金溢價」〔gold premium〕），黃金市場逐漸成形，一八六四年十月紐約黃金交易所正式掛牌成立。隨後，紙幣貶值，一八六二年，一美元的黃金可兌一點三美元的紙幣，到了一八六四年可兌二點三三美元。但是，黃金溢價的波動詭譎多變，取決於市場如何預期北方聯邦政府未來的軍事命運。投機性做空綠鈔的投資者在交易圈中哼起了〈迪克西〉（Dixie）*這首歌曲的旋律。[33]然而，脫離金本位制的決定，使美國國內的貨幣信貸供給與國際間的金融局勢出現落差。綠鈔的發行也克服了戰時不確定性所導致的預防性囤積的流動性偏好，進而誘使商業與生產的發展。這種完全由政府權力支持的紙幣，宣示了更強大的國家經濟主權。

一八六三與一八六四年通過的《國家銀行法》（National Banking Act）打造了嶄新的聯邦特許銀行體系。[34]由於傑克森時代的「自由銀行」導致了一套區域分散的金融與支付系統，因此戰時美國有將近一千五百家州政府特許的銀行企業，而它們根據二十九州不同的法律總共發行了五千多種紙幣。新成立的國家銀行擁有聯邦核發的法人執照。隨著美國債券取代黃金成為貨幣供給基礎，這些銀行依法必須拿出三分之一的資本儲備購買並持有公債。針對這些儲備，貨幣監理單位以各家銀行的名義發行了另一種全國性紙幣，即「國家紙幣」。國會對各州發行的紙幣課徵懲罰性稅款，逐步將它們逐出流通市場。因此，各種不同的貨幣慢慢遭到淘汰，單一的全國性貨幣崛起。

如此一來，《國家銀行法》為美國公債創造了一個即時市場，並根據法律確認近期金融實務的變動，要求國家銀行持續增加準備金。小型地方銀行在十八個指定城市的銀行持有準備金，而這些銀行在紐約市的銀行也持有準備金，導致貨幣資本與信貸都集中於華爾街。如投機客丹尼爾．德魯（Daniel Drew）所說，「除了日常瑣事之外，我們這些在華爾街打滾的人還有戰爭期間攢下的財富可以拿來投機，總是能打破股市的平衡。畢竟，在渾水中也能摸到好幾條魚」。[35] 聯邦在戰爭中創造的財富與資本家對利潤的預期，堪稱魚幫水，水幫魚。

最終，聯邦不得不撥提資金償還債務。關稅的收入讓政府能以黃金支付利息，但無力償還本金。一八六二年的《國內稅收法》（Internal Revenue Act，一八六四年修訂）引進了一套國家稅收體系，從聯邦收入中抽取百分之二十五作為稅金。[36] 新成立的國家稅務局（Bureau of Internal Revenue）對一長串的商品課徵貨物稅，並對神職人員以外的所有職業徵收執照稅，印花稅進一步增加了政府的收入，就連公司企業也需繳付營利稅。國會還通過了一項針對個人收入的累進稅，不過大多數的薪資勞工都非課徵對象，聯邦中只有一成家庭需繳納所得稅。[37] 稅收也回收了流通的綠幣，抑制了

* 譯註：美國內戰期間，〈迪克西〉被視為南方邦聯的國歌。

戰時通貨膨脹。戰爭期間的物價確實翻了一倍，但通貨膨脹程度不算嚴重，北方地區的民間消費可說是一如往常。[38]

聯邦的軍事經濟有以下特點。聯邦政府並未徵用私人經濟活動，而是發行貨幣與債務以促進資本化。經過長期的北方亞當・斯密式經濟成長（交通革命、金融業的發展、市場密度的增加及初期工業化），政府得以利用許多私人經濟活動來推進聯邦的軍事動員。他們樂見自身權力結合強大私人經濟利益，尤其是與銀行家與金融家攜手同行。在這樣的政治經濟中，不容易界定是誰在駕馭誰，但公權力與私人利益的融合催生了多產的聯邦戰爭經濟，即使其最終目的是毀滅。

南方的蠶食現象

南方美利堅邦聯的經濟動員凸顯了北方與南方資本主義之間的重大差異。[39]美利堅邦聯沒有政黨派別，但前民主黨員掌管了國會，而初期政府宣示承諾會限制中央政府的權力。但在戰爭後期，邦聯別無選擇，只能強徵南方的經濟生活。

光是戰爭收入這點，美利堅邦聯與聯邦就形成了鮮明的對比。一八六一年，邦聯財政部成功推動價值一千五百萬美元的債券流通，但進一步發行的更多票據在海內外都停滯不前。[40]如同北方聯邦的做法，邦聯國會中止金屬硬幣本位制的實施並印製紙鈔，但沒能建立全國性專屬貨幣。價值十五億美元的美利堅邦聯票據與各種不同的私營票據混雜並行。由於紙幣的發行未能促成經濟生產的增長，通貨膨脹開始失控。南方的商業地理環境不像北方那樣密集，而是零星分布且以長程外銷為導向。光是印製更多鈔票，是無法輕易活絡商業活動的，紙幣必須經由某種方式去資助更多的生產。但在白人勞動力上沙場作戰之際，奴隸並不會為了確保未來能持續受到奴役而加倍努力工作。因此，市場上的商品數量不變或甚至減少，卻湧入了更多金錢。到了一八六三年，美利堅邦聯的物價已上漲了十三倍之多。[41]

徵稅的措施可以回收紙鈔，限制通貨膨脹，因此美利堅邦聯試圖課稅。一八六三年四月，其通過的稅收法案與聯邦在一八六二年的立法有些相似，對所有東西都徵稅，除了奴隸以外。其中一項獨特的稅收為針對家戶生產的「小麥、玉米、燕麥、黑麥、蕎麥或大米」徵收一成的實物稅。邦聯無法養活自家軍隊（俗稱南軍），而在北方，中西部則為聯邦政府的軍倉提供源源不絕的糧食物資。南方邦聯沒有發展興旺的內部糧食市場，因為南方奴隸主採行的是棉花與玉米的生產體系。由於南方有大量的自給自足區域，因此幾乎沒有糧食專用的運輸基礎建設。邦聯試圖建構內部鐵道網絡，無奈成效不佳。[42]當地的農場主階級拒絕捨棄棉花轉而投入戰爭生產。同時，他們也私下禁止棉花外銷，希望藉此迫使英國承認南方邦聯。但這項策略失敗，因為英國棉花製造商轉向印度進口。[43]南軍面臨糧荒，農場生產的成捆棉花卻因聯邦海軍的封鎖而在碼頭上腐爛。之後，由於自由民家庭無力承擔實物稅，爆發了大規模抗稅運動。一八六三年，里奇蒙的婦女抗議團體發下毒誓，「不給麵包就流血」。[44]在南方，愛國主義與商業自利互相衝突而非協調一致，耗損了戰備能量。簡單來說，南方的內部市場經濟根本不夠成熟，不足以供應邦聯在戰爭期間展開迅速的軍事擴張。

不僅如此，邦聯還對南方的經濟生活進行了激烈且有害的干預。其戰爭收入大部分來自直接「徵收」私人財產。這種徵用致使南方民眾從現有的慘淡商業活動中撤出，引發了更大膽的蠶食行為。在工業方面，邦聯徵用了既有的製造商，如維吉尼亞州里奇蒙市的卓德嘉鋼鐵廠（Tredegar Iron Works），南軍幾乎所有軍械都由該廠生產，就連裝甲戰艦也不例外。邦聯扶植了自有的製造商，包含位於阿拉巴馬州塞爾瑪（Selma）與喬治亞州奧古斯塔（Augusta）的火藥廠。[45]南方蓄奴州之所以想脫離，是因為他們對中央集權心懷恐懼，但在戰爭期間，中央政府必然會加大控制經濟的力道。其中的諷刺之處，大家都心知肚明。[46]

邦聯擁有聯邦所欠缺的一項經濟資產，也就是奴隸。雖然立即的戰爭行動對湯姆・史考特與傑伊・庫克等北方資本家有利，但對奴隸主而言並非如此。奴隸受到國家徵召，但奴隸主不願放人。[47]一些奴隸逃了出去，加入聯邦的防線，因為他們深信主人所說，共和黨打這場戰爭，是為了終結奴隸制。[48]到了一八六四年，走投無路的邦聯開始對奴隸課稅，可惜為時已晚。不論如何，對奴隸資產的侵犯，已經削弱了邦聯存在的根基。

北方相對優勢的經濟動員並未立刻轉化為軍事勝利。在某些時刻，邦聯可說已經安定地獨立。[49]北方聯邦飽受厭戰心理、避稅、徵兵暴動及勞方罷工（通貨膨脹使薪資勞工不堪負荷）所苦。林肯對自己能否在一八六四年連任總統毫無把握，北方經濟不平等的現象也持續惡化。[50]然而，聯邦最終戰勝了邦聯，南軍於一八六五年四月九日在阿波馬托克斯（Appomattox）投降，從裡到外全面潰敗。聯邦摧毀了奴隸資本主義。

恢復政策優先於重建

內戰隨即帶來了兩大經濟變化。三十億美元的奴隸資本已不復存在。對美國聯邦政府而言，打造摧毀奴隸制所需的軍事力量，創造了二十六億美元的公債。

這筆債務經由一套將資本與信貸集中在華爾街的新國家金融體系，而達成資本化。戰後，北方的經濟利益聚焦於恢復金屬硬幣本位制，以保障貨幣資本的稀缺價值。這可防止通貨膨脹吞噬債權人的利潤，進而確保過往的投資並激發新的投資。聯邦勝利後，依照戰前的平價匯率，一美元的黃金可兌一點五美元的紙幣。回歸金本位制的政策稱為恢復。由於這項政策需要撙節財政與縮減信貸，加上政府資源有限，若想在南方實現有意義的政治與經濟重建，社會的政治意志必不可少。在重建南方經濟過程中，很多東西都是誰搶到就是誰的，而沒有什麼比掌握土地與勞動力更重要。

一八六五年十二月六日，國會批准了廢除奴隸制的「憲法第十三條修正案」（Thirteenth Amendment to the Constitution）。當時，林肯已經離世，他在四月時遭約翰・威爾克斯・布思（John Wilkes Booth）持槍暗殺。前田納西州民主黨員與奴隸主安德魯・詹森（Andrew Johnson）成為新總統。詹森的重建計畫是赦免邦聯的大多數成員，並在這些州簽署第十三條修正案後重新接納它們。

然而，各州都簽署修正案僅一週後，在十二月十八日，賓州眾議員、同時也是共和黨激進派領袖的薩迪厄斯・史蒂文斯（Thaddeus Stevens）站了出來，主張廢除奴隸制是不夠的。他要求給予黑人完整的公民與政治權利，包含選舉權。為了確保這些權利，史蒂文斯要求沒收前邦聯叛軍及其分支的農地，並將其劃分為黑人的宅地。[51]

在南方，土地的控制權至關重要，與未來對黑人勞工的控制密不可分。[52]土地是南方僅存的資本資產，因為奴隸制被毀，當地的貨幣與金融體系也徹底崩潰。戰爭期間，在聯邦占領的邦聯領土上，來自北方的軍官曾教導黑人應該跟地主簽訂薪資勞動合約，並且互相訂立婚約。[53]但是，獲解放的黑奴希望獲得土地，主張：「讓我們擁有自己的土地，讓我們自力更生。」[54]「我們想在自己的土地上有個家。」[55]一八六四年，威廉・特庫姆塞・薛曼（William Tecumseh Sherman）將軍在南卡羅來納州展開惡名昭彰的破壞性軍事行動時，他的第十五號戰地命令授予黑人家庭約十六公頃土地的臨時所有權。一八六五年，詹森總統撤銷了這些命令，要求將南方的土地歸還給前邦聯的白人地主。[56]黑奴激烈抗議。指控詹森總統是「把我綁在樹上抽了三十九鞭，扒光我母親與姐妹的衣服痛打一頓的兇手」。[57]除此之外，薪資勞動合約違反了北方「自由就業」的自由勞動原則。黑人若從事受這種合約所約束的工作，是不能中途辭職的。南方立法者通過了黑人條款（Black Codes），頒布了令人髮指的不自由規範。一八六五年的秋收時期，許多農場主付不出工資，改用奴隸配糧替代。[58]看來，史蒂文斯所提出光是廢除奴隸制還不夠的論點，頗具說服力。

就在史蒂文斯發表主張的同一天，另一位來自麻州的激進派共和黨員約翰・艾里（John B. Alley）也在眾議院中發言，但其論點所引起的騷動要小得多。他提出的解決方案如下：

決議：眾議院誠摯認同財政部長關於貨幣緊縮必要性的看法，以期在國家商業利益允許的情況下盡早恢復貨幣支付，我們在此承諾會透過一切可行方式採取合作行動以達此目的。[59]

貨幣緊縮的措施將限制貨幣與信貸的供給，而且可能會削弱貨幣價值，使物價下跌。「自由地權，自由勞權，自由人權。」這句使共和黨登上權位的真言完全沒有提到金錢、金融企業或財政。這些主題不存在於一八五〇年代的政治，當時共和黨將傑克森對「金錢權力」的批判轉移至「奴隸權力」。但在戰後，貨幣問題再度引起國家政治的混亂，[60]使共和黨分崩離析，財政緊縮的扳手緊扣政治重建的議題，將南方重建的機會扭緊，直接與間接地破壞了黑人爭取經濟自由的努力。

辯論黑人自由議題的同時，國會也討論了「恢復金屬硬幣支付」的問題。艾里曾要求國會批准財政部長休．麥卡洛克的活動。麥卡洛克過去是印第安那州的銀行家，是輝格黨的資深黨員，數十年前批評過傑克森否決美國銀行特許證的決定。他在一八六二年來到華盛頓，抗議蔡斯提出的國家銀行體系，之後又改變主意，核准了一間國家銀行的特許證。麥卡洛克成為第一位貨幣監理官，所屬單位負責發行新的全國性紙幣。一八六五年，他擔任財政部長，決定讓綠鈔退出市場，並恢復美元的金屬硬幣本位制。他在同年十月宣布：

> 黃金與白銀是唯一真正的價值衡量標準，是必要的貿易調節因素。我本身毫不懷疑，這些金屬是萬能的上帝為這個目的而準備的，就如同我深信鐵礦與煤礦正是為它們如今的用途而準

備。我贊成發行一種有充分擔保的可兌性紙幣，除了它，沒有任何其他貨幣可在任何程度上取代金屬硬幣。[61]

「有充分擔保的可兌性紙幣」被視為一種金屬硬幣，其數量不能由民主政治來決定。因此，它保證了貨幣資本的稀缺價值，同時穩定了一般的物價水準。銀行仍掌握了特權可任意發行超出硬幣儲備的貨幣，而當時紐約各家銀行的儲備與貸款水位正處於頂點。所有這一切都使聯邦政府不得不回收綠鈔並緊縮美元價值，以期使貨幣重新回到戰前與黃金和白銀的固定匯率。這就是所謂的恢復政策。

華爾街也贊同這項政策。[62]除了上天的支持之外，它還提出了另一個有利的論證：英國也實行金本位制。[63]一八六〇年代，英國工業革命急速成長。金錢收入增加又分配不均，意味著英國有過多的剩餘資本，而這些以儲蓄形式存有的資本可以出口。[64]美國東北部的銀行與金融界希望引誘這些資本並控制流向。要這麼做，美國就必須堅定承諾會厲行恢復政策，並持續維持資本的稀缺價值，防止外國投資在美國境內貶值。正如紐約商會在國會演說時表示：

在黃金溢價四成、有可能下跌百分之十五或二十的情況下，謹慎的投資者不會願意在自己的收益能夠進入市場之前，將資金……冒險投入海外市場。[65]

戰爭證明了，由國家主導、廢除金本位制的國內信用得以創造成功的關鍵，取決於擴大經濟生產的任務能否執行。華爾街的金融家在這樣廢除金本位制的體系下重生，如今轉而反對金本位制度立場，以確保自身利益與取得外國資本。

事實上，主張恢復金本位制的人士擬好了一整套超越黃金的政治經濟計畫。他們的精神領袖是大衛・威爾斯（David A. Wells），一位出身賓州的共和黨員。[66]一八六五年，麥卡洛克指派他擔任一個特別成立的稅收委員會的主席。在第一屆年度報告（一八六六至一八六九年）中，威爾斯呼籲「實施緊縮政策，就這麼簡單，沒有其他妙計或間接手段」。[67]為了固守恆久不變的金屬硬幣本位制，美國必須使美元貶值並實行財政緊縮。他們必須終結預算赤字，向投資者釋出訊息，表示絕對不會利用通貨膨脹來減損政府債券人所持有的公債價值。[68]緊縮政策意味著戰時稅收會遭到限制甚至廢除，另外也能安撫私人投資者對稅收的恐懼。高額的關稅雖然是以黃金償還債務的必要之舉，但依然可以大幅降低課稅額度。聯邦政府的收入應該用於回收綠鈔，使「黃金溢價」接近戰前的平價，並歸還美國積欠的公債。最後，南方的重要性便是盡快恢復棉花的生產，因為棉花是美國唯一真正的出口來源，想要恢復金屬硬幣本位制，就必須仰賴棉花生產創造的剛性外匯收入。像麥卡洛克這樣的人，並不樂見如今擁有土地的自由民採取安全至上的策略，而不把所有耕地都拿來種植棉花。[69]總而言之，恢復政策的必要條件，在優先順序上必須高於南方的重建。「賠償奴隸的方案並不可行，因為政府負擔不起」的這種論點，多年來始終不乏回響。

一八六五年十二月，眾議員艾里支持恢復金本位制的解決方案通過了。詹森總統批准了這項決議，強烈譴責「不可贖回貨幣的弊病」。[70] 一八六六年二月，參議院提出了一項法案，授予財政部長麥卡洛克強制收回紙鈔並緊縮紙幣的正式權力。大多數來自東北部銀行金融業發達地區的共和黨員都支持這項措施。然而，共和黨一支多由中西部人士組成的激進派，在眾議員史蒂文斯的率領下分道揚鑣。恢復金本位制的政策使激進派四分五裂。[71]

以史蒂文斯為首的激進派將綠鈔視為國家主權的象徵。他們認為，南方若想進行真正的重建，便需要聯邦的財政資源，而恢復政策將是一股阻力。如今，獲得解放的黑奴擁有「商業自由」，因此要求在缺乏現金與信貸的南方擴大貨幣。麻州議員、同時也是聲名顯赫的前將軍班傑明・巴特勒（Benjamin F. Butler）宣稱：

> 我提議採用紙幣……它的價值不僅奠基於國家擁有的黃金，也基於國家繁榮發展所需的其他來源與要素……這是屬於自由民族的貨幣，強大到足以使其每一所機構有能力與世界上的敵對政府制衡，足以維持他們彼此之間的商業交易，不受君主或當今世界上最強大的主權銀行家所影響。[72]

為了實現黑人真正的經濟自由，並資本化他們的經濟活動，貨幣與信用擴張必不可少。除此之外，對史蒂文斯這夥人而言，沒有黃金或白銀支撐的綠鈔，將使美國國內的資本市場更容易擺脫對外國的依賴。倘若恢復金本位制，會讓美國和英國的貨幣及資本市場接軌。一八六六年，一場金融恐慌重挫了倫敦金融市場，英格蘭銀行提高了短期貨幣市場的利率，使黃金從美國流向英國以尋求更高收益。但是，由於綠鈔未與黃金掛鉤，因此美國貨幣市場依然穩定。狡黠的民族主義政治經濟學家亨利．凱瑞（Henry Carey）誇口表示，美國「在貨幣方面不仰賴」英國。他聲稱，美國「用不著黃金，而如果國外需要它，我們大可以說，『就讓它們走吧！』」[73]

最終，反對恢復政策的激進派代表東北部各州，尤其是銀行資本匱乏、工業卻蓬勃發展的中西部地區。戰爭期間，通貨膨脹提高了製造商的利潤。恢復政策使信用與消費緊縮，進而引發製造業蕭條。賓州一位工業家表示，在政府恢復金本位制之前，「我們需要的是有時間可以休息喘口氣……來開發資源，挖掘煤礦與鐵礦，然後用鋼鐵來製造鐵軌與機器」。[74] 出於類似原因，第一個全國工業工會聯盟全國勞工聯盟（National Labor Union，一八六六年成立）也反對恢復政策。[75]

在北方民主黨的支持下，國會終於在一八六六年三月通過了恢復法案，不久後便經詹森總統簽署並正式立法。到了這個階段，恢復政策是國會與總統立場一致的唯一一件事，因為數週前國會才剛推翻詹森對一八六六年民權法的否決案。隨著恢復政策的實施，所謂的「麥卡洛克緊縮」緊接而來。從一八六五到一八六七年，美國的貨幣供給量萎縮，物價下跌，「黃金溢價」的程度也縮小。[76] 由於歐洲作物歉收，美國農產品價格相對穩定，但工業資本與工業勞動力備受影響，因為價格下跌。「麥卡洛克緊縮」因而成了名為激進重建政治時期開展的經濟動力。[77]

在一八六六年的國會選舉中，詹森總統槓上了共和黨激進派，為南方的問題爭論不下。誓言在內戰中取得勝利的共和黨激進派橫掃國會席位，在通縮蕭條的情況下掌握了重建的主導權。在前邦聯各州重新加入聯邦之前，新國會要求通過第十四條修正案，將一八六六年的《民權法案》納入憲法。國會將南方劃分為五個北方軍事占領區，由軍隊監督自一八六七年起開議的各州憲法會議。這時的南方依然充斥著混亂與暴力。[78]稅收委員會主席威爾斯在一八六八年估計，重建的年度成本提高至六千三百萬美元（這數字很可能低估了），占了所有聯邦支出（還債除外）的四分之一。[79]激進重建政治時期將達到政治戲劇的高潮，但礙於恢復政策的實施，重建南方所需的財政資源根本無從找起。[80]

南方展開制憲會議辯論的同時，由共和黨激進派主導的國會表決了其他經濟立法。保護性工業關稅得以從戰爭中倖存，稅率還比以往增加，皆是為了在保護本土工業的前提下維持經濟增長。一八七〇年，鋼軌成品的關稅提高到每噸二十八美元，相當於英國本地的售價。[81]關稅與持續的財政緊縮意味著戰時稅收有可能減少。自一八六六年起，立法機關逐步削減、最終取消了所得稅、消費稅及許可證稅（酒精與成藥除外）。[82]戰後，美國的工業化在新重商主義與保護主義關稅的背景下展開。[83]實施恢復政策的同時，共和黨也不忘好好照顧立場偏向製造業的派系。

然而，到了一八六七年，嚴重的麥卡洛克緊縮使不同區域的民主黨出現分裂。中西部的農民、中等規模的商人與小型工業企業主反對東北部的民主黨，高舉傑克森主義的反壟斷大旗，抗議貨幣與信用集中於東岸。底特律商人摩西・菲爾德（Moses Field）在所著的《為綠鈔請願》（*A Plea for Greenbacks*，一八六八年）中要求：「《國家銀行法》修正成為《自由銀行法》，而不是有利於華爾街的壟斷法。」[84]無論政黨關係如何，考量本地相對缺乏發鈔的國家銀行，中西部地區要求發行更多綠鈔。一八六七年十二月，在互相不滿的民主黨與共和黨人的支持下，國會通過了一項法案，減緩財政部回收綠鈔的腳步。私底下，傑伊・庫克公司的亨利・庫克忿忿不平地表示：「必須打倒巴特勒與史蒂文斯這種人。」[85]

一八六八年，共和黨提名的尤里西斯・格蘭特（Ulysses Grant）將軍贏得總統大選。格蘭特支持恢復金本位制，他在三分之二民主黨員與四分之三共和黨員的支持下當選後，國會通過了《一八六九年公共信貸法》（Public Credit Act of 1869），並由格蘭特簽署。該法案宣示，聯邦政府將以黃金償還所有美國公債，並向全世界承諾最終會讓美元回到在戰前兌黃金的平價匯率。[86] 政治上，恢復金本位制算是塵埃落定了。

這對南方的經濟重建意義重大。一八六六年後，全國性的麥卡洛克緊縮正好遇上了南方毀滅性的信用緊縮，決定性地影響了當地持續進行的土地與勞動力鬥爭，結果導致黑人佃農制的興起。

戰前，奴隸資本一直是南方信用體系的資產基礎。要讓一個新的資產類別在一夜之間資本化，沒那麼容易，而土地顯然正是如此。[87] 一八六五年，在飽受戰爭蹂躪的南方，幾乎沒有銀行倖存下來，也很少有全國性紙幣或綠鈔在市面上流通。在一八六五至一八六八年間成立的一千六百八十八家國家銀行之中，只有二十家位於五大棉花種植州。[88] 不久後，作物留置權（crop lien）出現了，也就是農場主承諾未來會提供棉花以換取貸款的信用展延。[89] 當然，棉花的種植仍然需要勞力，因此在「黑人法典」的基礎上，農場主試圖重新建立類似大規模勞動團體的系統，現稱為「勞工隊」。然而，這引發了黑奴的強烈反彈，[90] 尤其是黑人婦女。不論在農地或白人奴隸主家中，擔任廚師、洗衣工、熨衣工、女裁縫或女傭的她們，都罷工抗議。舊時的莊園家庭已經滅亡，因為黑人家庭要求、並且取得了更大程度的勞動自主權。[91]同時，缺乏黑人勞動力的農場被惡劣的天氣襲擊，導致一八六五及一八六六年的棉花收成慘澹。[92]這一切都導致農場主持續面臨信用難題。

到了一八六八年，佃戶收益分成制度已經成形，對獲得解放的黑人而言，這比奴隸制好，但算不上是最好的結果。[93]由於手頭現金不足，農場主開始以作物分成來折抵作為黑奴的工資。莊園劃分為一塊塊租地，每塊十二到二十公頃不等，一次可供個別黑人家庭耕種一年。地主會為佃戶提供種籽、住宅、燃料、牲畜、飼料與

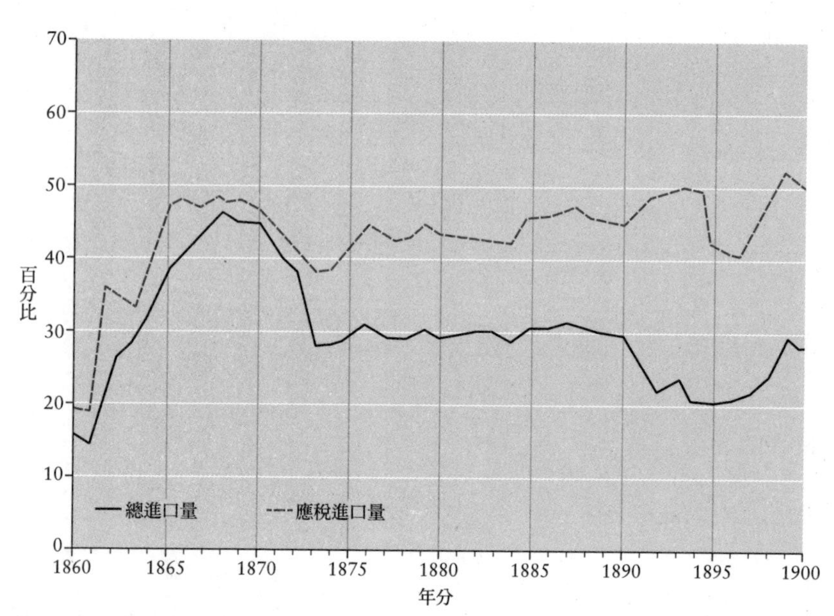

圖 24 美國貿易關稅

儘管面臨民主黨的反對，但在重建期間，共和黨成功延續了戰時的高關稅。這也讓美國得以在關稅的保護下進行工業化。

農具。身為黑人戶主的佃農則負責組織勞動。農場主對勞動力的控制遠不及奴隸制度。租佃合約會列出耕種每樣作物所需的土地面積，不久後，地主與佃農的作物分成比例變成固定的五十比五十。權力最大的行為主體是當地的供應商，他們起初先與信用緊縮的農場主交涉，之後開始直接與黑人佃農打交道。最後，白人地主與黑人佃戶都沒有得到他們想要的東西。「你沒有選擇餘地。」一位農場主抱怨，「必須按照黑人的要求去做。他們完全地控制了這件事。」[94]

到了一八八〇年，黑人地主耕種的土地只占了南方耕地面積的百分之九點八。[95]不過與奴隸制相比，黑人的經濟收益明顯可見。奴隸制結束後，黑奴的工時約下降了百分之三十。一八五九年，奴隸消耗了自己生產的商品市場價值的百分之二十五左右，到了一八七九年，黑人佃農消耗了百分之四十五。[96]因此，南方收入不均的現象有所改善。[97]然而，佃農制糟糕透頂，即使實行麥卡洛克緊縮也無濟於事。一八六五至一八六八年間，在全國物價通縮與信用緊縮的背景下，作物留置權將南方農業經濟困在一個有失公平、經濟效率又差的信用制度中。

舊時的奴隸經濟具有吉姆．克勞（Jim Crow）種族歧視年代所缺乏的經濟理性。[98]奴隸經濟可以說是一種更有效率的資本主義經濟，能使資本投資與勞動生產力隨時間的推移而增加。[99]但是，佃農制就不是如此，它刺激的是為了償還債務而擴大棉花生產的動機，沒有帶來長期資本投資。[100]

佃農制的基礎，是透過債務對黑人家庭進行的地方性政治剝削。沒有土地的自由黑人求助民主政治。[101]保障黑人選舉權的第十五條修正案，於一八七〇年獲得批准。然而，面對白人的暴力與土地的產權，選票並不足以阻撓佃農制度鞏固基礎。南方的白人精英似乎不怎麼在意經濟委靡不振。

失去了聯邦層級的政治權力後，白人至上主義退而深耕地方基層。農場主階級成功維持了對非裔美國人的統治，轉型後的種族主義此時成了經濟發展的阻礙。[102]黑人佃農奈德・柯布（Ned Cobb）對南方經濟的癱瘓發表了看法：

> 在這個國家，只要有色人種在舊政權底下發展得太快，他們就會想盡辦法把你拖下來，扯你後腿。所以……爬得太快沒有用，爬得太慢也沒有用，你爬到高處時，他們會奪走你的一切心血。[103]

南方經濟體制度失敗將持續到一九三〇年代的新政干預時期。[104]在美國工業化時代，多數的南方黑人仍被局限於農村莊園經濟，相較於其他國家的工業化，美國的工業化動力主要來自國外大量產業勞工。

自由民局（Freedmen's Bureau）局長奧利佛・霍華（Oliver Howard）將軍在一八六九年提交給國會的報告中反省道：「如果我能夠為每個家庭提供一小塊土地，讓他們自力更生，經濟情況或許就會有更大的改善。」[105]這顯然不用假設。

企業家的表裡不一

一八六八年，麥卡洛克緊縮緩和了下來。這不是資本時代最後一次緊縮，戰後資本稀缺價值恢復讓投資者信心大漲，投機性投資熱潮也搭上了上行的信貸循環。（下一次便是一次世界大戰及一九二〇年代。）接續戰前的未竟之業，美國資本市場轉向了西部。[106]重建的資本沿著鐵軌，瞄準西部前進。新一代的資本主義企業家享受著傑克森時代商業機會平等的成果，以及戰時政府慷慨賞賜的庇蔭。他們研究新的華爾街貨幣與信用體系的槓桿，因為手中掌管了逐漸脫離公眾利益的大型鐵路公司。

一八六八年，傑伊・古爾德（Jay Gould）三十二歲。他來自紐約卡茨基爾山（Catskill Mountains），出身卑微，到了南北戰爭爆發時，他已擁有紐約市豪宅，更握有一家小型鐵路公司股份。從各方面而言，他是一個靦腆、情感纖細又含蓄保守的人，但很快就成為美國史上最偉大的金融操作者。戰後他證明了自己的能耐，智取了當時的美國首富康內留斯・范德比爾特（Cornelius Vanderbilt）。

戰爭結束時，身為海軍准將的范德比爾特已屆七十一歲高齡，靠汽船賺了不少錢。一八六七年秋天，他買進紐約中央鐵路（New York Central Railroad）的全數股票，希望能掌管這家企業。紐約中央鐵路是連接東北部與跨密西西比河以西地區的四條全國性「幹線」之一。湯姆・史考特主掌的賓州鐵路規模最大，巴爾的摩與俄亥俄鐵路（Baltimore and Ohio Railroad）及伊利鐵路（Erie

Railroad）則與紐約中央鐵路長期共同運作。范德比爾特利用代理權之便秘密行事，因為證券的價格很容易受到股票交易所與電報傳播的謠言所左右。[107]華爾街的投機者丹尼爾・德魯碰巧是伊利鐵路的財務長。他向伊利鐵路借券，拿這些證券來貸款，以購買紐約中央鐵路的股票，使范德比爾特必須付出更高的成本才能收購該家公司。然而後來，兩人達成了協議。隨後，紐約中央鐵路與伊利鐵路公司的股價共同攀升，形成了雙贏的局面。

接著，德魯與古爾德及其合夥人小詹姆斯・菲斯克（James Fisk, Jr.）背叛了范德比爾特，進行了所謂的「鎖定」（lock up）。他們利用債權來收購更多公司證券以抵押換取更多貸款，實際上等於把他們到手的所有資金與信用放在一個保險庫裡並「鎖起來」。華爾街的信用額度耗盡、股票價格下跌，而這正是他們希望看到的結果。這三人在市場上做空伊利鐵路的股票，先是借券、賣券，然後嘗試以更低的價格買回股票以賺取價差。一八六八年一月，伊利鐵路的股票暴跌，而由於范德比爾特與菲斯克曾經協議過，使得范德比爾特在紐約中央鐵路中的地位岌岌可危。伊利戰爭（Erie War）就此展開。[108]

《國家銀行法》與戰後的恢復政策使這些錯綜複雜的操縱手段成為可能。規模最小的鄉村銀行的準備金向上積存至紐約銀行，為流動的華爾街短期「活期借款」市場或短期現金債權市場注入資金。除此之外，財政部因恢復金本位制而收回的美國公債也使銀行準備金不斷增加。[109]即使在麥卡洛克緊縮的情況下，這樣的情況也使得強勢貨幣流入了華爾街，成為銀行信用擴張的基礎（但只限於華爾街）。

此外，新的國家銀行體系有個缺陷。紐約市的銀行準備金不斷增加，但是在收成季節，資金會外流到鄉村地區以資助作物運送。[110]因此，像古爾德這樣的投機者深知，作物採收季是「鎖定」的最佳時機，因為活期借款的交易流動性此時已經枯竭。在伊利戰爭期間，短期借款利率從百分之三點五飆升到百分之十七。[111]古爾德完全掌握這個體系的可能性與弱點，占盡了兩邊的便宜。

一八六八年，伊利戰爭與激進重建的新聞輪流占據頭條版面。古爾德、菲斯克與德魯幫伊利股票「灌水」，這是一種可疑但並不完全違法的做法。他們發行的股票超出了該家公司生產性資產的合理價值。（德魯年輕時做過牛車駕駛，他會拿鹽餵牛，好讓牠們喝更多的水並增加重量，賣更好的價錢，就如同「幫股票灌水」。）紐約一名與范德比爾特交好的法官發布了一項針對股票灌水的禁令。於是，古爾德、菲斯克與德魯帶著數百萬美元「被鎖定」的債券、股票及綠鈔逃到了澤西市。在此同時，許多南方黑人佃農正在負擔高達六成的貸款利息。之後，古爾德帶著「裝滿綠鈔的手提箱與隨時可用的支票簿」前往奧爾巴尼，碰巧等到了紐約立法機關通過一項反制股票灌水禁令的法令。最終令人意外的是，德魯竟然決定向范德比爾特認錯，並達成了協議。到此，雙方大致算是停戰了。范德比爾特吞下一百萬美元的損失，但保有對紐約中央鐵路公司的控制權；古爾德則成了伊利鐵路公司的總裁。[112]

德魯和菲斯克是相當愚蠢的投機者，但范德比爾特與古爾德不是。他們是表裡不一的企業家，在投機與投資之間搖擺不定。

操縱新的國家貨幣與信用體系，並對金融資產的升值進行短期投機押注，是可以賺錢的。資本市場中的價值評估看的是未來，關乎人們的預期。[113]賽局（這的確是一場賽局）則是競爭性地操縱預期與資訊，利用信用與代理權來拉抬與降低證券價格。有時還得收買攬局的州立法機關。

除此之外，鐵路是一項持續、長期的商業考量，而范德比爾特與古爾德都是能幹的領導者。他們知道如何從風險中獲利、避開流動性影響，並將貨幣資本投資於地面上以鐵軌、蒸汽引擎與軌道車為形式的耐久性資產。在這一點上，商業獲利的唯一途徑是讓營運的收入高於成本。除了金融投機的藝術之外，南北戰爭後各家鐵路公司還發明了許多實行現代經營管理官僚制度的方法，包括會計帳務、職等及受管控的技術創新。[114]

因此，投機性信貸循環確實誘使市場對創造財富的企業與生產進行長期投資。到了一八七〇年，整體鐵路資本飆漲至二十五億美元。[115]范德比爾特的紐約中央鐵路公司是第一家在一八七〇年完成紐約到芝加哥全線通車工程的鐵路企業。在一八六八至一八七三年間，各家鐵路公司一共建造了三萬九千五百多公里的新鐵路，其中有一半以上的路段位處密西西比河以西與遠西地區。[116]依照亞當．斯密式成長軌跡，鐵路擴大了市場範圍，更提高了不斷拓展的大陸市場的商品需求。[117]

然而，偉大的鐵路企業家對於該將時間、精力與資本投入在哪裡，總是猶豫不決，甚至抱持著矛盾的觀點，而這樣的情況常見於短期投機與長期投資。

如果信用貸款唾手可得，何必花時間、解決重重麻煩及克服不確定性去建造鐵路並用來營利呢（至少對這些人來說是如此）？如果交易所裡的傳言是正確的，他們就能透過金融資產的槓桿操作迅速獲利，無須放棄流動性，更不用讓資本成為固定經營成本。戰後，長期的高等級鐵路債券利率穩定保持在百分之六的低水準。[118]這是企業盈利的難題。既然不必付出成本就能從短期金融投機中獲利，又何必挪用資源來支付工資？這個時代經濟不平等的現象之所以惡化，是因為許多重建資本的所有者有時找不到好的辦法來解決這些問題，只管操縱融資致富。[119]

古爾德是一個操縱市場對未來的預期以滿足眼前私利的高手。他還以個人名義購入房地產，之後再賣給伊利鐵路公司，藉由自我交易來中飽私囊。一八六九年，古爾德大量購買黃金以炒作金價，結果引發眾所周知的金融危機。*[120]與商界關係友好的《金融家》（*Financier*）期刊，將古爾德譽為「所有現代罪犯中成就斐然的一位」。記者約瑟夫・普立茲（Joseph Pulitzer）也稱他是「美國有史以來像蝙蝠一樣來去無蹤的惡徒之一」。[121]在視覺文化領域，古爾德經常被比喻為「蜘蛛」並以此為綽號，他被描繪成不如人類的低等動物，抑或是被指為猶太人。偉大的漫畫家與政治諷刺家約瑟夫・克卜勒（Joseph Keppler）與湯瑪斯・納斯特（Thomas Nast）也屢次在他身上大作文章。[122]

約翰・昆西・亞當斯之孫亨利・亞當斯（Henry Adams）在與兄弟小查爾斯・法蘭西斯・亞當斯（Charles Francis Adams, Jr.）共同出版的《伊利的篇章》（*Chapters of Erie*，一八七一年）中，毫不留情地抨擊古爾德。他們的尖銳批評直搗核心，指出問題不在於人性的貪婪——畢竟，不受約束的商業自利已經是過時的道德問題了。問題反而在於公司企業與各州立法機構特許的法律特權，逐漸成為滿足私欲的工具，且嚴重程度是迄今無法想像的。這對兄弟如此描述范德比爾特：

---

* 譯註：史稱「黑色星期五」。

〔他〕將個人的自然力量與法人的人為力量結合在一起。路易十四的著名狂言「朕即國家」（法文作「L'état, c'est moi」）可代表范德比爾特對鐵路事業所抱持的立場。他不自覺地將凱撒主義（Caesarism）的民粹魅力帶入了企業生命。然而，他只是指出了後人會走上的道路……范德比爾特只不過是一位先驅，他們這些人在國家之內行使國家所創造與賦予的權力，但這樣的權力超出了他們所能控制的範圍。

亞當斯兄弟還表示，在奴隸解放的時代，「大企業正迅速脫離國家的束縛，或者讓國家屈服在自個兒腳下。」[123]查爾斯・亞當斯率先稱范德比爾特與古爾德是「強盜大亨」，將他們比作對人民收取高額過路費的中世紀軍閥。[124]

古爾德沒有什麼政治意識形態可言，相較之下，年紀較長的范德比爾特在一八三〇與一八四〇年代曾是傑克森主義的代表性商界人士，相信競爭、公平開放與反壟斷。[125]民主黨曾呼籲結束腐敗的「特權」，但遇到了一些問題。經濟上，有鑑於鐵路運輸的經濟規模報酬遞增，先行者將全面占據市場的壟斷風險隱約可見。如今，爭相收買法官與議員的權勢人士，正諷刺地操作傑克森主義要求享有平等的商業機會，希望獲取政治優勢。[126]除了伊利戰爭之外，在林肯授權進行的橫貫大陸的鐵路建設工作中，聯合太平洋鐵路與中央太平洋鐵路公司的董事們賄賂了許多議員，同時領照成立了一些空頭建設公司（其中以聯合太平洋鐵路設立的動產信用公司〔Crédit Mobilier〕最惡名昭彰），

圖 25（左） 湯瑪斯．納斯特，《傑伊．古爾德的保齡球道》（*Jay Gould's Private Bowling Alley*，一八八二年）／圖 26（右） 湯瑪斯．納斯特，《受蜘蛛網禁錮的正義》（*Justice in the Web*，一八八五年）

出生於德國的納斯特可說是最偉大的美國政治漫畫家。在他於鍍金時代（Gilded Age）* 創作的作品之中，這兩幅畫是最粗糙的作品。被媒體稱為「蜘蛛」的古爾德經常以動物化的形式或猶太人的身分出現在這類畫作中。

* 譯註：介於美國歷史上南北戰爭與進步時代之間，約從一八七〇年持續至一九〇〇年。

藉由自我交易致富。[127]

當時，政府並未立法禁止這種行為，反倒除了給予補貼之外，還保障私人經濟行為主體。另一位同樣年邁、支持傑克森主義的民主黨人士為史蒂芬・菲爾德（Stephen J. Field）。一八六三年，林肯任命這位工會派民主黨員為大法官，而就如一位歷史學家所述，菲爾德兢兢業業地推動了一場「在個人權利與合法政府干預之間確立界線的十字軍運動」。[128]政府與市場必須各自保持在適度範圍內，即使政府監管的程度適當，私人經濟權利仍能擁有相當大的空間。受到菲爾德的影響，最高法院對戰後的憲法第十四條修正案提出解釋以保障「契約自由」，這是一個極其廣泛的私人經濟倡議領域，雖受國家監管，但與其性質互異。[129]

不僅如此，最高法院還做了一連串的決定，其中最重要的是民權案件（*Civil Rights Cases*，一八八三年），否決了受內戰後憲法修正案所保護自由黑奴在實務上的公民權。法院還在布拉德維爾訴伊利諾州案（*Bradwell v. Illinois*，一八七三年）中裁決，婦女無權從事商業工作。同時，在菲爾德的啟發下，聖塔克拉拉訴南太平洋鐵路公司案（*Santa Clara v. Southern Pacific Railroad Company*，一八八六年）將憲法第十四條修正案的適用範圍擴大包含法人財產。另一位前傑克森主義者湯瑪斯・庫利（Thomas Cooley）是於一八六八年撰寫了一本標誌性憲法專論的密西根州最高法院法官，他在一八七〇年表明，鐵路公司只不過是「完全由私營企業擁有、控制與經營，以滿足成員利益的私人財產」。[130]之後，聯邦政府並未執行黑人的公民權，同時也不允許各州侵犯法人企業的財產權。

傑克森當時主張區隔公私部門，是為了保護商業機會不受政府認可的壟斷所影響，即使這也意味著剝奪公司的社會責任。畢竟，私人企業仍然可以被監管。在資本時代的開端，無論是否有意，菲爾德與其他法學家保護了包括公司在內的私人經濟行為者的權利，這些保護手段固若金湯，以致新的風險不是國家拒絕開放平等的商業機會，而是私人的壟斷力量可能會踐踏民主政府的公權力。當時有一些人士敲響了警鐘，其中特別值得一提的是兩本美國小說：亨利·亞當斯的《民主制度：一本屬於美國的小說》（*Democracy: An American Novel*，一八八〇年），以及馬克·吐溫（Mark Twain）與查爾斯·杜德利·華納（Charles Dudley Warner）合著的《鍍金時代》（*The Gilded Age: A Tale of Today*，一八七三年）——那個時代正以此書而命名。

南北戰爭見證了中央國家能力的大規模集結。然而之後，金融界將矛頭指向了國家，並試圖在恢復金本位制的過程中利用緊縮來減損國家影響力，意味著傑克森主張區隔公私領域的誘因又回歸了。就如同戰爭前夕時期，這次同樣也沒有全國性的公共交通基礎建設計畫，只是如今大家關注的是鐵路，不是付費公路與運河。有一本著作比前述兩本小說更出色地描繪了這個年代，那就是英國作家安東尼·特洛勒普（Anthony Trollope）的《紅塵浮生錄》（*The Way We Live Now*，一八七五年），內容描述英國人對北美鐵路建設的詐欺性投機投資。特洛勒普在書中暗指，倫敦上流階層在自家起居室的密會與在晚宴上的冷嘲熱諷，可以決定美國的鐵路在哪裡修建，而他所言不假。事實上，各地都有無數條重複建設的路線，一位鐵路建設發起人承認，若以「公共的迫切需求」來說，這種「無謂複製現有系統的做法」，是「不必要且多餘的」。[131]

公共利益的性質需要被重新想像，而私人企業權力與民主政治之間的重大政治鬥爭近在眼前。[132]但首先，在南北戰爭後的繁榮時期，出現了更多的鐵路建設。波士頓與紐約金融集團（經常作為歐洲投資者的代理人）資助建造的一系列從芝加哥往西擴展的格蘭傑（Granger）鐵路，在一八六〇年代末橫跨密蘇里河。一八七〇年，第一條鐵路通達內布拉斯加州奧馬哈，這是林肯授權聯合太平洋鐵路公司建造的路線終站。

橫貫大陸的鐵路穿越了原住民的土地，而且他們往往擁有這些土地的所有權。南北戰爭結束時，美國政府並未控制北美大平原，即密蘇里河以西的區域，那裡大約有六萬五千名印第安人以武力抵抗美國的征服。[133]正如前聯邦將軍、現為美國陸軍司令薛曼所說，「過去總是落後的鐵路建設，如今一起在偉大的文明戰役的前線推進，對抗野蠻民族」。[134]一八六七年，國會成立了和平委員會，與當地的印第安人進行談判。十多年前，也就是一八五一年，《拉勒米堡條約》（Treaty of Fort Laramie）承認北美大平原部落的主權財產，同時授權美國鋪設道路與修築軍事要塞。一八六七年在堪薩斯州梅迪辛洛奇溪（Medicine Lodge Creek）舉行的協商會中，分布於平原南部的一些民族，包括科曼奇人（Comanche）、基奧瓦人（Kiowa）、阿帕契族及南部的夏安族（Cheyenne）阿拉巴霍族（Arapaho），他們將部落土地割讓給了聯邦政府。一八六八年，在拉勒米堡召開的另一次會議上，一些克羅人（Crow）、拉科塔人（Lakota）、北夏安人與阿拉巴霍族也割讓了他們的土地。此後，這些美洲原住民便在受政府管轄的保留區內生活。美國對那些不願搬遷至保留區的印第安人宣戰，稱之為「和平政策」。[135]

美國的殖民戰爭帶有經濟誘因。國會為了恢復金本位制而致力於緊縮開支，將「和平時期」的美軍兵力削減到五萬人以下。剩餘的兵力積極攻打印第安人政治與軍事力量的經濟基礎。在南方的白人至上主義者對非裔公民犯下令人髮指的暴行時，軍隊則跟隨鐵路公司向西深入密蘇里谷。一八六八年冬天，軍隊對印第安人避冬的據點展開了毀滅性襲擊，聯合太平洋鐵路及其南部分支堪薩斯太平洋鐵路公司（Kansas Pacific）則將水牛群一分為二，阻斷了平原印第安人的糧食來源。到了一八六九年春天，平原印第安人的經濟生活飽受重創，組織性的反抗活動也無以為繼。根據戰後憲法第十四條修正案，印第安人不是公民，因此，不同於鐵路資本所有者，他們的財產並未受到憲法的保障。印第安民族參與了商業時代，與白人建立了貿易關係；[136]但在資本時代，印第安人的經濟生活慘遭破壞殆盡，最終徹底滅絕。

一八六九年五月十日，利蘭・史丹佛（Leland Stanford）在猶他州奧格登（Ogden）敲下了一根「黃金長釘」（Golden spike，嚴格來說是鐵製的），正式接通中央太平洋鐵路與聯合太平洋鐵路公司分別興建的路段。一八六八年，史丹佛與「合夥人」開設的契約與融資公司向中央太平洋鐵路公司開出了一千六百多萬美元的工程帳單。他們靠這項建設賺了整整一千萬美元的利潤。[137]這家動產信用公司獲利高達一千六百萬美元。雖然聯合太平洋鐵路債台高築，截至當時營運尚未獲利，但透過公司股票的金融操作與增值，公司的元老從最初的投資中賺取了大約四點八到六點一倍的利潤。[138]

賓州鐵路公司的湯姆・史考特不願錯過這個大好機會，加上他始終心懷橫貫大陸的大膽夢想，他希望建造第一條南方幹線，將賓州鐵路公司的巴爾的摩路段連通紐奧良，接著再以紐奧良為起點，修建一條橫跨德州的公路，然後繼續通往加州南部及太平洋。這會是一條連貫大西洋與太平洋、真正橫越大陸的鐵路。[139]

一八六八年至一八七三年間，南方的鐵路建設熱潮占了全國鐵路里程的百分之十六。[140]重建時期由共和黨主導的南方各州立法機構中，有些分發了公有土地與州政府補貼的債券，有些將州政府管轄的路段打折出售給私人企業。史考特規畫的主幹線與相關支線穿越了南部的山麓，即戰前多為自給自足的農業區。即使是北方控制的內陸鐵路，也在運行時一併將棉花種植、作物留置權與勞役償債的概念向外擴散，使棉花田面積擴張（即使生產力並未增加）。[141]一八七〇至一八七一年，三K黨（Ku Klux Klan）不滿賓州鐵路公司傳播北方文化，沿著湯姆．史考特代理的部分鐵道路段公然發動襲擊。格蘭特總統簽署了一項法令（當時的內政部長是史考特的朋友），聯邦政府出手干預，才平息了這起暴行。

重建時期結束

南北戰爭過後，美國民族國家的主權伴隨著不斷擴大的管轄疆域，變得更加統一而強大。雖然如此，回歸匯兌平價的政策及恢復金本位制的渴望削弱了國家主權，因為恢復政策使美國金融體系受到了國際貨幣資本的影響。一八七三年，因為歐洲的信貸緊縮與戰後脆弱的華爾街金融體系相互作用，導致了大西洋地區的金融恐慌，讓自一八六八年之後迅速發展的美國鐵路臨時喊卡。隨之而來的經濟蕭條結束了南方的政治重建。

恢復政策使美國經濟與國際金本位制相繫，進而屈從於國際經濟事件的牽制。一八七三年，黃金開始從美國流往英國。在維也納證券交易所崩盤後，歐洲搖搖欲墜的信用貸款狀況使資本所有者紛紛陷入恐慌，要求贖回安全的流動性資產。[142]由於每個人都想取得黃金，因應英國銀行體系的黃金儲備逐漸萎縮的窘境，英格蘭銀行將短期銀行利率從百分之四調高至百分之九。為了尋求更高收益，加上擔心普遍的恐慌一發不可收拾，黃金存款從各地湧入英國銀行，包括美國。華爾街的信貸開始緊縮。[143]

國內的經濟情況更加劇了這種現象。一八七三年夏天，在每年收成季的影響下，美國的貨幣與信貸額度再次縮減。另一個問題是，為了幫營運籌措資金，美國各家鐵路企業愈來愈依賴短期的活期借款市場，希望能翻轉巨額債務。美國鐵路公司的債務從一八六七年的四點一六億美元攀升至一八七〇年的二十二億美元。[144]到了一八七三年，新的鐵路債券殖益率穩定維持在百分之六。然而，短期的活期借款市場利率卻從百分之三點八飆升到六十一點二三。[145]考量這些不穩定利率，另一個還款方式是創造收益，也就是增加商業利潤。但是，雖然公司建造了數千英里的道路，商業模式仍然是一種信任騙局。戰後的各家企業管不了那麼多，先著手建設，利潤以後再說。[146]還有另一個選項是借更多的貸款以債還債。然而，如果信貸市場收緊或甚至傳出類似的風聲，整座紙牌屋就會倒塌。

美國在一八七三年爆發的金融恐慌始於北太平洋鐵路公司（Northern Pacific Railroad）倒閉。

一八六四年國會核准成立該公司；一八六七年，國會授予該公司一塊橫跨明尼蘇達州並延伸至太平洋的公有土地。但是，這條鐵路沒有像北太平洋鐵路一樣得到財政補助。費城銀行家傑伊・庫克靠出售美國債券發了大財，但考量市場在政府推行恢復政策之際信貸緊縮，他需要開拓新的門路。一八七〇年，他開始出售北太平洋鐵路公司的債券以賺取回扣。然而，北太平洋鐵路公司的商業利潤並不足以履行債務擔保。在夏季信貸條件普遍收緊的情況下，傑伊・庫克公司於一八七三年九月十八日關門大吉。北太平洋鐵路公司也宣告破產。[147]

傑伊・庫克公司的倒閉引發了金融恐慌。[148]活期借款市場的貸款暴增為三點六倍。存款人急著取出在紐約銀行的資金，擔心自己也會受到牽連而破產，債權人則爭相催款。一八七三年一月，歐洲投資者投入美國鐵路證券的金額至少達八千二百七十萬英鎊，此時他們也陸續撤資。[149]市場信心崩潰，預防性資金囤貯勢不可擋。信用與物價的崩塌抑制了消費與商業活動。鐵路股票的價值蒸發了六成。美國有一半的鐵路企業都深陷破產泥淖。

傑伊・古爾德嗅到了商機，他果斷出手，掌控了岌岌可危的聯合太平洋鐵路公司。[150]恢復政策將信貸導向華爾街，犧牲了其他地區（及民眾）的權益。當貨幣資本重拾稀缺價值，使得資本所有者的預期提升，便會導致投機性貸款增加。然而，在這樣的情況下想要落實金本位恢復政策，就必須實行高利率。結果，在高利率環境下大發橫財的普遍現象，往往會在信貸循環逆行時造成特別嚴重的蕭條。

之前美國人經歷過不斷重複的信貸循環，但接在一八七三年恐慌之後的經濟衰退，展現了工業資本主義蓬勃發展的時代專屬的全新特質。工業資本固定安置於地面上，因此缺乏流動性。即使潛在的消費者選擇囤積資金，商品需求崩跌，工業資本家也會讓機具繼續運轉，以彌補之前的投資。結果就是市場上依然充斥著商品，物價進一步下跌。[151]一八七三年恐慌之後的經濟蕭條並非經濟產出的衰退，[152]而是整個大西洋地區的物價通縮，被稱為物價「大蕭條」。

當權的共和黨幾乎使不上力。「自由地權，自由勞權，自由人權」的口號並沒有為各種逐漸浮現的工業困境帶來指引，包含通貨緊縮、追求財富創造所引起的貧窮與不平等及罷工。[153]林肯遭到刺殺的八年後，「奴隸力量」不再是代罪羔羊。共和黨回到了恢復政策的

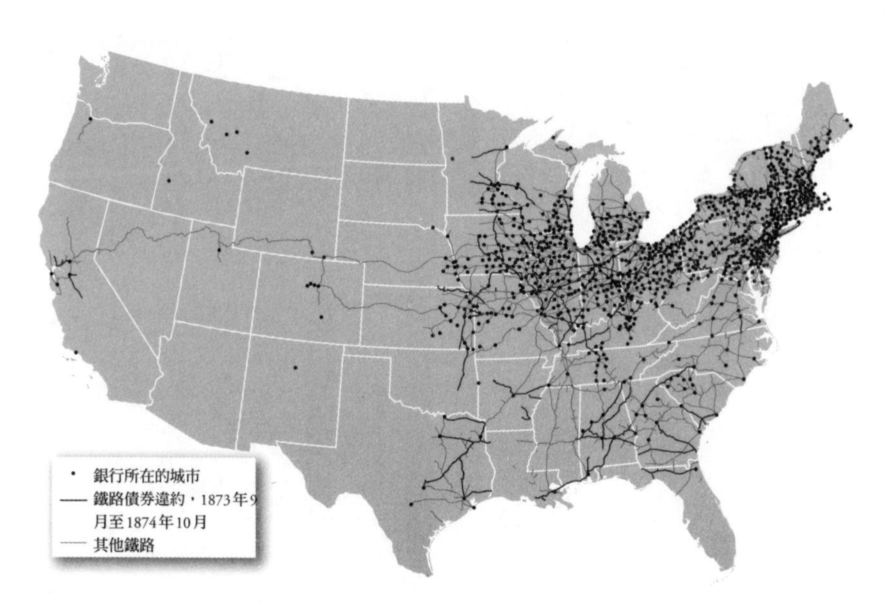

圖 27　金融與美國鐵路網絡（一八七三至一八七四年）
內戰後的鐵路建設熱潮緊接著重建的金融資本流動而來，反之亦然，直到一八七三年的金融恐慌導致廣泛的破產現象。

邏輯上，呼籲政府實施更多的撙節政策，而這些都使通貨緊縮變得更加嚴重。格蘭特總統手下的財政部副部長宣稱：「唯有緩慢而謹慎地深入瞭解真正的價值，在更堅實的基礎上從事商業活動，減緩通貨膨脹的問題，並且注重真正的健全與內在價值，才能讓市場完全恢復信心。」[154]要解決通貨緊縮，就要採取更多通貨緊縮措施；要解決破產，就是導致更多的破產——這些呼聲將在整個資本時代與一九三〇年代的大蕭條期間引起回響。在一八七〇年代，美國財政部釋出了二千六百萬美元的綠鈔，達到了法定限額。但除此之外，財政部的第一要務，是迫在眉睫的恢復政策。

在一八七四年的國會期中選舉，

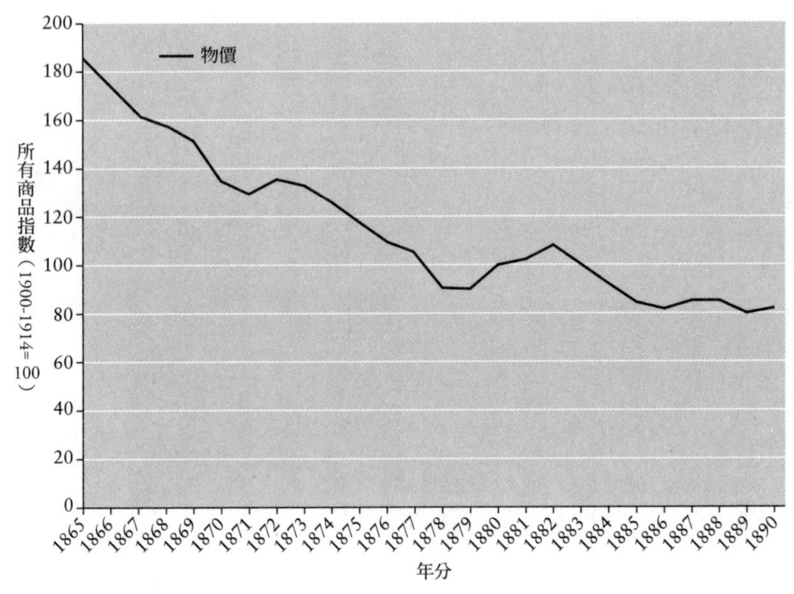

圖 28 美國通貨緊縮

十九世紀末，「大蕭條」一詞意指當代令人難熬的物價通縮，而在美國則是因恢復政策而起。

民主黨迫使共和黨慘敗，自南北戰爭以來首度在眾議院占得多數。跛腳的共和黨激進派國會通過了一八七五年《民權法案》，而後遭美國最高法院在民權案件（一八八三年）中廢除。如今有更多軍隊駐紮西部，他們寧願花更多時間強迫印第安人遷居保留地，也不願在南方落實黑人的公民與政治權。一八七七年秋天，曾任自由民局局長的奧利佛．霍華將軍在距離加拿大邊境四十英里處追擊了長期為美國盟友的聶斯坡斯族（Nez Perce），為「最後一場印第安戰爭」畫下句點。[155]此後，北美大平原門戶洞開，任由白人資本主義長驅直入。

相較一八七五年的《民權法案》更具直接意義的，是跛腳共和黨國會於一八七五年通過的《恢復硬幣法》(Resumption Act)。在經濟不景氣之際，該法案宣布，聯邦政府將於一八七九年一月一日前將美元恢復至戰前金屬硬幣本位制。本質上，該法案需要程度更深的通貨緊縮，因為財政部將必須積存充分的黃金儲備，以在期限前守住匯率。最後，共和黨國會在退場前夕提高了保護主義的工業關稅稅率。

一八七六年總統大選的兩位候選人分別為紐約民主黨的山繆．蒂爾頓（Samuel J. Tilden）與俄亥俄州共和黨的拉瑟福德．海斯（Rutherford B. Hayes）。他們都支持恢復金本位的政策。蒂爾頓在普選中勝出，但選舉人團的平衡取決於南方各州具有爭議的選舉結果。人們擔心區域性暴力會捲土重來。[156]出面試圖促成協議的人是湯姆．史考特。[157]史考特心裡盤算著，南方接受共和黨的勝利，而交換條件是白人「全面贖回」南方地區，並讓他已宣告破產、原定橫貫大陸連接德州與太平洋的南方鐵路建設獲得聯邦政府的補助。[158]

史考特無法說服共和黨在海斯總統任內承諾為這條鐵路提供補助。比起未來任何類型的經濟繁榮（更不用說一條由東北與歐洲人擁有的鐵路了），南方的國會政客最關心的是恢復地方統治以維護白人的優越地位。[159]在「一八七七年妥協」(Compromise of 1877) 中，海斯當上了總統。聯邦軍離開了南卡羅來納州、路易斯安那州與佛羅里達州，對南方的軍事占領正式結束。重建工作至此完成。一八七七年末，總統大選爭議未平，眾議院已通過了一項法令，廢除一八七五年的《恢復硬幣法》。參議院則以一票之差予以否決。一八七九年一月一日，美國讓美元回到了戰前的金屬硬幣本位制。[160]

當然，自從上次美元與黃金及白銀掛鉤以來，很多事都不一樣了。奴隸資本已被摧毀。四百萬名獲得解放的非裔美國人享有自由，但是，隨著南方的佃農制度持續助長白人對黑人勞動力的剝削，戰爭期間與之後出現的貨幣金融體系使華爾街金融圈及私人股份企業日益擺脫公眾義務。戰爭期間，「愛國主義與利潤」的動態結合，推進了經濟活動。戰後，投機性投資的矛盾動力為經濟生活注入活水，因為短期投機誘發了對企業的長期投資，接著信貸循環的逆行又導致了另一場金融恐慌、預防性囤積及普遍的經濟蕭條。在此同時，南北戰爭造成的國家創傷引起了政治經濟的憤世嫉俗，愛國主義已然消失，但追求利潤的精神依然存在。新重商主義者、新漢彌爾頓主義及傑克森主義的遺風都招來了惡名。

一八七九年三月，物價終於開始上漲，蕭條的經濟也有了起色。市場重拾信心，工業化的腳步也跟著快了起來。[161]

第八章　工業化

一八六五年，格蘭特的軍隊正往里奇蒙市前進，當時二十九歲的安德魯・卡內基辭去了他在賓州鐵路公司的工作。公司的總裁艾格・湯姆森（J. Edgar Thomson）懇求他留下，並承諾大力提拔他，但卡內基還是離開了，「決意尋找致富之道」。[1]

卡內基出生於蘇格蘭，父親是手織機織工，在英國工業革命中遭蒸汽動力織機取代。[2]他們全家在一八四八年搬到了賓州西部靠近匹茲堡的地方。青少年時期的卡內基沒有上學。一八五三年，湯姆・史考特雇用他當電報員，二十歲時便成為史考特的私人助理。

史考特將自己知道的一切都教給了卡內基。賓州鐵路公司在鐵軌、汽車與機車上部署了龐大的生產性固定資本。基於這些資本的運轉成本，鐵路公司必須盡可能讓車輛跑得愈快、載客量愈高。為此，賓州鐵路成為第一家偉大的現代管理企業，或許還是當時世界上最有效率的商業官僚機構。[3]史考特教導卡內基認識工業資本的運作邏輯。營運成本決定了銷售價格。若想在固定成本和運轉成本下獲利，就得追求高運量與高速，才能實現動態的規模經濟。

然而，長期投資於創造財富的企業要獲利需要時間，而湯姆・史考特不可能一直等下去。身為雙面企業家的史考特也傳授卡內基，流動資本市場中短期投機的藝術，以及公司自我交易的藝術。

一八五六年，史考特借給卡內基六百美元，供他購買亞當斯快遞公司（Adams Express Company）的股票，這間公司是賓州鐵路公司的物流夥伴。賓州鐵路為亞當斯快遞帶來了源源不絕的業務，不久後股價一飛沖天。由於金融資產迅速增值，卡內基沒多久便收到了人生中第一張價值十美元的股息支票。他在自傳中回憶道：

> 我一輩子都不會忘記那張支票……它給了我第一筆來自資本的收入，而那是我沒有付出任何勞力就得到的東西。「我成功了！」我激動大喊，「我找到了會下金蛋的鵝。」[4]

很久以前亞里斯多德曾在著作中寫道，金錢在本質上不事生產。金錢無法製造任何東西，因此要它生產是有違自然的。[5]但是，卡內基偶然發現了一顆金蛋，這種金蛋在湯姆・史考特的交友圈中十分常見。很快，卡內基的投機收入遠遠超過他在賓州鐵路公司領的薪水。

卡內基辭了工作，昭告天下：「我發達了，我發達了。」[6]作為全職的投機客，他離開匹茲堡，帶著母親一起住進紐約一間飯店的套房，並前往歐洲募資。史考特也稱讚：「小安，厲害，要賺大錢了。」[7]回國後，卡內基、史考特與湯姆森成功設法進入了聯合太平洋鐵路公司的董事會。史考特渴望登上總統大位，但令他錯愕的是，卡內基為了大把利潤拋售了他的股票。當時是一八六八年，三十三歲的卡內基被罪惡感壓得喘不過氣。「每個人都必須有個偶像。」他在日記中寫下，但「財富的累積是最糟糕的偶像崇拜之一，沒有其他偶像比對金錢的崇拜更容易貶低一個人的品格」。[8]他內心充滿矛盾，不再從事金融投機。

是什麼導致了如此的心境轉變？一名作家在卡內基的傳記中表示：「在他所有投機性投資中，他感覺自己就像一隻寄生蟲，一隻附生在史考特與湯姆森駕駛的財富之船的藤壺」。[9]卡內基回憶道：「我希望創造一些實質的東西。」或許是想起了父親的工作，他還說：「我在匹茲堡住了很長一段時間，受製造業精神所浸染，而不是投機精神。」[10]因此，他回到了匹茲堡，決定進入煉鋼業。當時，美國各家鐵路公司正處於以更耐用的鋼鐵金屬取代鐵的過渡期，不僅用於鐵軌，還有機車、汽車、耦合器、剎車及車輪。[11]對這類商品的需求無疑是存在的。

但是，他為什麼要這麼做？像卡內基這種人大可舒服地窩在紐約第五大道溫莎酒店的豪華套房裡，動動手指就能輕鬆投機獲利，何必耗費精力與金錢將資本投入固定成本呢？他建造鋼鐵廠、組織生產線、雇請工人、製造產品，並且開發鋼鐵市場，希望最終銷售價格能超越生產成本，但這樣多累？一直以來，湯姆．史考特都在營運企業的同時從事投機投資，畢竟，沒有必要完全捨棄信任騙局而只推動工業生產。

工業化可沒有這麼容易。卡內基會轉換跑道進入製造業，完全出於偶然。他自認良心不安，始終內疚地渴望創造某種東西。煉鋼可以賺錢，這的確也是事實，但這也只是馬後炮。當時，卡內基的計畫頂多算是未來可期而已。他必須放手一搏，而他做到了。

首先在一八七二年，卡內基建立了合夥關係，邀請湯姆森與史考特加入。在一八七三年的金融恐慌中，史考特在連接德州與太平洋的鐵路工程中遇到了麻煩。公司的債權人紛紛緊張地要求收回貸款。史考特請卡內基來費城，懇求這位徒弟為公司票據擔保。湯姆森向他乞求：「在所有人當中，你是最應該伸出援手的人。」事後卡內基表示，那是「我一生中最艱難的時刻之一」。[12]儘管如此，他並未出手拯救自己的恩師。史考特與湯姆森覺得遭到背叛，要求卡內基買回他們當初投入鋼鐵廠的資本。為了籌措資金，卡內基前往倫敦，將債券出售給僑居英國的銀行家朱尼厄斯．摩根（Junius S. Morgan）。

到了一八七四年，雖然與湯姆森鬧翻了，卡內基仍將他成立的第一座工廠命名為艾格湯姆森鋼鐵廠（Edgar Thomson Steelworks）。工廠位於匹茲堡以南十二英里處，這是一座具有龐大工業潛力的城市。有三條河流與兩條鐵路幹線（賓州鐵路及巴爾的摩與俄亥俄鐵路）穿梭其中。附近出產豐富的煙煤與焦炭，這些都是熔煉鋼鐵所需的能源。

艾格湯姆森鋼鐵廠的建造成本為一百二十五萬美元，這項固定投資所費不貲。接著，卡內基將他在賓州鐵路公司學到的管理原則運用於煉鋼事業。「載滿乘客且飛快行駛的大型列車」如今成了大型工廠，火力全開，疾速運轉。很快地卡內基意識到，煉鋼業沒有人在計算生產成本：

> 出乎我意料的是，各種製程的成本都模糊不明。我打聽過，匹茲堡的主要製造商都是如此。這是一樁生意，而在年末盤點與結算帳目之前，他們對結果一無所知。我聽過有些人原先以為這個年度會虧損，到了年底才發現有賺錢；當然也有人面臨相反的情況。[13]

卡內基偶然發現了資本時代的一個常見問題。數十年來，商業領域的目標是在競爭的市場價格下低買高賣。早期的製造商會清楚自己在原料或勞力上花了多少成本，是因為他們知道市場價格。然而，工業規模愈大，固定投資愈高，各種製造成本也就愈難統計（光是熔爐全天候運作或搬運原料的花費便難以計算），因為公司內部沒有市場可標定這些活動的成本。賓州鐵路率先發展出新方法來計算這些無法透過市場定價的營運成本。鐵路會計領域所謂的「營業比率」，就是在衡量一段時間內，總收入扣除生產成本後占每單位輸出的比率。[14]

卡內基嚴格地將產品成本會計學應用於煉鋼事業。他曾對員工說：

> 拿出成本表單來給我看。瞭解你們的工作表現有多好、成本效益有多高、產品有多出色，比知道你們賺了多少錢更有意思，因為賺了多少錢是暫時性結果，有可能是特殊的貿易條件所致，而成本表單是永久性的，只要工廠照常運作，這種狀態就會一路持續下去。[15]

「卡內基從來都不想知道利潤有多少。」他的弟子查爾斯・施瓦布（Charles M. Schwab）回憶道：「他在乎的一向是成本。」[16]才華橫溢的前鐵路主管與成本會計師威廉・辛恩（William P. Shinn）成為卡內基底下的營運長，並為出納部門引進了新穎的會計實踐。他要求員工在製程中替商品與原料附上憑證，並根據標準化的時間單位來計算價格效能。據報一名鋼鐵工人表示：「那該死的會計來了。如果我這個月用的磚頭比上個月多了一打，他知道後就會來問為什麼！」卡內基的計畫是

「市占率」，意即每次都以低於競爭對手的價格來販售商品。他的中心思想就是「削價競爭、提高市占率、工廠全力運轉」。[17]

卡內基還進行了經濟學家所謂的「資本深化」（capital deepening）。比起增進分工，他在同一個工人身上投入更多的生產性資本。隨著時間推移，這種做法有效提高了勞動生產力。每當有新的資本設備出現，且能以較低的單位成本製造更多的產品時，他就會投資這些設備，有時還會將所有運作良好的既有架構與設備報廢。如同十七世紀讓奴隸操勞過死再靠非洲奴隸貿易補足勞力的巴貝多奴隸主，卡內基厲行「嚴格要求」，讓鋼鐵廠火力全開——這點有別於英國的鋼鐵製造商，卡內基指責他們把工廠當作嬰兒般溺愛。當過機工、在南北戰爭中擔任海軍上校的比爾・瓊斯（Bill Jones）負責管控廠房運作，他的生產專業知識可謂名揚四海。卡內基付給他跟美國總統一樣的高薪，象徵對其才能的重視。比爾・瓊斯發明了「瓊斯攪拌機」，這種巨大的容器可接收從高爐直接傾倒的兩百五十噸鐵水（省去了生鐵階段）並予以保存。之後，再將鐵水倒入取名自英國人亨利・貝塞麥（Henry Bessemer）的貝塞麥轉爐，這種巨型缸槽可盛裝高溫的熔鐵，之後進行氧化去除雜質，將鐵精鍊成鋼。瓊斯還開發了一種方法，可將鋼直接倒入置於移動中的平板貨車上的鋼錠模具，這種模式成為了機械化生產線的前身，這種流水線生產在亨利・福特的汽車工廠中發揚光大，標誌了資本時代的生產巔峰。

與此同時，卡內基擴大了經營規模。他指出：「廉價與生產規模成正比。一天生產十噸鋼的成本，是生產一百噸鋼的好幾倍。所以，經營規模愈大，產品就愈便宜。」[18]生產規模愈大，就愈需要更完整的行政協調與生產的「垂直整合」(vertical integration)。卡內基本人可以幫忙在終端市場上推銷成品。「聯合太平洋鐵路公司的西德尼・狄隆(Sidney Dillon)是我的朋友,(中央太平洋鐵路的柯林斯・)杭廷頓也跟我有私交……這些人都是鐵路公司的總裁。」[19]金錢利潤不斷被重新投入企業,作為對新的生產性資本的再投資,很快地,卡內基便擺脫了銀行界與外部金融人士,以及愛抱怨的合作夥伴們,不用看他們的臉色做事。卡內基仍然一心想賺大錢,但如今或許比這更重要的是,他鍥而不捨地堅持以更少的成本製造更多的鋼鐵。

結果超乎任何人的想像。一八七五年,艾格湯姆森鋼鐵廠生產了二萬一千六百七十四噸的鋼材;一八八九年,產量增為五十三萬六千八百三十八噸。鋼軌的生產成本從每噸五十八美元驟降為二十五美元,品質也大幅改善。鋼軌的平均壽命從兩年延長到十年,一輛軌道車的承重也從八噸躍升至七十噸。實際上,問題一旦解決了,利潤自然就提高了。在開始營運的第一個月,艾格湯姆森鋼鐵廠利潤達到了一萬一千美元,卡內基相信這個數字在美國製造業的歷史上前所未見。一八八八年,卡內基的鋼鐵公司年獲利兩百萬美元,到了一八九〇年,利潤更達到五百四十萬美元。[20]在製造業的全球史中,這一切都前所未見。

卡內基占盡了天時、地利與人和。美國資本市場在南北戰爭後的轉型,使他在初期得以投機致富,並且累積了第一筆創業基金。他也發展出堅定的工業家創業精神。國家對鋼鐵的需求可大可小。早期,在戰爭期間通過並於戰後調升的工業關稅,保護了卡內基的企業免受英國鋼鐵進口的影響。[21]與世界各地的競爭者相比,他的生產性資本擁有嶄新特質。卡內基的生產過程不僅更具資本密集屬性，能源密集度也遠遠高於其他工廠。煤炭成為工廠能源主力，廠內也對各種技能水準的薪資勞工需求若渴，此時來自東歐與南歐的移民為匹茲堡提供了充分的薪資勞動力。除此之外，再加上卡內基精準的判斷，他擴展生產規模，善用管理與技術上的優勢。總括而言，在他的工廠裡，勞動生產力隨時間而飆升。

事實上，卡內基在鋼鐵廠中創造了一種嶄新的工業時間管理模式。商業時代的經濟活力主要牽涉空間，因為市場的範圍會隨著帝國開疆闢土而擴大。南北戰爭後的鐵路建設進一步推動了這樣的發展。[22]然而，卡內基又為其增添了新的維度。如此一來，在標準的時間單位下，相同設施的生產密集度更高，每小時產量增加，成本變得更低了。正如前美國稅務專員大衛．威爾斯（David Wells）在《近代經濟變遷》（*Recent Economic Changes*，一八八九年）中所述，「在亞當．斯密的時代，十個人在一天內製造四萬八千根大頭針是一項了不起的成就，但如今，只要三個人，就能在相同時間內生產七百五十萬根大頭針」。[23]時代真的不一樣了。

貨幣資本的時間特徵是循環性。資本主義信貸週期不斷重複，繁榮與蕭條變化無常，投機性狂熱與預防性恐慌輪番上演。對比之下，在工業生產領域中，資本的時間特徵是抽象、線性而標準化的。卡內基核算成本與利潤，並依此支付工人薪資。在商業時代，生產的經濟生活也具有循環性，因為它遵循日照、季節與地方特性所形成的模式。然而，鐵路的誕生改變了一些事情，鐵路除了作為第一種大規模的固定資本產業及擁有人數最多的時薪勞工之外，更將時間標準化了。為協調鐵路交通，各家鐵路公司首先將北美大陸分為四個「標準」時區。標準時間於一八八三年十一月十八日開始生效。當費城進入正午時分，匹茲堡也是中午。[24]標準而抽象的時間協調了全國的鐵路交通，並在往後支配生產資本在工業領域中的效期。

最後要考慮的問題是新的工業投資乘數是如何運作的。如今，新的工業投資乘數彌補了亞當．斯密式商業乘數的不足，使經濟活動報酬遞增。舉例來說，農民採收小麥，並在競爭激烈的市場上出售，賺取更多的貨幣收入，但僅此而已；相較之下，卡內基生產的是鋼鐵，這種「中間產物」或「資本財」使一系列的上下游連結翻倍增加，促進了上游對煤炭及工廠組件的需求，同時為下游的鐵路公司或建築業供應貨物。[25]由於卡內基經營鋼鐵廠有成，各家公司開始期待這些活動能在未來產生收益，商業獲得了動力，生產規模因而普遍擴大。因此，卡內基非比尋常的幹勁協助催化了一種更大規模、漸進累積的工業化進程。

卡內基推測，如果讓公司致力生產更多鋼鐵、同時努力降低成本，利潤自然就會源源不絕。結果證明，他是對的。安德魯．卡內基可說是美國最偉大的工業革命家，他擘畫了全新的工業經濟未來，與過去截然不同。

過往的工業革命是什麼樣子？

綜觀人類經濟史，只發生過兩次重大的斷裂。第一次是距今約一萬到一萬二千年的新石器時代革命，當時許多人改採定居農業，永遠脫離了狩獵採集生活；第二次是工業革命，始於十八世紀的英國。美國則是搭上工業革命的第二波浪潮。

英國歷史學家阿諾德・湯恩比（Arnold Toynbee）在一八八三年推廣了工業革命一詞，當時美國的工業化已進入最密集的階段。[26]五年後，美國經濟學家約翰・貝茨・克拉克（John Bates Clark）推廣了資本財一詞，指稱一種獨特的生產性資產。[27]資本財是一項「生產要素」，是一種製成品或「中間產物」，用於創造更多的財富（不同於土地，土地是一種自然產物與根源）。在克拉克之後，許多下個世紀的經濟學家認為資本財等同於資本，並將其他可能的資產如貨幣、土地或奴隸排除在外。然而，有鑑於他寫作的時期，克拉克對資本財的定義設限有其道理。關於資本財，經濟史學家談到了「資本深化」與「資本密集度」等衡量標準，而這些在克拉克的時代全都與日俱增。

一般而言，工業革命最貼切的定義是，投資模式明確轉向中間資本財，滋長了新的經濟習性。同一批工人的手中有了更多生產性資本。勞動生產力提升，且隨著時間推移，企業創造了更多的財富，貨幣收入也翻倍成長（不論如何分配）。[28]在這樣的發展脈絡中，資本財在某個時刻跨越了門檻，再也回不去。

經濟上的斷裂怎麼強調都不為過。以數字而言，工業革命導致了經濟學家所謂的「現代經濟成長」，也就是人均收入成長隨時間而出現的自給式增加。亞當・斯密式成長開啟了這個現象。然而，工業化代表了與過去在數量上的分界。這種斷裂也是質性的，工業革命改變了文明世界。工業社會成為世界上最早出現的都市社會。那個世代充斥了工業煙塵與爐渣的灰與黑，主導了文化、甚至是審美經驗，使得「黑色的靴子、黑色的高頂禮帽、黑色的馬車或車廂、黑色的壁爐鐵架、黑色的鍋碗瓢盆與爐灶」到處可見。[29]

為什麼會發生工業革命？[30]這無法以單一因素一概而論，因為因果關係是反覆循環與長期累積而成。[31]然而，想探究箇中原因，最好從能源著手。

化石燃料是工業革命達到生產成就的核心。[32]新資本財最顯著的特點在於高度能源密集。許多工業化的上下游連結只有在使用新的能源儲備時才有可能形成。此外，作為隨時間而消耗的生產要素，能源儲備本身就體現了「資本財」的邏輯。[33]因為造成差異的，不僅僅是能源的多寡。正如一位環境歷史學家表示，「煤炭的運作邏輯與太陽能有著本質上的差別」。[34]

關鍵在於能源流動與儲備的經濟特性。煤炭是一種地質積累的物質，作為中間的經濟投入，可燃性遠遠超越木材、風能或水力。煤炭就跟資本財一樣，是一種增進生產的工具，所引起的共振相當驚人。此外，作為一種儲料，煤炭可以被運輸並集中在特定的地點。在廣泛使用煤炭之前，商業經濟仍然以農村經濟為主，而這純粹是因為無法將能源的流動儲存或運輸。這也使得生產活動必然會分散至有水源的地方。商業時代的經濟發展具有空間性，原因之一是，為了獲取能源，生產者必須四處移動，而不是集中於一地。然而，隨著工業化的發展，跨空間的「專業化成長」得到了定點「動力成長」的輔助。[35]集中的能源儲備可被運送至集中的生產地點。值得注意的是，在有機經濟中，奴隸是唯一可移動的能源儲備。[36]一八八五年，法國人口統計學家艾米爾．勒瓦塞爾（Émile Levasseur）指出，在能源方面，法國現有的蒸汽動力相當於九千八百萬名奴隸勞動力，而且是「我們所能想像最清醒、順服且孳孳不息的真正的奴隸」。[37]但是，就算在一個地方集中再多勞工甚至奴隸，都比不上煤炭蒸汽引擎的動力。

在十八世紀的英國，煤炭大量用於生產，緊接而來的是一連串的正向回饋循環，讓各種能量環環相扣以提高產量。人們在英國的礦場中發明了蒸汽機，起初利用它來抽取礦井裡的水。由於這種機器的出現，工業活動得以不受水源區的地域限制，而是可以聚集在都市與「工業區」。一如十九世紀末英國經濟學家艾爾弗雷德．馬歇爾（Alfred Marshall）所稱，資本、勞力、商業與技術革新在「工業區」聚集與連結，彼此相輔相成，增進上下游供給與需求。[38]

但是，要如何將煤炭從礦區運到城市？這件事只有靠蒸汽動力鐵路才做得到，火車沿著鐵軌（之後變成鋼軌）運行，而軌道則仰賴製造業的高能源技術製成，而後者同樣也拜利用蒸汽技術的煤炭開採所賜。在美國，鐵路的興起促使卡內基投資煉鋼業，而這個例子又進一步推動了這顆工業雪球滾動的速度。最終，將眾多生產力集中於一地的做法，使資本所有者得以雇用大量薪資勞工（前提是供給無虞）。工業革命正是由煤炭、蒸汽與鋼鐵組成的新式生產性經濟經過多次變遷與互補所造成的結果。

如此一來，工業資本主義開闢了全新的金錢獲利領域，因為它突破了有機經濟的生產極限。長期、指數性的「現代經濟增長」成為了可能。然而與流動能量不同的是，煤炭儲備會有耗盡的一天，而且就如今日所見，工業化使生態與氣候付出了代價。儘管如此，工業生產牽扯了多重且緊密的因素，使得工業能源制度一旦建立了，就很難轉變。

在美國，由煤炭、蒸汽與鋼鐵所驅動的工業經濟，是在哪裡出現的？從什麼時候開始？如何產生？又為何會出現？賓州鐵路公司與卡內基鋼鐵公司都是賓州東部在世紀中期的工業轉型的一環，新的能源與資本密集型工業經濟，最早便是在這裡生根。[39]

一八五〇年，煤炭在美國的能源供應中占不到百分之十。[40]木材則是資源充足。地球上有四分之三的無煙煤礦一度集中在一個面積近一千三百平方公里的區域，也就是從賓州東北部的卡本代爾（Carbondale）往西南穿越利哈伊河（Lehigh River）河谷，直到斯庫基爾河（Schuylkill River）畔的波茨維爾（Pottsville）。這裡是美國第一個煤礦開採區。[41]

煤炭是數百萬年來地質力量作用下的產物。不同的是，北美洲煤田的形成最早可追溯到三億六千萬至三億年前的石炭紀，或是距今一億四千五百萬至六千六百萬年的白堊紀。死去的動植物在缺氧的環境下腐爛，數千年後變成海綿狀的生物質，稱為泥炭。重力與來自地心的熱能去除泥炭所含有的水及氣體，留下高濃度的碳。經過數百萬年，泥炭沼澤在形成過程中產生煤炭。從泥炭中去除的水與氣體愈多，碳濃度就愈高。泥炭經過加壓後依程度會變成褐煤、亞煙煤及煙煤。地殼板塊活動的擠壓也可產生幾乎等於純碳的無煙煤（anthracite coal），可以比任何其他煤炭燃燒得更久、製造更多熱能，且對環境危害較低。[42]

在國內改善計畫推動的公共基礎建設降低運輸成本之前，無煙煤的開採不具經濟效益。直到一八五〇年代，水成為成本低廉的工業動力來源，無煙煤礦業才逐漸興起。由於地利之便，賓州的製造商最早採用煤炭。早在一八三〇年代，費城的鑄鐵爐工業就已蓬勃發展，善用無煙煤的優勢發展冶金技術。南北戰爭爆發前，賓州每年生產五十萬噸鋼鐵，消耗一百五十萬噸的煤炭。當時，賓州鐵路公司是世界上規模最大的工業企業，也是煤炭的主要消耗者。一八四〇至一八七〇年間，費城可用於製造業的能源增加了二十五倍。雖然企業規模依然小，但費城在熱能密集型工業的製程優勢較強，如金屬加工、染色、漂白、玻璃工藝與造紙。許多第一批蒸汽火車就是出產自費城的鑄造廠。[43]

因此，中部地區的工業化與新英格蘭不同，他們專門生產中間資本財，譬如金屬與機器，而不是紡織品等消費品。在新英格蘭地區，紡織廠仰賴水力作為驅動力來源，因此在小型農村發展與盛。[44]但在中部地區，煤、蒸汽、鐵及鋼的上下游聯繫，最初是在都市形成。到了一八七〇年，賓州的無煙煤田有七百台蒸汽機。[45]廉價的煤炭使定點運作的蒸

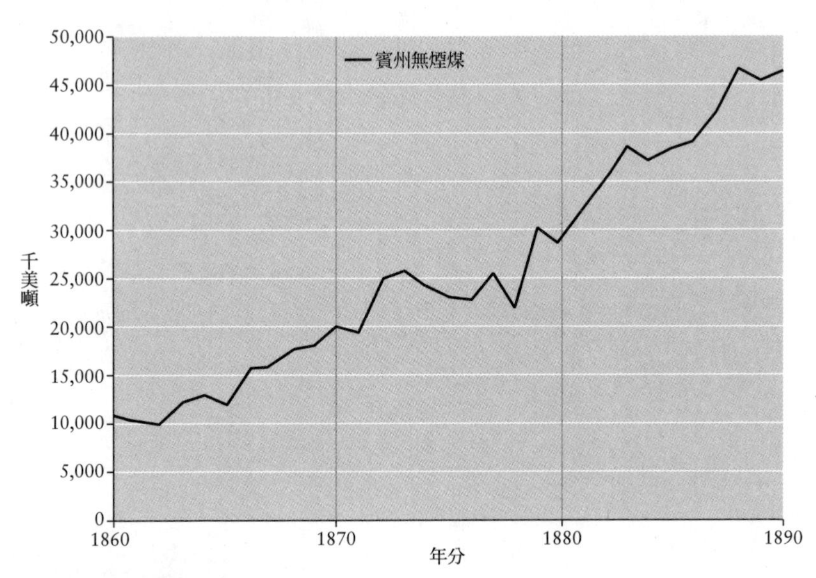

圖 29 賓州的無煙煤產量

由於出產化石燃料煤炭，大西洋中部地區是美國能源密集型工業革命的發源地。（一美噸約為九百〇七公斤）

圖 30　大西洋中部的煤炭流向（約一八五五年）

如同其他商品，煤炭也依循了先前交通運輸革命所開闢的路線。商業時代使資本時代成為了可能。

汽機在製造業中變得經濟實惠。都市的製造活動得以聚集，進而產生網絡效應（network effect）。城市人口的增長也與製造業運用蒸汽機密切相關。[46]在這些地區的工廠裡，燃煤的蒸汽機按照指令持續運轉。不同於水車或風車，蒸汽動力不受氣候與天氣的自然節律所影響，像是卡內基鋼鐵廠就能每週七天、全天二十四小時都不停地運作。人造的時鐘作為另一種中間資本財，則決定了工作的步調。工業的上游與下游不但形成了連結，還開始依照先後順序且協調一致地運作。一位觀察家表示，在都市的工業區中，時時刻刻都有「蒸汽在嘶嘶作響，鏈條鏗鏗鏘鏘，輪子與其他機器軋軋摩擦，玻璃與鐵在高溫熔塑下閃閃發亮，還有煤炭在底下燒得發紅」。[47]

城市對人工照明（以及機器潤滑油）的需求，促使了另一種化石燃料石油的探勘與開採。一八五〇年代末，在賓州的泰特斯維爾（Titusville），出現了美國第一次石油開採熱潮。為鑽油設施提供動力的，正是蒸汽機。[48]

中部工業化的另一個特點是能源與資本密集，而這也意味著沉重的固定資本成本。煤炭的開採本身屬於資本密集產業，因為要深入煤床得投入大量資本，有些礦脈甚至在地表下綿延數英里之長。在製造業中，蒸汽機是最偉大的資本財，是工業革命中重要的「通用技術」（general-purpose technology）。[49]蒸汽的持續旋轉運動為各種各樣的工業製程提供了動力，產生「創新互補」的外溢效應。來自羅德島的發明家喬治・考利斯（George Corliss）開發了一種新的固定式蒸汽機，它具有更高的運動規律性，可以透過自動「調速器中斷」應付突發負載的狀況（這對軋鋼廠而言尤其有用）。這種中斷機制讓工廠不再需要聘雇童工來執行相同的任務。考利斯發明的引擎讓能量傳輸的效率提高了五成。一八七〇年，也就是考利斯專利到期的那年，美國製造業的蒸汽動力終於超越了水力。在新英格蘭的洛威爾紡織廠，蒸汽動力先是於一八六七年河道結冰時彌補了水力的不足，不久後便完全取代水力。[50]以煤炭與蒸汽作為動力來源的工業化大獲全勝。[51]

在一八七六年的費城百年博覽會中，考利斯展示了有史以來體積最大的蒸汽機。來自歐洲的遊客看到美國的機械工業如此進步都驚訝得瞠目結舌。當時，透過電纜、齒輪、輪軸、壓力機與曲柄，蒸汽動力得以用於各種機器與工業製程。一八七六年展覽的亮點包含「蒸汽火車、蒸汽消防車、蒸汽農用引擎、蒸汽壓路機及蒸汽船發動機，另外還有蒸汽泵、蒸汽空氣壓縮機、蒸汽打樁機、巨型蒸汽鍛錘，以及體

圖 31　「鞋革石油公司（The Shoe & Leather Petroleum Company）與佛斯特農場石油公司（Foster Farm Oil Company），位於賓州先鋒溪（Pioneer Run Creek）下游」（一八九五年）

當時，從這類的照片中明顯可見，對工業革命極為關鍵的新化石燃料能源系統對生態所造成的影響。對比此照與僅僅數十年前的早期哈德遜河畫派的作品，不難察覺兩者的差異。

積更龐大的蒸汽高爐鼓風機」。[52]美國的工業正迎頭趕上，之後很快便超越了英國。

最終，中部地區誕生了全新的工業生態與能源使用景觀。都市工業區開發了迄今讓人無法想像的能源及動力來源。能源儲備的鐵路運輸使工業城市成為重要的能源淨消費者，更為了開採能源破壞自然景貌。這樣的環境「犧牲區」或「集約化景觀」，留下了雲霧濛濛與塵土飛揚的空氣、光禿一片的森林、傷痕累累的地表與泥濘濁黃的綠水。[53]隨著工業化的發展，「美國將變得更像賓州飽受蹂躪的山谷，而非新英格蘭的模範紡織鎮」。[54]

一八七〇年，煤炭的產量在美國製造業中超越了所有其他能源，但仍然只占了所有能源應用的四分之一。直到一八八五年，化石燃料才成為主要能源。[55]美國如火如荼地過渡到以化石燃料為基礎的能源與資本密集型製造業，各項細節與各行各業都萬事俱備——譬如卡內基鋼鐵公司。

美國的製造業地帶

在經濟生產中，採用化石燃料能源系統幾乎可說天翻地覆的變革。基於這點與其他原因，卡內基雖然不是一個代表性案例，卻體現了工業化的獨特之處。不同類型的工業主義，尤其根植於南北戰爭爆發前那段時期的規模較小的「自由勞動」工業主義，在十九世紀下半葉依然興旺。哪個版本勝出，既是政治問題，也受經濟或能源體系所影響。這場鬥爭攸關了新資本財的所有權、工作場所中社會權力的分配，以及南北戰爭後貨幣與信用體系條款，我們將在下一章深入探討。然而，在一八八〇年代，也就是卡內基飛黃騰達的那十年，一條形成獨特地理區域的「製造業地帶」逐漸出現在美國地圖上，成為橫跨東北與中西部的「大型地區」，[56]「地域近似於平行四邊形，四個角分別是綠灣（Green Bay）、聖路易、巴爾的摩與波特蘭（Portland，位於緬因州）」。[57]

到了一九〇〇年，這片占國土面積六分之一的地帶將負責美國八成的工業生產。[58]不久後，它將成為全世界生產力最高的工業地區（無論以何種標準衡量）。[59]

工業發展的先後順序關乎地理位置。[60]市場範圍仍然至關重要。在國家推動「國內改善計畫」的時代裡，交通運輸基礎設施所開闢的道路，準確預測了南北戰爭戰後成功的工業區位，顯然戰爭決定性地影響了這個時代的工業發展。在戰爭的摧殘下，南方地區面臨衰退，而往後的數十年裡，伯明罕、阿拉巴馬州、煉鋼廠及山麓地區的紡織廠，將是全國工業地圖上少數重要的南方據點。[61]與南部截然不同的是，戰爭庇護了中西部地區，使該區推崇「自由地權，自由勞權，自由人權」的工業主義有機會發展，隨後鐵路又從東北部帶來了一波未平、一波又起的蒸汽競賽。[62]一八八〇年代，隨著一八七三年過後的經濟衰退危機解除，信貸循環恢復運作，各大鐵路企業也完成了全國性的鐵路網。[63]

東北部與中西部的先行者，即那些最早進行投資、率先進入經濟領域並擴大規模的投資者，趕走了潛在的競爭對手且回報頗豐。許多人更開發了全國性分銷系統以搶占全國市場。[64]同時，為了回收固定成本與營運成本，鐵路公司向那些保證穩定貨運與收入的既有大型廠商提供運費折扣及其他補貼，使新進廠商更難迅速擴大事業規模。舉例來說，俄亥俄州的約翰·洛克斐勒（John D.

Rockefeller）與各家鐵路公司協商了運費折扣，到了一八八〇年，他便掌控了美國高達九成的石油產量。[65] 投資了新的資本財後，坐落於製造業地帶的許多大企業都選地設址，決定利用先前投入的沉沒成本來獲利。因此許多規模較小的公司圍繞經營成功的大型公司而立，大量的生產性資本固定於一地，而這種工業地理學將持續到二次世界大戰後才塵埃落定。[66]

新英格蘭工業區依然令人驚嘆。一八七〇年，其產品在製程中的附加價值率占了全國的百分之二十四，到了一八九

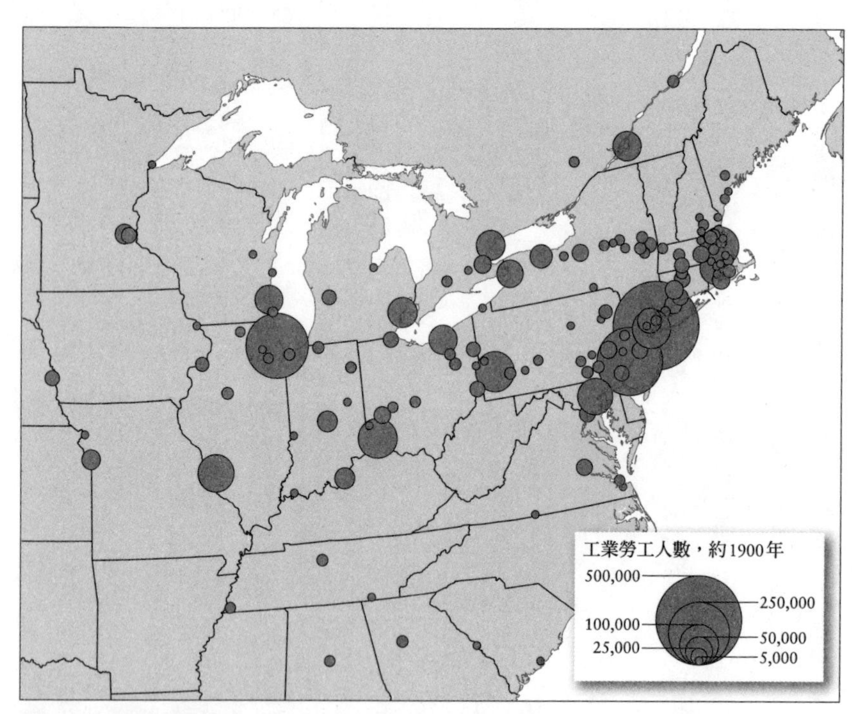

圖 32 美國製造業地帶（約一九〇〇年）
由於固定資本投資相當昂貴，許多工業公司一到位，便全力防堵潛在的競爭對手。值得注意的是，鐵路的存在對工業區位具有決定性影響。

〇年則為百分之十七點五。[67]透過機械化生產，新英格蘭主導了全國紡織品市場。位於新罕布夏州曼徹斯特的阿莫斯基格製造公司（Amoskeag Manufacturing Company）成了世界上最大的複合紡織廠；麻州林恩市（Lynn）的製鞋工業仍有規模最龐大的複合生產區；康乃狄克州持續發展輕工業，生產黃銅製品、銅器、帽子與鐘錶；羅德島的普洛維登斯原為考利斯蒸汽機的發源地，之後發展出多樣化的製造業，專門生產珠寶首飾。

至於大西洋中部地區，一八七〇年占製造業附加價值率的百分之四十二，一八九〇年占百分之四十。該區仍以能源密集型生產線為主，如鐵、鋼、漂白、染色與紙製品。作為多元化城市的紐約專門生產服飾與織針貿易；面貌同樣多元的費城則繼續主導機器與機床的製造。同時，新的工業區也出現了。位於紐澤西州的特倫頓坐擁附近盛產的長石、白土與矽石，專事金屬繩索與電纜及陶瓷的製造；紐澤西州的帕特森（Paterson）很久以前是漢彌爾頓核准設立、但後來失敗收場的實用產品製造協會的所在地，如今成了「絲綢之城」。

連接東北部與中西部的這條工業走廊，起初沿著伊利運河發展。在一八八〇年代，水牛城由於方便取得紐約的鐵礦及賓州的煙煤，工業實力超越了羅徹斯特與奧爾巴尼，成為該州最大的鋼鐵廠所在地。去工業化（deindustrialization）意味著喪失具有競爭力的產業，導致某些製造業一度興盛的地方面臨撤資與失業率攀升的窘境。而打從工業化初始，去工業化的威脅便緊緊相隨。

緊鄰五大湖的中西部工業最早從賓州西部開始發展。到了一八九〇年，中西部的製造業附加價值率已經超越新英格蘭。[68]在賓州西部，煙煤田的開挖加速了阿勒格尼山脈以西地區的工業化。卡內基從小生長的匹茲堡與哈里斯堡發展了鋼鐵廠（後者涉入工業的程度較低）。在國內改善計畫的時代，出產煤炭與鐵礦的俄亥俄州境內有多條運河與鐵路縱橫交錯，各種都市工業活動分布其中。位於伊利湖南岸的克里夫蘭成為多樣化的製造業重鎮，是洛克斐勒石油公司及許多煉油廠的所在地。密西根州的大湍城（Grand Rapids）擁有大規模的木製家具製造業。坐落於密西根湖畔的密爾瓦基則成為另一個小型、多樣化的製造業中心。而在密西根湖的南端、標誌美國製造業地帶的西部邊緣，芝加哥成了發展驚人的工業城市。

芝加哥是在資本時代中成長最快速的城市，且速度前所未見。[69]原為舊西北地區商業中心的芝加哥，面貌變得更加豐富新穎，成為一座具有絕佳空間組織與規模的工業城市。而這都要拜集結了煤炭、蒸汽與鋼鐵等工業經濟的新興特性所致。

芝加哥的誕生，要一路追溯到一八三〇年代的房地產投機客。[70]一八四八年，伊利諾與密西根運河在五大湖及密西西比河之間開闢了一條內陸水道，由於這項國內改善建設，使得芝加哥與長期以來作為印第安毛皮貿易中心的聖路易開始競爭西部「門戶城市」的地位。麵粉廠、木材廠、釀酒廠及肉類包裝廠等初級商品加工，使芝加哥成為重要的製造業中心，但依然趕不上辛辛那提的成長速度。隨後，南北戰爭加速了工業生產，軍隊需求的制服製造商與肉類加工商，讓芝加哥受惠良多。[71]

最早是鐵路運輸使芝加哥成為經濟中心。[72]這座城市成了東部幹線與西部格蘭傑鐵路的「分界點」，所有東西雙向的路線都以此為終點。到了一八八九年，芝加哥的火車調車場涵蓋了四百平方英里。全球約有百分之十五的鐵路路段通過此地，而這裡的鐵路調車場規模居世界之冠。經由鐵路運輸的貨物與人員也以芝加哥為終點。西部的農產品運至芝加哥裝卸與倉儲；東北區的工業製品及東北部與歐洲的金融資本也集中於此地。[73]光是鐵道的維修廠，就足以使芝加哥的重工業發展令人驚嘆不已。到了一八七〇年，芝加哥已開始出口工業製成品。[74]

從一八三〇年代最早的定居起算，芝加哥的人口在一八七〇年達到了三十萬，但在一八七一年的一場大火中，這座城市幾乎被燒毀殆盡。災後進行重建時，使用的不是木材，而是石頭、玻璃及磚塊，其中玻璃及磚塊這兩種材料都屬於熱能密集型製造業產品，直到工業化之後才廣泛作為建築材料。[75]一八八〇年，芝加哥的居民人數超過五十萬。到了一八九〇年，經過人口成長與兼併都市，人口達到了一百一十萬。芝加哥超越了費城，成為全國僅次於紐約的第二大城市。

紐約市誕生於商業時代，如今下曼哈頓仍可見其發展軌跡。商業城市是步行之都，人口密集程度足以支撐商業發展，人們與各種活動也相互交融，但都市的範圍並不大。在工業化的芝加哥，製造業規模擴大，加上鐵路與城市有軌電車的出現，延伸了城市的地理空間。白天，芝加哥居民長途跋涉，古時是騎馬，現今是坐有軌電車。卡內基鋼鐵從物理結構上支撐了這座城市的高架地鐵系統。各式各樣的活動分布於不同區域，形塑了都市內的分區劃分，工業的資本財有專屬的經營場域，與商業及住宅生活存在實際的分界。[76]林蔭大道和其他實體屏障，將商業、零售與金融服務聚集的中央商務區洛普區（the Loop）單獨劃出，區隔了鐵路車站、中央製造區及市民眼中的嫌惡設施聯合飼養場。反過來，有更多的邊界將這些空間與高度隱秘的住宅區分隔開來，例如芝加哥的黃金海岸成為湖岸豪宅區，而皮爾森社區（Pilsen）則成了捷克飼養場工人的宿舍。本質上，勞動階級的居住區成為了充滿毒物的工業廢棄物垃圾場。

在環境方面，芝加哥是一個「衝擊之城」。這座城市衝擊了遊客的五感，讓他們紛紛震驚不已。[77]由於煤炭消耗量驚人，處處都籠罩在巨大的煙團之中。[78]如詹姆斯・麥克法蘭（James MacFarlane）在《美國的產煤區域》（*The Coal-Regions of America*，一八七三年）中所述，由於伊利諾州煙煤的品質要比無煙煤「低劣得多」，「會產生大量的熔塊、灰燼、煙塵與廢氣」，使芝加哥的空氣聲名狼藉地灰暗汙濁。[79]一八八一年，該市成立的「氣味委員會」通過了美國第一項禁止「濃煙」的法規。[80]儘管如此，英國作家魯德亞德・吉卜林（Rudyard Kipling）在一八八〇年代遊訪此地時指出，「這裡的空氣充滿了雜質」，他看不見「街道上的顏色與美感」。[81]堅定擁護「自由地

圖 33 站在泡泡河（Bubbly Creek）汙水結成的厚厚一層硬殼上的人（一九一一年）

芝加哥是世界上最早出現的偉大工業城市之一。十九世紀末，來此造訪的遊客經常對當地城市工業化所導致的環境後果感到震驚，尤其是親眼看到芝加哥河及其支流中累積的工業廢物之後。

權，自由勞權，自由人權」理想的霍瑞斯．格里利（Horace Greeley）則反駁表示，那種煙燻黑，是象徵進步與繁榮的顏色。[82]沒有人讚美過芝加哥河的景色，它是一條開放的下水道，水面上總是有一層工業廢水與動物排泄物混雜成「一片片油渣」與「髒汙浮沫」。[83]吉卜林說自己看到了「有如墨汁般烏黑的運河」與「言語難以形容的嫌惡之物」。[84]這裡每年都會爆發霍亂，直到一八九〇年代蒸汽泵反轉了這條河的流向，流行病才逐漸趨緩。芝加哥利用造成生態破壞的工具來解決這樣的問題。[85]他們運用了燃煤蒸汽機、鋼鐵管、管子與電線來建設新引進的汙水處理系統、自來水廠與氣化綜合設施。這便是工業主義帶來的正向回饋之一。

美國的都市人口從一八六〇年的六百二十萬攀升至一九〇〇年的三千萬，各地的城市生活也愈來愈類似芝加哥。但是，芝加哥依然鶴立雞群。吉卜林在這座他親眼所見與實地嗅聞的城市裡，感受到了一些新的事物。離開芝加哥後，他仍在思考美國對工業文明的貢獻。他說：「實際造訪過後，我由衷希望自己永遠不會再來這裡。這兒是野蠻人居住的地方。」[86]相較之下，出生於伊利諾州、為瑞典移民後代的詩人卡爾．桑德堡（Carl Sandburg），則在詩作〈芝加哥〉（Chicago，一九一四年）的開頭向這座城市致敬：

你為世界各地的人們屠宰豬肉、
製造工具、堆存麥糧、
操持鐵路運輸與全國貨物轉運；

是一座急躁暴烈、剛健魁梧、喧囂嘈雜，
有著寬厚臂膀的城市。[87]

工業帶來的文明化是否能讓人們適得其所，並享受工業為經濟帶來的祝福，也就是創造更多的財富？在芝加哥市中心，卡內基製造的鋼梁成了世界上第一批摩天大樓的骨架。作為全球最具想像力的現代建築的所在地，這座城市將成為都市工業社會的偉大實驗空間之一。

鄉村地區的工業化

由於潛在的加乘效應，商業與製造業帶來了報酬遞增。然而在農業方面，報酬遞減的問題始終存在。地球上的土地就那麼多，其中一些地方又更為貧瘠，新立的工業能源體制也有可能面臨自然資源的限制，但這要等到一九七〇年代才會發生，一八七〇年代的當下問題尚未出現。在資本時代，工業革命席捲北美各地之際，報酬遞減的情況尚未出現，不論是製造業中節省勞力的機器，還是農田中節約用地的技術，都幫助各地的生產力不斷提升。

製造業地帶的誕生和工業城市的崛起，與鄉村地區的工業轉型結合得天衣無縫。例如，芝加哥擁有廣大的市場腹地，當地人口在一八九〇年達到一百萬，內布拉斯加州的人口也不遑多讓。[88]芝加哥標誌了製造業地帶的西緣，但同時也是西部經濟區的東部終點，達科他州小麥、德州牛畜業及亞利桑那州銅礦都會向東運到芝加哥。在一八八〇年代，由於白人生活空間擴大，農民密集採用節約土地的耕作法，以及農戶面臨為市場生產更多作物的壓力，西部的經濟輸出也大幅躍進。這些產品提供了工業化的能量，也滿足了都市生存所需。鄉村地區貨幣收入的增加，也為新的都市製成品創造了重要的需求市場。

十九世紀，美國的農業發展在各方面都跟工業不相上下，甚至更為優秀。一八七〇年，農民與農場工人仍占勞動力的百分之四十六。[89]然而，資本財集約化的邏輯開始在鄉村地區現蹤。採礦營地出現蒸汽泵發動機，草原與平原地帶開始使用鋼邊犁。能源的轉型再度成了關鍵，鐵路仰賴燒煤提供動力，倘若沒有了煤炭，就不可能出現西部大草原與平原的市場准入。[90]煤炭、蒸汽與鋼鐵等新工業經濟的新興屬性在農村各個角落蔓延。

但還是有一個顯著的差異。美國的農業變得遠比以往來得全球化，並承受國際市場與價格的競爭壓力。美國製造業大都受到國內資助，且有共和黨制定的關稅保護，以國內需求為主。此外，如卡內基的煉鋼體系所示，成本決定了定價。相較之下，雖然農業主導了美國的出口，但那個時代的農民別無選擇，只能接受國際對自家貨物所開出的價格。除此之外，西部地區（包含其鐵路公司）也仰賴歐洲的資本與信用貸款。[91]全球各地的農業發展都有類似的情況。阿根廷的彭巴草原與加拿大的大草原及平原地帶，也同樣是出口導向的商品前線，透過金本位制從英國汲引資本；澳洲的墨爾本與芝加哥如出一轍，只是規模較小。隨著工業化愈演愈烈，資本時代的白人殖民主義在全球各地大肆掠奪土地，開採工業化所需的資源。美國西部不過是最成功的範本。[92]

威爾斯在一八八九年的《近期經濟變遷》中誇耀道，「世界上從來沒有任何東西比得上」農業生產的激增。他是對的。[93]在一八七〇年代，美國農場的面積增加了百分之四十四。在一八八〇年之前，達科他地區的小麥種植還不為人知。一八八七年，在白人定居人數瞬間暴增之後，達科他州生產了兩千一百多萬公石的小麥，占美國整體小麥產量的七分之一（相當於全印度一年的小麥出口量）。[94]一八七一年，大平原上據估有三百六十三萬頭牛，絕大多數都自由放牧。到了一八八五年，牛隻增加至七百五十萬頭，[95]除了密蘇里州的鉛礦、加州的金礦與賓州的無煙煤，「在十九世紀頭六十年，美國的礦產開發仍然不算突出」。但是，一切進展神速，「歐洲礦工花了幾個世紀所開創的一切，美國人在短短一個世代內就完成了」。一八五九年內華達州挖出了康斯托克銀礦；一八六二年蒙大拿州發現黃金；一八六九年猶他州挖到銀礦；一八七四年達科他州的黑山（Black Hills）發現了黃金。科羅拉多的煤田在一八六〇與一八七〇年代開放。一八八〇年代，科羅拉多州、猶他州與內華達州成為鉛礦主要產區。密西根州與威斯康辛州的山脈的鐵礦產量領先全國，直到明尼蘇達州北部的梅薩比（Mesabi）礦區開放後才逐漸式微。中西部油田始終主導全國市場，直到一九〇一年德州紡錘頂（Spindletop）發現石油才打破局勢，隨後不久加州也跟進開挖。[96]到了一九〇〇年，美國的工業礦物開採獨步全球，煤、鐵礦石、銅、鉛、鋅、銀、鎢、鉬、石油、砷、磷酸鹽、銻、磁鐵礦、汞及鹽礦的開採量皆排名第一，黃金與鋁土礦也緊追在後。一八七〇年之後，礦產產量如同工業產量般成長，且速度是美國人口成長速度的兩倍。各家礦產公司從土地中提取了資源投入美國製造業，一步一步將製造業推至世界頂峰。[97]

自然界也因此面臨全新的資本化。能源密集型資本財運用得更廣泛，像是以蒸汽為動力的挖礦機具，或使用更具爆炸性的爆破劑，讓開採率不斷提升。鐵路公司不僅運輸貨物，還籌集必要的資本、組織大規模的開採與雇用勞工。在此同時，一八六六年與一八七二年通過的《採礦法》（Mining Laws）完全無從限制企業的開採程度，在在助長了採礦熱潮。法律明定採礦者享有「脈頂」權，也就是無論一條礦脈有多深、多寬，脈頂的所有權人都有權開採這個範圍內的所有礦產。[98]於是，環境犧牲區出現了，這是「公共財產環境中資源過度耗竭的確切例證」。[99]

西部的採礦業與農業之間的相似之處顯而易見。芝加哥出版的西部指南《致富之地》（*Where to Go to Become Rich*，一八八〇年）講述的主要內容即淘金與小麥的耕作。一些採礦企業也揮師進軍農業。[100]在一八七〇年代與一八八〇年代，高度資本化的公司在達科他州與加州的中央谷地（Central Valley）經營著「致富之源」的小麥農場，面積從四百到四萬多公頃不等。[101]他們為農田引進了蒸汽犁與脫穀機。然而，在西部，薪資勞動依然隨季節起伏，而且在一八七〇至一八九〇年間，實質普遍薪資下降了。[102]企業主導了採礦，但農業領域依然以家戶作為主要單位。在西部地區，農田的面積通常落在六十到八十公頃之間。儘管如此，工業化改變了有機經濟中的農耕家庭。[103]

在商業時代，農戶通常會採取商業安全至上的策略。但資本時代的農業與其他時代不同。在密西西比河以西地區，大草原的面積不如平原來得廣闊。沒有可供建築使用的木材，水路也少。一旦沒有鐵路，就沒有市場准入。更別提使用牛舌狀、裝有鑄鐵鞘的木犁，是無法墾殖平原上的草皮的。基於需求，如今有更多的農業投入與產出仰賴商業市場流通，昔日農戶那種投機賭徒與踏實農民的雙重經濟性格，已不復存在。

農業出現了對生產性資本投入更多資金的新需求。《致富之地》一書即建議有志從事這項事業的人們可以帶著一千美元來到北美大平原，[104]以一百五十美元的頭期款與六年貸款買下近六十五公頃的土地。一八七〇年後，一個「西部抵押貸款市場」將歐洲（主要為英國）與東北地區的金融資本輸往西部。金融企業購買了西部的農場抵押貸款，並將大部分的貸款轉賣給北部的人壽保險公司，或者將它們重組為「債券」（即今日所謂的不動產抵押貸款證券）並在需求熱烈的東部市場賣出。一八八〇年代西部農場抵押貸款熱潮湧現，使美國農場抵押貸款債務增加了百分之四十二。到了一八九〇年，密西西比河以西及落磯山脈以東地區的農地，約有三到四成都被農民拿去抵押。[105]

這些抵押貸款被用來購買土地與許多其他必要的農作生產投入。一些總部設在芝加哥的公司將現成的輕骨式（balloon-frame）農舍運往西部。一位來自倫敦的遊客指出，預先製成的房屋可「在芝加哥簽約承包，並於訂貨日起的三十天內在任何鐵路可及範圍內搭建完工」。[106]資本密集型的木材公司砍伐了威斯康辛州出產的北方白松，這些原木順著密西根湖往南運送，光是在一八八〇年，芝加哥的木材廠運出的木板總計長度便超過了三十萬四千八百公里。[107]北部的林地很快被砍伐殆盡，一九九〇年代，太平洋西北部及南部地區開始出現了新的伐木據點。

如同經由工業化工廠，都市工廠生產的農具一經運出，便能立刻提升生產力。美國人改良了鋼鞘犁（包括約翰．迪爾〔John Deere〕生產的「陡坡犁」）、耙子、斧頭及鐮刀。維吉尼亞州的賽勒斯．麥考密克在一八三四年申請了機械化收割機的專利，機械化收割機利用有如鯊魚牙齒的三角形刀片，以鋸齒狀的邊緣切割稭稈。[108]一八五〇年代，草原地帶急需這類機具，於是麥考密克明智地將工廠遷到了芝加哥。一八七五年出現了機械化的「搖臂收割機」，這種靠馬匹拖行的收割機可利用機械帶將穀物從田地輸送到檯上，接著進行捆紮。另外，農民也從紡織廠引進了「自動割捆機」。[109]一八八六年美國勞工專員在報告中寫道，「現在六百名人力在做的工作，若是在十五或二十年前，需要花上二千一百四十五人的勞力。」[110]美國西部的農業生產力很可能全世界最高。美國擁有更多的生產性資本、新鮮的土壤、人力（家戶眷屬及附帶的薪資勞動力）及生物技術改良的作物種子。[111]一八八六年，英國德文郡（Devonshire）的一位農民感嘆：「我算過，從芝加哥運送兩公頃農田可產出的小麥總量到利物浦，所需成本比在英格蘭耕種零點四公頃的小麥田還便宜。」[112]

在西方，固定的營運成本還有另一種邏輯。鋼犁是一種沉沒成本，但仍需要償還抵押貸款。為了回收成本與還債，農民不顧市場開價便投入生產，就像鐵路公司不顧載客量也要持續讓列車運行。因此，西方國家向世界各地的市場釋出了大量商品。舉例來說，到了一八九〇年，明尼蘇達州是最大的小麥生產州，而明尼亞波利斯（Minneapolis）的麵粉供應商查爾斯・皮爾斯伯里（Charles Pillsbury）投入了大量固定資本購買新的鐵製「滾軸式磨粉機」，希望拿來取代水力磨石。「明尼蘇達州出產的特級麵粉」在歐洲大受歡迎，[113]美國食品的衝擊讓許多中歐與南歐的供應商永遠失去了國內市場。農民們搭船前往美國，其中有些人的目的地是卡內基的工廠，他們應徵的工作，正是軋製這些將他們帶到北美洲的輪船的鋼製底板。[114]到了一九〇〇年，全美製造業輸出約有兩成都是加工食品，[115]包含皮爾斯伯里的麵粉、康寶（Campbell）濃湯（一八六九年）、可口可樂（Coca-Cola，一八八六年）及家樂氏（Kellogg's）玉米片（一八九四年）。

美國食品面臨的是競爭激烈的國際市場。到了一八九〇年，芝加哥、紐約與利物浦的小麥價格在即時電報的通知下幾乎趨於一致。[116]由商業公司與批發商串聯而成的中盤供應鏈，接通了位處地理位置兩端的供應商與消費者。農產品的價格取決於新成立的「期貨」交易所，其中最大一間是芝加哥期貨交易所。隨著商人依據對未來價格變化的預期而決定儲存多少貨物，交易所利用蒸汽穀物升降機開發了一套分級系統（名為「冬麥二號」）。商人們開始將升降機執照作為投機標的物出售，然後建立「期貨」合約，為還未問世的商品制定價格與進行交易。這讓農民得以利用還未收成的作物套利，以避免價格波動。同樣地，這也讓商人與中間商、甚至是一般民眾得以在交易所中押注期貨價格。[117]

在此同時，對許多動物而言，食品系統的工業化是一場浩劫。[118]南北戰爭期間，聯邦軍隊切斷了德州南部平原與紐奧良屠宰場之間的牛隻輸送管道，導致三百萬頭牛苦無去路。鐵路公司若能跨越高平原（High Plains），那麼把牛群運往北部才有意義。一八六七年，伊利諾州的家畜中間商約瑟夫．麥考伊（Joseph J. McCoy）在堪薩斯州一處鐵路終點站買下了約一萬公畝的土地，第一座養牛鎮阿比林（Abilene）於焉誕生。如此一來，牛隻便可從當地運往芝加哥。一八七五年，科曼奇人的驍勇戰力在德州潘漢德爾（Panhandle）倒下後，便宣告白人徹底征服了平原地帶的印第安人，進而促使牛畜貿易在一八八〇年代初蓬勃發展。[119]

在北美大平原上，野牛的生活地盤被牛畜侵占。[120]野牛的數量早已逐漸下降，在一八六〇年代大概有一千五百萬頭，足以支持印第安人的經濟生活。隨著鐵路的修築，人們開始屠殺野牛。在一八七二至一八七四年間，超過四百萬頭野牛死在獵人的槍口下。野牛肉填飽了鐵路工人的肚子，牛皮則為機器設備提供了更堅韌的皮帶。費城的製革匠也利用新式加熱技術鞣製皮革，以供應歐洲強勁的皮革製品需求。一八八〇年代初，高平原地區受到了攻擊。在蒙大拿州，根據原為金礦開採工、後改行牧牛的格蘭維爾・史都華（Granville Stuart）在《那四十年在邊境的日子》（*Forty Years on the Frontier*，一九二五年）中表示，「草原上曾經有滿坑滿谷」活蹦亂跳的水牛，到了「一八八三年秋天，已經一頭都不剩了」。[121]

高平原地區處處可見德州長角牛。起初，牧牛人將牛群趕往北邊開闊的山脈地帶，但農民們抱怨牛群踐踏了莊稼並傳播疾病。於是，牧牛人運用新的工業技術帶刺鐵絲網，用圈地的方式畜養牛隻。一八七六年，麻州的沃什本與莫恩公司（Washburn and Moen）買下了伊利諾州一位農民在一八七四年發明的雙鏈鐵絲網的專利權，這種鐵絲網每條鏈子的一端都有倒刺纏繞。到了一八八〇年，空曠的牧場上設置了超過八萬公里的帶刺鐵絲，但並不是每個州都允許這種做法。[122]火車與電報讓人類脫離了空間的局限，帶刺鐵絲網卻讓動物飽受禁錮。不僅如此，這種器具還確立了明確的財產界限，與農業生產及土地價值的增長息息相關。[123]

一位歷史學家曾說，「牲畜成了一種資本形式」。[124]南北時期的將軍詹姆斯・布里斯賓（James S. Brisbin）在所著的《牛肉寶藏：草原致富術》（*The Beef Bonanza; or, How to Get Rich on the Plains*，一八八一年）中讚嘆：「西部！無所不能的西部啊！」書中還附上了一份題為〈以現金兩萬五千美元投資牛畜飼養五年的利潤估計〉的資產負債表樣本，卡內基若是看到了肯定會笑得合不攏嘴。[125] 正如聯邦政府的《美國牧場與牧牛業報告》(*Report in Regard to the Range and Ranch Cattle Business of the United States*，一八八五年)所公布，「就大批牛群而言，每頭的平均管理成本比小批牛群要低得多」。隨著規模擴大，牧牛企業試圖鞏固牛畜貿易。[126] 大型企業讓牛在草原上放牧後，會在飼養場裡以玉米餵食增肥，讓牛隻在被轉運至芝加哥後能用更高的重量賣得好價錢。[127]

在芝加哥，「死亡有了新的形式」。[128] 一八六五年，聯合飼養場獲得了芝加哥豬肉加工商協會與該市九大鐵路公司高達一百萬美元的巨額資助。這些飼養場可容納超過十萬頭牲畜。工人們用木槌敲暈肉豬，然後將牠們倒掛在機械化的「拆卸生產線」上切開頸部放血。這種做法成為了亨利·福特生產線的前身。相較之下，牛隻則單純以棍棒敲死。[129] 到了一九〇〇年，芝加哥每年有高達一千四百萬頭牲畜待宰。[130] 英國作家吉卜林描述了自己在飼養場觀察到一名年輕女子的模樣，「陽光照亮了她鞋子上的斑斑血跡，周圍淨是一具具血淋淋的牛屍，在離她不到兩公尺遠的地上，躺著一頭正在流血的公牛。與此同時，牲畜加工廠傳來的機器運轉聲震耳欲聾。她好奇地看著眼前的情景，目不轉睛，一點也不覺得愧疚」。[131] 從吉卜林在一八九一年撰寫的遊記，到厄普頓·辛克萊(Upton Sinclair)於一九〇六年出版的報導小說《叢林》(*The Jungle*)可知，飼養場的環境並無太多變化。

在分工下，屠宰與包裝的工作被拆解成精細的步驟。固定資本的沉沒成本致使各家企業想盡各種辦法榨乾牲畜屍體的價值，例如牛骨成了學童外套上的鈕扣。同時，肉品包裝商也設法確保從年頭到年尾都有事可做，因此從威斯康辛州運來冰塊以貯藏已支解的肉品。不久後，富有開創精神的廠商替鐵路車廂加裝了冷藏設備。（第一項專利於一八六七年取得。）[132]一八八〇年代末，芝加哥的肉品主導了全國牛肉市場，美國出產的牛肉也征服了歐洲。一八七六年，這些新鮮肉品搭上了法國輪船「冰櫃號」（*Frigorifique*），首度飄洋過海。美國的冷藏肉品被運往英國，與受英國資助的布宜諾斯艾利斯產品競爭。在一八七六年便運出了近兩百萬噸的肉品，一八八六年更高達一千一百八十萬噸。在這段期間，特級牛肉的價格下降了百分之十八。[133]

在商業時代，土地的價值已增長為資本的兩倍。但是，新時代的中間資本財有一個更明確的工具性邏輯。瓊斯攪拌機如果不用於煉鋼，還有什麼用途？同樣的問題也適用於土地，如果土地不拿來生產市場商品以創造金錢收入，它又有什麼用處？答案可能是毫無用處，這點便轉變了經濟生活。農場成了創業下的產物，不再具有其他意義；地質礦藏成了大自然的生產性資本；牛畜成了預先投資、營運成本，以及預期與已實現利潤的總帳。抵押貸款所欠下的負債迫使農民將土地當作資本資產來估價，並排除其他附屬物件。[134]帶刺鐵絲網基本上圈圍出了新邊界，如今專門用於遠距的資本投資。不論在經濟或其他方面，其他估價方式都遭到了淘汰。一八八七年，在白人殖民化破壞了印第安人的經濟生活後，《道斯法案》（Dawes Act）企圖透過資本主義的農耕法來「同化」印第安人。[135]失敗之後，白人掠奪了更多原住民土地，並分配給不同的白人資本主義投資區。於是，印第安保護區遭遇了毀滅性的經濟貶值。[136]在其他地方，新立的「國家公園」以原始荒野的形式保護了自然環境，進而保護它不受任何資本主義的侵擾。其中最雄心勃勃的計畫，就屬今日占地九千多平方公里的黃石國家公園（一八七二年）了。為了創造這樣一個空間，美軍不得不趕走或逮捕白人自給農、擅自占地者與獵人。國家公園不是一種資本，因此不得從事任何經濟生產活動。[137]工業社會正是建立在這般鮮明的界限與對立前提之上。

這麼說可能有點太誇張了。自給自足的經濟依然存在，不論是阿帕拉契山脈的白人農戶（數世紀以來一波波商業熱潮皆與他們無關），或是西南部的西班牙裔村莊（距離企業鐵路與採礦據點不遠，結合了商業與自給自足的經濟模式）。[138]在新墨西哥，納瓦荷族（Navajo）結合了初級農業與牧羊，仍舊保有經濟自主。[139]可見，資本並非無孔不入。但是，除了財富與產出的急速增長之外，真正的差別在於資本造成了多大的轉變。過去，商業幾乎從來不曾在經濟生活中留下如此顯著的痕跡。

另一個差異在於，資本密集型生產所遺留的影響。當啟蒙運動對於「進步」與自然資源豐富度的理想轉化成了化石燃料驅動的集約化經濟後，帶來的不只是更多的產量與財富，還有巨大的破壞。一八七八年，明尼蘇達州最早成立的其中一家軋鋼麵粉廠發生爆炸，屋頂被炸到了一百英尺的高空，造成十八人死亡。[140]美洲各地都出現了環境「犧牲區」。在乾旱的高平原地區，農民在資本主義農業無以為繼的土地上耕種了數畝的作物，但雨水並沒有「跟著犁走」，反而成為之後「沙塵暴」肆虐的主因。在南部平原，由於牛群過度放牧，牧場主將牲畜趕往北方，但當一八八六年與一八八七年異常冷冽的寒冬襲來，多達一百萬頭牛大量暴斃，被稱為「大批死亡」。為了躲避冬季的風暴，牛群爭先恐後地湧入農民搭築的鐵絲網圍欄內，卻反而受困凍死。

霍姆斯特德之亂

在一八八六到一八八七年冬天「大批死亡」肆虐之際，艾格湯姆森鋼鐵廠閒置停擺、積滿了灰塵。卡內基持續試圖削減更多的成本，但固定成本怎樣都降不了。因此，他將目光鎖定在變動成本，也就是勞動力上。[141]然而，在他削減工資後，工人們相繼離開。新式資本財操作人員的自主意志，破壞了這些資本財設備存在的絕對理由（以更少成本製造更多產品），進而打亂了卡內基事業的經營邏輯。

起初，卡內基與員工相處融洽。不同於許多競爭對手，無論景氣如何，他的工廠總是滿載運轉，這意味著從未有過週期性失業潮。同樣異乎尋常的是，他願意與工會進行談判，包括一八七六年成立的鋼鐵工人聯合協會（Amalgamated Association of Iron and Steel Workers）。該組織屬於職業工會，由擁有高度技術與知識的男性勞工組成，聯合與雇主就工資及工作條件進行談判。[142]一八七八年，卡內基曾指示比爾．瓊斯削減工資開支，但瓊斯反駁道：「適可而止。」他教訓卡內基：「低薪未必能帶來低廉的勞動力。就我所知，優渥的工資與好的工人才是最廉價的勞動力。」在艾格湯姆森鋼鐵廠，資本財才正要開始採用機械化鋼鐵生產，讓公司的需求從技術勞工轉為非技術勞工。不過，瓊斯依然需要努力工作的技術工人。他說服卡內基將每天十二小時的工作制度改為八小時。後來，卡內基反悔了，因為一天三班輪替制的成本比兩班制更高。於是，艾格湯姆森鋼鐵廠恢復了一天十二小時的制度。工人們每個星期輪流日夜上工，每隔一段時間就得經歷折騰人的全天候輪值制度。[143]

此外，卡內基在一八八六年冬天對艾格湯姆森鋼鐵廠實施浮動工資制。鋼鐵價格下降時（因為卡內基削減了成本），他認為給工人的薪資也應該按比例調降。工人對此感到不滿並發動罷工。為了平息罷工，卡內基選擇不雇用替代人力。鋼鐵廠就這樣停工了五個月，直到工人屈服為止。卡內基還是贏了。

一八八九年，艾格湯姆森鋼鐵廠發生高爐爆炸事件，瓊斯不幸身亡。然而，位於賓州霍姆斯特德下游一點六公里處的一家新鋼鐵廠取代了艾格湯姆森鋼鐵廠。在這家位處霍姆斯特德的工廠中，煉鋼的製程幾乎徹底整合。它是美國第一批採用平爐法的鋼鐵廠之一，這種製程減少了對人工「攪煉」鐵水的需求，而「攪煉工」在過去曾是鋼鐵工人聯合協會中技術層級最高的職務。一八八九年，即瓊斯離世的那一年，卡內基鋼鐵公司與鋼鐵工人聯合協會於一八八六年簽訂的協議到期。由於卡內基堅持在新協議中加入浮動工資規定，因此引發了罷工。卡內基指示霍姆斯特德鋼鐵廠的主管們仿效兩年前他在艾格湯姆森鋼鐵廠實行的模式：不雇用替代人力，但也不進行談判。不過，一位擔任負責人的年輕主管選擇讓步，與聯合協會簽署了一份為期三年的協議，對方接受修訂版的浮動工資制，而作為交換條件，公司必須承認該協會為煉鋼廠全體工人唯一的談判代表。卡內基得知後大發雷霆，斥責下屬在「恐嚇下」任人予取予求。他表示：「這下子其他工廠的人都知道我們願意與違法者『協商』了。」[144]

到了一八九二年，也就是一八八九年簽署的霍姆斯特德鋼鐵廠協約終止那一年，生產成本與鋼鐵價格進一步下滑。儘管營業獲利增加，卡內基仍決定必須同步調降工資。此時，他的主要商業夥伴亨利．佛里克（Henry Frick）改變了對協會的看法。他們一致認為應該要除掉聯合協會。正如另一位夥伴事後表示：「聯合協會拖累了產業進步的腳步，必須消失才行。」[145]

卡內基沒有勇氣這麼做，但佛里克做到了。卡內基啟程前往歐洲，展開一年一度的獵松雞之旅。他從英國寄信給佛里克：「我們與你同在，直到最後一刻。」[146]與聯合協會談判之前，佛里克指示手下在鋼鐵廠四周築起一道三點四公尺高的圍牆，並架設了三點六公尺高的泛光燈平台，上頭挖有大洞可部署步槍。那道環繞鋼鐵廠、長達六公里多的高牆上還鋪了一層帶刺鐵絲網。

第九章　階級戰爭與家庭生活

一八七六年，鋼鐵錫工人聯合協會（Amalgamated Association of Iron, Steel, and Tin Workers）在卡內基鋼鐵公司的霍姆斯特德鋼鐵廠中成立。一八九二年在全國各地共計已有兩萬四千名會員，是成立於一八八六年的全國同業工會美國勞工聯盟底下影響力最強大的組織。而位於賓州的這家霍姆斯特德鋼鐵廠，則是其中組織最健全的地方單位。同業工會與產業工會不同，同業工會依照職業與技能組織工人，而產業工會組織的是整體工作環境，而不考慮職業與技能。該鋼鐵廠的三千八百名工人之中，有八百人加入了鋼鐵錫工人聯合協會。[1]

亨利・佛里克認為，聯合協會使卡內基鋼鐵公司無法完成卡內基堅持達到的目標：以更少的成本生產更多的鋼鐵。聯合協會試圖與佛里克協商簽署一份新協議，希望提高薪資水準與改善工作條件，包含工作步調。由於技術勞動力成本高昂，佛里克希望政府能引進機器以取代這些勞力，並將工作分配給非技術工人。美國製造業以快速的生產製程聞名全球，新式機器作為工業革命的資本財，將可進一步加速生產，但聯合協會成了絆腳石。卡內基鋼鐵公司的一名經理抱怨，公司「分配工作、調整輪班、更換機具的方式，總而言之就是這家大型工廠裡的每個細節」，都「受到愛多管閒事的聯合協會所干涉」。[2]

聯合協會也有不滿。例如，有些會員技術高超，相當擅長繁重累人的「攪鋼」工作。長期以來，他們積年累月的製程知識不僅是他們站穩談判立場的基礎，也象徵著體能勞動的男子氣概。[3]在這方面的代表性畫作就屬湯瑪斯·波洛克·安舒茨（Thomas Pollock Anshutz）的《鋼鐵工人的午後時光》（*The Ironworkers' Noontime*，一八八〇年）了，其描繪鋼鐵工人的高超技術

圖 34 瑪斯·波洛克·安舒茨，《鋼鐵工人的午後時光》（一八八〇年）

安舒茨描繪的這個場景發生在西維吉尼亞州的惠靈（Wheeling）附近。這種自然主義風格凸顯了鐵工的體魄及工業工作環境中同性友愛的特質（當時存在著同性戀次文化）。其黯淡的色調敲響了警鐘，讓最早欣賞到這幅畫的觀者不禁擔心起它所預示的工業化發展。值得注意的是，畫中許多工人的姿態令人聯想到典型的男性形象，如最前方那名男子拗彎前臂的姿勢，即讓人想起帕德嫩神廟（Parthenon）男性雕像的姿勢。

過了僅僅十年後便在卡內基的鋼鐵廠中面臨淘汰的窘境。然而，將更多的生產性資本放在同一名工人手中這種資本深化過程，使管理層得以減少對這些工人的依賴。例如在霍姆斯特德鋼鐵廠，新引進的平爐軋鋼法便免去了「攪鋼」的需求。

鋼鐵價格的下降是公司生產力提高的成果，收益歸業主所有。卡內基認為，工人的薪資應該相應調降。但是，工資的下滑威脅到了那些單身且流動的年輕男性薪資勞工，因為有些人打算賺了錢就離開（即使不搬回歐洲）。對已婚男性來說，工資的減少讓他們養家糊口的能力下滑，使得他們不願見到妻子脫離家庭進入有薪勞動領域的普遍願望面臨破碎邊緣。依照中產階級傳統，這個領域應該只屬於男性才對。如果丈夫賺取的工資無法養家糊口，那麼他的妻子甚至是孩子便可能得忍受為了薪酬而屈就工作的恥辱。一八九〇年，有超過九成的三十五歲以上婦女已婚，其中只有百分之三點三的女性從事家務以外的有償勞動。[4]因此，卡內基鋼鐵公司可說是威脅到了霍姆斯特德鋼鐵廠工人「擔當養家責任的男子氣概」。

一八九二年，卡內基鋼鐵公司的獲利估計達到四百萬美元，佛里克提議霍姆斯特德鋼鐵廠的工人應至少減薪百分之十二。聯合協會爭取只調降百分之四。佛里克斷然拒絕，並解雇了一些隸屬聯合協會的工人。其餘的工人為了聲援他們，也選擇出走。同年七月二十九日，佛里克關閉工廠，解雇了所有工人。[5]不同於全國性的聯合協會禁止地方分會讓非技術工人加入，成員多半為美國清教徒的霍姆斯特德分會，接納了非技術的斯洛伐克與匈牙利天主教移民，也因此讓罷工運動有了更廣泛的勞動階層基礎。這些人與其他移民在一八八〇到一九二〇年的無產階級移民潮中來到了美國，一共有二千三百五十萬名來自中歐、南歐與東歐的移民，包含波蘭人、斯拉夫人、匈牙利人、捷克人、猶太人及義大利人，其中有許多人計畫回國，後來也確實這麼做了。[6]他們的到來改變了美國的勞動市場，成為推動工業化進展的薪資勞動力，包括卡內基的鋼鐵事業在內。但當下，佛里克卻認為，眼前的分歧局勢都是這群未開化的「野蠻人」所致。[7]

在八千位居民都直接受聘或間接依賴美國規模最大的軋鋼廠的情況下，霍姆斯泰德鎮同情這些工人。「誠正清廉」的約翰・麥克盧奇（John McLuckie）市長是工會資深成員，過去也曾是鋼鐵工人，如今是聯合協會諮詢委員會的一員，該組織以愛爾蘭移民軋鋼工人休・歐唐納（Hugh O'Donnell）為首。歐唐納看到卡內基鋼鐵公司在鋼鐵廠周圍修建了八呎高的圍牆，並在牆上架了有刺鐵絲網，還加設瞭望塔、射擊台與泛光燈，便料到佛里克打算引進工會成員以外的替代人力，於是指示聯合協會在「真正的軍事基礎上」組織動員。[8]

閉廠九天後，兩艘駁船出現在莫農加希拉河（Monongahela River），船上可見三百名身穿制服、手持溫徹斯特步槍的衛兵。佛里克透過平克頓偵探事務所雇用了他們，付錢讓他們保護即將到來的替代工人。那些衛兵試圖登岸時，數以千計的霍姆斯特德鋼鐵廠工人與地方人士在臨時搭建的鐵柵後方嚴陣以待。他們也配有步槍，其中一些是南北戰爭時留下來的，除此之外，還有國慶日施放煙火後留下的炸藥以及兩座火炮，其中一座據說是安提坦姆戰役（Battle of Antietam）後留下來的加農炮。護衛隊登陸，槍聲四起，場面混亂危急。雙方激烈交火了十四個小時。霍姆斯特德鋼鐵廠工人將澆滿燃油的手推車推下堤壩。最終，進退不得的護衛隊舉手投降，換取經由安全通道前往當地火車站以離開這座城市。不過，這段通往火車站的道路成了長達六百碼的酷刑。男人們衝上前去剝光了衛兵的制服，婦女們氣憤地揮舞雨傘與鞭子，孩童則似懂非懂地大聲辱罵。在這場「霍姆斯特德戰役」中，兩名衛兵與七名霍姆斯特德鋼鐵廠工人喪生。

七月十二日，佛里克說服賓州州長以保護公司財產名義，派遣八千五百名國民警衛隊成員前往霍姆斯特德鋼鐵廠。大都由東歐移民與黑人組成的替代工人終於進入了鋼鐵廠。聯合協會諮詢委員會的成員被以叛國罪的罪名送進了監獄，但依據的法律卻是南北戰爭時期的法規，且詮釋角度十分可議。在他們鋃鐺入獄之時，無政府主義的俄羅斯流亡分子亞歷山大・伯克曼（Alexander Berkman）也帶上手槍，與情人艾瑪・戈德曼（Emma Goldman，另一名支持無政府主義的俄羅斯移民）一起搭上了前往霍姆斯特德的火車（他原本在麻州伍斯特〔Worcester〕經營一家冰淇淋店）。他闖進佛里克的辦公室大喊「殺人兇手」並開了槍，佛里克也慌張大喊「殺人兇手」。隨後，伯克曼掏出一把短刀，猛刺了佛里克好幾下，最終遭到制服。這起事件沒能扭轉局勢，因為佛里克當天下午就回到辦公室照常工作。伯克曼則在苦牢中蹲了十四年。[9]

霍姆斯特德鋼鐵廠的工人愈來愈絕望。一些人敵視黑人替代工人，稱他們是佛里克找來的「黑鬼害群之馬」。[10]閉廠近四個月後，聯合協會態度放軟，投票表決答應佛里克的條件。但是，佛里克只讓少數工人回到工廠。他成了贏家，重挫聯合協會在全國各地的影響力。卡內基結束歐洲打獵之旅歸來後，對這段期間發生的一切表示心痛不已，從那之後，他與佛里克的關係就變了調。到了晚年，卡內基向佛里克表達和好之意。佛里克堅定回絕了卡內基的信使，據說他撂了這麼一句話：

「你告訴他，我們會在地獄碰頭的。」[11]

階級戰爭

霍姆斯特德戰役是資本時代中一場異常暴力的工業勞資衝突，但它並不反常。光是在一八九二年，州防衛隊就出手鎮壓了二十三次不同的罷工行動。[12] 霍姆斯特德鋼鐵廠罷工緊接在為時近二十年的勞資衝突之後發生，這些衝突源自於一八七三年金融恐慌及一八七七年鐵路大罷工的餘波，場面同樣激烈。

卡內基的良師、賓州鐵路公司執行長湯姆・史考特是這次罷工的源頭。一八七三年金融恐慌過後，賓州鐵路飽受生意蕭條所苦，為了持續向惴惴不安的股東們發放股息，史考特將員工的薪資大砍兩成。資本財的成本固定不變，但人力成本可以變動。其他鐵路公司也跟進，與賓州鐵路暗中交換資源，私下協調費率與工資（這在當時還不算違法）。其中之一正是巴爾的摩與俄亥俄鐵路公司。[13]

一八七七年七月，鐵路大罷工在巴爾的摩與俄亥俄鐵路公司爆發，起火點在馬里蘭州康登（Camden），並蔓延至西維吉尼亞州的馬丁斯堡（Martinsburg）。工人們發動罷工回應減薪，並架設實體路障阻礙交通。西維吉尼亞州州長派出民兵部隊清出貨運通道，但許多民兵成員基於同情而寬待那些工人。在巴爾的摩、匹茲堡、芝加哥與聖路易，巴爾的摩與俄亥俄鐵路及其他公司爆發了一

圖 35 「大罷工——馬里蘭第六軍團（The Sixth Maryland Regiment）在巴爾的摩殺出一條血路」（一八七七年）

一八七七年爆發鐵路大罷工時，內戰才剛結束。勞工暴力導致許多美國人開始懷疑，另一場「無可抑制的衝突」是否近在眼前。

連串的罷工行動。唯一未遭受波及的地區是南方各州與新英格蘭。

新的工業城市是勞資衝突的主要場域，而各地的市政府努力遏止暴力事件。[14]在匹茲堡，一群工人與社運人士封鎖了賓州鐵路公司的集貨場，許多婦孺也參與其中。匹茲堡警方與罷工者立場一致，故而按兵不動。州民兵及時趕來，刺傷了幾名示威工人，並朝民眾開槍，導致二十人喪命。數千名群情激憤的抗議者將六百名民兵趕到一座扇型車庫，持加特林機槍封堵四周。他們一共摧毀了兩千多輛軌道車、一百節火車頭及近四十座建築物，此外也毀壞了賓州鐵路三英里長的軌道。費城只好出動更多民兵，這才恢復了社會秩序。之後，史考特與賓州鐵路公司成功以財產損失為由，對匹茲堡市政府提起訴訟。[15]

聖路易的鐵路工人幾乎在同時發起大罷工。幾天內，由流亡的德國社會主義分子領導的美國工人黨（Workingmen's Party）便控制了整座城市。罷工者的矛頭未必都指向資方。在舊金山，一場由工人黨主導的罷工行動一發不可收拾，演變成為針對中國移民的大屠殺。[16] 然而，最糟糕的暴力事件發生在芝加哥。

芝加哥工人黨（Chicago Workingmen's Party）組織了多起示威活動。斗大的旗幟上寫著「打倒工資奴隸制」，甚至發放傳單嘲弄工人：「你們難道沒有權利？沒有抱負？沒有男子氣概？」工人黨要求鐵路實行公有制、工資調高兩成，並實施一天八小時的工作制度。一名打過希洛之役（Battle of Shiloh）的愛爾蘭聯盟軍老兵向群眾喊話：「我經歷過戰爭。我替那些大人物也就是資本家打仗，相信你們也有許多人做了同樣的事。如今，我們得到了什麼回報？資本家

圖 36　「損毀的鐵道，鐵路暴動——賓州鐵路」（一八七七年）

一八七七年鐵路大罷工爆發時，賓州鐵路公司是世界上規模最大的企業之一。後來，由於此處可見的破壞所造成的財產損失，其聲稱賓州未能出動充分警力來保護公司的私有財產，成功對阿勒格尼郡提出賠償控告。

為我們做了什麼事？」芝加哥的資本家不久前組成了「公民協會」，開始訓練私人「商人義勇軍」。這座城市很快被暴力所吞噬。皮爾森（捷克波西米亞移民的家園）與布里奇波特（愛爾蘭移民定居地）的工人階級社區公開反抗，芝加哥警方一看到婦女只穿一條長筒襪便逮捕，認定另一條襪子一定被拿來裝滿石頭以作為武器。警方連同才在達科他州對抗蘇族（Sioux）的兩連美軍，一共殺死了三十名男性與男童，並將許多人的屍體亂葬在撒滿石灰的土坑裡。[17]

一八七七年夏天，鐵路大罷工終於來到了尾聲。才剛下令從「完成重建」的南方撤軍的新任美國總統拉瑟福德．海斯宣稱，罷工是「違法與造反的行動」，並派遣聯邦軍隊恢復市政秩序。湯姆．史考特請求政府的協助，但他從未走出罷工的創傷，不久便中風，並在陸續幾次的發作中變得舉步維艱。[18]

區域衝突是否已被同樣無可抑制的階級戰爭所取代？林肯的前私人秘書約翰．海伊（John Hay）出版的小說以通俗的文筆記敘了一八七七年鐵路大罷工。《養家糊口者：一場社會研究》（*The Bread-Winners: A Social Study*，一八八三年）預言，未來的美國將不斷出現產業衝突。[19]不論以何種標準來看，在資本時代美國，勞資關係的爭議性與暴力程度無疑都是世界之最。[20]

馬克思的工業資本論

若說亞當．斯密的《國富論》是分析商業時代最有意義的作品，[21]那想要了解資本時代的勞資衝突，則必須參考馬克思所著的《資本論》。這本書是對亞當．斯密式政治經濟學的「批判」，但也跟它一樣是一種思想實驗，試圖理解一種不受外界干擾的競爭性經濟體系的運作邏輯。對馬克思而言，如果放任資本主義自由發展，將導致地方性階級鬥爭。

《資本論》蘊含了豐富多元的論點，但馬克思經濟主張的核心非常簡單。對他而言，資本不是一種生產要素，而是以創造「剩餘價值」為目的的生產過程的前提與結果。馬克思認為，在資本主義下，「勞動力」作為一種商品是所有經濟價值的來源，包括剩餘價值。這是因為，只有勞動力能夠創造大於生產成本的價值。在一個競爭激烈的勞動市場中，資本家只支付勞工再生產成本或是工人的最低生活所需，而資本家將勞動力所創造、大於生產成本的超額價值收進了口袋，這些超額價值便是剩餘價值，或者以貨幣術語來說，是他們的利潤。

如果說亞當．斯密認為經濟的成長與發展經由商業乘數而生，那麼馬克思主張讓經濟活動報酬遞增的唯一途徑，就是善用所謂的勞動剝削乘數。因此，馬克思得出的結論是，「資本不是一種事物，而是由事物的工具性所建立的人際社會關係」。[22]

他在書中寫道，資本家可藉由兩種方式從勞動力中提取剩餘價值。首先，他們可以拉長薪資勞工的工時，並支付他們不變的工資。如馬克思所述，這種「絕對剩餘價值」在過去與當時依然是資本家營利與剝削的方式，在許多文獻中都有記載。然而，絕對剩餘價值有一嚴格限制，也就是一天只有二十四小時。第二種方式則是，資本家可以投資資本財，在相同時間內生產更多商品出售，進而提高勞動生產力。馬克思稱之為「相對剩餘價值」。

基於這套理論，馬克思一般假設資本家會不斷投資資本財，因此工業投資永遠不會匱乏。他完全排除了流動性偏好的影響，也就是排除了將貨幣作為存儲價值的避風港而非作為實現更多剩餘價值的可投資手段（不論出於預防或投機的動機）。資本家渴望投資、生產與剝削。此外，假設在競爭激烈的市場中，一個資本家為了繼續經營而提高相對剩餘價值，那麼其他資本家也必須這麼做。資本家跟勞工一樣，都被困在了這套體系中。畢竟，這本書題為《資本論》，而非《資本家》。

馬克思認為，資本迫使資本家投資固定資本財，並尋求技術創新。資本是一種透過提高經濟體生產力的進步力量，創造更多的財富，人類才可能獲得更大程度的解放。然而拋開財富不談，相對剩餘價值還有一個問題。在競爭壓力下，資本家對節省勞力的資本財情有獨鍾。但是，勞動力是剩餘價值的唯一真正來源，因此也是利潤的唯一來源。若是捨棄勞動力，資本家最終也必須捨棄利潤。即使財富的創造不受影響，營利方面也會出現報酬遞減。馬克思認為，獲利率將因此長期下降，資本主義注定面臨危機。

除此之外，從道德角度來看，難道工人沒有權利享受自己的勞動成果，包括他們創造剩餘價值所帶來的果實？馬克思認為，資本主義是一種不公平的勞動剝削與不平等的經濟體系，但他也預測，未來無產勞動階級將在政治上意識到這個體系不公平的剝削。他們會要求縮短工作時間，並更大比例享有創造財富的資本財。最終，他們會爭取集體所有權。馬克思進一步預言，資本主義超越了自身、超越了階級，指向一個物質豐富與擺脫苦役及支配的未來，在那個世界裡，人人都能盡情探索身為人類的潛能。[23]

請注意，亞當．斯密主張的商業時代發展是空間性的，而馬克思經濟體系的發展則僅限於時間。他關注的是隨時間而變動的剝削率，隨時間而不斷提高生產力的系統性推力，並最終指向一個在質性上與當前不同的經濟性未來，也就是共產主義。

咎其而言，寫作《資本論》的馬克思是一位哲學決定論者，但他的歷史著作反而精彩地凸顯了歷史的偶然性，例如《路易．波拿巴的霧月十八》（*The Eighteenth Brumaire of Louis Napoleon*，一八五二年）。相較之下，資本的偶發性動態，例如不斷重複的信貸循環，貨幣、流動性、投機、恐慌與囤積的多變歷史，並非《資本論》的主題，儘管馬克思在死後出版的文章中有所著墨（其中有些見解獨到，有些則否）。[24]**資本**象徵著一種特定的生產性資產，即工業的資本財。時間的特徵為線性，而且冥冥之中自有安排。然而，《資本論》富含了對這種資本的見解，畢竟它是工業革命的核心。

實際上，時間是固定生產性資本的一個關鍵面向。假設資本所有者放棄了流動性，長期投資非流動性的資本財（十九世紀末是如此，或許情況更甚於其他任何時代），那麼投資成本便會隨著時間的推移而變得固定。這些成本等於沉入大海，無法收回。對處於市場競爭條件下的工業資本家而言（一八八〇年代，全國鐵路網的整合讓這種競爭加劇），勞動的變動成本無論在總成本中的占比多少，都日益增加。但勞動力可以被取代，既不會固定不變，也不會無法收回。馬克思預言資本家將以機器取代勞力，但十九世紀末的美國工業家找到了補足資本財與勞動力的方法，結果與其說勞動力被拋棄，不如說是勞工被剝奪了技術。[25]然而，工業資本家仍緊抓資本財不放，而若想提高利潤，永遠都能在勞動市場的可接受範圍內藉由盡可能壓低工資來達到目的。

儘管利潤率出現了定律般的長期趨勢，但十九世紀末美國的利潤率仍深受偶然性所影響。金本位制的恢復重新限制了貨幣供給。工業化生產了更多商品，但貨幣數量卻成長得比較慢。[26]但是，資本主義生產者必須持續生產以回收固定成本。於是，有更多商品進入市場，價格因此下降，而這種通貨緊縮讓利潤降低。在當代週期性的金融恐慌下，人們囤積貨幣與信貸，減少了對商品的需求。總的來說，產量有可能超過需求。然而為了增加利潤，工業資本家可能會試圖削減勞動成本，而他們也確實這麼做了。

撇開馬克思理論的根本正確性不談，十九世紀末的美國工業經濟就像是《資本論》的諷刺漫畫。正如馬克思預示的那樣，工業化導致了創造更多財富的系統性動力。但是，許多美國工業資本家卻對利潤率感到不滿。美國勞工的工時居世界之冠，在一八八〇年，勞工一天得工作十小時，而資本家與勞工為了工時（絕對剩餘價值）爭論不休。[27]在工作環境中運行新資本財也引發了同樣激烈的對立（相對剩餘價值）。以上兩者就在戲劇性的罷工與週期性的暴力事件中達到了高潮。階級衝突層出不窮。

最後一點，雖然美國的薪資水準與其他國家相比算高，但工業城市勞動者的生活水準在一開始便不見好轉。不平等的現象益趨嚴重，有更多收入進了資本所有者與收入位居前百分之一的人們的口袋。[28]一八八〇年代，不少著作都描繪了社會不平等現象逐漸惡化的趨勢。其中，亨利・喬治（Henry George）譴責土地租賃不公現象的《進步與貧困》（*Progress and Poverty*，一八七九年），大賣了數百萬本。[29]此外，無論分布情況如何，經濟成長帶來的收入增加並未立即改善人類的福祉。畢竟，催化工業化的累積過程的，便是資本家對「中間」資本財生產的投資。例如，卡內基生產鑄鋼，但並未生產拯救生命的藥物或乾淨的飲用水。這些生產壯舉產生的大部分收入，都進了他的口袋，供他買下蘇格蘭的豪宅與隨心所欲地打獵，而大多數的家庭仍得拿出絕大部分的收入來支付食物、衣服與住所。[30]總結而言，整體的產出與金錢收入都有所提升，但又如何呢？從許多方面而言，美國第一代工業人口過得比務農維生的祖先還要糟。他們長得更矮，病痛更多，獲得的食物營養更少，住家環境擁擠髒亂，壽命也更短。嬰兒死亡率比過去更高（也許是牛奶品質低劣之故）。[31]這樣的趨勢至少持續到一八九〇年都不見起色。[32]對這個世代的無產階級而言，馬克思提出勞工將日益「貧窮化」的論點，並非毫無道理。

自由勞動的命運

馬克思在《資本論》中分析了一個大型、抽象體系的運作，這套體系界定了資本與勞動力的作用。對比之下，馬克思那一代對工業變遷走向持批判立場的美國人，往往更著重政治層面。他們認為，如果經濟生活出了問題，根本原因就是政治，而不是抽象的經濟體系。在美國工業化的過程中，「自由勞動」的政治口號既是評估經濟生活價值的基準，也是看似值得努力實現的理想。

對比動產奴隸制，「自由勞動」就如它在一八五〇年代的共和黨動員中那樣，包含了一個追求更高經濟地位的核心原則——希望。一八七〇年，百分之二十七的美國勞動力是工業的薪資勞工。林肯本身說過，薪資勞動應該是一種暫時的狀態，最終目標是擁有生產性財產。[33]這是一種財產政治。在美國，自十七世紀以來，相對於其他社會，白人男性戶主享有比其他社會的戶主更廣泛的土地財產所有權。在工業資本財的新時代，這種分配情況會繼續存在嗎？或者，資本家會藉由資本財所有權壟斷市場，強迫其他人為了工資而長期勞動？

安德魯．卡內基的鋼鐵廠展現了擴大工業企業規模的經濟動機。規模使成本降低，帶來報酬遞增，並擁有先行者優勢，可阻擋潛在的競爭者。但是，這也表示會有許多薪資勞工受雇——他們永遠進不了經商階層，或是成為卡內基的對手。工廠裡的非技術人員有愈來愈多是歐洲移民，他們追求長工時與高工資，不管工作條件有多差，因為他們的目標不是像業主那樣擁有與經營自己的企業，而是帶著口袋裡的錢回去歐洲。[34]他們的觀點與偏好破壞了美國勞動組織的努力。一八七〇年代的移民回流率為百分之十，但是到了二十世紀初，已增加至近百分之七十。[35]然而在十九世紀末，雖然工業的平均規模與薪資勞動的普遍性不斷增加，但小規模與業主經營的美國工業化持續存在，在那當中，資本密集度較低，技術勞工扮演更重要的角色，生產的特定商品也更加專業化。由於有了這般經濟基礎，財產所有權的政治才不至於過時。[36]

儘管如此，變化正在醞釀中。一八七〇年，儘管面臨新的需求，但高技術的白領勞工只占了工業勞動力的百分之四點八。工業也使對收入底層的非技術薪資勞工的需求增加，他們在一八七〇年就已經占了製造業勞動力的百分之六十三點四，並在之後隨著移民的到來而持續增加。就如同二十一世紀的服務經濟，工業化使中產階層受到掏空的威脅。儘管如此，同年百分之三十一點八的製造業勞動力依然保有「技術」(非白領階級)。[37]這個群體包括普通的技工或工匠，也就是小規模的資本所有者，他們經營的店家只雇用少數人力。

一八七七年的鐵路大罷工把湯姆·史考特這種人嚇壞了，因為那代表了中產階級的工匠業主、技術工匠與多半為移民的非技術產業勞工可能會形成一個階級聯盟。局勢瞬息萬變。這場大罷工在很大程度上是自發性行動，沒有意識形態上的區別。它發生在街頭，集結了民主黨、共和黨、綠背勞動黨（Greenback-Labor Party）與工人黨成員，以及社會主義與無政府主義人士。因此，在大罷工的視覺表徵中，反覆可見的主題都是工人與表達支持的中產階級，包括衣著入時的女士與天真無邪的兒童，而這些人全都參加了示威活動。[38]

一八七七年鐵路大罷工所提出的問題是，這種由技術與身分各不相同的生產者所組成的異質性群體，能否形成政治組織，塑造美國工業化的進程。像卡內基鋼鐵這樣的公司由於善用了更大的資本密集度、企業規模與營運效率，因此在經濟上極具競爭力。然而，關於何種類型及程度的工業化能取得勝利的政治問題，仍舊懸而未決。

當然，你不一定非得熟讀馬克思的論點，才能批評工業變遷中的不平等現象。美國評論家更傾向回顧過去，探討湯瑪斯·傑佛遜的「勞動共和主義」的革命性傳統，以及白人男性廣泛享有財產所有權的政治，而不是對任何社會主義、共產主義或無政府主義的烏托邦抱持憧憬。他們認為，新的資本財應該像以前的土地那樣被對待。首先，資本財應該要廣泛分配。再來，雖然它們是資本，是一種生產手段，但也應該是一種保障平等民主公民權的財產。不論利潤有多少，對「象徵陽剛氣概」的財產所有權的渴望與謀利動機互相混融，成為普遍的工業投資誘因的關鍵要素，與卡內基追求獲利的動機有所不同。

在這種「自由勞動」的願景下，發放報酬（即薪資，無論多高）是不夠的。這種財產政治試圖使工業資本的所有權本身變得政治化。在一八七七年鐵路大罷工之後，勞工騎士團（Noble and Holy Order of the Knights of Labor）是最成功提倡這種願景的工會。不同於馬克思，勞工騎士團並不相信地方性的經濟階級衝突。他們歡迎所有生產者的加入，

圖 37 「大罷工——行進的火車在西維吉尼亞州馬丁斯堡受阻」（一八七七年）
一八七七年的鐵路大罷工是一場大規模行動。表達支持的中產階級——包含婦女與兒童——都參與其中，如照片所示。當時的美國階級結構變化多端。

甚至向中等規模的資本所有者招手。[39]

工會在美國並不是新奇的概念。南北戰爭前，勞工——即「僕人」，有鑑於他們依附於雇主的法定家戶地位——形成組織，與「主人」展開談判。發生在麻州的聯邦訴杭特案（*Commonwealth v. Hunt*，一八四二年）承認了工會的會員資格，儘管各種工會策略的合法性（包括罷工）直到一九三〇年代的新政立法時期都曖昧不明。相對於其他工業化國家的工會，十九世紀的美國工會處於一個特別不友善的法律環境，[40]長期的會員忠誠度、有償的專業領導及員工認可的集體談判都非常少見。美國第一個全國性工會全國勞工聯盟成立於一八六六年。自發性的罷工行動成了工會主軸。內戰結束後，全國勞工聯盟的領導階層號召勞工反對恢復政策與黃金本位制的重啟。一八七三年金融恐慌後的蕭條時期，對組織工作諸多不利。不久後，全國勞工聯盟解散，緊接而來的是一八七七年的鐵路大罷工與勞工騎士團的迅速崛起。[41]

勞工騎士團於一八六九年在費城成立。[42]起初，它比較像是男性友愛與互助的協會，但很快就轉型為一個歡迎所有「生產者」的產業聯盟。任何不是銀行從業者、醫生、律師或酒商的人，都算是「生產者」。一八七九年，騎士團總計有一萬名成員。同年，身為賓州斯克蘭頓（Scranton）市長、同時也是國際機械士與鐵匠工會（International Union of Machinists and Blacksmiths）成員的特倫斯·鮑德利（Terence Powderly），當上團長。到了一八八六年，騎士團在全國各地共有七十二萬九千名「正式」成員，並設有六百一十個分會。在南方地區，騎士團為黑人「生產者」開設了集會所，他們大都是某種類型的農工。[43]此外，騎士團也設立女性專屬會所。其全國性章程中有一項條目承諾致力於「確保男女同工同酬」。一八八五年，騎士團約有一成團員是婦女。[44]該組織的成員各有不同的意識形態與政治立場：鮑德利是個失志的共和黨員，在綠背勞工黨的支持下當選斯克蘭頓市長；而芝加哥工人黨的領袖亞伯特・帕森斯（Albert Parsons）是個支持社會主義的無政府主義者。騎士團的目標是，為流動多變的美國工業社會秩序建立一套系統。

意識形態上，騎士團高舉反壟斷的旗幟。內戰前，共和黨忙著拼湊「自由勞動」的意識形態，將對於「貨幣權力」的反壟斷批判轉移到了「奴隸權力」上。在傑克森的民主黨中，反壟斷的勢力依然強大。[45]兩黨有許多成員都想知道，隨著經濟生活面臨激烈的競爭，利潤受到了擠壓，世界各地那些像古爾德、史考特與洛克斐勒這樣的企業家，如何能在不使政治腐敗的情況下累積巨額財富。他們還提出了貨幣與信貸的問題。[46]內戰後的國家銀行體系在華爾街積貯了大量準備金。在一八七〇與一八八〇年代，華爾街的現行利率調降，但不是每個人都能以這種利率取得資金。中小型企業主既不滿大公司違反規則的商業競爭行為，也抱怨無法取得資金與信貸來資助與經營企業。

傑伊・古爾德被視為是這兩個問題的代言人，是騎士團的頭號剋星。一八八四至一八八五年，全國各地的騎士團成員人數激增，當時地方上的分會成功打擊了古爾德的「西南體系」——其範圍涵蓋了四千多英里的鐵道，橫跨五個州與印第安人的地盤。其中包括湯姆・史考特的德州與太平洋鐵路工程，古爾德趁史考特經歷一次次中風而癱瘓後無力應對，在一八七九年占為己有。

騎士團在西部地區的反壟斷訴求有一要素，那就是對中國移民抱持無可救藥的種族歧視。[47]倘若不是如此，這個族群可能會是騎士團的天然盟友。其中有許多人是鐵路雇工，簽了長期勞動合約而來到美國，但他們具有強烈的創業精神，懷有滿腔「自由勞動」的抱負，希望能擁有自己的企業。[48]不過，在騎士團看來，這些華人不過是鐵路壟斷的低薪工具，受雇於「白人種族」無法接受的合約條件。排華種族主義在西部地區最為盛行，但就連波士頓的騎士團成員喬治・麥克尼爾（George McNeill）也警告大家小心「黃禍」。[49]鮑德利遊說立法單位通過一八八二年的《排華法案》（Chinese Exclusion Law），禁止「技術與非技術的華人勞工及採礦業雇用的華人」進入美國，是美國歷史上第一項明確帶有種族主義色彩的移民禁令。[50]

除了反壟斷之外，騎士團還批評工業「薪資制度」，或是勞工在未創業的情況下必須為了薪資而工作才能生存的現象。[51]騎士團呼籲當局採取實際措施以引進非技術勞工。他們要求雇主每週支付員工上一週的全額薪資，並呼籲廢除罪犯勞動制度。有時候，薪資收入所遭受的批判顯得過於浮誇了。回顧傑佛遜主張的「勞動共和主義」，麥克尼爾預見「勞動的薪資制度與政府的共和制度之間將產生無法避免且不可遏制的衝突」。[52]他認為賺取薪資是一種依賴雇主的行為，有失男子氣概，也有違共和精神。而這個訊息所針對的人，是位處中產階級的資本所有者與賺取薪資的技術性工匠，因為他們都害怕自己的社會地位下降。騎士團主張「廢除薪資制度」，向出身歐洲的激進無政府主義者與社會主義人士提出呼籲。因此，如一位歷史學家所言，騎士團結合了「創業的希望與反資本主義的絕望」。[53]

騎士團不只是批判而已：他們還提出了解決方案，呼籲工人組成勞工所有的合作社。一位成員表示，「合作計畫」優於「薪資制度」的地方是，「每個人都能感覺到自己是業主。他會覺得是在為自己工作，而不是為雇主效力……他可以感覺並知道自己的腦袋與體能一樣重要」。[54]在一個工作倫理當道的文化中，新的能源密集型資本財所帶來的純粹生產力肯定令人感到不安。擁有這種力量（即使與其他勞工共有，而不是獨自創業），是「感覺」自身勞動具有價值的一種方式。合作在意識形態上具有廣泛的吸引力。地位崇高的自由派知識分子戈德金（E. L. Godkin）對合作社表達支持，而勞倫斯・格朗倫（Laurence Gronlund）所寫的《合作聯邦》（*The Cooperative Commonwealth*，一八八四年）則是第一本公然以社會主義立場為美國讀者陳述馬克思觀點的著作。[55]

一八八〇年代，勞工騎士團成立了數千家合作社，包括雜貨店、鑄鐵鋪與住房抵押貸款協會，其中許多都是合法特許的公司。它們遇到的問題始終是無法獲得充分的資本與貸款，而這正是騎士團的反壟斷立場及其對工業薪資制度的批判交織之處。全國聯盟組織了一項資本基金以贊助地方合作社。地方上對小型產業（包含合作社在內）的資助機制，從空手股票買賣到在離華爾街甚遠的小鎮上的正式交易都有。[56]然而，沒有多少稀缺的資本與貸款可滿足新創合作社的需求。

騎士團中主要推動合作事業的單位是附屬其下的婦女事務部（Department of Women's Work）。[57]許多女性在產業中擔任薪資勞工，絕大多數年輕未婚，且在特定行業中按性別區分，如縫紉、印刷排版與製衣。[58]在女性的平均收入只有男性一半的這個時代，騎士團呼籲男女同工同酬。女性組成了工會，但只獲得兩個全國性的男性同業工會所承認——印刷商與製衣商。[59]許多女性成立的工會都組織了合作社。年輕的凱特・穆拉尼（Kate Mullany）是一八六九年在紐約特羅伊（Troy）成立的「洗衣聯盟與合作衣領公司」（Laundry Union and Co-operative Collar Co.）的主席。一份於一八七〇年出版的婦女選舉權雜誌刊登了穆拉尼寫的一封信，內容如下：

我想知道女性透過取得股票的方式為公司做了什麼貢獻。如今我們正要展開行動。我們已經有了足夠的認購量，一旦我們的商品上市，很有機會能迅速銷售一空。當然，我們都仰賴這個國家的勞動力，以及那些有能力並願意幫助職業女性與希望看到她們好好過活的人們。

合作社的債務證券售價為五美元。這些「職業女性」最終利用合作社的收入，將債務轉變為自己的股本，籌到了足夠的資金。但是，男性團體拒絕下洗衣訂單，使她們以失敗收場。雖然如此，之後勞工騎士團婦女事務部都依照這種模式推動合作社事務。[60]

生於愛爾蘭的縫襪女工萊昂納拉·巴瑞（Leonara Barry）是騎士團的全國組織者。她年輕時喪偶，為了養育孩子而進工廠工作。到了一八八六年，她當上了紐約州北部騎士團分會婦女集會的會長。為了組織全國性婦女集會，她把自己的一個孩子送到女修道院，另一個孩子託給大嫂照顧。她說，她為了成立合作社以取代血汗工廠，做了「許多失敗的嘗試」，也抱怨騎士團的男性成員將「同工同酬」的原則當作「笑柄」。然而，就連她也認為，理想情況下，「男人應該要養家糊口」。一八九〇年，她與一名騎士團成員結婚，辭去了在組織中的職務。鮑德利在寫給騎士團地方分會的信件中將巴瑞的婚姻比作死亡。「巴瑞姐妹的日子所剩無幾」，因為她「跨越了這條暗河」。她結婚後沒多久，婦女事業部便分崩離析。[61]

當時，騎士團的聲勢已開始反轉。鮑德利與全國領導階層無法控制地方分會，地方上的成員不斷發起罷工。鮑德利反對罷工，擔心這會引起財產所有者中潛在盟友的不滿。他感嘆道：「罷工會激起對立，向來百害而無一利。」[62]這些罷工行動均由成員自行發起，訴求幾乎都是一樣的：不是廢除薪資制度，而是憤憤不平的勞工要求縮短工時與提高工資。

最終，傑伊・古爾德扭轉了對騎士團的有利局面。騎士團曾在一八八四至一八八五年成功打擊了他的西南體系，但不久後古爾德在工資協定上出爾反爾。他解雇德州馬歇爾市（Marshall）勞工騎士團的一名工頭後，該州的一〇一區分會發起了罷工。風波蔓延了開來，西南地區有二十萬名鐵路工人擅自停工。古爾德宣布德州與太平洋鐵路公司破產，其部分資本交由聯邦政府臨時看管，使公司的財產有資格獲得美國軍隊的保護。[63]

衝著古爾德而來的西南地區大罷工引發了一八八六年的全國性大動亂。那一年，至少有六十萬名勞工參加了至少一千四百場不同的罷工行動，嚴重影響了一萬一千五百六十二家企業的營運。[64]這股旋風由底層吹起，主要訴求並非廢除薪資制度，也不在於為合作事業爭取更好的貸款條件，而是要求實行一天八小時工時的制度——相較之下，這是一個更簡單的口號，一個更直接而且可實現的要求。

芝加哥再次見證了最嚴重的暴力事件。一開始，位於布里奇波特愛爾蘭社區的聯合鋼鐵公司（Union Iron and Steel Company）爆發罷工行動。[65]同時，一個新成立、只開放技術勞工加入的全國性同業工會，號召勞工在一八八六年五月一日舉行全國性大罷工。這個同業工會的領導人是一位身為雪茄製造商與工會代表的英國移民，名叫山繆・龔帕斯（Samuel Gompers）。

在芝加哥，所有忠誠的工人齊聚一堂。五月一日，亞伯特・帕森斯與妻子露西帶著他們的兩個孩子率領八萬人在芝加哥的密西根大道上遊行示威。在美國各地，有三十多萬名勞工為了爭取八小時工作制而罷工，致使一千多家工廠關閉。五月三日，芝加哥警方在麥考密克收割機工廠外頭槍殺了六名罷工的工人。當地的無政府主義者起而號召勞工們在乾草市集廣場（Haymarket Square）舉行集會，結果獲得三千人響應。多數群眾解散後，某個不知名人士朝警方丟擲了一枚自製炸彈，現場一陣混亂，槍聲四起。有七名員警與五名示威者喪生，廣場上躺了一百多名傷者。亞伯

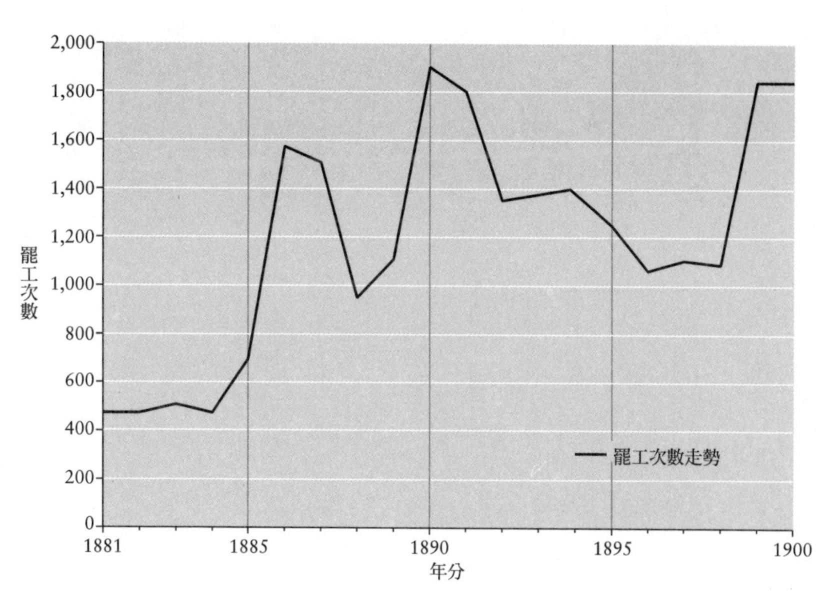

圖 38 美國罷工概況

沒有一個工業化國家的勞工史比美國更具爭議性了。自發性的勞工罷工破壞了勞工騎士團希望建立基礎廣泛的生產者聯盟的策略。

特．帕森斯稍早曾在集會上發表演說，並在這齣暴力場面上演前已前往附近的無政府主義會館，成了遭到逮捕的八名無政府主義者之一。他與另外六人被判處死刑，最後與其他三人遭到處決（其中一人在牢房中自殺）。他在絞刑台上留下了遺言：「美國人可以讓我說話嗎？我有話要說，馬特森警長！聽聽老百姓的心聲吧！哦……」帕森斯腳下的暗門打了開來，頸部應聲而斷，整個人吊在空中緩慢地死去。[66]

大動亂在乾草市集廣場畫下了句點。芝加哥隨後又爆發了一場紅色恐慌，警方對工會勞工進行了長達數月的鎮壓。在西南地區，古爾德打敗了騎士團。他的律師請美國一家法院發出罷工「禁制令」，理由是罷工者侵犯了未參與罷工的勞工在雇傭關係下受憲法保障的「契約自由」，也就是他們得以自由從事商業活動的權利。[67]這調用了傑克森反壟斷思想的平等商業機會主張。

此後，騎士團一蹶不振。一八八七年，數百名身為騎士團成員的非裔製糖工人在路易斯安那州提波多（Thibodaux）慘遭屠殺，使騎士團在南方的勢力也陷入了困境。[68]到了一八九〇年，騎士團的成員人數大幅萎縮。儘管如此，該組織留下了不少成就：產業工會主義的推行；勞工超越膚色與性別差異的可能性；一種關注財產與資本而非報酬與收入的政治；以及制度上的合作計畫。極端排華種族主義所造成的影響也不容小覷。騎士團告終後的真空地帶，迎來了一個與其截然不同的全國勞工聯盟。

一八八六年十二月，一個全國性同業工會聯盟組成，名為美國勞工聯盟，由山繆．龔帕斯擔任主席。他懷抱了一種比騎士團更狹隘、更具階級意識的勞工團結與組織的願景。騎士團未能整合的是一個屬於中產與底層階級的生產者聯盟，這些人包含了一般的資本所有者、技術工人及非技術、通常為移民的勞動者。之後的那些年，上層階級的組織遠比之前來得成功，這些人是位居美國收入與財富分配頂端的權勢人士。美國的勞工階級在形成過程中出現了分裂。美國的資產階級有賴社會對暴民的恐懼而打穩了基礎。

由上而下的階級意識

在經濟不平等現象日益惡化的時期，一旦有新的賺錢方式出現，精英分子往往會刻意疏遠同胞。在鍍金時代的美國，除了階級衝突之外，不同類型的疏遠也是一種通則。「自由勞動」和「領域區別」的性別意識形態同時出現，前者的命運懸而未決，後者則受富裕階級所擁戴。家庭生活與工業領域之間難以突破的藩籬如同帶了刺的鐵絲網，使人們從殘酷的角度對競爭有了全新的理解：社會達爾文主義。

一八八六年大動盪爆發時，上曼哈頓是全國資本主義階級意識的發源地。[69]在當地，國家首富依照當時的美學建築風格建造了仿法式城堡的龐然大物。他們的住宅設有蒸汽驅動的中央暖氣與杜塞式沖水馬桶（一八七五年發明）。湯瑪斯・愛迪生於一八八二年在珍珠街（Pearl Street）建造的發電站正式啟用時（在他發明電燈泡鎢絲的三年後），某些人也同時使用人工照明。但是，基於需求，家僕每天仍須進出室內外好幾趟以搬運用水、煤炭與木柴。精英階層在聯合同盟俱樂部（Union

League Club，約一八六三年）、紐約荷裔移民俱樂部（Knickerbocker Club，約一八七一年）或後來的大都會俱樂部（Metropolitan Club，約一八九一年）進行交流——在這座有別以往、區別了不同空間的工業城市裡，這一切都與勞動階級出沒的會館與啤酒館大異其趣。自一八七〇年以來，卡內基在紐約市一直持有一棟住宅。一八八四年，約翰．洛克斐勒在第五十四街與第五大道的路口買了一棟住宅；一八八九年，中央太平洋鐵路公司的柯林斯．杭廷頓在第五十七街與第五大道的交界處蓋了一棟豪宅，與屬於康內留斯．范德比爾特二世（Cornelius Vanderbilt II）的豪華大院隔街相望；還有一棟更大的複合式建築占據了城市的一整個街區，那就是威廉．范德比爾特（William Vanderbilt）的三重宮（Triple Palace）。亨利．佛里克最終逃離匹茲堡時，便是租下了其中一座宮殿。[70]

在一八八六年關於「勞工問題」的演講中，傑出的波士頓知識分子愛德華．艾特金森（Edward Atkinson）談到范德比爾特准將的豪宅時表示，「這種住所不是資本」，因為「它不具任何生產力」。「資本是一種工具、一種手段，用途是生產、增進事物的豐富性。」[71]這就是新一代對資本作為生產要素、作為一種事物所做的有限定義——雖然從金融角度來看，鍍金時代的豪宅也算是資本，因為它們屬於房地產資產，會在市場上增值。除此之外，在這些豪宅中進行的許多社交聚會轉化成了資本與信貸，即今日所謂經過改造的「社會資本」。[72]然而，這時期對資本主義階級意識極其重要的維多利亞時代情感，出現了二元對立的局面。一連串比領域區隔更鮮明的分裂，構成了人們的意識。

艾特金森對「勞工問題」給出的答案是，工業資本與工業勞工必須在孤立的私人商業領域中互相競爭。如此一來，每個人都能獲得其應有的報酬——即今日經濟學家所謂的「邊際產量」。但是，資本主義的競爭絕不能占盡所有的時間或精力。它發生於一個範圍內，而從中分裂出來的其他因素也同樣重要。

在經濟競爭的領域之外，家庭生活是最重要的焦點。[73]就規範而言，家庭是一個女性化、充滿情感的空間，與商業算計有所隔絕。事實上最令精英分子不安的是，對許多勞動階級而言，家庭中依然存在大量的經濟生產。[74]對此，雅各·里斯（Jacob Riis）的攝影集《另一半的人怎麼生活》（*How the Other Half Lives*，一八九〇年）提供了驚人的視覺證據。

對精英階層而言，區隔養家者及持家者的家庭經濟神聖不可侵犯。工業資本家相當重視這種道德上的勞動。對許多男性來說，這使他們的生意往來變得順利，甚至令人滿意。同時，這抑制了商業的發展，使其保持在適當範圍內，但也確證了他們為了家庭而投資企業的誘因。在家庭中，就連傑伊·古爾德也會變得多愁善感，據他的傳記作者表示，資本主義競爭的「激烈極端手段」與溫馨的家庭生活構成了他的情感生活，且兩者天差地別。[75]情感上，佛里克偏愛女兒海倫而不是兒子柴爾茲，因此將大部分的遺產都留給了她。他甚至還請藝術家為她創作充滿天使般光芒的肖像畫。

值得注意是，上層階級女性肖像的視覺焦點通常落在心臟的位置。在當代肖像畫作品之中，最聰明的是約翰·薩金特（John Singer Sargent）的作品——其中最出色、也最奇特的一幅是波士頓的《伊莎貝拉·史都華·加德納》（*Isabella Stewart Gardner*，一八八八年）。

對真實女性特質的執迷逐漸成為一種階級計畫，而參與其中的都是女性精英。[76]在公共領域，中產與上層階級的婦女經常發揮她們在家庭中女性特質的道德力量。一八七九年，法蘭西斯・威拉德（Francis Willard）擔任婦女基督徒節制會（Women's Christian Temperance Union）的主席。該組織是一項大規模婦女運動，旨在「保護家庭」不受商業侵害，包括勞動階級會館的毒害。[77]相互競爭的全國性女性參政權運動在一八九〇年站穩腳步，但在當時已經與勞動婦女的困境脫節。憤怒的婦女印刷工會成員曾如此斥責女性主義人士蘇珊・安東尼（Susan B. Anthony）：「這個協會一點用也沒有，根本是場騙局，從來沒有為勞動婦女做過任何事。」[78]在這個時代，大多數薪資階級的婦女都相當年輕，尚未結婚。如果她們非得工作不可，精英分子希望她們至少可以在工作場所與男性有所區隔。美國勞工統計局公布的報告《大城

圖 39 雅各・里斯，十二件賣四十五美分的及膝長褲——路德羅街（Ludlow Street）一家血汗工廠（約一八九〇年）

作為早期的攝影記者，里斯拍下了紐約市勞動階級社區的分租房屋與血汗工廠的情況。沒有其他攝影作品比在家做工的工業勞動場景更令中產階級與富裕階層感到震驚了，因為這種情景違反了商業中認定的家庭聖潔性。

市的勞動婦女》（*Working Women in Large Cities*，一八八九年）警告：「男性與女性只要一起工作，就會導致嚴重的散漫現象。」[79]在散漫與享樂之後，緊接而來的肯定會是最傷風敗俗的娼妓商業活動。[80]

因此，精英婦女獲得了某種形式的階級權力，但許多人為此付出了代價。薩金特最偉大的畫作可說是《愛德華・達利・波伊特的愛女們》（*The Daughters of Edward Darley Boit*，一八八二年）。畫中的四個女兒處於家庭生活的背景。年紀最小的女兒在前面最顯著的位置微笑，年紀最大的女兒則在後面望著遠方；隨著年齡的增長，她變得愈來愈孤僻且悶悶不樂。神經學家、同時也是《美國人的焦慮》（*American Nervousness*，一八八一年）一書作者的喬治・畢爾德（George Beard）指出，許

圖 40 希奧巴爾・查特朗（Théobald Chartran），《海倫・克萊・佛里克的肖像》（Portrait of Helen Clay Frick，一九〇五年）

鍍金時代有許多美國工業家認為，男性的勞動世界與女性的家庭生活之間存在著強烈的區隔，而亨利・佛里克委請畫家為女兒畫的這幅情感洋溢、光輝燦爛的畫作即呈現了這一點。畫中人物海倫成年後成了一位知名的慈善家與藝術收藏家。

圖41 約翰·薩金特，《伊莎貝拉·史都華·加德納》（一八八八年）
有「身價百萬的波西米亞人」之稱的加德納出身紐約一個富裕人家，是波士頓航運與鐵路金融家傑克·加德納（Jack Gardner）的妻子。兩人都是有聲望的慈善家與藝術收藏家。當時，許多女性肖像畫的焦點都落在心臟的位置，而薩金特所描繪的加德納肖像是這類畫風的創意之作，頗具視覺效果。

多出身上流社會、成天無所事事的女兒、妻子與母親在家中起居室裡焦慮不安，飽受「神經衰弱」所苦。[81]知識分子夏洛特·帕金斯·吉爾曼（Charlotte Perkins Gilman）所著的短篇小說〈黃色壁紙〉（The Yellow Wallpaper，一八九二年）便記錄了這種情況，其內容講述一位婦女患有產後憂鬱症，但被禁止從事勞動的體能活動。[82]

家庭生活對男性資本所有者而言至關重要，帶給他們所需的顯著道德對位。與聖潔的女性肖像形成鮮明對比的是，鍍金時代偉大資本家的肖像畫的焦點並不是心臟，而是集中於銳利的眼神——一種勇於開創的深邃目光，展現出一種奇特的焦點與動力。銀行家約翰·皮爾龐特·摩根（J. P. Morgan）於一九〇三年拍的一張照片即概括了這類畫風。從照片中可見，光線造成的陰影落在扶手椅上，摩根看起來彷彿拿著一把刀，隨時準備發動突襲。

許多資本家在所謂的社會達爾文主義學說中為殘酷的經濟競爭找到了理想化的論證。查爾斯·

達爾文的《物種起源》（*On the Origin of Species*，一八五九年）是十九世紀知識界的重磅炸彈，在其出版後的數十年裡，美國成為「達爾文主義國家」，但並不是因為眾多國際知名的進化論生物學家都是美國人，[83]而是因為一種對達爾文學說的模糊解讀控制了美國資產階級的想像力。達爾文本人對這件事並未負起責任，他曾寫信給一位朋友表示：「我看到曼徹斯特一家報紙刊登了一篇妙筆生花的諷刺短文，顯示我已經證明了『強權即公理』，因此，拿破崙是對的，每一位欺騙顧客的商人也沒有錯。」[84]

在上曼哈頓，達爾文主義的「適者生存」說法讓一些人聽得津津有味。《物種起源》的第三章題為〈為生存而鬥爭〉，下一章是〈天擇〉，但在第五版中，達爾文將其改成了〈天擇；適者生存〉。發明這個詞彙的人，不是達爾文，而是英國哲學家赫伯特．史賓塞（Herbert Spencer）。[85]史賓塞的著作

圖 42 約翰．薩金特，《愛德華．達利．波伊特的愛女們》
薩金特的這幅畫展現了中產階級為了追求理想中的家庭生活，所需付出的精神代價。

讓通俗達爾文主義提出的社會生物隱喻在美國廣為流行。史賓塞解釋，在適者生存的鬥爭中，「利己主義」的個人動機主導了一切，而社會是野蠻且好鬥的。然而，在一個不斷發展的工業社會中，人類的第二個基本心理動機「利他主義」勝出，帶來自願性合作與工業和平。如果放任演化自由發展，工業化便能迎來圓滿的結局。

美國的資本所有者及既得利益知識分子忘了把史賓塞的書讀完。[86]他們陷入了唯我獨尊的工業掠奪階段。「利己主義」是一種遠比亞當．斯密主張的商業「自利」來得殘酷的概念。[87]它抽象且反社會，而且未必和平，而亞當．斯密認為，商業的論述改善了社會性，對階級制度是一大打擊。在愛德華．貝拉米（Edward Bellamy）的暢銷烏托邦科幻小說《百年回首：二〇〇〇至一八八七年》（*Looking Backward: 2000–1887*，一八八八年）中，主角朱利安．威斯特從虛構的二〇〇〇年開始回顧，憶起對一八八〇年代的資本家而言，「自私是唯一的科學」。[88]當時整合了大北方鐵路系統的詹姆斯．希爾（James J. Hill）宣稱，事實上，「鐵路公司的財富，取決於適者生存的法則」。[89]關於這個法則，卡內基表示：「它就擺在眼前，我們無法逃避。」並補充道，「雖然這法則有時對個人來說顯得殘酷，但對種族而言是最好的做法，因為它可以確保每個領域存活下來的人都是適合生存的。」[90]

安德魯．卡內基很仰慕史賓塞。[91]他回憶自己第一次讀史賓塞的書時的感覺：「光線如洪水般湧入，一切都變得清晰。我不但擺脫了神學與超自然現象，還發現了進化論的真理。『一切都好，因為情況有了好轉。』成了我的座右銘，帶給我真正的安慰。」[92]一八八二年史賓塞抵達紐約展開美國巡迴之旅，卡內基帶他參觀了他的鋼鐵廠，但史賓塞並沒有看到演化進步的證據，還評論道：「在這種地方待上半年，不自殺才怪。」[93]回到曼哈頓後，史賓塞在戴爾莫尼科餐廳舉行的牛排餞別宴上發表演說。之後他在自傳中回憶道：「那場演講主要在批評美國生活對工作的過度投入。」[94]可惜，如今找不到任何文獻資料有記錄當時現場觀眾的反應，但可以想像他們很有可能聽得目瞪口呆。

一八八二年的巡迴之旅是史賓塞在美國最受歡迎的時期。當時，就連新教的神職人員也改信社會達爾文主義，主要是基於神聖目的。新的宗教傾向使這些學說吸引了虔誠的商人。有一位前公理會傳教士可說是美國最重要的進化論倡議人士，後來還開創了美國的社會學領域。這個人就是一八七二年進入耶魯大學擔任政治與社會科學教授的威廉．格雷厄姆．薩姆納（William Graham Sumner），他在《社會各階層虧欠彼此什麼》（*What the Social*

圖 43 愛德華．史泰欽（Edward Steichen），《約翰．皮爾龐特．摩根先生》（*J. Pierpont Morgan, Esq.*，一九〇三年）

與當代往往以視覺焦點來傳達家庭情感的女性肖像畫相比，男性肖像畫的重點通常是企業家的銳利眼神。

Classes Owe to Each Other，一八八三年）中寫道，競爭法則「就像重力一樣不可能被擺脫」，並指出「百萬富翁是天擇下的產物」。[95]社會各階層基本上沒有虧欠彼此什麼：「貧窮是最好的對策。」[96]沒有剝削，只有「契約自由」。那些自願失業而拒絕養家糊口的男人與罪犯只有一線之隔。精英分子更懇請國家與地方政府通過「非自願性貧民勞動法」，將失業定為犯罪行為。[97]

這種思想路線的政治意涵極為保守。《大眾科學月刊》（*Popular Science Monthly*）的編輯愛德華·尤曼斯（Edward Youmans）曾與支持財富重分配主義的《進步與貧困》一書的作者亨利·喬治辯論。當然，尤曼斯承認：「紐約市是腐敗的，富人是自私的，完全不管窮人的死活。」喬治追問他：「你提議該怎麼做呢？」尤曼斯答道：「什麼也不做！你我根本無能為力。一切全關乎進化，我們只能等待。也許四、五千年後，進化能讓人類突破現狀。」[98]薩姆納指稱民主是「這個時代的寵物迷信」。[99]芝加哥、伯靈頓與昆西鐵路公司（Chicago, Burlington, & Quincy Railroad）總裁查爾斯·艾略特·柏金斯（Charles Eliot Perkins）表達了精英思想的反民主傾向：

> 當選民人數成長到現在的二到三倍，但擁有財產的人口卻很少，就有可能出現一些問題，而這些問題會打亂整個體制，導致國家不得不成立一個或多個設有大批常備軍的鐵腕政府。[100]

紐約上層階級普遍廣泛支持市政府根據財產所有權來限制選舉權，以約束「過度的民主」。[101]勞動暴力加深了資本家與其他公民同胞之間的距離感，而這樣的疏離往往以公然種族歧視的形式呈現。一八七七年的鐵路大罷工之後，曾在數十年前擁護「自由勞動」，並支持林肯的第一次總統參選提名的約瑟夫．梅迪爾（Joseph Medill），在自己擁有的《芝加哥論壇報》（*Chicago Tribune*）上，發表了一篇題為「危險的階級」的社論。一般而言，最危險的族群包含了「新移民」，他們並非來自英國或德國，而是歐洲其他地區。當時「白種人」的概念還不存在。（一八八八年的一項研究宣稱，美國勞動人口之中，有多達六十三支不同的「種族」。）[102]成立之初，美利堅共和國是世界上經濟相對平等的國家之一。到了一八七七年，工業階級的形成，使過去支持廢奴的梅迪爾在文章中表示：「危險的階級受激情所左右；他們品味低俗，積累惡習；他們無知又報復心強；他們容易受惡劣的煽動者與革命分子所影響，而且很容易喝醉發酒瘋。」那麼，最好的解決辦法是什麼？「給這些危險分子一點教訓，只要槍裡裝了子彈，火藥就能燒得旺。」[103]

收入政治的誕生

一八七〇與一八八〇年代的許多階級衝突都源自於財產與資本的分配政治，也就是誰得到多少財產、誰又得到了多少資本的問題。然而在一八八〇年代，一種嶄新的分配政治的輪廓逐漸浮現：分配的東西是收入，而不是財產，也就是資本戰利品要如何分配給利潤與報酬。由於決定投資地點與是否投資的權利，是財產所有權的一個要素，因此收入政治雖然充滿了重分配的可能性，卻將投資的特權讓給了資本所有者。

在二十世紀，工業收入的分配將成為分配衝突的主要核心，衝突於十九世紀末從兩個不同的地點慢慢浮現。一個是山繆．龔帕斯領導的工會，即關注薪酬（勞動收入）的美國勞工聯盟；另一個是新出現的「非營利」法人慈善事業，其聚焦於如何處理利潤（資本收入）。這兩種社會運動都接受一個事實，那就是資本所有權不會存在於公平的基礎之上，雖然其中一個僅僅是勉強認同而已。美國勞工聯盟試圖在利潤與薪酬（或勞動收入）之間尋求更公平的分配方式。而「非營利」企業則從上而下，將工業資本的利潤轉變成重分配的慈善財富，而不是資本。

一八八六年大動亂過後，勞工騎士團崩解，美國勞工聯盟迅速主導了全國勞工聯盟。[104]它是全國性的技術勞工同業工會聯盟，階級意識完備，但只關注分配正義，因為它希望為成員爭取加薪並降低資本家對勞工的剝削。在一八七〇至一九二〇年這段期間，每位勞工一天的工時略有增加。[105]當時，一天工作十小時是常態，八小時仍是一個目標。美國勞工聯盟還提倡「高薪經濟」。該組織在充滿敵意的工作場所與法律環境下運作，將資方與勞工之間的對立視為理所當然。然而，美國勞工聯盟在性別差異的問題上與資方的立場一致。為了馴服年輕男性短暫從事薪資勞動的單身文化，美國勞工聯盟提倡的高薪經濟是一種懷抱憧憬的經濟，主張由男性養家糊口、女性操持家務。

龔帕斯在一八五〇年出生於倫敦，祖父是荷裔猶太人，家族從事雪茄製造業。[106]一八六三年，他們舉家移民紐約，而龔帕斯在父親於下東區分租房屋的店面工作時，學會了捲雪茄的技術。當時，這門技術正處在變動期。在某些商店裡，捷克與猶太裔的女性移民逐漸取代了手藝高超的男性工匠，捲煙機等新式資本財也開始搶走他們的工作。[107]一八七三年，龔帕斯加入了一位技藝精湛的德國移民所開的工藝店，這位德國移民總是雇用同為「社會主義流亡者」的人當員工。[108]那段日子裡，龔帕斯學習德語，也會到工人們常去的酒館閱讀馬克思的書籍。一八七六年，他成為國際雪茄製造商聯盟（Cigarmakers' International Union）第一四四號分會的會長。然而，他最愛不釋手的另一本德文著作，那就是卡爾・希爾曼（Carl Hillman）撰寫的〈解放的實用建議〉（Practical Suggestions for Emancipation，一八七三年）。在文章中，希爾曼呼籲成立遵守紀律的工會，而不是缺乏協調性的無組織群眾行動。龔帕斯開始批評勞工激進主義，質疑其毫無貢獻。他認為勞工不該指望獲得投票權，而是試圖在日常生活中向工會尋求更多的經濟利益。

龔帕斯稱其為「純粹而簡單的工會主義」。工會成員要做的不僅僅是自發性的罷工，還應該定期繳納會費。工會應成立罷工基金，為成員提供失業、疾病與死亡的給付。為工會服務的職員也應該有薪資可領，負責組織罷工活動。工會應該扮演的角色是與資方談判、爭取更好的薪資與工作條件，包括工時的減少。例如，資本家投入資本並尋求獲利時，美國勞工聯盟便會試圖與對方協商更公平的薪資。

龔帕斯與政府發生過摩擦，而這件事影響了他的世界觀。雪茄製造商起初支持立法禁止分租房屋中「不衛生的家庭手工業」，因為血汗工廠的勞動壓低了技術男性勞工的薪資。一八八四年，紐約州通過法規，全面廢止在分租房屋從事雪茄捲菸手工業。但在「雅各案」（*In re Jacobs*，一八八五年）中，紐約上訴法院駁回法案，認為這條法規侵犯了勞工的「個人自由」。一八八五年，龔帕斯事後回想表示：「我們發現努力毫無成效。」[109]在此後長達二十年的期間，法院做出了一系列的審判打擊了「保護性勞工立法」，最終在美國最高法院對洛克納訴紐約州案（*Lochner v. New York*，一九〇五年）的裁決中揮出重拳。該案在最高法院法官史蒂芬・菲爾德的判決下，延續了傑克森主義長久以來追求平等商業機會的理想，判決宣布紐約的烘焙師傅一天工作十小時的規定，違反了憲法第十四條修正案所明定的「契約自由」。過往被用來批評政府特權的傑克森主義論點，如今被用於保護私人資本家的經濟特權，在這樣充滿敵意的法律環境中，工會別無選擇，只能自立自強。

龔帕斯基於充分原因而不信任政府，因此他對政治行動敬而遠之。身為精明的政治策略家，他發覺大部分的罷工行動都圍繞在薪資與工時問題上，這些議題與生活切實相關，而非充滿空想。龔帕斯與美國勞工聯盟宣布，會全力支持八小時工作制。為了推動更良好的紀律，他只接納技術性工藝勞工這個同質性群體。即使不具敵意，美國勞工聯盟仍與小型資本所有者及「新移民」保持距離，而當時正有數百萬名非技術中歐與東歐移民正不斷湧入美國。正如美國聯合協會會長在一八八三年對參議院委員會所說的，這些「匈牙利人、波蘭人、義大利人及波西米亞人」分不清「輕活與苦活的差異，也不知道薪資的好壞」。[110]美國勞工聯盟吸收了排華政策時的經驗，要求對來自歐洲的移民實施法律限制，分會也普遍排斥黑人。

一八八六年，美國勞工聯盟在全國各地的會員共有五萬人，在一八九〇年更達到了二十萬人。[111]他們所主張的薪資政治，支持產業男性勞工負起養家糊口的責任。以龔帕斯為首的國際雪茄製造商聯盟於一八六七年公布章程，開放女性加入，但隨著大型雪茄製造廠以非技術女性操作員取代了技術性男性勞工，龔帕斯不得不屈服於全體會員的心願。同樣的情況也發生在美國勞工聯盟。到了一九〇四年，正如其中一位成員所述：

> 我們的原則是，允許美國任何女性被迫工作都是錯的，因為我們認為男性勞工應該獲得公平的薪資，這樣他的女性親屬才不必工作。男人肩負養家糊口的責任，應該得到足夠的報酬，好讓他們的家人能過體面的生活。[112]

一八八六年，不論正確與否，龔帕斯告訴國會，工會成員只希望有「肉」可吃。他們希望有「閒暇時間」，有「乾淨的襯衫」可穿，有「時間可以看書」，家中的「牆面可以掛上一幅漂亮的畫，或者在客廳裡擺上一台鋼琴或風琴」。[113]他刻意強調勞工與資產階級在生活水準上的差異，對精英分子動之以情。他的宣傳口號便是，八小時工作，八小時休息，八小時「隨心所欲」。[114]同時，為了保障男性勞工薪資，美國勞工聯盟支持對女性的「保護性立法」。在里奇訴民眾案（*Ritchie v. People*，一八九五年）中，伊利諾州最高法院認為，立法規定女性工作八小時違反了憲法保障婦女的「契約自由」，但美國最高法院在穆勒訴奧勒岡州案（*Muller v. Oregon*，一九〇八年）中支持針對婦女的保護性勞動法。[115]充滿抱負的男性養家願景也與美國勞工聯盟排除「新移民」的做法不謀而合，因為在那些移民當中，有許多人尚未成家。在卡內基發跡的匹茲堡等城市，美國勞工聯盟中工人貴族

（labor aristocracy）*的薪資，可能是非技術勞工的兩倍。[116]

美國勞工聯盟願景的盲點在於將私人投資的誘因視為理所當然。假使流動性偏好占了上風，而資本所有者選擇不投資就業密集型的企業，那該怎麼辦呢？倘若如此，美國勞工聯盟一點辦法也沒有。在此同時，資本所有者繼續拿法院所發布的禁制令當作後盾，抵制任何類型的工會組織。「政府透過禁制令來治理社會」，是美國獨有的現象。其他英美法系國家則採取不同的路線例如發展仲裁制度（這也是勞工騎士團偏好的方式）。[117]據估計，在一八八〇至一九三〇年間，美國法院發布了至少四千三百條禁止工會活動的禁令。[118]美國勞工聯盟「純粹而簡單的工會主義」

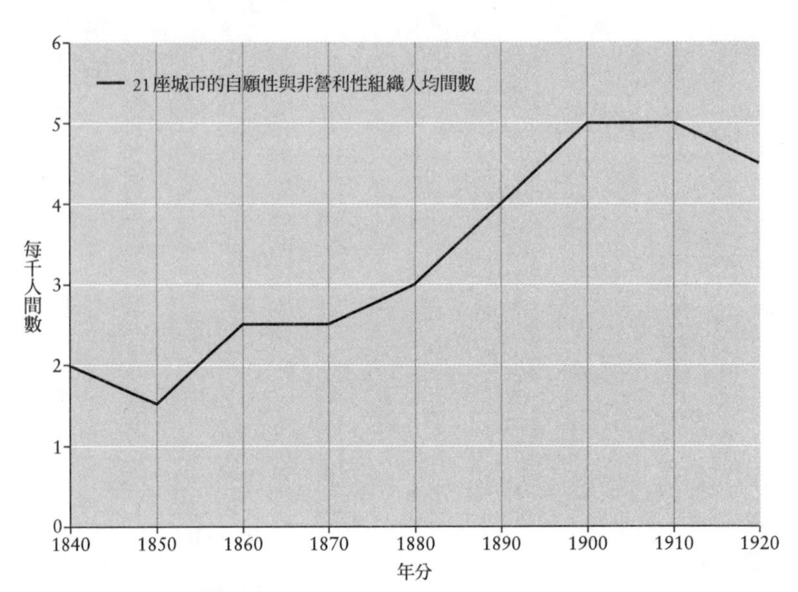

圖 44　自願性與非營利性組織的人均比例

營利性企業興起之際，一般認定與其對立的非營利企業也日益增加，它們的任務是體現非市場化的利他主義及重新分配慈善財富。

雖然在組織勞工方面取代了勞工騎士團，但在政府禁令限縮的狹隘範圍內，美國勞工聯盟依然難以突破四面楚歌的困境。

與此同時，出現了另一種收入政治，也就是非營利性的法人慈善事業。一八八一年三月，也就是湯姆．史考特去世前的兩個月，他寫了一封信給賓州大學信託委員會的主席（就在他以兩百四十萬美元將自己在德州與太平洋鐵路公司的所有股份賣給傑伊．古爾德的前一個月），[119]內容是：「我想將百分之六、價值五萬美元的債券贈與賓州大學，用以資助設立藝術學系的數學教授職位，因為我知道這種教職需要資源。」[120]如今，以湯瑪斯．史考特之名設立的數學教授職位依然存在。非營利性法人慈善事業是史考特在鍍金時代的另一項創舉，而他的昔日門徒卡內基則將其推向新的高度並臻於完善。

慈善公益並不新奇，新奇的是它的制度性起源。在商業時代，包括慈善企業的所有公司都是次主權，取得特許經營權的前提是符合限制商業活動的獨特「公共目的」。一家獲得特許成為大學的企業不得改經營孤兒院，就像一個獲得特許建造橋梁的股份公司不能改行銷售保險是一樣的道理。傑克森時代的一般公司法開放了成立法人組織的管道，並為公司行號貼上了新的私營標記。

然而，某些特許依然被管制。[121]一八七三年，賓州召開了一次憲法會議，有很大一部分的原因

---

* 譯註：這個詞彙可視為對工會的含蓄批評，因為在二十世紀初的美國，美國勞工聯盟底下的工會大都不接受從事大量生產的非技術勞工的加入。而在馬克思理論中，「工人貴族」指的是那些壓榨開發中國家的赤貧工人、從中獲取超額利潤的已開發國家工人。

是，立法機構的許多成員希望遏制賓州鐵路公司收購礦場及其他財產，防止其踰越一八四六年獲准營運的特許權授權範圍，並限縮其對立法機構的影響力。由此而生的新憲法最終促成了一八七四年的《一般公司法》，該法引進了二元的公司分類，即「營利企業」與「非營利企業」。[122]這種區隔資本與資本對立面的制度，便反映了這個時代的心理分裂。一般被分別貼上男性與女性標籤的利己主義與利他主義，此時被置於營利或非營利企業的類別之下。[123]

卡內基善用了這種分裂，並將其擴大到遠超乎恩師史考特當初資助設立數學教授職位的規模。一八八九年，他在波士頓文學雜誌《北美評論》(*North American Review*)上發表了一篇名為〈財富〉的文章，開頭寫道，「我們這個時代的問題，在於能否對財富做適當管理，好讓富人與窮人能在手足情誼的紐帶下和諧共處」。他承認產業中存在階級衝突，也坦承這樣的緊張關係是他所推動的各種大規模資本與能源密集型工業化直接導致的：

> 我們在工廠、礦場與帳房聚集了數以千計的工人，雇主對他們瞭解甚少或一無所知，而對他們來說，雇主也只不過是一種迷思。雙方不再溝通交流，形成了僵化的社會階級制度……每個階級都對彼此缺乏同理心。

此外，「在競爭法則下，數以千計的雇主被迫嚴格撙節開支，其中又以降低勞工的薪資為主」。這聽來像是馬克思會說的話。資本家別無選擇，只能互相競爭，系統性降低勞動成本。卡內基認為，「雇主與員工、資本與勞動之間，必然會有摩擦」。[124]龔帕斯也非常贊同這個看法。只是，卡內基對於如何解決這個問題的計畫，與馬克思的共產主義或龔帕斯純粹而簡單的工會主義並不相同。

「財富」問題，其實就是卡內基所謂的「剩餘收入」（馬克思稱之為「剩餘價值」）的問題。對此，資本家有許多選擇，他們可以將利潤再次轉為資本、長期再投資於更具生產力的資本，或是將利潤作為貨幣資本，用於短期投機或預防性囤積。卡內基不認同投機行為，因為他太有膽識了，一點也不想囤積財富，但他獲取的利潤極高，他的企業不可能吸收這些利潤並用來從事新的投資。這樣下來，只好採納另一個選擇：消費。卡內基買了一艘名為「海風號」（*Seabreeze*）的遊艇與一座名為斯基博城堡（Skibo）的蘇格蘭城堡。然而，由於貨幣收入隨著工業化發展而增加，再加上分配不均，富人的消費傾向完全跟不上財富累積的速度。顯然，卡內基既不可能把錢都花光，炫耀性的消費也對修補因工業化而分裂的手足情誼沒什麼幫助。其實還有另一個選項，也就是付給勞工更高的薪資，但這是不可能的，因為「財富積累的法則與競爭的法則」不可動搖。這是一個進化的問題。[125]

卡內基認為，剩下的選擇有「用於處置剩餘財富的三種模式」。第一，過繼給家人；第二，死後「拿來做公益」；最後是「任由財產占有者處置」。而卡內基提倡最後一個選項。「富人的責任」是將「所有剩餘收入……當作信託基金，而自己只是受託管理」，以便「為社會群體創造最有利的結果」。「因此，富人不過是相對窮困的同胞的代理人與受託人，發揮自己高人一等的智慧、經驗與管理能力，為同胞們做些比他們自己會做或者能做得更好的事。」他還說了一句名言：「死時富有，是一種恥辱。」資本所有者在有生之年明智地捐出剩餘收入，就是在做善事。[126]

慈善不是一種施捨，因為施捨會產生依賴。[127]卡內基主張，基於短期原因（譬如拯救飢餓）而「將少量財富分配給人們」，只會導致「縱欲」及「無所節制」（指的是酒精與性）。[128]慈善家必須從大局著眼、長遠考量。卡內基本身的長期工業投資讓他具備這種視野。洛克斐勒說：「最好的慈善事業是不斷尋找定局，也就是不斷找出原因，試圖從源頭根治邪惡。」[129]在〈財富〉一文中，卡內基列出了慈善事業的最佳目標：圖書館、大學、音樂廳、公共浴場、公園、音樂學校與天文觀測站。這些文化機構都能造福「種族」，而卡內基也持續捐錢贊助其中許多機關團體。

慈善事業的首要任務是透過提升文化與文明來緩和階級衝突，這點十分明確。一八七六年，波士頓市長山繆．科布（Samuel C. Cobb）在波士頓美術博物館的揭幕典禮上表示：「每個階級的人都能從充滿美感的事物中得到好處與快樂。」該機構成立於一八七〇年，與紐約大都會藝術博物館同年設立。不久後，費城藝術博物館（一八七六年）與芝加哥藝術學院（一八七九年）也成立了。[130]這些變革彰顯了工業時代的又一次分裂，而這次裂痕便介於資本與其對立面，經濟生產與理想化審美欣賞之間因此產生了鴻溝。當然，批評的聲音並不少。[131]美國最偉大的「生產者主義」藝術家沃爾特．惠特曼感嘆，「影響力無邊無際的資本與資本家」正在資助一種新的貴族文化生產形式，這是一種「反民主的疾病與畸形」。[132]在藝術領域，不久後將出現一股反作用力，反對讓作為專有名詞的文化脫離經濟生活的核心本質。這種反彈名為「現實主義」，在美國以波士頓名流威廉．迪恩．豪威爾斯（William Dean Howells）最為知名。他寫了一部突破性的社會現實主義小說，內容主要描述階級衝突，題為《新財富的危害》（*A Hazard of New Fortunes*，一八九〇年）。[133]

卡內基從追求利潤的資本中，分割了一塊作為慈善財富來重新分配。當然，身為資本所有者，他有權決定利潤中有多少「剩餘」部分可作為慈善財富。如同一把剪刀，新出現的營利與非營利分界排除了一些機構，例如合作社，因為這類機構明確地將資本主義生產與利潤最大化之外的其他價值結合。在刻意的操作下，驅動利己主義與利他主義的表述也愈來愈獨特。同時，慈善事業承諾與勞動階級進行某種形式的接觸。這些努力、連同營利與非營利企業的分裂，以及眾多圖書館、大學與博物館的設立，開始讓美國工業社會建立起制度、道德與結構性框架。

卡內基與洛克斐勒生前捐出了數億美元的財富。洛克斐勒資助了許多大學，包括在一八八九年幫助芝加哥大學重新獲得特許設立。在一八八〇年代的階級衝突中誕生的非營利慈善事業及純粹而簡單的工會主義，也的確歷久彌新。然而，由於避開了黨派民主政治，慈善家與純粹而簡單的工會主義者在一八九〇年代的政治危機期間置身事外，而引發這場政治危機的，不是工業階級衝突，而是農民起義。

第十章 民粹主義的反叛

一八九六年夏天，民主黨人士齊聚芝加哥，提名新的總統候選人。該黨成立於商業時代安德魯．傑克森當政時期，基於反壟斷立場批評政府特權，致力提倡平等的商業機會。如今，許多黨員漸漸認為，對民主構成了更大威脅的是集中的私人企業權力，而不是中央政府。人民必須利用政府的工具奪回權力，反抗經濟特權及財閥政治，敵人不再是政治特權與貴族階級。

一八九六年，現任總統、同時也是紐約州民主黨員的格羅佛．克利夫蘭（Grover Cleveland）不受民眾歡迎，原因是一八九三年的恐慌之後經濟蕭條，美國考量通貨緊縮的趨勢而固守英國支持的金本位制，使景氣雪上加霜。克利夫蘭相信金本位制的神聖性，認為它顯著支撐了國際投資者信心與預期。他不會採取任何措施來使物價再度膨脹，但也不會爭取連任。

憲法賦予聯邦政府鑄造貨幣的權利，漢彌爾頓為美元建立了黃金與白銀的金屬基礎。《一八七三年硬幣法令》（Coinage Act of 1873）是為了恢復金本位制而通過，目的是為了在一八七九年恢復南北戰爭前美元與黃金的匯兌平價，但是，這個法案卻同時取消了自由鑄造白銀，並有效抹除了這種金屬的貨幣性質。[1]金本位制的批評者指出，《一八三四年硬幣法令》（Coinage Act of 1834）將金銀兌比定為十六比一。一八九〇年代初，由於世界各地未見重大的金礦開採，加上美國西部的銀礦開採量激增，黃金與白銀的市場比例始終徘徊在三十比一左右。譴責「一八七三年罪行」的「白銀主義者」要求美國鑄幣局以十六比一的比例自由鑄造白銀。這將讓白銀鑄造商大發利市，同時增加美國的強勢貨幣供應，促使物價回升與信貸擴張，並緩解經濟蕭條。

自內戰以來，民主黨在貨幣問題上一直存在區域性分歧。[2]克利夫蘭在東北部的黨羽支持金本位，西部的銀礦主與債台高築的農民則否。反黃金陣營有一位領袖是內布拉斯加州的國會議員威廉·詹寧斯·布萊恩，三十六歲的他在一八九六年決定放手一搏參選總統。他的長線策略是藉由一場振奮人心的集會演說來拉攏黨代表，爭取芝加哥的提名資格。

一八九六年七月九日，曾是律師的布萊恩步上了芝加哥一處會所的講台，發表了堪稱美國政治史上最激勵人心的一場演講。[3]第一段獲得熱烈回響的講詞以「商人」的定義為主題：

> 我告訴你們，你們對商人的定義太狹隘了。受雇領取薪資的人就跟雇主一樣是商人；鄉村小鎮的律師就跟大都市的企業律師一樣是商人；路口轉角商店的老闆也跟紐約的商家一樣都是商人；大清早出門、辛苦耕作一整天的農民，從春季播種到整個夏季不同勞碌，運用腦袋與勞力善用自然資源以創造財富，就跟在交易所裡購買穀物期貨的投資客一樣，都是商人；深入三百公尺的地底或爬上六百公尺高的懸崖，冒死挖掘貴金屬以供貿易之需的礦工們，與那些在密室裡壟斷全球貨幣的少數金融巨頭一樣，也都是商人。在這裡，我們要談的是這些更廣泛的商人階級。[4]

這種民粹主義的論調激起了「民眾」反對邪惡力量的情緒，他們群情激憤地抗議真實政治體以外的非法勢力。[5]布萊恩認為，一群強大的經濟精英正在扼殺「廣泛階級」的經濟機會，這個主張呼應了奠基於傑克森的商業機會平等主義，而這正是民主黨根基。但是，他特別提到「農民」時，在場的群眾開始鼓譟。一位黨代表大喊，「天啊！天啊！我的天啊！天啊！」他把帽子扔到空中，激動地拍打面前的空椅，彷彿終於有一位政治家第一次意識到自己身處困境。[6]

布萊恩表示，金本位制不過是「重演了一七七六年的問題」罷了。美利堅共和國是否應該「因為英國採取金本位制就跟進？」答案是「不」，他回答：

> 在商業利益、勞工利益與各地勞動者的支持下，我們有這個國家與世界各地肩負生產責任的大眾作為後盾，有義務回應金本位支持者的要求，對他們說：你們不該強逼勞動者戴上滿是荊棘的冠冕，不該把人類釘在黃金十字架上。[7]

布萊恩用手指在額頭上劃了一個王冠的形狀，接著往後退了一步，伸出兩隻手臂，擺出十字架的手勢。他就這樣維持不動五秒鐘，聽眾們靜靜地看著他。最後，他走下講台，回到內布拉斯加黨代表團的座位上。

布萊恩回憶道，「結束演講後，我在令人痛苦的靜默中回到了座位上。快到座位時，附近有人大喊了一聲，接著我就被抱了起來，現場一片喧囂混亂。」[8]《紐約世界報》（*New York World*）報導，突然間，「會場的地板彷彿被掀了起來，每個人都瘋了。男男女女的尖叫聲此起彼落」。兩名代表情緒激昂地「痛哭流涕，豆大的淚珠從他們的眼睛裡滑落到長滿鬍鬚的臉頰上」。[9]這樣的騷動持續了二十五分鐘之久。隔天，民主黨在黨員們對現任總統與黨內精英驚人的否定聲浪中提名了布萊恩。

數週後，人民黨（People's Party）在聖路易召開大會。人民黨成立於一八九一年，是一個以農業利益為基礎的反對黨。民粹派（如大眾所稱）也投票提名布萊恩為總統候選人，因而與民主黨的競選活動「合為一體」。共和黨則是提名一位支持金本位的黨員，俄亥俄州的威廉·麥金利（William McKinley）。共和黨大會發布的報告寫道：「一切了無新意。掌聲與喝采虛有其表，熱情的響應沉悶枯燥，代表們像是貨車裡的豬隻，對自己將何去何從一無所知。」[10]一八九六年的「貨幣體制之戰」已經開打。

民粹主義的目標

布萊恩在總統選舉中以大幅差距落敗。將命運交給了布萊恩參選資格的人民黨隨之垮台，很快便退出政壇。麥金利總統簽署通過《一九〇〇年金本位法案》，正式將白銀踢出貨幣之列。這麼一來，除了一場偉大的政治演說與一次的選舉失敗之外，民粹主義的反叛意義何在？

首先，它讓始終貫穿美國政治的民粹主義潮流保持活力。民粹主義通常站在農村立場，對精英與都市勢力抱持懷疑態度，他們支持民族主義與反全球化，但在意識形態上舉棋不定。最重要的是，民粹主義的反叛有一種獨特的情感取向（在要義與調性上經常帶有宗教性）。它批判經濟不平等，但往往都屈服於種族主義，有時還成了反猶太主義的代罪羔羊。例如，一八九〇年代，民粹主義的反叛短暫嘗試促成跨種族的團結後，卻因為南方一場狂亂的種族主義暴動導致反叛瓦解，反而為下一個世代鞏固了白人至上的地位。[11]然而，民粹主義確實影響了二十世紀初的政治經濟計畫，而這項計畫的規模比民粹主義本身更加龐大。無論多麼精明幹練，經濟精英都有可能濫用自身權力，因此理應受到批評、甚至是毫無教養的謾罵，而唯一的民主途徑是國家。人民黨的黨綱聲明：「我們相信，政府的權力也就是人民的權力，而人民的權力應該被擴大。」[12]藉由在全球化經濟中重新詮釋國家公權力，民粹主義者制定了一套在資本時代之後仍長久延續的議程。[13]

布萊恩及其在一八九六年演說後熱烈響應的支持者，並非全是注定被歷史遺忘的粗鄙農民。[14]美國的農業領域並不落後，在工業化時代，農業經濟生產力比世界上任何其他國家還要優秀。一八九〇年代的農民起義所做的，是加深工業經濟變革進程，讓這股工業變革益發政治化。產業業主與工薪階層在一八八〇年代曾為此奮鬥，但那場工業階級戰爭並未與民粹主義的反叛結合。憤憤不平的工薪階層與農戶之間從未形成實質的同盟關係。到了一八九六年，一八八〇年代的暴力階級戰爭已經結束，美國勞工聯盟主張的「純粹而簡單的工會主義」逐漸崛起，他們捨棄選舉政治，轉而致力推動男性薪酬政治。然而在大型農業領域，擁有財產的農戶一致支持民粹主義批判不受約束的私人企業權力。事後回顧，他們的批評深深影響了整體的政治經濟。

首先，反對英國支持的金本位制的人在細節上並沒有錯。雖然金本位制創造了國際間的信任與穩定的預期，但美國是否需要歐洲的資本還並不明朗，而金本位制也帶來了金融的波動與強烈的通貨緊縮傾向。唯有國際金本位制才能使一九三〇年代的經歷大蕭條變得如此嚴峻，徹底結束了資本時代。一八九六年的美國總統大選可說是歷史上第一次明確將經濟全球化問題拉上檯面的民主選舉。之後，全球化這樣一個看似抽象的過程，便不斷以如此強烈的情緒滲透國家政治。

除此之外，民粹主義引起了一些都市選民的共鳴，使反壟斷的意識形態得以延續。這意味著，即使在一八九六年後，朝大型企業產業發展的經濟傾向在政治領域中依然明確。[15]布萊恩在一九〇〇年再次代表民主黨參選，並以更大的差距再度敗北，但他喚起的不僅是農業主義精神，還象徵了小型工業經濟生活的可能性，捍衛了美國的市場競爭價值，這也是他對「商人」的呼喚會引發如此深刻情感的原因。

這些問題短時間內都不會消失。布萊恩的失敗確定了金本位制，但權力下放的聯邦準備系統在一九一三年成立，改革了美國的貨幣體系，而布萊恩認可這樣的政策，因為當時他是屬於進步派民主黨黨團的總統伍德羅．威爾遜（Woodrow Wilson）的內閣成員。同時，工業企業的規模持續遽增。從一八九五年持續至一九〇四年的大併購運動，是美國史上工業企業整合最輝煌的時刻，在短時間內對大部分產業進行了資本重組。布萊恩落選後，大併購運動進入高潮，這絕對不是巧合。資本在貨幣與生產形式上都變得更加公司化，包括公司股票與債券，以及工廠的生產性資產。

工業企業擴大了權力。一九〇一年，華爾街銀行家摩根併購安德魯・卡內基的鋼鐵公司，創造了世界上規模最大的企業——美國鋼鐵公司（U.S. Steel）。與此同時，更多的都市進步運動取代了民粹主義的反叛。二十世紀初，進步派聚焦於工業企業與都市，開始重新構想私人企業權力與公共利益之間的關係，形塑了「自然壟斷」和「公共事業」等概念。他們將資本的金錢收益納入政治領域，深刻影響了二十世紀的收入政治。

就民粹主義的反叛所經歷的種種事件而言，美國的政治經濟一步步從原本以資本所有權為目標，轉而聚焦資本投資所實現的收益之監管與分配，也就是從財產的分配政治轉向收入政治。關於公共利益的想像重新開展，但投資活動仍以企業馬首是瞻。在此意義上，民粹主義者及其愈來愈不合時宜的財產政治再一次輸了，為農民、小型業主與合作社的商業計畫爭取權益的企畫宣告失敗。

農民聯盟與人民黨

在工業化時代，家戶依然是美國農產企業的主要單位。一八八〇年，美國有百分之四十三點八的人口（約兩千兩百萬人）以農場維生。一八六〇至一九〇〇年這段期間，有三百七十五萬座農場在各地設立，其中絕大部分位於密西西比河以西地區。[16]在全球化且高度競爭的世界市場中，美國農業的發展力量首屈一指。

隨著金本位制壓低物價，更多商品湧入世界各地的市場，都市工業因為農業生產力的提升而從成本益趨低廉的投入中受惠良多。收成後，農民被迫以具有競爭力的世界市場價格販售農產品。在這個時代，農民本身的財富有所增長，但相對而言，由於商業與製造業的報酬遞增，在新出現的生產力增益領域中，工業受益的比例更大。[17]許多農民身負債務時，大型鐵路企業則可以依據自身的成本制定售價。農民仰賴這些鐵路運輸將農作物運往市場，使得他們一方面被迫接受具競爭力的市場價格無法自行調漲售價，一方面則得接受鐵路公司自行制定的服務價格。控制了農民取得信用管道的銀行家，收入也日漸增長。

一八八〇年代末，許多農民大聲疾呼反對「壟斷」，組成了一系列聯盟，主要目標是建立專屬於農民的商業合作社。這些合作社讓農民得以存儲自己生產的農作物，進而擴大他們對市場的影響力，甚至從別無選擇的受價者轉變為可操縱價格的定價者。信用合作社也能擴大農民以更優渥的條件取得資金的機會。然而，合作社運動未能成功。許多不滿的農民轉而投入選舉政治，民粹主義的反叛因而誕生，之後更加入了布萊恩自命不凡地代表民主黨在一八九六年參與的總統選戰。

農民聯盟（Farmers' Alliance）成立於一八七七年，起初基本上是一個農民互助會與農村社會化的定期論壇。一八八六年，也就是產業勞工爆發大動亂的那一年，聯盟轉型，會員人數也爆炸性增加。農民聯盟起源於德州中部的交叉木材（Cross Timbers）產區，也就是南方的棉花農場與北美大平原的小麥帶接壤處。[18]

交叉木材產區的問題在於，假設農民必然得邁向商業化，那他們需要接受哪些條件。一八八三年，傑伊・古爾德的德州與太平洋鐵路將該區域一分為二，擴展了棉花與小麥商業生產的可能性。

農民抱怨大地主與牧場主盜取土地所有權、鐵路運費不公、貨幣供給不足及債台高築。由於古爾德推動德州與太平洋鐵路的建設，勞工騎士團去到了當地。一八八六年他們對古爾德發動決定性的罷工時，交叉木材產區的農民聯盟也支持他們。該年爆發的大動亂對都市勞工而言是一個重要的轉捩點。古爾德獲勝後，騎士團逐漸走向終點，都市勞工的激進主義開始委靡，而龔帕斯率領的美國勞工聯盟及其薪資政治主張（白人男性擔起養家糊口的責任）的勢頭則急速上升。但在美國農村地區，農民聯盟自一八八六年起日益發展，舉起了反壟斷與財產政治的旗幟。

一八八六年，農民聯盟的勢力在德州各地不斷壯大，成員在出產交叉木材的克利班（Cleburne）召開會議，提出了十五項「克利班要求」（Cleburne Demands），除了其中四項以外，其餘均引用了勞工騎士團於一八七八年制定的綱領：

> 我們要求：承認工會、合作社與其他由勞工階級組織的協會，以改善他們的財務狀況或促進其整體福利……〔並且〕以國庫票據的法定貨幣取代國家銀行的發行，美國國會應限制其發行量，明定人均流通量，並因應國家的人口與商業利益之擴大而增加。[19]

德州農民聯盟呼籲，聯邦政府不但應該發行銀幣，也應印製美鈔。此外，它還呼籲政府為工會與合作社制定更有利的公司法。這不是一項簡單的反企業要求。國家法律將公司形式劃分為營利與非營利性時，德州的農民希望能夠成立一種介於合作社與企業之間的組織。

一八八六年之後，農民聯盟發展成一場真正的社會運動，以反壟斷的政治意識形態為基礎，根植於旨在建立經濟合作社的龐大創業計畫。一八八七至一八八八年，其「講師」巡迴各地發表演說（其中多半為女性），大力宣揚合作企業的好處，且無可避免地帶有基督教福音派的調性。農民聯盟的地方分會如野火般在南部與西部地區蔓延了開來。[20]

美國大多數的農民並未加入農民聯盟。儘管如此，由於金本位制、高額債務、鐵路定價策略與世界市場價格競爭等因素交互作用，許多小規模商業農民深感不滿。在南方，這背後的原因在於不公平且效率低落的作物留置權體制，迫使黑人與白人佃農只好種植棉花。棉花是一種國際性商品，但南方地區始終

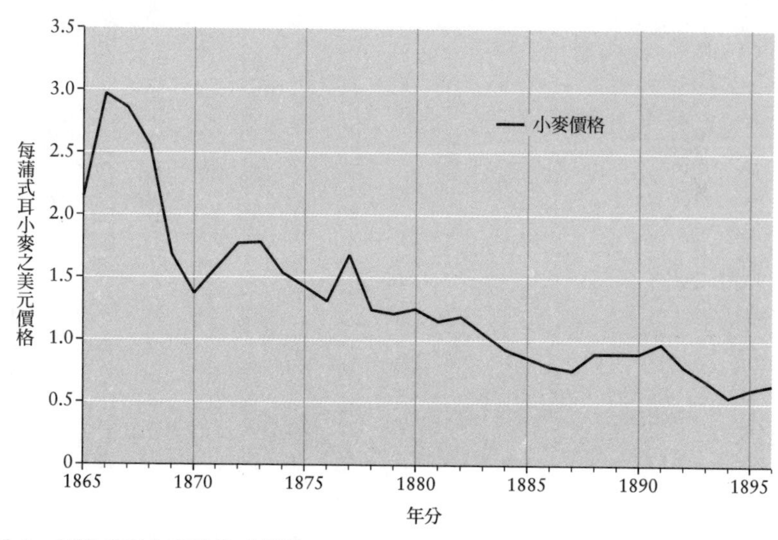

圖 45 每蒲式耳小麥的美元價格

在資本時代，美國作為世界農業強國，出口了大量商品。但是，隨著其堅守通貨緊縮的金本位制，生產的提升導致價格下跌，使許多農民肩上的債務負擔更加沉重。

被隔絕在美國勞動市場之外，更別說隔絕了國際資本市場，只是程度比較輕微。隨著埃及與印度的棉花進入世界市場，供過於求的情況逐漸浮現，棉花的價格下跌，加劇了南方農民的債務負擔。一八八七至一八八八年，農民聯盟與遭到隔離的有色人種農民聯盟（Colored Farmers' Alliance）的多個分會遍及南方地區。[21]不同於南方，北美大平原則完全融入了大西洋資本市場。美國農場抵押債務在一八八〇年代增加至百分之四十二，到了一八九〇年，密西西比河以西地區與落磯山脈以東有百分之三十至四十的農場成為貸款抵押品。[22]有更多的商品流入市場，數量多到市場幾乎無法承受。此外，基於金本位制，強勢貨幣的數量並未跟上商品生產的激增。物價通縮來臨，加重了既有的債務負擔。西方地區有許多農民叫苦連天，而貨幣供給的受限與價格的下跌使情況雪上加霜。

鐵路公司加劇了農民的麻煩。農民聯盟指控鐵路公司歧視小型農村客戶，違背了財產所有者的商業機會平等權。反壟斷指控喚起了傑克森式民主體制的幽魂，也引發了內戰後的格蘭傑運動（Grange Movement）。在中西部多州通過的格蘭傑法規，禁止鐵路價格的差別費率。[23]美國最高法院在穆恩訴伊利諾州案（*Munn v. Illinois*，一八七七年）中支持相關法律，認為鐵路作為「公共運輸業者，影響了公共利益」。

因此，在根據私人企業權力重新思考民主公權力的範圍時，鐵路費率的制定成了關鍵。一八八六年的「克利班要求」贊成設立聯邦州際商業委員會（Interstate Commerce Commission，ＩＣＣ），由該單位負責審查鐵路費率的公正性。州際商業委員會以各州鐵路委員會為原型，包含最早成立的麻州鐵路委員理事會（Massachusetts Board of Railroad Commissioners，一八六九年）與

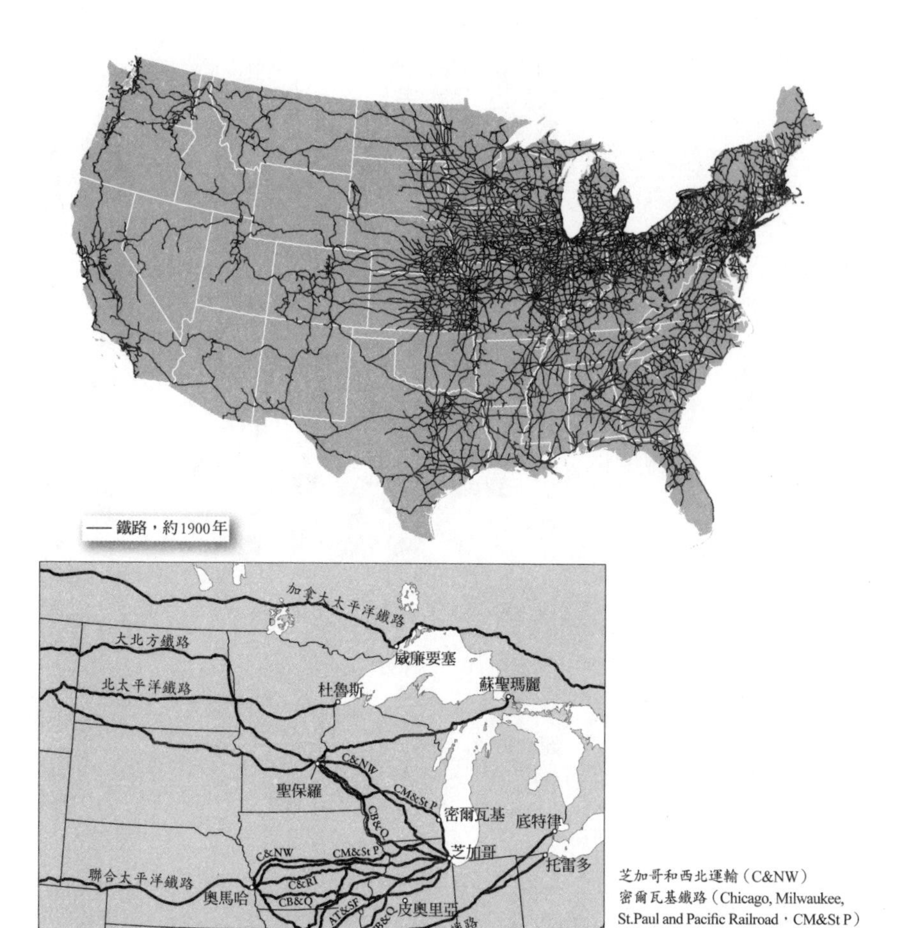

圖 46 美國鐵路（約一九〇〇年）

西部地區由於缺乏水路，因此沒有鐵路，就沒有市場准入。本圖呈現了美國在世紀末的鐵道網絡，同時也凸顯了大型鐵路企業對北美大平原地帶的商業農民的龐大控制權，解釋了北美大平原如何成為民粹主義反叛的溫床。

勢力最大的伊利諾州鐵路委員會（Illinois Railroad Commission，一八七〇年）。

農民聯盟使鐵路費率的設定變得政治化。在資本時代，如果沒有鐵路公司提供的市場准入，西部就沒有農業可言，也不會有任何具有社會連結意涵的生活可言（就像在二十一世紀初，對許多人而言，沒有網際網路，就等於沒有社交生活一樣）。對農民而言，鐵路公司制定費率的權力確實非比尋常。在許多農業社區中，只有一家鐵路公司提供市場准入。對鐵路公司來說，率先進軍某個特定地域並開闢鐵道路線，可防止未來的潛在競爭對手。在毫無市場競爭的情況下，費率是它說了算。

基於經濟角度，如密西根大學政治經濟學教授亨利・卡特・亞當斯（Henry Carter Adams）在一篇影響力深遠的文章〈國家與勞工行動的關係〉（Relation of the stste to Industrial Action，一八八七年發表）中所述，鐵路是一種「自然壟斷」。[24]有鑑於鐵路建設規模報酬遞增，先行者一向比較容易獨占市場。鐵路公司並不接受市場價格，而是跟許多大規模工業生產者一樣，根據自身成本定價。由於營運成本高昂、固定不變且持續存在，他們傾向與那些能夠保證支付一定運費的大客戶合作。因此，他們通常會提供對方較低的費率，使小規模的農戶在商業上飽受這種「歧視」所苦。

亞當斯對自然壟斷所做的分析，事後來看影響力極大。然而，農民聯盟並不缺乏具備知識背景的領導者。查爾斯・馬庫恩（Charles Macune）出生於威斯康辛州，二十歲時在北德州當牛仔。他也曾短暫當過小丑。到了一八八六年，他在交叉木材產區行醫，先是加入勞工騎士團反對古爾德的抗爭，後來成為農民聯盟的一員。他在德州聯盟（Texas Alliance）中晉升為領導階層，開始主導組織與他州聯盟合併。如今，他是新成立的全國農民聯盟（National Farmers' Alliance）與合作社聯盟

（Cooperative Union）的主席。他代表聯盟聲明：

> 在正確的理解與適當的運用下，合作將可限制組織性壟斷的侵犯，並幫助背負抵押貸款的農民脫離組織性資本的暴行。[25]

他所謂的「組織性資本」，指的是國家銀行體系，國家銀行提供資金給華爾街的銀行準備，並聯手金本位制強化了貨幣資本與信貸的稀缺價值。「組織性壟斷」指的則是鐵路公司及組織性商品期貨交易所的定價權，後者如芝加哥期貨交易所與紐約棉花交易所。一八八六年，馬庫恩開始為嶄新的「合作聯邦」（Cooperative Commonwealth）打穩商業基礎。

由於缺乏資金與流動信貸，全國性的合作運動從未真正起步。一八八七年，達科他聯盟（Dakota Alliance）成立了一家股份公司，為聯盟成員進行集體議價與農耕機具的採購。不過，多數合作社均以銷售農產品為目的。如果農民可以集體囤積農作物，他們就能與需求方商議更好的價格。

在這些合作社之中，最野心勃勃的就屬馬庫恩的德州交易所了。該交易所以批發價購入農耕用品（不論是種子、機具或肥料），接著向農民發行票據以換取他們所耕種的農作物，而這些票據想必可向當地銀行兌現。之後，交易所在國際市場進行協商，以出售所有換得的作物。馬庫恩向德州農民聯盟的每位成員徵收兩美元費用。以二十五萬名會員來算，他希望能為交易所籌募五十萬美元的資本，但最後只籌措到兩萬美元。一八八九年，新創的農民合作社比比皆是。[26]然而到了該年底，即便是最大膽的實驗組織德州交易所也失敗了。由於資本不足，合作社運動很快便蠟炬成灰。

農民聯盟別無選擇。與其支持自下而上的合作倡議，不如求助於國家的監管權力。一八八九年十二月，全國農民聯盟與工業聯盟成立，將馬庫恩在德州的組織與達科他州及堪薩斯州的聯盟聯合起來。其綱領要求政府完全掌控鐵路，並實行馬庫恩的「分庫計畫」。[27]根據他的計畫，聯邦政府將擁有並經營倉庫，而不是農民的合作社，並且向農民發放聯邦票據以換取農產品，而這些農作物將被貯存在倉庫裡，直到農民選擇出售為止。如此一來，農民不再是受價者，而更像是鐵路公司，在某種程度上有能力決定價格。聯邦政府等於是利用資金來補貼小規模生產者的市場力量。

目前，全國農民聯盟無法避免涉入民主政治。但是，它會在既有的兩黨體制內運作，抑或是形成第三方勢力？北美大平原北部的聯盟成員大都傾向共和黨；南方的成員則明顯偏向民主黨，譬如馬庫恩。這兩黨本身組織嚴謹，使用的手段從野餐與遊行到賄賂及貪汙，再到「打擊」與「殺戮」不一而足，[28]藉由「種族文化」與爭端問題（如禁酒運動）分化了選民。[29]共和黨提供優渥的南北戰爭退休金及民族主義的保護關稅來維持聯盟關係。[30]尤其考量到贏者全拿的選舉制度，第三方勢力要成功崛起非常困難。

此外，人們對農民聯盟所重視的問題的支持，在某種程度上超越了黨派。一八八九年在愛荷華州與明尼蘇達州，共和黨主導的立法機關通過了反對費率歧視的反壟斷措施。一八八七年的國會，民主黨支持成立州際商業委員會，以管制鐵路的費率歧視。身為州際商業委員會的主席、同時也是密西根州法學家的湯瑪斯・庫利（Thomas Cooley），代表各地的農民、中產階級商人與小規模生產者宣布：「公平合理的競爭可造福大眾。」[31]一八九〇年，民主黨投票通過了《薛曼白銀採購法案》（Sherman Silver Purchase Act），規定聯邦政府必須購買與鑄造更多的白銀，而這在一定程度上抵制了戰後白銀的非貨幣化。同年，民主黨也推動通過了《薛曼反壟斷法案》（Sherman Antitrust Act），該法案授予司法部廢除「限制貿易或商業」的合約或聯盟的法律權力。儘管對於州際商業委員會的權力範圍以及《薛曼反壟斷法案》的意義，美國最高法院握有最終決定權，但這樣的發展證明了美國兩黨都沒有對農民的要求充耳不聞。[32]

最終，是貨幣問題促使人民黨誕生。一八九二年，民主黨以強烈支持金本位制的綱領提名前總統克利夫蘭，這是壓倒許多南方聯盟成員的最後一根稻草。七月，他們前往奧馬哈，也就是人民黨成立的地點。人民黨奧馬哈綱領（Omaha Platform）的序言表明：「我們相信，政府的權力也就是人民的權力，而人民的權力應該被擴大。」該綱領要求廢除國家銀行體系，並以十六比一的比例自由鑄造白銀。它還要求人均流通貨幣不應低於五十美元，且必要的話，應由非金屬支持的法定貨幣填補缺口。貨幣供給的增加將可減輕農民的債務負擔，並提供更多貸款給農業企業。同樣地，奧馬哈綱領也呼籲建立馬庫恩主張的分庫制度。其他要求還包括累進所得稅與政府對鐵路、電報及電話的所有權，「我們相信，不是鐵路公司控制人民，就是人民必須控制鐵路的時候已經到來」。[33]反壟斷的立場要求政府掌握所有權，但這麼做不是為了政府本身，而是要確保公平的市場准入，進而保障平等的商業機會。該綱領中，最後一項支持女性選舉權的條目，則在最終起草過程中被刪除。

在一八九二年的總統大選中，共和黨提名了現任總統班傑明・哈利生（Benjamin Harrison），人民黨則提名了來自愛荷華州的詹姆斯・韋佛（James B. Weaver），他是當地綠背勞動黨的前黨員。民粹派在北美大平原各州運作順利，但在其他地方卻不然。東北部的農民所處的農村經濟相對多元，比較不容易受到國際市場價格與單一鐵路公司費率所影響，因此不怎麼支持人民黨。除此之外，民粹主義分子也未能吸引東北部與中西部製造業地帶的小規模業主的支持。[34]在南方，人民黨則因為白人至上主義而遭到挫敗。在喬治亞州，民粹主義吸引了白人與「有色人種」農民聯盟的選票，就如年輕的民粹分子湯姆・華森（Tom Watson）所解釋，民主黨針對民粹派的攻擊「可用一個詞來總結，也就是黑鬼」。[35]一八九二年，民粹派只拿下了堪薩斯州、科羅拉多州、愛達荷州與內華達州，僅僅獲得百分之八點五的全國普選總統票，在國會中只取得少數席位。曾在一八八四至一八八八年擔任總統的克利夫蘭重回白宮，支持金本位制的民主黨橫掃國會。人民黨的前景一片黯淡。

全球化與一八九六年總統大選

如果沒有一八九三年的金融恐慌，民粹主義的反叛可能在一八九二年就已絕跡。正是因為國際間的恐慌氛圍與隨之而來的普遍蕭條，一八九六年民粹派才有可能與布萊恩在民主黨內的突圍互相結合。那年總統大選備受爭議的是，經濟全球化所帶來的好處與引起的不滿。

一八九三年之所以爆發恐慌，無非起因於英國主導的國際金本位正常運作。從一八六五到一九一四年，作為世界上最大債權國的英國，向海外輸出了四十億英鎊的資本。[36]美國儘管農業出口量龐大，但在全球化經濟中仍是一個淨債務國。固守金本位制，是進入世界資本市場的代價。[37]金本位制在傳遞資本的同時，也帶來了金融的波動與脆弱性。一八九三年的恐慌正是國際信貸的連鎖反應，並導致了又一次因通貨緊縮而起的經濟衰退。

十九世紀末是一個屬於帝國與全球化的時代。[38]透過大規模的移民，勞動力市場互相整合，而產品市場也經由國際貿易融為一體。國家或殖民地採用金本位制時，會讓潛在外國投資者的信心增加，相信投資的價值在未來不會因物價通膨而蒸發。[39]利率下跌，資本跨越國界流向了創造財富的企業，進一步推升了生產力。

問題是，如果黃金基於任何原因而開始流向國外，國家只能提高利率以吸引強勢貨幣，來維持黃金與貨幣掛鉤。資本在世界各地流動以利用各種商機，但照這種邏輯來看，一出現麻煩的跡象，也就是資本所有者的流動性偏好增加時，資本的流動可能會破壞體系的穩定。面對這種危機，國家唯一可能做出的回應是提高利率，接著抑制信貸，但這只會助長金本位制正常的通貨緊縮傾向，並導致普遍的衰退，使經濟發展陷入停滯。

舉例來說，阿根廷在英國銀行界備受歡迎，他們希望將當地的彭巴草原變成美國西部的翻版。[40]然而在一八九〇年，英國大型商業銀行霸菱銀行（Baring Brothers）在阿根廷的投資出了差錯，英格蘭銀行偕同羅斯柴爾德（Rothschild）家族出手援助。儘管如此，這次事件的餘波依然使英國信貸市場陷入低迷，投資者爭先恐後地擠兌與尋求保障，並試圖取得最安全的價值儲藏工具，也就是黃金。但是，有鑑於大西洋資本市場一體化，恐慌與衰退一發不可收拾地蔓延到了海外。[41]

英國資本也逃離了美國。這些資金曾助長了西部的採礦經濟，並縮小了美國的商品貿易逆差。但現在，英國投資者收回了資金，並停止新投資。信貸變得更加稀缺，鐵路建設也被迫中止。隨著消費的衰退，國際商品價格開始下跌。一八九三年四月三十日，美國財政部的黃金儲備量跌破了一億美元的象徵性門檻。五月五日，紐約證券交易所徹底癱瘓。七月，伊利鐵路公司宣布破產。社會爆發恐慌，民眾焦急倉皇地跑到銀行領光帳戶裡的錢。高居國家銀行體系金字塔頂端的紐約市各大銀行暫停了匯兌業務，導致儲戶無法提領資金。銀行召回放款，並停止發放新貸款。信貸額度枯竭，各種投資與消費衰減，商業經濟萎縮，經濟產出與就業率也跟著下降。[42]

隨之而來的經濟蕭條的嚴重性難以測知，之後的文獻對一八九四年失業率的估計，介於十二點三到十八點四不等。[43]美國農民在經濟蕭條中首當其衝。在一八九三至一八九六年間，農場收入下跌了百分之二十二。美國沒有任何公共機構可提高利率或吸引黃金回流。儘管如此，假使這麼做，也只會遏阻信貸與商業活動，使蕭條更加惡化。這就是金本位制的負面後果。克利夫蘭總統認為，加重通貨緊縮與蕭條的程度，才是正確的解方。物價通縮將可提升美國的國際競爭力，進而增加出口收入，吸引黃金回流。蕭條的景氣可以清除經濟體系中的腐敗與生產過剩，為之後的復甦奠定基礎。然而，這種主張只會讓事情變得更糟。與此同時，共和黨在一八九四年的國會選舉中重新控制了眾議院，取得了一百二十個席位，創下美國選舉史上最大的一次動盪。

一八九五年二月，美國財政部的黃金儲備量降至九百萬美元。紐約銀行家摩根前往白宮會見克利夫蘭總統。不久前，摩根打了一通電報到倫敦，指美國正瀕臨「金融混亂深淵的邊緣」。摩根向總統表示，他從私人交往中得知，有一千萬美元的黃金匯票將簽發給美國鑄幣局。總統問道：「摩根先生，你有什麼建議嗎？」摩根提議讓企業聯盟組織提供貸款給聯邦政府，這樣能吸引歐洲向美國財政部注入近一百噸的黃金，以換取價值六千五百萬美元的三十年期債券。摩根向倫敦發送電報指出：「我們評估情況危急，政客們似乎控制了一切。假使這個計畫失敗、與歐洲的談判遭到中止，美國將會承受什麼樣的後果，沒人說得準。」國會未能採取行動，但克利夫蘭接受了這筆貸款，而摩根與羅斯柴爾德為首的企業聯盟組織從佣金與自家投資中賺取了六、七百萬美元的利潤。金本位制在美國重獲生路，但令人痛苦的大蕭條持續存在。民粹主義煽動者瑪莉・伊莉莎白・利斯（Mary Elizabeth Lease）指責克利夫蘭總統是「猶太銀行家與英國黃金」的傀儡，另一方面，國會議員布萊恩請眾議院書記官大聲朗讀莎士比亞所著的《威尼斯商人》中暗示猶太債權人夏洛克有罪的段落。[44]

金本位制與流動性偏好之間的相互作用，是全球經濟的基本結構缺陷。民粹派試圖在一個相對抽象與非個人化的全球金融體系中確定人類的自主性，而他們把責任全推到了精英的頭上，尤其是存在於「人民」之外的國際精英。民粹主義達到了狂熱的情緒化程度。莎拉・艾默里（Sarah E. V. Emery）撰寫的《奴役美國人民的七個金融陰謀》（*Seven Financial Conspiracies Which Have Enslaved the American People*，一八九二年），即為代表性著作。在此同時，布萊恩成為民主黨內貨幣複本位制的頭號擁護者。許多民粹主義者認為，芝加哥將會提名一位支持金本位制的民主黨員，於是到了那年夏天，布萊恩及擁護他的民主黨選民將湧入人民黨大會。但令人意外地，布萊恩獲得了民主黨的提名。合作社運動與聯盟交易所在經濟上已支離破碎。民粹派在一八九四年的選戰中表現不佳，如今確實別無選擇。[45]他們提名布萊恩競選總統，並與民主黨聯合競選。

布萊恩挪用了民粹派提倡的白銀，並採納他們的福音主義，到全國各地進行為期六個月的巡迴演說。[46]「偉大平民」的宣傳活動原本可以再辦得更有見地。在白人至上主義的南方地區，「波旁民主制度」（Bourbon Democracy）十拿九穩，而共和黨在工業發達與金融資本充足的東北部穩操勝券。布萊恩應該把更多注意力放在中西部，努力拉攏工業界的薪資階級。然而，龔帕斯帶著美國勞工聯盟與技術勞工走向歧路。一八九五年，他在美國勞工聯盟的章程中聲明：「政黨政治在美國勞工聯盟的會議中不該具有任何地位。」[47]他後來回想表示：一八九六年，「布萊恩先生捎來數封信，急於跟我見面，但我沒有回覆」。[48]在此同時，布萊恩公然支持的新教福音主義令許多非技術勞工的天主教移民感到格格不入。

他在中西部的第二個票倉可能是當地的中小企業，也就是小型工業產權所有者。但是，許多人之所以能立足，是因為他們已經透過某種方式取得了資本與貸款，雖然這些資金來自當地，而非華爾街。[49]共和黨主張的關稅對他們的吸引力遠遠超過白銀。這個階層並沒有一致的政治立場，更遑論與民主黨團結合作了。

同時，出身克里夫蘭的實業家馬克．漢娜（Mark Hanna）負責麥金利的競選活動，他擁有至少三百五十萬美元的戰爭資金，受益於富人的大量捐款（洛克斐勒與摩根各捐了二十五萬美元）。相對地，布萊恩的競選資金總計為三十萬美元。[50]他為共和黨帶來了一個集結共和黨實業家與民主黨金融家的機會。[51]麥金利向工業界的薪資勞工與業主宣傳保護關稅的經濟利益。至於貨幣問題，東北部的知識階層擔保，布萊恩的勝利將導致無政府狀態的出現。愛德華・艾特金森所寫的文章〈國家的貨幣應該是良或劣？〉（The Money of the Nation: Shall It Be Good or Bad?，一八九六年）宣稱：「用黃金鑄造的貨幣是良幣，用白銀鑄造的貨幣是劣幣。」[52]支持市場競爭與小型企業的布萊恩被指控擁護無政府主義、商業主義與共產主義，名聲大壞。摩根大通集團（J. P Morgan & Co.）的合夥人喬治・帕金斯（George Perkins）稱布萊恩在芝加哥的演講「不合時宜」且「邪惡」。[53]倫敦《泰晤士報》（*The Times*）則指其為「不法活動，等於向財產權與私有產權宣戰」。[54]

一八九六年，金本位制勝利。雖然同樣採取民族主義立場，但共和黨所發起針對英國製成品的保護主義關稅，在東北部與中西部製造業地帶獲得的支持，與南部及西部的反英國金本位制聲浪的程度不相上下，甚至凌駕其上。此外，在一八九六年夏天，物價開始回升，有更多的黃金從南非、澳洲及加拿大克朗代克（Klondike）的近期探勘流向世界市場。布萊恩在西部農業地區大獲全勝，但他並未拿下密西西比河以東或梅森－迪克森線（Mason-Dixon line）*以北的任何一州。他以超過五十萬張票的差距輸掉了普選。[55]

一八九六年民粹主義反叛的失敗，引發了兩個戲劇性且直接的後果。南方農業地區爆發了一波

* 譯註：美國賓州與馬里蘭州的邊界線，一般視為美國北部與南部的分界線。

白人種族主義暴力浪潮。南方特有的一種新商品進入了市場，那就是黑人遭受私刑且死無全屍的照片。[56]不論是否巧合，種族隔離制度在南方透過暴力途徑而鞏固的現象，正好與投資者對華爾街再次燃起信心與預期同時發生。因為在製造業地帶，緊接一八九六年大選而來的，是美國工業史上最大規模的企業整合，即所謂的大併購運動。

資本結構的重大調整

不久後被稱為大併購運動的企業整合，發生於一八九五至一九〇四年之間。引發這場運動的，是一八九三年恐慌之後的經濟蕭條，但在一八九六年總統大選期間，這股風潮暫時平息了下來。在布萊恩的失敗似乎確保了金本位制的未來之後，企業併購的速度又加快了。總結而論，原本一千八百家工業公司縮減為一百五十七家公司，至少有兩成的美國國內生產毛額被併入了新成立的製造業公司。[57]在資本化的歷史上，大併購運動是廢除黑人奴隸制以來最嚴重的一次斷裂。隨著民粹派提倡的財產政治半途而廢，財產的性質也開始轉變。

大併購運動始自鐵路產業的「摩根組織化」(Morganization)。一八九〇年，被朋友們親暱地稱為皮爾龐特的摩根，在父親J．S．摩根（J. S. Morgan）去世後，接管了以倫敦為重心的銀行業夥伴德雷克希爾-摩根公司（Drexel, Morgan & Co.）。到了一八九五年，該公司成為摩根大通，營運集中於紐約市。

起初，摩根聚焦於重組一八九三年恐慌之後的美國鐵路行業，其負債累累，但營收不佳。許多公司為了迅速擴大規模與確保先行者優勢而債台高築，但服務的需求卻追不上腳步。為了挽救這些公司，「摩根組織化」應運而生。[58]

本質上，摩根對鐵路公司的債權人施以強硬手段，減損他們的債權。首先，摩根銀行家讓鐵路公司處於所謂「友好接管」的超前部署破產狀態，這種手段將傑伊．古爾德在一八八〇年代運用的法律技巧發揮得淋漓盡致。[59]接著，摩根銀行研究了每條鐵路的收益、利率費用、營運及維護成本，並估算未來的利潤。這成了公司新的價值基礎，同時也是公司所能支付給債權人的金額上限。在此之前，公司的估值取決於「已支付」的資本，即股票的「票面」價值，這意味著估值來自於公司生產性資本的「內在」價值，或是其擁有的發動機、汽車、軌道及其他設備。這是公司價值的標準「信託基金」理論，就如近年威廉．庫克（William C. Cook）在《證券交易法與股東專論》（*A Treatise on the Law of Stock and Stockholders*，一八八七年）中所闡述的那樣。[60]根據摩根採用的新估價方式，現值並不取決於過往投資的確定性，而是取決於預期的未來收益，而根據定義，所謂的預期的未來收益是一個不確定的問題，但也是摩根財團的專業所在。

根據新的估值，摩根的銀行家大幅削減了鐵路公司的債務，平均減少三分之一。瞬間，資本時代的重大商業問題消滅，固定成本下降了。債券持有人在法庭上對「削債」提出質疑，但摩根財團重新定義公司價值的方式最終獲勝。摩根進一步改變公司的資本結構，經常以股權取代債務。他將債務以「收入債券」的形式重新發行，也指出這些債券唯有在未來利潤已實現的當下才會支付。如此一來，預期的利潤成了公司資本化與產權的新基礎，不再根據實收的投資。

在一八九〇年代，至少有三分之一的美國鐵路行業接受破產的安排。各大鐵路公司積極排隊接受「摩根組織化」。瀕臨破產的鐵路公司的經理或業主親自向摩根求助，其中包括南方鐵路公司（Southenn Railway，湯姆．史考特的南方建設策略所遺留下來的資產）、伊利鐵路公司（古爾德與范德比爾特的著名陰謀）與北太平洋鐵路公司（傑伊．庫克的惡行）的老闆。華爾街的投資銀行家追隨摩根的腳步，不論是庫恩與雷波（Kuhn, Loob & Co.）、奧古斯特．貝爾蒙特（August Belmont），還是吉德與皮巴第（Kidder, Peabody, & Co.）。他們藉由對鐵路公司的控制，統一了整個產業。到了二十世紀初，美國的鐵路行業基本上由六個州際體系所支配。[61]

除了鐵路產業之外，投資銀行家成了大併購運動的關鍵。然而，這場運動背後仍有另一股工業特有的推力來源。

在大併購運動展開前夕，美國的工業可依規模大小分為三個類型。首先，舉足輕重的中小型企業階層依然存在，通常以獨資或合資企業的形式合法設立。平均而言，它們的資本與能源密集程度較低，依賴技術勞動力且生產專業化商品。它們將留存盈餘（retained earnings）作為資金，或者拿來參與之前還興旺發達的本地資本與信貸市場。[62]大併購運動並未對這些企業造成太大影響，它們也持續蓬勃發展，直到一九三〇年代的經濟大蕭條為止。[63]與中小型企業相對的另一端，則是大規模的資本與能源密集型企業，以非技術勞工為主，且通常為移民。它們拚命壓低成本以便在北美市場中打敗競爭對手，進而促成了價格通縮，卡內基鋼鐵公司就是一例。最後，第三種工業公司某種程度上介於兩個極端之間，它們無預警地選擇互相合併，導致了一八九五到一九〇四年的大併購運動。

這些公司不論有沒有併為股份公司，最終遭遇與大規模且成本固定的廠商相同的問題。一八八〇年代末與一八九〇年代初，它們進行了不合時宜的龐大固定資本投資。一八九三年恐慌過後，業績下滑。為了回收固定成本，這些廠商繼續生產，就像是一八八〇年代末到一八九〇年代初的農民。競爭使情況更加惡化，因為企業為了在市場中占有一席之位，展開了殘酷的價格戰。要限制企業間的競爭，難上加難。價格上的自願協議或「君子」協定終究無法成功。接著，美國最高法院在解釋一八九〇年的《薛曼反壟斷法案》時，判定企業之間的價格協議為壟斷性的「貿易限制」，並予以取締。[64]然而，在美國訴奈特公司案（*United States v. E.C. Knight Co.*，一八九五年）中，法院裁定大型製造業的合併並未違反《薛曼反壟斷法案》，因為製造業與貿易不同。各家企業急於尋求合法合併，以確保能限制生產量，進而設定商品的市場價格底線。[65]這種策略與農民聯盟為了提高作物價格所做的嘗試（也就是合作社）並無二致，只不過，製造業公司透過合併與收購成功做到了。

為了合併，製造業公司需要在資本市場上籌措資金。除此之外，由此產生的新企業與「摩根組織化」的鐵路公司一樣，都需要全新的資本價值與資本結構，即股票、債券與各種所有權工具的組合。簡而言之，合併而成的新公司必須進行資本重組，而這正是投資銀行施力之處。

自南北戰爭後金本位制恢復運作以來，華爾街的金融家一直捍衛金本位制。一八九六年布萊恩失敗後，華爾街資本市場的信心與預期激增。公司股票市場迅速發展。由於戰後國家銀行體系建立，小型鄉村銀行的準備金湧入紐約，成為短期「活期貸款」市場的基礎。華爾街擁有大型債券市場，尤其是鐵路公司的債務市場。然而，公司股票市場的規模並不大。事實上，在大併購運動之前，最大的工業企業股票市場為波士頓證券交易所。當時，全國各地分布了許多證券交易所。[66]

在大併購運動期間的另一起合併案中，紐約證券交易所成為規模最龐大的公司證券交易流動性市場。投資銀行利用它來籌措併購所需的資金。公司股票流動證券市場的整合，使公司工業投資面臨了更加強大的投機性投資的矛盾動力，不但使受信貸驅動的新短期投機成為可能，同時也誘發了企業的長期投資。

企業合併後，必須估算出每家小型公司的價值，然後計入總和。接著，為了實現估值，資本市場必須吸收該家公司新發行的證券，進而為企業提供資本。一般情況下，如果由第三方的投資銀行家估價，公司與公司之間的併購談判會進行得比較順利。[67]在資本化方面，依照「摩根組織化」的例子看來，未來預期的盈利能力成為資本化的新趨勢。[68]一八九九年，《美國銀行家》（*American Banker*）期刊宣稱，透過新的合併獲得的「聚集資本」中，有百分之二十五不過是「一袋袋的希望罷了」。[69]但是，正如後大併購運動時代的權威文本，也就是威廉·洛（William Lough）與佛瑞德里克·菲爾德（Frederick Field）合著的《公司財務》（*Corporation Finance*，一九〇九年）所述：「資本化應立基於公司〔未來的〕盈利能力，而不是〔過往〕的資本投資。」最終在一九一二年，紐約州通過了一項法案，允許公司發行「不具美元標記」的股票，這意味著股票上無需宣明票面價值。按照法律規定，公司股票的估值如今儼然是一種信任騙局。

偉大的美國經濟學家爾文·費雪在《資本與收入的本質》一書中，解釋了後大併購運動時代的新邏輯。就資本而言，「考量價值時，因果關係不在於現在到未來，而是未來到現在」。[70]這種經濟生活的時間逆行在大併購運動中展現得恰如其分，是資本主義最偉大的轉變之一。[71]在摩根的控制範圍以外，信任騙局將日益頻繁地見於紐約證券交易所。一八九六年布萊恩在選舉中落敗，而這也是華爾街發行的股票比債券多的一年。不久後，紐約證券交易所將宣示一種新的政治理念，也就是股票所有權如同早期的土地所有權，有可能成為民主公民權的財產支柱。[72]

大併購運動在美國鋼鐵公司成立時達到了巔峰。一九〇〇年十二月某天晚上，在曼哈頓的大學俱樂部晚宴上，卡內基公司高層查爾斯·施瓦布高聲提出了鋼鐵業進行合併的可能性，而摩根也在場。[73]不久前，摩根財團併購了兩家新公司——聯邦鋼鐵公司（Federal Steel）與國家管線公司（National Tube）。它們原本都是卡內基鋼鐵公司的競爭對手。施瓦布與摩根公司的合夥人在摩根的書房會面，商討這三家公司以及其他八家鋼鐵製造商與蘇必略湖聯合礦業公司（Lake Superior Consolidated Mines）的合併案。施瓦布與安德魯·卡內基在紐約西徹斯特郡（Westchester County）的聖安德魯高爾夫俱樂部（St. Andrew Golf Club）打球時，卡內基在一張紙上寫下了併購的開價：四億八千萬美元。摩根同意了。卡內基指出：「皮爾龐特覺得自己什麼事都做得到，因為他總是贏過華爾街的那些猶太人……只有美國人有辦法打敗猶太人，而要打敗美國人，只有蘇格蘭人才有這種能耐。」後來卡內基向摩根坦承自己當初開價太低了，可能少賺了一億美元。「很有可能喔，安德魯。」摩根答道。[74]

卡內基以世界首富的地位退休後，致力於慈善事業。摩根財團將新企業的資本額定為驚人的十四億美元，此價值是根據美國鋼鐵公司的預期未來收益所估算得出。美國鋼鐵公司成立之初，需要公開發行五億美元的股票。以摩根為首的集團由至少三百名證券承銷商組成，在紐約證券交易所發行股票並穩定其初始價值。美國鋼鐵公司對華爾街的工業證券資本市場造成了巨大衝擊，該公司的整體資本化價值，高達一八九八至一九〇三年期間所建立的所有工業組合之總資本化價值（五十億美元）的十分之一。[75]

美國鋼鐵公司擁有的生產性資本與組織規模非同凡響。該公司控制了二百一十三家獨立工廠、四十一座礦場與一千多英里長的鐵路，遍及整個東北部與中西部的製造業地帶。員工共有十六萬二千人。但美國鋼鐵公司的資本化包含另一個期望，也就是對勞動成本的預期。美國鋼鐵公司在一九〇一年鎮壓了鋼鐵工人發起、訴求承認工會地位的罷工，隨後又在一九〇二年壓制了美國礦工協會（United Mine Workers）的罷工。《麥克盧爾雜誌》（*McClure's Magazine*）如此評論美國鋼鐵公司：「除了世界上最偉大的國家政府之外，它每年接收與花費的錢比任何國家的政府都還要多、債務比許多歐洲小國來得高，並完全掌握了與馬里蘭州或內布拉斯加州幾乎一樣多人口的命運，且間接影響著兩倍的人口。」[76]到了一九〇五年，工業公司的數量已來到所有製造業企業的百分之二十三點六，擁有百分之八十二點八的美國工業資本總額，全國有將近百分之七十點六的薪資勞工在工業公司工作。[77]《華爾街日報》（*The Wall Street Journal*）承認「對這件事的重大影響感到憂心」。[78]

或許原則上，股票所有權就像舊時的地產那樣，可以廣泛分配給商業時代下自由帝國願景中的白人自耕農戶長。但事實上在資本時代，生產性資本的所有權集中於工業公司法人的名下。如果資本逐漸集中在公司手中，資本便不再具有強烈的政治性質，那麼也許公司資本所產生的收入就會受限於政治和社會關注的分配政策。

進步的收入政治

美國鋼鐵公司的成立，使大型工業股份公司成真。在二十世紀的頭幾十年裡，以城市為基礎的進步運動將目光投向了為這類公司制定新法規。許多進步人士都秉持世界主義，受跨大西洋思想潮流所洗禮（即使他們對跨大西洋資本市場明顯不置可否）。[79]但是，像美國鋼鐵公司這樣的公司，在美國相對特殊。為了規範這些企業，進步派運用了民粹主義的一些思想。[80]然而，他們接受企業重建財產與資本，並專注於約束公司的行為。最重要的是，他們試圖將企業的收入納入政治考量，以形成一種全新的分配政治。他們的目標是透過收入政治緩解貧困，並廣泛向那些在十九世紀末未受益於工業化的城市人口宣傳經濟發展的好處。

為此，進步人士重新建構公共利益的概念。這不一定是好事，因為進步派政治經濟思想家的遺風也包含種族主義的觀念。[81]進步派認為，工業公司是一種已取代商業市場的強大「社會」實體，需要新形式的公共監管。未來的新政推手瑞斯福德・塔格威爾（Rexford Tugwell）在《公共利益的經濟基礎》（*The Economic Basis of Public Interest*，一九二二年）一書中指出：「當市場被當作一種社會機制而非私人機制時，便存在了大眾『控制』的楔子，因為這符合『整體的公眾利益』。」[82]進步派對政治的想像，將白人男性戶主廣泛擁有土地的政治留在過去的農村，轉而將私人的公司資本所產生的收入政治化，主張透過各種方式來支持男性養家糊口的責任、所得稅（而非財產稅）的徵收，以及對影響「公共利益」的企業要求合理的社會「報酬率」。

經過一段時間的政治動盪與政策創新，進步派在州屬與聯邦層級上都有了立法突破，涵蓋稅收政策、反托拉斯、公共事業、福利與銀行業，而這些全都發生在南方民主黨員伍德羅．威爾遜的第一任期（始於一九一三年初）。

在十九世紀，除了南北戰爭期間以外，課稅的對象是財產與商業，而非收入。二十世紀初，東北部的進步派知識分子與大學教授開始重新將公司視為「真正的」法人，獨立於股東之外。[83]對公司收入課稅，與對血肉之軀的個人所賺取的收入課稅，沒有不同。此外，累進所得稅的課徵原則以「納稅能力」與「邊際」稅率為前提，並不會抑制私人消費及投資。在一八八〇年代與一八九〇年代，新課所得稅的提案獲得了民粹派強烈支持。[84]一九一三年，國會在農業主義者與進步派的支持下，批准了第十六條修正案，將所得稅納入憲法。民主黨主導的國會大幅削減關稅，並對高收入者徵收公司與個人稅。[85]公司行號繳納的稅金，成了第一批開徵的所得稅主要來源。他們也從員工的薪資中預扣收入，「從源頭」徵收個人所得稅。最終，非營利公司的慈善捐款從新開徵的所得稅中逃過一劫。[86]課稅與免稅成了收入政治的問題。

反托拉斯法與所得稅一樣，也經歷了從民粹主義到進步主義的轉變。眾所周知，「反托拉斯」是一九一二年總統選舉的核心問題。最早所謂的商業信託（trust），便是指一八八二年約翰・洛克斐勒的標準石油公司（The Standard Oil Company），當時有四十家不同的石油公司交出了資本與企業控制權，以換取標準石油公司的「信託證」。洛克斐勒因此控制了石油產業，他一手掌握生產量、穩定價格並確保利潤。[87]在大眾的話語中，「信託」成了大型聯合企業的同義詞，儘管之後標準石油公司在一八九九年重新註冊為紐澤西的一家控股公司。當時，洛克斐勒的公司已完成垂直整合，包含石油探勘、提煉、行銷與最終銷售等所有活動都在同一家公司進行。除此之外，它也實現了水平整合，意即在幾乎消除了各項市場競爭。一九一一年，美國最高法院在紐澤西標準石油公司訴美國案（*Standard Oil Co. of New Jersey v. United States*）中解散了洛克斐勒的紐澤西控股公司。裁決書明示了「合理規則」（rule of reason），區分了「合理」、合法的貿易限制與「不合理」、非法的限制。不合理的限制指的是已存在的公司在特定的貿易領域中，為防止新的競爭者進入所做的任何事。垂直整合被保護得很好且依然可行，布萊恩抱怨道：「托拉斯贏了。」[88]但是，限制市場競爭的水平結合，卻有別於以往地受到了審查。一九一四年《克萊頓反托拉斯法》（Clayton Antitrust Act）頒布，威爾遜與民主黨員成立了聯邦貿易委員會（FTC）。其任務是讓企業擺脫「不公平的競爭方式」，隱約還聽得到長期以來平等商業機會的呼籲。最終，就連美國鋼鐵公司也無法阻止競爭的出現。[89]

民粹主義者代表以家戶為基礎的小規模企業，呼籲實行鐵路公有制。雖然都市地區比西部更能接受民粹主義的理念，但進步派人士將「自然壟斷」的概念轉變成了「公用事業」企業。[90]一九〇五到一九〇七年，他們輸掉了大部分市政所有權戰役，包括有軌電車與地鐵都無法歸市政管轄，但私人擁有的「公用事業」資本，包括交通、天然氣、自來水廠及汙水處理等市政基礎建設，開始被視為影響「公共利益」。[91]新的焦點並不是費率歧視，而是私人擁有的公司資本的「合理」報酬率或利潤。[92]於是，公用事業委員會開始制定「公平」的報酬率。不論從會計或法律角度看來，要做到這一點並不容易。最高法院在穆恩訴伊利諾州案中裁定鐵路影響「公共利益」，但史密斯訴艾姆斯案（*Smyth v. Ames*，一八九八年）的判決卻認為，公司行號如第十四條修正案明定，有權依照正當法律程序實現其資本投資的「公平回報」。總而言之，公司可以決定何時何地進行投資，但資本報酬率卻受到政治影響。這段公共事業的費率監管議題，磨練了很多後來的新政推手。

此外，在都市的工業生活中，進步派致力提倡男主外女主內的家庭，並以國家力道來支持這種家庭想像。[93]女性主義是進步主義的其中一面，而一九二〇年通過的憲法第十九條修正案也確立了女性選舉權。[94]初期的美國社會政策帶有「母職主義者」與「父職主義者」的色彩。進步派人士在一九一二年成立了兒童局，並分別在一九一八與一九二二年通過了禁止童工的法律。[95]為了保障養家糊口的男性，各州陸續在一九一〇至一九一三年間通過了一系列的勞工補償法，此外也在一九一一至一九一九年期間通過「母職津貼」，為家中沒有經濟支柱的婦女提供收入補貼。[96]這些政策成為美國走向福利國家的結構基石，而支撐起這些社會政策的，正是新開徵的公司所得稅，包括重新分配給男性薪資勞工的生活費（即男性薪酬的收入政治），都是由公司稅收挹注。

最後，進步派致力於金融、信貸與貨幣的監督。[97]一八九六年鞏固了金本位制之後，華爾街金融圈在大併購運動結束時，開始認為美國有必要成立中央銀行。南北戰爭後的國家銀行體系，持續受到紐約市的貨幣與信貸在每年收割季的週期性緊縮所影響，因為在收割季時，貨幣與信貸會流向農村，提供資金來購買農作物。大併購運動過後，紐約小型鄉村銀行準備金增加，讓短期貸款的「活期貨幣」市場成為維持紐約證券交易所交易價格及流動性的信貸紐帶，為貨幣市場帶來了額外的潛在壓力。一九〇七年秋天，隨著準備金流向農村，華爾街爆發了金融恐慌。有賴摩根帶領的私人財團支撐市場，才使民眾恢復信心，避免了更嚴重的信貸緊縮，甚至是全面的經濟癱瘓。[98]

正如美國一些本土貨幣理論家所主張，真正的中央銀行將擁有公權力，在這類的危機中成為「最終貸款人」。此外，必要的話，中央銀行可在貨幣市場中設定短期利率，來提高利率並吸引足夠的黃金流入美國，以維護美元兌黃金的匯率。最後一點，在黃金數量的限制下，中央銀行接受各種票據作為貸款抵押品，有權發放信貸，進而擴大貨幣供給量，以防止信貸週期的逆行，避免社會恐慌與預防性囤積的風險。[99]

一九一三年《聯邦準備法》（Federal Reserve Act）因國會中的農業政治力量而通過，創造了某種不同於貨幣理論家或華爾街銀行家所期望的事物，那就是十二家區域性準備銀行。這些「銀行家的銀行」接受其他銀行的存款，也可兌現支票。按照法律規定，國家銀行必須購買十二家準備銀行的股票，並持有它們的準備金。區域性準備銀行的董事會成員與行長的遴選，取決於銀行的所有權及成員的投票權。區域銀行印製聯邦準備券（Federal Reserve Note），取代了國家紙幣，成為美國唯一的貨幣。依規定，聯邦準備系統必須以黃金儲備來支持百分之四十的貨幣量。每一家區域銀行都可自行決定其貸款利率。有鑑於華爾街資本市場的重要性，紐約聯邦準備銀行一成立，隨即成為十二家銀行中最強大的一家。經總統任命及參議院批准，一個由七名成員組成的董事會負責監管聯邦準備系統。[100]

聯邦準備系統建立的過程中，民主黨內的農業利益人士積極參與。根據一九一三年通過的法案，區域性銀行可貼現一種由農作物支持的鈔票，這落實了查爾斯・馬庫恩的「分庫」制度精神。隨後，國會於一九一六年通過的《倉儲法》使區域性準備銀行得以將政府發給農民的國庫農作物倉儲證作為抵押品，並發放貸款給農民。一九一三年的法案允許國家銀行發放農場抵押貸款，一九一六年的《聯邦農場貸款法》（Federal Farm Loan Act）則促成了十二家聯邦土地銀行的成立，每家銀行獲得財政部擔保具備七十五萬美元的資本。貸款流向了許多由農民所有的合作社。[101]新設立的聯邦農業貸款委員會（Federal Farm Loan Board）經政府授權，負責監督私人農場的借貸。[102]如果沒有這些增強農民對市場的影響力並有利於民主黨農業派基礎的法規，一九一三年《聯邦準備法》不可能經國會投票通過，威爾遜或許也無法在一九一六年贏得連任。布萊恩親自寫了一張紙條給爭取農民權益的民主黨議員：「對於所有細節，我的立場都跟〔威爾遜〕一樣。」最終，表決獲勝。[103]

同年，即一九一三年，是工業奇蹟迭出的一年。在國會通過《聯邦準備法》的二十二天前，德州汽車製造商亨利・福特建立了第一條流水生產線。在資本時代，工業革命尚未結束。

第十一章　福特主義

工業革命史上最偉大的成就發生在一九一〇年代的密西根州底特律郊區。在那裡，福特汽車公司（Ford Motor Company）在一九一〇年生產了超過兩萬輛T型車（Model T）。到了一九一六年，產量變成五十八萬五千輛。在這段期間，T型車的價格降了一半以上，從七百八十美元降至三百六十美元。[1]

「大量生產」使創始人亨利・福特成為國際名人。一九二二年，福特汽車公司的汽車產量逼近兩百萬輛時，他出版了《我的生活與工作》（*My Life and Work*），這本書被譯成多國語言，在全球各地大為暢銷。[2]福特並不喜歡書本，他曾說：「我不喜歡看書。」為什麼呢？「因為它們會擾亂我的心靈。」[3]但是，福特對一位作家的著作愛不釋手，他稱那位作家為「康科德哲學家」，而這人就是拉爾夫・沃爾多・愛默生。[4]商業記者山繆・克勞瑟（Samuel Crowther）根據他與福特的談話編寫了福特的《我的生活與工作》。福特的自傳開頭並未敘述一個出身密西根州農場的男孩在童年時期過得有多平凡樸實，而是提出了一個問題：「想法是什麼？」[5]

這個想法就是，機器應該做更多的工作。一九二〇年，美國國會首度宣布，大多數的國人以城市為居，是工業都市化的產物，但隨著大量生產的出現，福特認為人類將有更多時間欣賞「樹木、鳥語、花香與綠色田野的美好」。手上有了更多財富，人類便可能有更多時間探索更多的人性，正如愛默生所說的那樣。《我的生活與工作》繼續探討：為什麼「人們談到日益發展的動力、機械與工業時」，通常會想到「一個只有金屬的冰冷世界」？工業文明非得是這樣不可嗎？「大型工廠」的出現，是否意味著只有「金屬機器與人機互動」？不，福特以自己對「生活中的機械」的深入理解承諾了近乎神聖的願景，「一個嶄新的世界，嶄新的天堂，嶄新的地球」即將到來。[6]

亨利・福特有許多面向。他曾在一份內省的筆記中草草寫下：「我要確保沒有人認識我。」[7]他無疑是個怪人，但也支持和平主義及女性主義。基於健康原因，他反對透過巴氏殺菌法來處理牛奶。他是反猶太主義者，是曾經出版《國際猶太人》（*The International Jew*，一九二〇年）的出版商，而這本書上市後不久，便登上了希特勒的書架。[8]福特在工業方面天賦異稟，更是具有偉大遠見的傑出人士之一。如同被迫或熱情讚賞大量生產做法的希特勒、墨索里尼與列寧，福特也在二十世紀的罕見人物之列，他們憑藉個人魅力，成功將現代工業的大眾社會投射在自身的總體化願景中，只不過最後都沒能實現。[9]

福特並不是一位大眾政治家（儘管在他未參與競選活動的情況下，一九一八年密西根州差一點就推選他為民主黨參議員），但他是大眾資本家。他是一個極其特殊的資本家，身家富可敵國，但乍看之下並不注重盈利。[10]對福特宏偉而簡單樸實的自我而言，利潤是個太過狹隘的目標了。一個更遠大的動機激發了他投資大量生產並留下非凡貢獻。在短期投機與長期投資之間他毫不猶豫，更不用說是囤積財富了。他將流動金融市場中的短期謀利行為與「國際猶太人」畫上等號，甚至在一九二〇年代紐約證券交易所迎來多頭行情時，也從未參與其中。[11]福特打從一開始就是小規模生產者傳統中的工業工匠，只迷戀生產，別無他物。在這方面，他擁有一種奇特而專注的動力，致力將生產性資本長期投入固定設備以生產、生產、再生產，這點跟古往今來的資本家都不同，就連安德魯·卡內基也不例外。一切正如他自己所言：「我發明了現代。」[12]

福特為生產性資本留下了獨特的印記。首先，他促進了生產的能源革命，加快商品製程。一九一三年，他與旗下的工程團隊引進了第一條電力驅動的生產線，透過燃煤發電站滿足機械化生產的動力所需。其他製造商也迅速跟進。在一九一〇年代與一九二〇年代，採用電氣的機械裝配讓資本積累更快，生產力也有了大幅提升。[13]一九〇〇年，電力的運用比例微乎其微，到了一九二九年，美國工業已有百分之七十八都仰賴電力運作。[14]在一九二〇年代，美國製造業生產力以每年超過百分之五的速率增長，創下有史以來最快的紀錄。[15]

其次，福特汽車公司聚焦於連續性轉速，重新詮釋工廠結構。福特與他的「工業建築師」亞伯特·卡恩（Albert Kahn）把工廠想像成一台機器、一種自給式運作的機械裝置。[16]「資本財」被機械化了。儘管如今有了電力可加快生產速度，福特仍然以前所未有的規模集結了固定的非流動性資本。福特與卡恩建立的魯治河複合式工廠是有史以來規模最大的工廠，它就像是一台龐大的機器，試圖內化福特個人所支配的工業中許多後向和前向的中間環節。大規模工業社會中的「大規模」，大都是指這種前所未見的大規模結構資本。工業社會出現了更大的「結構」。

同樣重要的是，福特製造的產品是汽車。在即將到來的機器時代，汽車比任何其他物品更能挑起大眾的想像。汽車解放了個人對行動的限制，迅速改變了日常生活的特徵。[17]一九一九年印第安那州一位家庭主婦說：「想進城的話，坐在浴缸裡是到不了的。」一九二七年，《汽車》（*Motor*）雜誌指出：「每當有一名婦女學會開車（每年都有成千上萬名婦女如此），威脅昨日的自然秩序的力量便多一分。」[18]一九一〇年，美國的汽車數量為四十六萬八千輛，一九二〇年增加為九百萬輛。到了一九二九年，更達到了二千三百萬輛，幾乎每個家庭都有一輛，全世界近八成的汽車都在美國。[19]汽車工業社會的動力來自燃煤電力與汽油，加速了化石燃料能源的消耗。[20]

汽車是一種消費品。工業革命首先帶來了中間「資本財」的生產，例如卡內基生產可用於製造鐵軌的鋼鐵。卡內基的投資對財富的創造產生了加乘效果，促使新的企業發展後向與前向產業，從採礦到鐵路服務，都與鋼鐵製造有關。同樣地，福特的汽車也啟動了工業投資乘數。不過，他製造的是消費品，因此除了在供給端的生產成就之外，他也在需求端觸發了經濟發展中另一個具有加乘效果的動態變數——消費主義。

實際上，電氣機械時代出現了許多新消費品。人們的車庫裡有了汽車，家裡有了電動吸塵器、熨斗和冰箱。收音機的銷售額從一九二二年的六千萬美元增加至一九二九年的八億四千三百萬美元，當時每天晚上有三千萬名美國人上線收聽。[21]突然間，電動的大眾傳播工具成了美國人與大眾社會及大眾消費文化之間的樞紐，帶來了汽車、電台與流行時尚。

最後一種全新的大眾產品出現了，稱為福特人（Ford man）。福特的牧師山繆・馬奎斯（Samuel Marquis）後來成為福特汽車公司「社會學部門」的第一任負責人，他曾經表示，如果你認為福特在

「從事汽車業」，這種想法並不「正確」，汽車只是「他真正從事的業務的副產品」，他「真正」的業務是「造人」。[22]大企業家卡內基捐錢贊助了一些圖書館，但他認為公司的勞動力不過是一種營運成本。福特心中有更宏偉的願景，正如他在名為《福特人》的企業內部刊物中所宣布的那樣，福特在一九一〇年代致力將大量生產的做法臻於完善，但他很快便意識到大規模生產與文明息息相關。自一九二二年出版《我的生活與工作》開始，他便利用自己的大眾知名度，成為一位工業預言家。

福特構思了全方位的願景。在他看來，大量生產的流水線將貫穿經濟與社會，以及政治與文化、身體與理智、靈魂與精神。一九三四年，義大利的法西斯主義囚犯安東尼奧·葛蘭西（Antonio Gramsci）在一篇題為〈美國主義與福特主義〉（Americanismo e Fordismo）的重要文章中，稱福特的計畫是「有史以來最偉大的集體努力，以前所未有的速度與無與倫比的目的性，創造出一種新型的勞工與人類」。[23]這類型的勞工就像紀律良好的士兵，在生產線上按部就班地努力工作。他們以服從與同意換取了可以養家糊口的薪資，而下了班後，他可以拿這些錢去購買機器時代的新穎消費品。福特對工會所抱持的敵意與他的反猶太情結一樣強烈。累積了龐大資本後，他制定了一套自有的薪資政策（號稱一九一四年每天付給每位工人五塊美元的高薪），而那些養家糊口的工人必須接受公司的隨機家庭探訪。葛蘭西指出，美國的福特主義跟義大利法西斯主義、德國納粹主義或蘇聯共產主義一樣，都是一種總體化統治。這樣的比喻十分恰當，因為在一戰期間歐洲玩火自焚之後，美國的資本主義史顯然不再像歷史學家亞當·圖澤（Adam Tooze）所述是一部「國內表演」了。[24]

從任何量化標準來看，全球經濟霸權的地位都轉向美國，甚至早在生產線問世之前就已是如此。福特主義將美國資本主義推向了巔峰。然而，現代人從中最大的收穫，是對美好生活的定義。工業社會中，各種現代「主義」層出不窮，如法西斯主義、共產主義與資本主義。他們互相借鑑，但也在全球鬥爭中為了取得葛蘭西所謂的「霸權」而拚得你死我活。

大量生產

福特在《大英百科全書》（*Encyclopaedia Britannica*，一九二六年）「大量生產」下的一個條目中載明：「指的是專心致力於一項集結了力量、精確、經濟、系統、連續性與速度等原則的製造計畫。」[25]福特汽車公司於一九〇三年六月十六日在密西根州成立，當時亨利．福特四十歲。

福特從小在密西根州迪爾伯恩（Dearborn）附近的一座農場長大。他的父親是愛爾蘭移民，希望兒子能夠接管家庭農場，但福特不喜農耕。如同許多成功的工業創新者（尤其在十九世紀，因為受過大學教育的科學家與大型工業企業的工程師尚未投入創新發展），福特曾經當過機械技工。[26]如同後代的經濟學家所稱，他「從實作中學習」。[27]

福特十幾歲時，父親給了他一只懷錶，令他欣喜若狂。他把懷錶拆了又裝，裝了又拆。在這個過程中，工業資本主義的抽象時間概念逐漸浮現，而這個時刻無疑是大量生產的原點。關於資本主義與機器的主題，最傑出的著作就屬路易斯．孟福特（Lewis Mumford）的《技術與文明》（*Technics and Civilization*，一九三四年）了。雖然後代的經濟史學家為了第二次工業革命是否存在「通用技術」而爭論不休，但孟福特早已正確表明，鐘錶是「現代工業時代的關鍵機器」。他解釋，工具與機器是不同的東西，因為「工具適合用於操作」，而「機器適合用於自動運行」。[28]鐘錶的機械精密度可見於福特大量生產方式的「精確性」。廣泛而言，鐘錶衍生出了線性標準時長的抽象工業時間，雖然卡內基已把它用於工廠內的時間標記，但福特與員工將它提升到了新的層次，例如使用碼錶來協調與測定裝配所耗費的時間。在生產線問世之前，工廠很難知道時間都花在什麼流程上。大量生產將時間本身納入了生產計畫中。福特汽車工廠的內部刊物《福特人》宣稱：「時間是世界上最有價值的東西。」[29]

為了向一位技術精湛的機工拜師，福特在十六歲時移居底特律。底特律大多數機工都在美國出生，有些則來自德國，他們全是技術勞工，而不是非技術的歐洲「新移民」，這些移民在煉鋼等大規模的資本與能源密集型產業中愈來愈常見。技術高超的機工身穿工作圍裙站在工作台前操作「車床」，這是一種固定在主軸上的通用機具，可旋轉金屬工件，供機工運用特殊技能進行切割、鑽孔、輥紋、打磨或拋光。底特律是重要的機械工具店聚集地，創業文化活力充沛，並致力發展工藝。在當地資本與信貸網絡的資助下，小規模的都市工業蓬勃發展。福特熱情擁抱中西部住民的「生產主義」創業精神，這種風氣源自於上一代主張「自由地權，自由勞權，自由人權」的共和黨，也同時受到民粹主義的間接影響（無論多麼婉轉迂迴），[30]與東岸的金融體制差距甚大。紐約所資助的大併購運動甚至沒有觸及底特律的工業。[31]

在轉行投入汽車製造業之前，福特有一份工作。一八九一年，他在愛迪生照明公司（Edison

Illuminating Company）擔任工程師。一八九六年，福特遇見了心目中的英雄，即公司創辦人湯瑪斯・愛迪生。能夠產生電流的發電機在一八六〇年代便已問世，但在一八八二年第一座中央發電站、紐約的珍珠街發電站才正式啟用，而設計這個發電站的人正是愛迪生。[32]兩人結識後，愛迪生鼓勵福特繼續進行汽油驅動自動式「無馬四輪馬車」的運轉實驗。

發明內燃機的是德國人，而不是美國人。卡爾・賓士（Karl Benz）於一八八五年首度開始製造以汽油為動力的汽車。由於工業集中帶來的優勢，底特律成為美國早期新興汽車工業的發源地之一。起初，小型新創公司與相關的衍生企業主導了汽車工業發展，各種創意發明透過合作網絡在各家公司之間傳播。汽車工業的資金主要由當地投資者經由非正式管道提供，與遙遠的資本市場毫無干係。汽車製造公司的數量在一九〇九年達到了巔峰，總計有二百七十二家。當時福特汽車公司已經成立，並早在一九〇八年便推出了T型車。一座汽車工業特區成形，底特律完全主導了汽車生產。[33]

福特於一八九九年辭去了愛迪生照明公司的職位，在底特律當地投資商的贊助下成立了底特律汽車公司（Detroit Automobile Company），但不久就宣告倒閉。之後，福特與同為機工的哈洛德・威爾斯（Harold Wills）設計了一款新車，當地投資人在一九〇一年向亨利・福特公司挹注了三萬五千美元。但股東們很快就趕走福特，將公司更名為凱迪拉克（Cadillac），並在一九〇九年以超過四百萬美元的價格，被名為通用汽車（General Motors）的控股公司收購。這時，福特與當地的煤炭經銷商亞歷山大・麥康森（Alexander Malcomson）合夥，向約翰・道奇（John Dodge）和霍瑞斯・道奇（Horace Dodge）兄弟檔租了一家機械車間以組裝汽車。道奇兄弟生產發動機、變速器與車軸。後來，福特與麥康森付不出租金，於是這對兄弟向他們主張一部分的公司所有權。一九〇三年，福特汽車公司成立，最初的十二名投資人投入了兩萬八千美元（約為今日的三十五萬美元），公司的資本額為十萬美元。[34]

麥康森希望福特能設計一輛豪華轎車，但福特已決定設計一款平價汽車，並買斷了麥康森的股份。福特汽車公司於一九〇六年推出了N型車，一個出色的團隊也隨即成形。詹姆斯・科曾斯（James J. Couzens）是初期投資者之一（也是未來底特律的共和黨市長與美國參議員），他負責包括會計部門的商業管理。其他人則跟福特一樣，都是未曾受過正規大學教育的機械工程師。正如人稱「鑄鐵查理」（Cast-Iron Charlie）的索倫森（Sorensen）之後在回憶錄《我與福特共事的四十年》（*My Forty Years with Ford*，一九五六年）中所述，他們認為「工作就是遊戲」。[35]在福特汽車公司內部，有個人績效的競爭，但不設職稱頭銜，創新過程講究社交與合作。索倫森熟悉新式的沖孔、壓制與搗鋼技術；華特・弗蘭德斯（Walter Flanders）是來自新英格蘭的機工，嫻熟北方地區技工處理可替換零件的做法；卡爾・埃姆德（Carl Emde）則設計了特殊用途的機具。一九〇五年，福特汽車公司在皮凱提大道買下了第一家工廠。

一九〇九年，福特宣布公司未來只生產一種型號的汽車，也就是黑色T型車。截至當時，福特工廠的營運與傳統並無二致。建築骨架由鐵、石頭與磚塊組成，空間長而狹窄，因為工廠的運作全仰賴蒸汽機而充滿震耳欲聾的嘈雜聲。天花板上懸吊著由皮帶、傳軸與曲柄組成的動力系統，而機器必須集中擺設於動力系統附近，否則會損耗大量動力。生產與工廠空間也按照技術工人加以區分。機工分別製造「裝配用」的零件，無論是引擎機組、汽缸或底盤，然後再一一組裝成汽車。每個零件的最終「裝配」都帶有技術機工的印記。工作台前，一群又一群技術機工、非技術的普通工人、「技工」或「助手」（包括卡車司機、搬運工及堆高機操作員）匆忙來去。相關人員利用獨輪車、手推車與升降機將材料送到機工的工作台上。完成後，產品會進一步送到最終的生產線上。[36]「我們在一九一〇年鑄造第一個T型車汽缸時，一切都靠手工。」福特回憶道，現場「全是鐵鍬和手推車」，他還補充說：「這項工作需要一定的技術。」[37]

短短幾年裡，一切天翻地覆。福特與工程師設計了精密的專用機具，並配備了公司設計的夾具、治具及量規。這種工具實現了零件標準化與可換性，也增進了分工。福特吹噓自己從不看書，但他最早在一九〇三年宣稱「製造汽車的方法是，讓一台車跟另一台車一模一樣，每一台都一樣……就像製針工廠生產的針，都是同個模子印出來的」。[38]或許他在此時就意識到自己引用了亞當．斯密所提出的概念。運用可互換零件在美國製造業行之有年。然而，福特的工程師團隊進一步開發了一台特殊機床，可在T型車的引擎氣缸上鑽孔，只要操作一次便能精確地在相同位置鑽出四十五個孔洞，即便是非技術工人也能輕易上手。到了一九一四年，福特在廠房設置了一萬五千台機床，數量比他底下的一萬三千名工人還多。那一年，福特汽車公司在「廠房、建築物、水槽與治具」等固定的非流動性生產資本上，總共投入了三百六十萬美元，而「機床設備」的投入資本幾乎不相上下，高達兩百八十萬美元。[39]

引進新固定資本的同時，公司也開始重新組織機組。福特與團隊成員設計工廠空間，讓每個零件在每個工作站只需經過一次處理。處理完成後，零件便可準備進入下一個階段。他們還開始將各種機器集中擺置，有別於一般工廠的做法。福特表示：「我們的工廠不是讓人悠閒散步的公園。」[40]

福特還系統性地消除了勞動過程中的「虛耗動作」（wasted motion）。至今，歷史學家仍在爭論，福特是否有刻意採用腓德烈・溫斯羅・泰勒（Frederick Winslow Taylor）發明的科學管理。先後待過密德瓦鋼鐵公司（Midvale Steel Company）與伯利恆鋼鐵（Bethlehem Steel Corporation）的泰勒，發明了「時間和動作標準體系」，以消除平白浪費的肢體動作。結果這套做法被工人族群抵制。多次嘗試推行未果後，泰勒宣布退休。後來他陸續出版了《切割金屬的藝術》（*On the Art of Cutting Metals*，一九〇七年）與《科學管理的原則》（*The Principles of Scientific Management*，一九一一年）等書籍，推廣自己的觀點。一九一一年，管理科學促進協會成立，泰勒的思想逐漸蔚為風潮。[41]例如，在福特公司將勞動過程合理化的同時，克莉絲汀・佛瑞德里克（Christine Frederick）所著的《新家政：家庭管理的效率研究》（*The New Housekeeping: Efficiency Studies in Home Management*，一九一三年）便將這套管理方式運用於家務勞動。無論刻意或無意，福特汽車公司都將勞動力「泰勒化」。

依循合理的步驟，汽車零件從一個工作站移動至另一個工作站。裝配小組輪流圍在工作台前執行不同的任務，同時工作小組也不斷將零件運至裝配站。福特公司的工程師利用碼錶編排每一個順序。在製程中，遞交螺母或螺栓有一套正確的方式，另外還有專門的計時員負責監督生產時程，不久後公司便成立了一個時間研究部門。[42]T型車的製程技術突飛猛進，品質提升、價格下降，銷量更大幅增加。

雖然汽車是一種耐久性消費品，但汽車的普及也促成許多後向連結誕生，而這正是典型的工業革命累積進程。相對於其重量（一千兩百磅），T型車具有獨特的高動力（二十二匹馬力），因為它以釩合金鋼製成。因此，由於下游出現用釩合金鋼製造T型車的需求，煉鋼業也迎來了進一步創新。[43]引擎機組一體成形，有一個四缸馬達與附踏板的行星齒輪傳動器，可讓汽車在泥濘道路上也能正常行駛。這款車型在鄉村地區賣得特別好，因為它不同於其他汽車，可在崎嶇道路或荒野上行駛。為了銷售T型車，福特建立了龐大的商業經銷商網絡，這是他以固定工業投資得到加乘效果的另一個例子。即使銷量攀升，他仍試圖不斷擴大生產規模。

福特向本地建築師亞伯特．卡恩求助。卡恩的父親是一位德國猶太拉比，雖然卡恩並未受過正規教育，但他在現代工業建築領域的影響力，與福特在現代大量生產領域的影響力不分軒輊。[44]一九〇三年，卡恩替底特律的帕卡德汽車公司（Packard Motor Company）設計廠房，引起了福特的注意。卡恩沒有使用磚頭，而是用了鋼筋混凝土這種革命性新建築材料，而福特汽車公司對這種材料的需求日益增加。卡恩發明的鋼筋混凝土系統是一種鋼筋骨架，焊接的兩翼朝上，表面以混凝土澆覆，結合了鋼的彈性與混凝土的耐壓強度，隨後卡恩的兄弟、結構工程師尤利烏斯（Julius）便為他申請了專利。福特新成立的高地公園工廠（Highland Park factory）於一九〇八年開始施工，因其磚頭與鋼筋混凝土牆上懸掛的玻璃嵌板而有水晶宮之名。[45]鋼筋混凝土結構使相連的生產空間更為開闊，因為結構所需的承重柱變得更少，內部可以打掉隔間用的牆壁。此外，福特公司的工程師也有更多空間可嘗試不同的機組擺置方式。卡恩的工廠設計去除了多餘的裝飾品，這種裝飾品在過去一直是內部工藝的外部象徵。不同於傳統工業建築，他以理性的直線為設計特色，就如現代主義建築的口號所稱，不過就是「圍繞著一個體積的平面」。這樣的設計讓自然光湧入更大的封閉空間，為建築營造近乎神殿廟宇的典雅氛圍。一九一九年，《建築形式》（*Architectural Form*）雜誌刊出了一篇大力推崇卡恩設計的文章，題為〈混凝土工廠〉（The Concrete Factory），並附上照片。[46] 混凝土的優勢在於避震效果更佳，能夠減少機器的磨損及調校的頻率。卡恩一手包辦了高地公園工廠的設計，儘管他聲稱基本原理均來自福特的啟發。自此，工廠不再是一個供人製造產品的建築骨架。對福特而言，他的汽車工廠是連續生產流程的一部分。

高地公園工廠於一九一〇年竣工後，立即成為世界上規模最大的工廠。一九一三年末，《美國機工》（*American Machinist*）雜誌的編輯佛瑞德．科文（Fred Colvin）前來參觀工廠，感到目瞪口呆。當時福特公司已包辦一半的美國汽車生產量。「我們估計產量約有二十萬輛。」科文驚呼，「這數字實在超乎想像」，因為這意味著「一百萬顆車燈、八十萬個車輪與輪胎、九萬噸的鋼鐵……十八萬五千多平方公尺的玻璃」。科文不禁好奇，福特這位「史上最偉大的效率之神」還有什麼能耐？[47]

他將實現的成就遠超如此。高地公園工廠的至寶是巨大的發電站。這座發電站的動力來自於福特設計的混合汽油內燃機與燃煤蒸汽機，產生的瓦特數高達全底特律市半數所需電量。有遊客遠道而來，只為了一睹它的面貌。大量生產需要電氣化，而電力比蒸汽更高效，成本也更低。它能夠遠距離傳輸動力且損耗更少。電線重新取代了皮帶與笨重的傳軸，讓工廠多了空間可進行合理的重組。許多不同的電動馬達不再依賴單一動力來源，機器的「集體驅動」成為可能，不久後更實現了單一機器的「單元驅動」。工業生產機器不再需要與電力來源緊密相接，生產得以按照新的原則運作。

這些原則不僅包含了時鐘的原則，也是電力的原理。在愛迪生照明公司擔任工程師的那段時間深深影響了福特。一九〇〇年之後，隨著發明家尼古拉·特斯拉（Nikola Tesla）與企業家喬治·威斯汀豪斯（George Westinghouse）開發了交流電，電力得以達到低損耗的遠距離傳輸。然而，電力無法被儲存，電流無法靜止在某處，而是不斷移動。電力必須持續流動。像愛迪生這樣的電力系統建設者，整合了發電機、變流器與電力線路的網絡，使電流持續流動直到耗盡為止。[48]福特對資本的機械化不僅僅在用電力驅動而已，他根本上掌握了電力傳輸的本質，也就是憎恨閒置虛耗並渴望持續運動，這一切的結合，便是電力驅動的流水生產線。

工業上也有先例。[49]十九世紀末，流水線生產被應用於錫罐製造，鑄鐵廠更以此取代人力。動物屠宰場也採用了「肢解生產線」，社會主義作家厄普頓·辛克萊在《叢林》中描述了芝加哥屠宰場採用肢解生產線的情況，動物的屍體被掛在鉤子上緩慢移運巡行，身上的器官在不同站點被斬下、刮理與砍除。之後，辛克萊在銷量稍差、但同樣出色的小說《T型車之王》（*The Flivver King*，一九三七年）中寫到了福特的汽車生產線。書中提到，福特本身曾受動物肢解流程的影響。

一九一三年，他的目標是生產二十萬輛T型車，當時機組已按順序排列完成，能擺多近、就擺多近。福特、索倫森、威爾斯及另外兩名工程師（身分不詳，但索倫森聲稱是他們的功勞）想出了一個點子，利用一排與腰等高的管架與輸送鏈來取代一系列的工作台。

一九一三年四月一日，他們採用這種方式來生產磁電機（一種小型發電機，上頭的磁鐵可點燃T型車的發動機）。過去，磁電機都在工作台上組裝。如今，領班要求工人只需專注完成一項任務（不論是鬆開螺絲、拴緊螺母，或是繫固磁鐵夾），然後將磁鐵送入生產線。接著，他們必須重複同樣的工作，一遍又一遍，持續九小時。工人們抱怨時間久了腰痠背痛，公司只好將生產線平台墊高六英寸。結果，有些人速度太快，有些人則太慢。這時工程師意識到，如果用一條鏈子來輸送磁電機，就可以彈性設定與調整

圖 47　「福特高地公園工廠的磁電機生產線」（一九一三年）
據說這是一九一三年福特汽車公司設置的第一條生產線。

組裝的節奏。

原來如此！經過八個月的研究，從磁電機到底盤的組裝所有流程都水到渠成。很快地，電力提供生產線動力。引進生產線後，福特汽車公司出版的《福特的方法與商店》（*Ford Methods and Ford Shops*）宣稱，一輛T型車的生產時長已從十二點五個小時縮短為九十三分鐘。[50]

索倫森宣布，福特汽車公司「達到了完美的同步運作」。[51] T型車上市之後，價格砍了一半，公司的利潤卻一飛沖天。若想瞭解福特採取的方法提高了多少生產力，看看數據就知道：一九一三年，福特公司的汽車產量占了全美國的幾乎一半，對比整個產業的二十八萬七千輛，T型車就多達二十六萬一千輛。福特有一萬三千名員工，其他公司總計雇用了六萬六千名員工。[52] 大量生產帶來了令人懾服的產能大爆發。

福特削減了許多人力，尤其是卡車司機、搬運工及堆高機操作員，但生產線上可不能沒有人。這項工作需要不斷重複且得依循嚴格的工作節奏。孟福特在《技術與文明》中提到，「新工業秩序的心理學在成熟地運用於車間之前，就已經出現在〔軍隊的〕閱兵場了」。[53] 戰鬥進行曲透過鼓點來達到協調一致，這種時間標記預示了機械化生產線的組織節奏。勞動在機械化的強制下達到了更高的工業生產成就。工人們起初的反應通常是忙得昏天暗地、暈頭轉向。約翰・多斯・帕索斯（John Dos Passos）寫作的小說《大撈一筆》（*The Big Money*，一九三三年）試圖捕捉這種感覺，彷彿電力驅動的機械化速度消除了言語之間的空白：

> 在福特公司裡，生產一向是隨機應變的，更少的浪費，更多的觀測員、領班助手與監督員（規定十五分鐘吃午餐，三分鐘上廁所），到處都是泰勒式的加速作業，工人們深入車底、調整墊圈、轉下螺栓，如此重複不斷，直到每一刻生命都被生產所吞噬，到了晚上，再拖著疲憊身軀灰頭土臉地回家。[54]

荒謬無謂、幽默自嘲及近在眼前的精神錯亂，是工人對勞動機械化的普遍反應。在查理・卓別林（Charlie Chaplin）的電影《摩登時代》（*Modern Times*）的開場，主角流浪漢最終被捲進了工廠的齒輪，這一幕看來輕鬆逗趣，但最後流浪漢精神崩潰，進了瘋人院。

當時也有人抱持著不同的想法。以工藝為基礎的底特律金屬貿易委員會是隸屬龔帕斯的美國勞工聯盟，委員會在一九一四年指出，福特正在磨滅「技術勞工的必要性」，福特汽車公司的工人將「變得不過是奴隸而已」。在此同時，福特公司內的工會組織工作

圖 48 《摩登時代》劇照（一九三六年）
應該沒有任何藝術作品比卓別林這部偉大的電影更能引人深思人與機器之間的關係了。這一幕比任何其他場景都更能代表工人在工業革命時代中的處境。

也遭遇了阻礙，而這並非巧合。福特禁止員工成立工會，任何加入工會的人一律解雇。隨著機械化生產的運用，公司不再雇用技術機工，而是引入非技術的男性「新移民」（原則上，福特不雇用已婚婦女），而這個族群與他的生產性資本財可謂相輔相成。[55]一九一四年，出身美國的本地工人只占福特公司勞動力的百分之二十九，其餘百分之七十一分別來自超過二十二個國家，其中最常見的是波蘭人、俄羅斯人、羅馬尼亞人、義大利人與匈牙利人。光是語言障礙，就使得組織工會窒礙難行，但公司依然有「在生產線上工作時不准說話」的規定。卓別林的《摩登時代》全程無對白，是有原因的。（當時有聲電影已流行了一段時間。）福特公司的工頭都能用幾乎每一種歐洲語言說一句話：「動作快。」[56]

福特的工人不是奴隸，因為他們是自願受雇的。自從南北戰爭前美國「自由勞動」的準則興起以來，本地勞動力市場的特點在於，年輕力壯的男性的流動性與離職率都相當高，移民勞工更加明顯。福特公司的離職率高得驚人。一九一三年，每天有一千三百到一千四百名工人曠職，約占整體勞動力的一成。勞工流動率達到了令人瞠目的百分之三百七十。美國經濟學家約翰．康芒斯（John R. Commons）稱之為「連續發生而缺乏組織的罷工」。與此同時，立場激進的世界工業勞工組織（Industrial Workers of the World，IWW）到高地公園工廠門口示威與集會，試圖號召福特公司的員工加入工會。另一個產業工會，即馬車、貨車與汽車工人工會，也到場參與。至於其餘的技術工人（包括機工、模具工、電鍍工與拋光工人），美國勞工聯盟則試圖為其建立專屬的組織。儘管如此，一切的努力都在福特汽車公司生產線的最後一個齒輪（一天工資五美元政策）之下落空了。[57]

基本上，為了維持生產線的運轉，福特買通了勞動力。他先發制人，以自創的收入政治取代美國勞工聯盟的薪酬政治。與卡內基不同的是，他從不斷擴大的利潤中，拿出了一部分收買員工。一九一四年一月五日，他大張旗鼓地宣布實行五美元日薪的政策，將工時從每天九小時縮減為八小時，非技術工人的日薪從二點五美元翻倍增加至五美元。消息一出沒多久，福特招聘部門外很快便出現了求職的人龍，到了一九一五年，員工流動率下降至百分之十六。[58]

福特為什麼要這麼做？根據《我的生活與工作》一書，他聲稱背後的動機是要實現「社會正義」。[59]從另一個角度來看，福特意識到，如果不付給工人足夠的工資，他們就買不起自己參與生產的汽車。福特製造的是一種消費品，不是一種中間資本財，這點至關重要。大量生產將開創一個大量消費的時代，而在這個時代，消費主義就跟商業與工業投資一樣，成為不斷變化的經濟因素。換作是安德魯・卡內基，他絕對不可能會思考底下的工人是否買得起他生產的鋼鐵。然而在一九一三年，福特公司以一萬三千名人力製造了二十六萬一千輛T型車，要靠勞動力來建立充分需求十分困難。

福特推行五美元日薪政策的另一個動機在於，大量生產很容易受到大規模勞工行動的影響。生產線注重生產力，但也要求機器般的無縫合作。不管技術如何，只要一個工人出錯，生產線的運作都會受到延遲。事實證明，大量生產的確很容易受到產業工會主義與大規模罷工的影響。在這一點上，福特願意花錢了事。他將工資提高一倍時，一些資本家同行抱怨他打破了工資的「鐵律」，干擾了勞動力市場供需關係的自然運作。認真看待其社會正義宣言的《華爾街日報》控訴，福特在他的「社會努力中犯了經濟失誤，甚至可說是犯了罪」。[60]一位心灰意冷的前員工皮普（E. G. Pipp）則有不同看法，他在一九二七年聲稱福特曾親口對他說：「機器在生產中極為重要，如果能敦促工人加快機器的運轉，就能藉由更高的工資帶來比減少工資更多的利潤。」[61]之後，關於福特汽車公司的經濟研究總結表示，五美元日薪實際上是一種「效率工資」。[62]因此，福特付給員工更高薪資的政策，在經濟考量上十分合理。

然而，福特到底有多在乎利潤呢？驅使他注重效率的不是利潤，而是生產中潛在的偉大成就。他最有可能的一個動機是，他剛為自己打造了一台新機器：不是T型車，而是高地公園工廠的生產線。他想讓它運轉，火力全開，看看它的速度能有多快，也想知道如果工人不再出錯，它能達到怎樣的成就。讓它全力運轉吧！如果工人耽誤了生產，就付錢叫他們走人。

福特還有一個終極動機：他同時也在做一門造人的生意。這五美元不是日薪，其中有一部分被稱為分紅，只有在特定條件下才發放。工人必須按照公司認為正確的方法過生活，因為公司的「社會學部門」負責管理五美元日薪的計畫。正如福特公司的一位經理所解釋，一名非技術工人「每天獲得二點三四美元的薪資，另一名工人獲得二點六六美元，因為公司希望他能好好過活」。公司禁止「喝酒」和「放蕩的生活」，另外還包括「不知節儉」、「有家庭糾紛」與「負債」。社會學部門會進行家庭訪查，確保員工「沒有隱瞞任何事」。福特公司的家庭訪查紀錄諸如「這個人住在骯髒雜亂的小屋」或「在波蘭人的婚禮上喝得酩酊大醉」。一名工人甚至感嘆：「我的妻子把所有事都告訴了他們。」福特所嚮往的願景涵蓋了生活各個面向。[63]

生產線彷彿延伸到了工廠之外，進入了工人的家庭，甚至深入他們常去的酒館，拽走了他們手中的啤酒。不過這一切的前提是，他們要先能到酒館光顧，才會發生這種事。正如福特一名生產線工人的妻子在五美元日薪政策上路後不到幾個星期寫給福特的信中所述：

> 你一手建立的連鎖系統不把員工當人看！天啊！福特先生！我的丈夫回到家就癱軟無力，累到吃不下飯，整個人像被榨乾一樣！難道沒有補救的辦法嗎？……五美元的日薪是天大的恩賜，但是你知道嗎？這是他們應得的。[64]

福特以五美元的日薪要求工人每天清醒地準時上班（在一九二〇年，大量生產模式問世不久後，一條憲法修正案頒布了禁酒令），準備好扮演他偉大機器上的一個沒有靈魂的齒輪，而工人回到家後，還必須依照正確的方式過生活。高額的工資買來了順從，卻把人困在了一成不變的乏味日常之中。

福特是不是忘了，外頭還有花草樹木、蟲鳴鳥叫與綠草如茵的田野呢？

魯治河複合式工廠

福特在《我的生活與工作》中指出：「動力與機械、金錢與貨物，只有在能讓我們隨心所欲地過活時才有用。它們只是用來達到目的的工具而已。」[65]福特實現了生產性資本的電力機械化，並創造了前所未有的工業效率標準。然而，機械化無法回答隨之而生的基本問題：效率除了用來製造更多的汽車之外，還有什麼用處？

在二十世紀的歷史中，效率帶來了一個可怕的結局：全面戰爭與大規模死亡。二次大戰期間，亞伯特卡恩建築事務所設計了兩百多座工廠，包含位於密西根州伊普西蘭提（Ypsilanti）且規模龐大的福特汽車楊柳溪工廠（Willow Run）。大量生產與全面戰爭之間關係密切，因為歷史告訴我們，二十世紀的戰爭國家善於調度資本的機械化，將工廠的紀律套用到戰場上（或者應該說，是戰爭反過來影響了工廠？）。

值得讚賞的是，福特對戰爭的益處抱持懷疑。他反對美國加入一九一四年秋天在歐洲各大強權之間爆發的一次世界大戰。一九一五年十二月，福特出資建造了「和平號」（*Peace Ship*），並親自前往歐洲展開宣傳活動，勸說士兵離開戰場，結果徒勞無功。美國向英國與法國出口原料，經濟蓬勃發展，而華爾街金融圈提供資金給這兩個國家的戰爭債務。德國軍國主義分子認為，美國即使自居中立國，但以其經濟實力來看，最終可能會改變平衡，因此德國宣布對美國船隻展開無限制潛艇戰。一九一七年四月，美國國會投票通過，決定參戰。美國如同德國所料，的確幫助協約國打破了平衡，迫使德軍於一九一八年十一月簽署休戰協定。和平使戰後的世界各地面臨通貨膨脹與通貨緊縮交替循環的戲劇性經濟週期，因為各國一度在戰爭期間短暫脫離的金本位制，在戰後又重新恢復了。[66]在美國，一九二〇至一九二一年的經濟衰退威脅到福特公司建立另一座工廠的計畫，也就是偉大的工業巨頭魯治河複合式工廠。

魯治河工廠是福特的終極目標，它在一九二〇年代末順利落成後，便成為機器時代偉大的現代象徵之一。

一九一五年，福特選定了底特律以南十英里處的魯治河岸邊作為廠址，占地約四百五十公頃。他在一九一六年秋天宣布：

> 我的目標是雇用更多的人，將這套工業體系的好處傳播給愈多人愈好，好幫助他們建立自己的生活與家園。為了實現這一點，未來我們會將絕大部分的利潤投入到工廠的營運。[67]

他打算拿留存盈餘來資助工廠建設，完全不考慮向華爾街融資。一名員工回憶當時表示：「福特先生不喜歡華爾街，因為那裡有猶太人。」[68]然而，福特最早的兩位投資人道奇兄弟擁有公司百分之十的股份，他們不樂見公司將所有利潤再投入魯治河工廠的建設，而是希望拿來發放股利。事實上，道奇兄弟需要資本來成立自家的汽車公司。一九一六年十一月，他們在密西根州一間法院對福特提告，要求他拿出公司既有現金盈餘的百分之七十四來發放股利。以當時標準的企業做法，這是一個頗為合理的數字。

福特拒絕了。他在《我的生活與工作》中宣稱，「製造業的主要目標不是為公司業主賺取金錢利潤」，而是「生產」。[69]這是福特的資本政治。如果道奇兄弟有意見，可以賣掉股份，他會照單全收。在道奇訴福特汽車一案（*Dodge v. Ford Motor Co.*，一九一九年）中，密西根州最高法院做出了有利於原告的判決，宣布「商業公司的組織與運作，以股東的利潤為首要目的」。[70]法院命令福特須付給投資人一千九百萬美元的股利。

當時，福特本身也需要資本以建造魯治河工廠。美國加入一次世界大戰時，他致電華盛頓當局，提議以成本價打造一艘名為「老鷹號」（*Eagle*）的反潛戰艦，不收取任何利潤。戰爭結束時，美國的大量生產模式還未發展成熟，但軍事合約注入資金給福特公司，陸軍工兵部隊將底特律河的寬度從近三十公尺拓寬為約九十公尺，疏濬河底淤泥，開放港口通道。福特向聯邦政府提交一份法案，要求在魯治河地區鋪設公路、鐵路與汙水系統。戰爭期間，卡恩設計的「B大樓」（Building B），也就是魯治河工廠建築群的第一間生產廠房，就是為了「老鷹號」的裝配而建的。但光有戰爭合約並不夠。福特急欲擺脫愛插手管事、只求利潤的股東，於是聘請了股票經紀人來打探小股東的意向。他有意將他們持有的股份都買下來。

福特家族以一點零六億美元買下了福特汽車公司百分之百的所有權。包含福特持有的股份在內，公司的市價來到了兩億五千五百萬美元。為了完成收購，福特必須向紐約與波士頓的銀行集團取得七千五百萬美元的信貸。[71]儘管借錢欠債，但就連洛克斐勒與卡內基都不曾握有對公司的完全所有權與控制權。如今，大量生產顯然是工業的未來。紐約證券交易所在一九二〇年代迎來了大牛市，而福特的主要競爭對手通用汽車從中獲利甚豐。福特汽車公司則是一個反常的例子，因為福特已經獲得了對公司的完整控制權。

一九一七至一九二〇年間，福特向魯治河工廠投入了六千萬美元，[72]可說是史上金額最龐大的一筆固定資本投資。考量當時的經濟情況，此舉使福特汽車公司瀕臨破產。一戰期間，英國與法國除了向美國金融家大量借款之外（尤其是摩根公司），還脫離了金本位制以擴大國內貨幣與信貸供給，為戰爭挹注資金。戰爭結束後，隨著經濟生產回復承平時期水準，以及工人基於補償心態而對經濟需求增加，希望彌補自己在戰場上的犧牲，許多商品都供不應求。未來戰後貨幣體系的不確定性，擾動了人們的預期。在種種因素之下，出現了通貨膨脹。美國經濟飽受震盪。一九一九年，多達四百萬名勞工為爭取八小時工作制與更高的薪資而發起罷工。[73]無政府主義者在摩根公司總部外引爆炸彈，造成三十八人死亡。[74]同年，福特便關閉了社會學部門，顯然工人們無法接受家訪或類似的侵擾行為。

一九二〇年，為配合英格蘭銀行恢復一戰前的金本位制（大英帝國的立國支柱），聯準會大幅提高利率。若要讓貨幣恢復到戰前與黃金的匯兌平價，各地的貨幣與信貸供給都得縮減。貨幣資本的稀缺價值將被強制執行。南北戰爭後所推行的恢復政策再度上演。市場開始出現懲罰性的通貨緊縮。貨幣、信貸與經濟活動遭到限縮，失業率逼近百分之九。[75]在底特律，福特汽車公司協助組織了一些暴力對策，壓制港口、礦場與鋼鐵廠所發動的罷工。美國鋼鐵公司則成功鎮壓了自霍姆斯特德以來最大規模的鋼鐵廠罷工。俄國革命過後，爆發了一場反布爾什維克的紅色恐慌。在世界上其他地方（包含美國在內），工會勞工行動都遭受了挫敗。

福特將一戰後的經濟衰退稱為他的「黑色冬天」。[76]通貨緊縮期間，他的直覺是進一步降低售價與增加汽車銷量，即使這表示必須在虧損的情況下維持生產。但是，有件事連福特都無法控制，那就是整體經濟的有效需求。汽車的買家根本不夠多。一九二〇年十二月二十四日，福特汽車公司停止生產商品。九月，底特律的汽車製造商雇用了十七萬六千名工人，到了十二月，再增加兩萬四千人。福特之前為了買下公司所有股份已積欠兩千五百萬美元，此外還欠聯邦政府一筆巨額稅款，金額約介於一千八百萬到三千萬美元之間（考量到一戰期間所得稅率有所調漲）。這時，華爾街的銀行家來到了福特家門前表示願意效勞。[77]

隸屬摩根公司旗下的紐約自由國家銀行（Liberty National Bank of New York）的一位副總裁也在其中。不久前，自由國家銀行從通用汽車公司獲得巨大的財務利益，在其董事會中占了數個席位。福特對他說：「我沒有借錢的需求。」那人回答：「我不這麼認為。我們知道你欠了很多錢，知道你手頭的現金有多少，也知道你需要錢。」還有，「你公司的新財務長會換誰當？」福特答道：「這對你來說並不重要，不是嗎？」「哦，是的，的確如此。」對方回道：「但關於新財務長的人選，我們必須有一定的話語權。」福特拿起對方的帽子，示意送客。[78]他不打算被「摩根組織化」。福特公司強迫數千家汽車經銷商「預付」貨款。一九二一年二月二十三日，高地公園工廠重新開工。很快地，通貨緊縮達到了谷底，物價水準比一九二〇年低了三分之一。經濟衰退的危機解除，市場對汽車的需求也逐漸復甦。一九二三年是T型車產量最高的一年，總計生產了一百八十萬輛。[79]同年，福特公司的汽車市占率達到了百分之六十六。[80]

福特還清了債務，將營運利潤重新投入工廠的建設。他和索倫森以一種「魔鬼般的能量」在一九二〇年代推動「高魯治河」(High Rouge)戰略,目的是為了將公司內從原料到最終成品的一切,整合為一套無縫的生產流程。[81]數十年來,產業對中間資本財的投資催化了工業革命,創造了從生產到消費的上下游市場供需。每個地方的產出都有所增加,基於投資的加乘效應,一家公司的投資增加了其他公司的生意,反之亦然。福特創了先例,希望在自家公司的屋簷下,讓投資的加乘效應在內部發酵。如今,福特汽車公司試圖將汽車生產的所有後向與前向連結都納入單一的工作單位。

一九二八年完工後,魯治河複合式工廠將有九十三棟獨立建築。其中包括一座綜合鋼鐵廠、鑄造廠、玻璃廠、水泥廠、紡織廠、皮革廠、一家醫院、一個電影實驗室(發行自家商品的宣傳影片)、一座機場,以及約一百四十萬平方公尺的廠房面積。另外還有一座十萬馬力的燃煤發電廠,足以為一座百萬人口左右的城市供應電力。魯治河工廠雇用的員工人數攀升到了十萬以上。福特買下了底特律、托雷多與艾昂頓鐵路(Detroit, Toledo & Ironton Railroad),以確保可透過鐵路運輸產品。此外,他還擁有船隊,以船身一百八十六公尺長的「亨利.福特二號」(*Henry Ford II*)汽船為首。為供應魯治河工廠之需,福特除了土地還買下了密西根州的森林與礦脈、肯塔基州與西維吉尼亞州的煤礦,以及巴西一座橡膠園(這是其中最惡名昭彰的一個決定,後來失敗收場)。[82]魯治河工廠組裝生產了福特森農用牽引機(Fordson),但該工廠主要生產零組件。福特汽車的組裝生產線仍在高地公園工廠。然而到了一九二四年,為了更貼近市場,福特公司在荷蘭安特衛普、法國波爾多、阿根廷布宜諾斯艾利斯、丹麥哥本哈根、愛爾蘭科克、英國曼徹斯特、烏拉圭蒙特維多、智利聖地牙哥、巴西聖保羅、瑞典斯德哥爾摩與義大利的里雅斯特等地都設立了T型車的裝配廠。[83]福特汽車公司的供應鏈逐漸發展為一個全球帝國。

魯治河工廠由新的標準化結構建成。卡恩設計了一系列的單層建築，以間隔十二公尺的鋼筋混凝土梁柱支撐。這是一種嶄新的工廠設計。福特之所以要求建造這種建築，是為了簡化「材料的流動」。（對比之下，高地公園工廠有六層樓高。）原料均經由運河或鐵路運來廠區。魯治河工廠的主要創新是一座「高架」，這是一個十二公尺高的混凝土構造，長達一點二公里，設有五組鐵軌，可供起重機將

圖 49 「福特汽車公司魯治河工廠，密西根州迪爾伯恩」（一九二七年）
這張鳥瞰圖捕捉了堪稱世界史上最著名的一座工廠，拍攝時間為一九二八年竣工前一年。

材料自動分發給在底下移動的貨車。卡恩在《建築論壇》（*Architectural Forum*）雜誌中吹噓，自己的設計與「製程完美交融，以確保從接收原料到成品直接運輸且一氣呵成」，[84]讓工廠的一切都能同步進行。

同樣引人注目的是生產性資本的體積。福特公司固定且安置了大量的非流動性資本財，短時間內不會撤出任何投資。魯治河工廠是真正的經典之作，截至當時，無論以何種標準而言，它都是世界上最宏偉壯觀的工廠。其規模震撼人心，很快就吸引每年超過十萬名遊客來訪，到了一九四〇年，訪客更多達十六萬六千人次。[85]《工業管理》（*Industrial Management*）雜誌認為，魯治河工廠挑戰了「歷史悠久的供需法則」。福特藉由前後向整合，將商業市場從公司的供應鏈中剔除，而他興建這座工廠的背後動機是「徹底控制」。[86]美國文學評論家艾德蒙．威爾遜（Edmund Wilson）是重要的福特批評家，他便稱福特宛如一位「暴君」，並在參訪魯治河工廠後形容底特律就像一個「巨大的有機體」。艾德蒙．威爾遜認為，魯治河工廠是「整體工業社會結構」的起源。[87]

基於大量耐久性工業資本的聚集，「結構」一詞日益成為工業社會本身的一種隱喻。經歷過工業化的第一個世代，大都體會過其中的失根感，而這可能是因為他們脫離了農村生活，對土地漸漸感到麻木。舉例來說，福特公司就有許多工人原本在歐洲務農。儘管如此，我們凝視魯治河工廠時，很難不會想到，在工業革命的斷裂之後，時間的跨度如今正在延長，經濟生活也終於穩定了下來，成為一種長期結構。

很快地，除了成為經濟現代主義的標誌之外，魯治河工廠還成了文化現代主義的美學象徵。擁有瑞士與法國雙重國籍的現代主義建築巨擘勒・柯比意（Le Corbusier）從卡恩那兒學到了許多關於混凝土建築的知識，他參觀完魯治河工廠後，「深陷一種恍惚麻木的狀態」，後來他寫道，當時自己被那種「思想與行動的整體性」給迷住了。[88]卡恩的工業結構去除了所有浪費與裝飾，由有效率的直線所宰制，具有高度的藝術表現性。美國小說家舍伍德・安德森（Sherwood Anderson）參觀了一些從事大量生產的工廠後表示，「機器支配了美國人的生活」。他還說：

> 我感受到了這一切的詩意，也體會到了它的恐怖。好幾年沒有寫詩的我，在走訪了一些工廠之後，又有了創作的渴望。在某些情緒下，我想為工業、為機器歌讚頌詩。對於美國人開發的機器，我感受到的只有欽佩與熱愛。[89]

圖 50 凱瑟琳・德雷爾（Katherine Dreier），「機器時代博覽會」（一九二七年）

女性主義者珍・希普組織了這場博覽會，這是現代藝術家廣泛採納機器美學原則的早期徵兆。

紐約於一九二七年舉辦的機器時代博覽會由女性主義者珍・希普（Jane Heap）所組織，展現了「建築、工程、工業藝術與現代藝術的相互關係與影響」。[90]事實上，從工廠、辦公樓與摩天大樓到汽車及電烤爐等消費品的設計，很多東西都互有關聯。機器曲柄的照片成為了工藝品，如保羅・奧特布里奇（Paul Outerbridge）的《馬蒙曲軸》（*Marmon Crankshaft*，一九二三年）。機器引發了更多的聯想與連結，以及讓社會更加整體化。海明威宣稱，「散文就是建築」，也正是在這個時候，他發展出精確而習字如金的寫作風格。根據現代主義者威廉・卡洛斯・威廉斯（William Carlos Williams）的說法，一首詩應該是「由文字組成的小型（或大型）機器，經過刪修而完美的節省文字」。[91]

圖 51　小保羅・奧特布里奇，《馬蒙曲軸》（一九二三年）
奧特布里奇是一位廣告攝影師，參與了視覺藝術的精確主義運動。這張汽車曲軸的照片是為馬蒙汽車公司（Marmon Motor Car Company）的廣告而拍攝，描繪了機器工程的雕塑品質。

像威廉斯這樣的現代主義者，對於在電力運用下而加快步調、跨越多文化媒介的生活深感著迷。齊格弗萊德・吉迪恩（Siegfried Giedion）在《機械化掛帥》（*Mechanization Takes Command*，一九四八年）中，以自身的觀察指出，運動成了「表達內心的圖像語言」，而不是視角。[92]傑拉德．墨菲（Gerald Murphy）所作的《鐘錶》（*Watch*），就彷彿福特在少年時代戴的手錶從口袋裡迸發而出，占滿了整片畫布。同時，福特工廠生產線的同步性也在流行大眾文化中大爆發。如果索倫森認為福特汽車公司達到「完美同步的運作」，那麼德國文化評論家齊格弗萊德．克拉考爾（Siegfried Kracauer）則在新的消費娛樂活動中識別出了「大眾裝飾」，無論是「同步舞蹈」或甚至是「同步游泳」。[93]在其他地方，如果說卡恩取得專利的鋼筋混凝土系統可均勻吸收振動，那麼音樂廳與錄音室裡的類似工程系統也開始將「現代」的聲景標準化。[94]

圖 52 傑拉德．墨菲，《鐘錶》（一九二五年）

沒有比計時更重要的工業技術了。據說這幅畫的靈感來自為墨菲的家族企業馬克克羅斯公司（Mark Cross Company，一家皮革製品製造商）所設計的鐵路手錶。墨菲是僑居法國的美國人，也屬於一次世界大戰過後「迷失的一代」（Lost Generation）。他在一九二〇年代從事畫家的期間十分短暫。引人注目的是，這幅畫尺寸頗大，約二乘二公尺。

魯治河工廠本身直接啟發了一些偉大的藝術作品。一九二七年，攝影家兼畫家查爾斯．希勒（Charles Sheeler）在那兒待了六個星期，稱這個建築群是「我在工作上遇到最令人激動的作品」。[95]希勒的藝術不久後有了「精確主義」之稱，他著重於明確勾勒魯治河工廠的結構線條，但同時也傳達了純粹的物理質量，即被電氣化與機械化且固定、安放有序的生產性資本。希勒描繪這座工廠的偉大畫作名為《美國風景》（*American Landscape*，一九三〇年）。畫中的工業風景傳達了平和與靜謐。煙囪排放出的煙霧與天空中的雲朵交融在一起，彷彿魯治河工廠是一個既定的自然事實。今日的工業資本是否跟舊時的土地一樣？這是一種新的有機經濟，抑或是對過往經濟的渴望？在這幅畫中，工廠的龐大規模使一個模糊得讓人幾乎看不見的人影顯得極為渺小。希勒寫道：「每個時代都會透過某種外部證據來顯現其內涵的本質。」《美國風景》與墨西哥藝術家迪亞哥・里維拉（Diego Rivera）創作的魯治河工廠壁畫形成了有趣的對比。一九三二至一九三三年展示於底特律藝術學院的《底特律工業壁飾》（*Detroit Industry Murals*），是受福特的兒子埃德塞爾（Edsel）委託的創作。如同許多馬克思主義者，里維拉崇尚生產，並受到魯治河工廠的啟發，但人類的勞動在他的壁畫中成了顯眼的前景，在這些作

圖 53　查爾斯・希勒，《縱橫交錯的輸送機，魯治河工廠，福特汽車公司》（一九二七年）

希勒受福特公司委託，拍攝了許多魯治河工廠的照片以供廣告使用。圖中的輸送機凸顯了福特汽車公司對連續運動的渴望，但這個畫面也傳達了魯治河工廠不朽的穩定性與結構。

品的主題中猶如神話一般。難道魯治河工廠不但是自然存在的，同時也具有超自然力量嗎？一九二八年，《浮華世界》（*Vanity Fair*）刊登了希勒所拍攝的魯治河工廠的一張照片，題名為「以大量生產為終極目標的美國聖壇」。[96]更重要的真相潛藏在新式機械化與工業資本的聚集之中。

福特之後的福特主義

魯治河工廠是亨利・福特工業野心的頂點。一九二〇年代，他的宏偉願景開始到了誇大妄想的地步。即使電動機械化在工業社會中蔓延，他的名氣、魅力與開創精神仍面臨了阻礙。大量生產的未來開始超出他所能控制的範圍。

首先，福特汽車公司的勞工政策變得比以往極端保守。可恥的是，福特公司的傳奇性反工會執行者哈利・貝內特（Harry Bennett）在魯治河工廠周圍巡邏時開始隨身帶槍。在美國製造業中，工會成員從一九二一年占勞動力的百分之十九，下降到一九二九年的百分之十。[97]一九二〇年代，

圖 54 查爾斯・希勒，《美國風景》（一九三〇年）
十九世紀初，哈德遜河畫派的作品經常以一個在大自然面前顯得渺小的孤獨個體為特點。一個世紀後，在希勒所捕捉的工業景觀中，有一個小到肉眼幾乎看不見的人影沿著鐵軌奔跑。

福特汽車公司對「公司福利」計畫進行了許多試驗，但「激進的反工會主義」政策在內部占了上風。[98]如果持續發給員工高薪，就必須汰除各種形式的五美元日薪計畫。隨著一戰導致歐洲移民潮中止，以及一九二四年通過排外法案，福特公司開始雇用成千上萬名從南方大批遷出的黑人勞工。這個族群占了全公司勞動力的一成。[99]福特期望他們以忠誠回報，卻失望地發現底特律的黑人居民不支持他所選擇的市府候選人。同時在一九二〇年代初，總部位於底特律、成員至少有四萬名的汽車、飛機與運輸工人產業聯合工會，威脅要協助魯治河工廠的員工組成工會。[100]對此，福特公司雇請多位密探搜查內部有哪些員工是工會的支持者，並要求他們打包走人。

福特曾想像過員工在田園般的工作環境下和諧共處。在興建魯治河工廠的過程中，他也在鄉間建造了衛星廠房。「一座擁有一百萬人口、未經馴化且帶有威脅性的城市，有點名堂。」福特寫道：「偉大的城市實際上是由一群無助的人們聚集而成。」[101]卡恩設計了一些工業村莊，但最傑出的成果是福特競標開發位於阿拉巴馬州西北部田納西河畔，一個經濟蕭條的農村地區馬斯爾蕭爾斯（Muscle Shoals）。戰爭期間，聯邦政府開始建造水電大壩與硝酸鹽工廠，但沒能完工。福特向國會承諾，他將「無私地」完成這項計畫，不獲取任何利潤。他宣稱，「我奉行解放美國工業的原則」，承諾將「為密西西比河谷打造一座全新的伊甸園」。[102]一九二二年，《科學美國人》（*Scientific American*）雜誌刊出了卡恩在馬斯爾蕭爾斯結合住宅與工廠的建築設計的照片，建築師法蘭克・洛伊德・萊特（Frank Lloyd Wright）對此大力讚賞，稱其為他所嚮往的工業田園主義的「最佳模範之一」。然而，國會拒絕向福特核發特許權。之後，福特在其公司位於巴西亞馬遜雨林的橡膠園打造一座「福特城」（Fordlandia）。[103]最終，福特城的建造計畫以失敗收場，而馬斯爾蕭爾斯的發展將得等到羅斯福新政時期，才由田納西河谷管理局重新整頓。

在商業領域，儘管魯治河工廠順利完工，但一九二〇年代，福特汽車公司的市占率卻下降了。[104]福特的競爭對手效仿他採用的大量生產方式並進行改良。一九二一年後，通用汽車公司的控股權為杜邦公司（DuPont Company，德拉瓦州一家炸藥製造商）所持有。該公司的雪佛蘭車款（Chevrolet）開始與T型車競爭客群。通用汽車的大量生產方法較為靈活，建立了更多車型，以滿足不同消費市場的需求。對此，福特只好為T型車推出不同的車身顏色。此外，通用汽車還鼓勵客戶分期貸款購車，並於一九一九年成立通用汽車金融服務公司（General Motors Acceptance Corporation，GMAC）。福特原則上反對債務，但他的兒子埃德塞爾默默地開了一家信用機構名為信託擔保公司，其帳目與福特汽車公司互相獨立。

福特意識到T型車的時代已經過去，一九二七年，其公司生產了第一千五百萬輛T型車，隨後便成了絕響。他不得不全面停止T型車的生產，好更換機械設備以組裝新推出的A型車（從各方面來說都是一出色車款），然而A型車的生產線效率雖高，但不如通用汽車來得靈活。福特公司改組其四萬五千台機床之際，美國經濟遭遇了短暫的衰退。隨著福特開始仰賴較為靈活的供應商網絡，「高魯治河」戰略逐漸退場。到了一九二九年，福特汽車與通用汽車各占了汽車市場的百分之三十五。產量是福特公司衡量工業成功的標準，但其金錢收益只有通用汽車的一半。由此可見，通用汽車的獲利能力遠高於福特。[105]

至此，福特汽車公司已經失去了大量生產的主導權。[106]福特以為自己可以將汽車製程的每個步驟融入公司內部體系，但他所採行的大量生產模式反倒向外傳播到了其他的汽車製造商。這些方法可加以複製甚至改良，以變得更靈活、更有利可圖。可惜個性使然，福特並不具備採取這類進一步措施的能力。

在政治上，福特汽車公司依然受創辦人的主觀意願所支配。相較之下，通用汽車則採用官僚體系。福特公司的帳務會計原則是：「將所有收益都集中存放，每進一批材料，就從中拿錢支付。」[107]通用汽車做法不同，讓管理權與所有權各自為政。[108]杜邦公司的股東制定了一套全新的官僚制度，使通用汽車總部的經理階層責成管理各自的部門。[109]一九二三年，麻省理工學院畢業生艾爾弗雷德·史隆（Alfred Sloan）成為通用汽車底特律總部的總裁。公司發展出一套複雜的等級制度，根據客觀的頭銜和職位來賦予權力與職權，這是公司發展的趨勢。[110]機械化使對白領技術勞工的需求大增。[111]副總裁、經理、中階經理及合夥人全擠在總部的辦公室裡，在設計一致的辦公室隔間，坐在款式一致的椅子上，使用款式一致的辦公桌工作。[112]不具個人身分的官僚體系與福特這樣的文化名人同時出現在大眾視野中，顯得矛盾不已。各企業行號新聘了一群「工業心理學家」，對求職者進行標準化的人格測試。[113]工業公司也將「研發」精神內化到自家的實驗室。[114]有別於福特與他在初期秉持生產主義下所雇用的焊補工與工程師，這些新的求職者有許多人都受過大學教育。富蘭克林·包比特（Franklin Bobbitt）所著的《課程論》（*The Curriculum*，一九一八年）即推崇新的「標準化」測驗。考量公司對生產性資本的長期投資，內部的會計人員運用了新的會計技巧處理帳務，包括

「成本會計」、「資本預算」與「銷售預測」。[115]他們會參考專業的產業刊物，例如行政管理協會出版的《管理與行政》(*Management and Administration*)。個性偏好秩序與控制的人，經判斷最適合這類型的會計工作（儘管在艾默．萊斯〔Elmer Rice〕備受歡迎的戲劇《計算機》〔*The Adding Machine*，一九二三年〕中，一家公司的會計因工作過勞而崩潰，憤而謀殺老闆）。無論如何，有愈來愈多人認為，與麻省理工學院出身的艾爾弗雷德．史隆這樣的企業經理人相比，亨利．福特顯得像個特立獨行的怪人。

官僚體系、效率與專業主義等新潮的企業價值觀進入了選舉政治。在一九一〇年代，進步派人士積極提倡這種價值觀。一九二八年，機器時代的美國人民選出工程背景的赫伯特．胡佛（Herbert Hoover）擔任總統，絕非巧合。在一九二〇年代，身為商務部長的胡佛召集成立了消除工業浪費委員會，該組織呼籲將「標準化」與「效率」的優點應用於工業的「唯一的真正目標：產能最大化」。[116]一九二八年，在替福特代筆《我的生活與工作》僅六年後，山繆．克勞瑟又寫了《總統職位與胡佛的對比》(*The Presidency v. Hoover*)，並在書中熱烈讚揚了這位共和黨總統候選人。福特甚至接受克勞瑟採訪，向社會大眾表明他對這位偉大工程師的支持。

現代性與進步喚起了高效、線性且直線的時間，一如福特的快速電動生產線所採取的原理，有能力實現如此巨大的生產。雖然福特始終完全掌握了公司的財務，但一九二〇年代美國的工業生產之所以能在其他方面有大幅躍進，背後仍是不斷重複的資本主義信貸週期的又一次上行，也就是另一次的投機性熱潮。這十年對紐約證券交易所來說是大牛市，隨一戰後回歸金本位制、投資者信心大增而起。

胡佛大可盡情呼籲工業領域重視效率，福特也大可怒罵華爾街與猶太人，但如今，美國已成為全球金融中心。一戰過後，全世界積欠了美國一百二十億美元的債務。美國坐擁全球大部分的黃金儲備，不久前，聯準會更肩負維持全球金本位制的重責大任。未來當國際金融體系由內而外崩解、資本主義剛剛點亮的燈光襲面時，掌握這一切的便是「偉大的工程師」胡佛。

第十二章 經濟大蕭條

資本時代最難詮釋的部分便是理清當代其中兩種主要經濟敘事之間的連結，而這兩種敘事都談到了資本在經濟生活中日益重要的地位。

首先，出現了工業革命。由於生產中的固定投資，資本安定了下來，構成了更多的能源密集型且非流動性的資本財。隨著時間推移，供給端的勞動生產力提高，而透過長期的工業經濟發展，財富與貨幣收入有所增長，儘管與過往相比，分配變得更不公平了。第二，資本主義的信貸循環反覆運行。這裡指涉的時機非為線性。短期的投機性投資熱潮推動了工業經濟的發展，加速工業革命，但這些事件過後，隨之而來的是恐慌與爭相獲取安全流動資產。預防性囤積現象普遍可見，需求下降，發展的腳步慢了下來。由於人們停止長期投資生產性資本，企業家也變得無精打采。在市場恢復信心之前，經濟生活就這樣緊繃地撐到了當下。

這種動態出現在資本時代的開端。隨著南北戰爭後金本位制復位，人們的期望與信心激增，推動了一八六八年後的鐵路建設熱潮。但是，一八七三年的金融恐慌隨之而來，債務緊縮也導致了市場衰退。經濟復甦後，社會迎來了史上發展最密集的工業化時期，但之後仍因繁榮與蕭條不斷交替的經濟循環而中斷。一戰過後，事件再度以類似的順序重演，最終在一九二〇年代大牛市的投機投資熱潮與一九三〇年代的經濟大蕭條中達到了高潮。從各方面來看，這樣的演變是有史以來最異乎尋常的。

一九二〇年，戰後金本位制的恢復再次導致了物價通縮，助長了資本所有者的信心，使他們堅定捍衛貨幣資本的稀缺性價值。在一九二〇年代，各個產業迎來了繁榮的投機熱潮。由於福特主義的大量生產，人們對未來工業生產收益的預期超越了以往。事後回顧，一九二〇年代電動生產線從福特汽車公司擴散到其他產業，促成了史上生產力最大幅度的激增。全球農業生產量也蓬勃發展。但到了一九二九年，信貸循環戲劇性地逆轉，人們的預期有了變化。紐約證券交易所崩盤，農產品價格暴跌。不久後，惡性循環到來，生產經濟全面崩潰。市場並沒有恢復信心，經濟大蕭條展開。

整體情況超出了人類所能忍耐的極限，但仍看不見谷底。美國的失業率在一九二九年原為百分之二點九，很快便超過了百分之十五。幾乎所有已知的經濟指標都像自由落體般一瀉千里。最令人擔憂的是嚴重的物價通縮，這是經濟大蕭條狀態將持續存在的最奇特表徵。[1] 一九三一年夏天，英國央行總裁蒙塔古・諾曼（Montagu Norman）寫信給法國中央銀行行長：「如果不採取嚴厲的措施來挽救，整個文明世界的資本主義制度會在一年內崩毀瓦解。」[2]

是什麼導致了經濟大蕭條？對此，有一學術解讀至今仍備受讚譽，那就是米爾頓・佛里德曼（Milton Friedman）和安娜・施瓦茨（Anna Schwartz）合著的《美國貨幣史》（*A Monetary History of the United States*，一九六三年）。據這本書指出，經濟大蕭條是一系列外部貨幣與金融對生產、交換及消費等實體經濟造成衝擊的結果，而聯準會可怕的政策失誤使情況雪上加霜，假如沒有這些政策出現，實體經濟原本可以快速地自動校正並回歸自然的市場均衡。[3]當然，政策失誤已成事實，使經濟大蕭條更加嚴重。但將「實體經濟」與「金融—貨幣」嚴格區分是行不通的。任何合理的解釋都必須整合這兩者，我們不可能將投機性投資的動態置於永恆市場均衡的實體經濟之外。

經濟大蕭條的起因是，政府堅持恢復一戰前的金本位制，如此一來，中央銀行必須將利率調到極高。因此，一九二〇年代繁榮的投資熱潮，是人們以極高利率借貸所致。高利率為未來的預期利潤立下了高標準。然而，一九二〇年代的市場預期高漲到足以為資本與信貸市場帶來一個不尋常的時刻，也就是充足卻昂貴的信貸。（南北戰爭後曾有過這樣的時刻，一九八〇年代也再上演一次。）[4]

在一九二〇年代，債務驅使的借貸與投機，確實導致了機器時代的長期投資。工業投資資本財的倍增效應促進了生產力與成長。但是，有鑑於借款利率如此之高，倘若信貸循環逆轉，後果可能不堪設想，召回高昂貸款使工廠恐慌、民眾爭相保全資金，以及預防性的流動性偏好，不但不會促成對生產的固定投資，反而會破壞現有資本設備的使用。[5]隨著各種消費停滯，接著是生產、產出與就業狀態的逆轉，市場的商品需求也會跟著蒸發。

這就是實際發生的情況。當人們對未來利潤的預期減弱，信貸循環便開始逆行。美國的固定投資在一九二九年二月開始下降，就在十月紐約證券交易所面臨股市大崩盤的數個月前。隨著預期有所轉變，農產品價格崩跌，而農戶收入的衰減進一步削弱了製成品的需求。工業與農業之間的關係變得緊張。由於各國都在努力維持金本位制，國際金融恐慌引發的一系列回響使情勢更加惡化。令人難以置信的是，根據事後估計，美國國內私人投資總額在一九二九年為一百六十二億美元，到了一九三三年將縮減至僅僅三億美元。[6]

資本家爆發了一種可怕的預防性流動性偏好。他們不願意拿錢來投資可提供就業的生產活動。經濟生活飽受民眾普遍缺乏心理能量的影響所苦。既有的工廠與工人苦無用武之地，乏人問津，只能虛度光陰。經濟之外的體系必須有所作為，以恢復市場需求，促使生產全面復甦。

矛盾的是，經濟大蕭條在一個世紀之前不可能發生。唯有經過數個世代的工業革命充分提高貨幣收入，同時將許多人拉進商業經濟，富有的投資者、甚至貧窮的消費者才有可能出現囤積貨幣的傾向，而導致經濟活動停止。貨幣既是生產投資的潛在手段，卻同時也是削弱生產的潛在價值儲存，而唯有在一個擁有大量以貨幣計價的財富的經濟體中，這樣的崩潰才會導致後續的經濟效應。反覆運行的資本主義信貸循環，開闢了長期經濟發展與獲取更龐大財富的機會，但同時也種下引起更慘烈經濟蕭條的風險，而對一個在資本主義以外的世界幾乎無法存續的社會而言，或許會導致更大的災難。

經濟大蕭條在大量生產模式問世後不久便爆發，這是多麼引人注目的事。假使沒有對應的心理能量，電力就不可能在生產過程中釋放出來。一九三〇年，英國經濟學家凱因斯在芝加哥大學（距離不久前大量生產的中西部發源地不遠）的一次演講中表示，「這種奇妙生產能量的爆發竟然成了貧窮與蕭條的前兆，真是一種非比尋常的愚蠢」。[7]

一九三〇年十月三十日，從賓州波茨敦（Pottstown）無煙煤產區寄出給總統胡佛總統的一封匿名信，貼切地說明了這個問題：「把金錢成捆囤積起來，是一種犯罪行為。」[8]

黃金的枷鎖

任何關於經濟大蕭條起源的敘述，都必須從一戰後命運多舛的國際金本位制恢復政策說起。[9]強大的政治家與金融家認為，黃金是維繫歐洲戰後脆弱和平的關鍵，也是讓國際投資者恢復信心、進而促使國家發展健全經濟的癥結點。起初，他們的看法似乎是正確的，但之後回歸正統的做法成了禍因。[10]

一戰過後的物價通膨與通縮循環，持續到了一九二〇年代初期。和平在世界各地首先導致了通貨膨脹。歐洲國家大都靠印鈔來為戰爭籌措資金，為了發放信貸而全面暫停實施金本位制，以期迫使生產最大化。同時，華爾街取代倫敦成為世界上最主要的放款方。在美國，由於戰時出口與歐洲資本外逃，金條儲備在戰爭期間翻了一倍，從二十億美元增至四十億美元，在全球黃金儲備中高占超過三分之一。[11]美國貨幣基礎膨脹，造成了本國通貨膨脹，因為生產活動已過渡至承平時期。然而更主要的原因是，和平的局勢使民眾普遍提高生活水準，因而進一步抬高了物價。

原則上，政治家與金融家都渴望恢復金本位制。[12]一九二二年之後，今日全球規模最大的銀行摩根公司的頭號合作夥伴湯瑪斯．拉蒙特（Thomas Lamont）指稱這個理念為「老派的宗教」。[13]唯有黃金與貨幣穩定掛鉤，才能確保投資的未來價值，並恢復跨境的全球資本流動，這是一戰前經濟發展的既定事實，畢竟在那個時代，利率與資本流動性都是史無前例地低。

受區域性紐約聯邦準備銀行及其私下任命的行長班傑明・斯特朗（Benjamin Strong，曾是摩根金融網絡的一員）主導的聯準會，率先主張貨幣與信貸的稀缺價值。由於可根據貨幣需求來決定數量及供給（銀行可以創造信貸），因此中央銀行設定利率便能控制物價，而不是直接控制貨幣發行。一九二〇年，紐約聯邦準備銀行將利率（即向其成員銀行收取之借貸短期利率）提高到百分之七，啟動全球通貨緊縮，而這正是南北戰爭後的美國人在回歸金本位制的艱難道路上所謂的恢復政策。斯特朗在一九二五年寫給英國同業蒙塔古・諾曼的一封私人信件中指出：

> 倘若不恢復金本位制，匯兌將產生劇烈波動，可能會逐漸決定外國貨幣兌美元的價值。這將誘使所有提出金本位制以外的權宜之計的人們出售商品，並激勵政府偶爾採取各種紙幣應急措施與通貨膨脹。[14]

歐洲各大央行隨即跟進提高了利率，而當各國經濟開始努力恢復金本位制之際，卻陸續遭遇了懲罰性通縮與經濟蕭條。

儘管如此，在蔓延到國際借貸管道的美國投機性投資熱潮的催化下，各國經濟迅速走出了戰後的通膨與通縮循環。在一九二四至一九三一年間，美國攬下了百分之六十的國際貸款。[15]這樣的自信有部分來自金本位制的恢復及其對借款人未來物價穩定的保證。因此，在一九二〇年代的資本市場上，同時出現了物價穩定、借貸利率高昂及可用資金充裕的現象。

共和黨員沃倫・哈定（Warren G. Harding）在一九二〇年成功的總統競選活動中呼籲，「回歸常態」。恢復常態是需要一些時間的。一九一九年懲罰性的《凡爾賽和約》使德國承擔了三百三十億美元的戰爭賠款，但英國與法國卻分別對美國欠下了五十億與四十億美元的巨額戰爭債務。眾所周知的是，在大規模國際資本外逃之後，德國在一九二二至一九二三年間面臨了嚴重的通貨膨脹。[16]一九二三年，德國在貨幣貶值後將其與黃金掛鉤。同年，為了催討賠款，法國占領了德國煤炭資源豐富的魯爾河谷（Ruhr Valley）。隨後，芝加哥銀行家查爾斯・道斯（Charles Dawes）居中促成了一項協議，法軍也於一九二五年撤離。道斯計畫減低了德國的立即賠款額度（最終數字未定），並讓德意志帝國銀行接受外國監管。華爾街向德國提供了兩億美元的貸款，由摩根集團籌資開辦。最終，英國在一九二五年以戰前英鎊兌黃金的平價回歸金本位制，強硬恢復了戰前大英帝國生存的必要條件，卻犧牲了英國勞工階級的權益（當時英國失業率仍高居不下）。最終，法國在一九二六年將法郎與黃金掛鉤。作為對平衡預算承諾的回報，摩根集團向法國政府提供了一億美元的貸款以供穩定匯率。

總而言之，美國借給德國的貸款開始被拿來賠償英國與法國，之後又回到大西洋的另一端，被英國與法國拿來償還欠美國的戰爭債務。一九二五年，查爾斯・道斯獲頒諾貝爾和平獎，並成為共和黨卡爾文・柯立芝（Calvin Coolidge）的副總統。社會期望健全的財政體系可以嚴格管控德國軍國主義回歸的任何可能性並維護和平。華爾街的金融家不具國際外交手腕，但他們將必須接下這份工作。[17]畢竟，美國未能加入伍德羅·威爾遜總統籌組的國際聯盟（該組織已於一九二〇年開始召開會議）。

一九二六年，各地官員都認為戰後危機已經結束。金本位制與國際借貸似乎都恢復正常運作。非凡的經濟榮景自此展開。位於百老街與華爾街路口的紐約聯邦準備銀行的地下金庫，貯藏了價值十五億美元的黃金，就像一塊巨型磁鐵，吸引四面八方的資本與信貸湧入紐約證券交易所。

大牛市

自一九二〇年代的大牛市以來，社會評論始終聚焦於一個問題，那就是國家的基本經濟「基礎」是否可作為美國股票價格迅速上漲的正當理由。約翰·肯尼斯·高伯瑞（John Kenneth Galbraith）在一九五四年出版的影響力著作《一九二九大崩盤》（*The Great Crash, 1929*）中，對此給出了否定的答案。近年來，一些經濟史學家提出了異議。[18]然而，要剖析投機性投資的矛盾動力，沒這麼容易。[19]為什麼紐約證交所在一九二〇年代氣勢如虹，但是到了一九二九年秋天，突如其來的反轉卻向外蔓延，導致了長期固定投資的廣泛崩潰？

一九二〇年代的紐約證交所是個新奇的存在。大併購運動期間，它在資本市場中的地位日益突出，但到了一戰前夕，美國只有不到百分之一的人口持有公司股票。資本市場依然高度局限於某些區域，有時甚至只存在於本地。[20]直到一九二〇年代，紐約證交所才開始主導全國的股票市場。紐約證交所建立在交易流動性的基礎上（樂於買進每家上市公司的股票），調動了對創造財富的企業的長期投資，將資金引導到各家公司。除此之外，它還推動了短期投機活動。在這個年代，持有股票的美國家庭數量增加了十六倍。到了一九二九年，有四分之一的美國家庭有資金存放在紐約證交所。[21]一九二〇年代的大牛市是大眾傳播與大眾心理學的產物，簡直是一項大規模的大眾文化奇觀。

第一次世界大戰再次成了主要原因。美國向三千多萬名美國公民出售價值兩百億美元的自由債券，藉此為戰爭籌措資金。[22]南北戰爭也透過類似的方式融資，但並未促成大規模的公司證券投資市場。到了一九二〇年代，美國人普遍變得更加富裕、收入更高，也有更多金錢用於投資。而在大併購運動過後，也出現了更多大型製造業公司可作為投資標的。在一九二〇年代初期，許多公司對戰時特定產業（如鐵路）的國有化持謹慎態度，在這種政治考量下，他們轉而宣傳擁有公司股票便象徵民主公民權，就像自由債券那樣。到了一九二八年，有三百一十五家公司、近八十萬名員工持有價值十億美元的股票。[23]

直到一九二五年，紐約證券交易所才真正開始有了起色。一個重要因素是，出現了一種新型的金融公司，即公開上市的「投資信託」。為了增加利潤，信託公司就跟券商一樣，經常利用負債作為投資的槓桿，利用華爾街的「活期貸款」市場獲取短期的信貸。在這種市場中，投資信託與股票經紀人可以「融資融券」，也就是說，購買股票的貸款中有部分抵押品正是股票本身。如果股票價值暴跌，抵押品的價值就會降低，貸款可能會被收回；但是，只要股票上漲，就不會有任何問題。原則上，由於金本位制的存在，黃金的數量限制了這類型的信貸擴張。此外，在一九二〇年代，由於歐洲的黃金不斷湧入美國，紐約聯邦準備銀行行長班傑明·斯特朗對流入的黃金進行「沖銷」，有效地阻斷了流通。[24]儘管如此，信貸持續擴張。中央銀行可限制貨幣與信貸的供給，但在市場預期高漲的情況下，需求也可能會創造銀行信貸。在此基礎上，紐約證交所的交易量扶搖直上。

有一小段期間，這些股價看起來合情合理。一般情況下，股票價格與支付給持有者的股息有關（出自公司過去所賺取的利

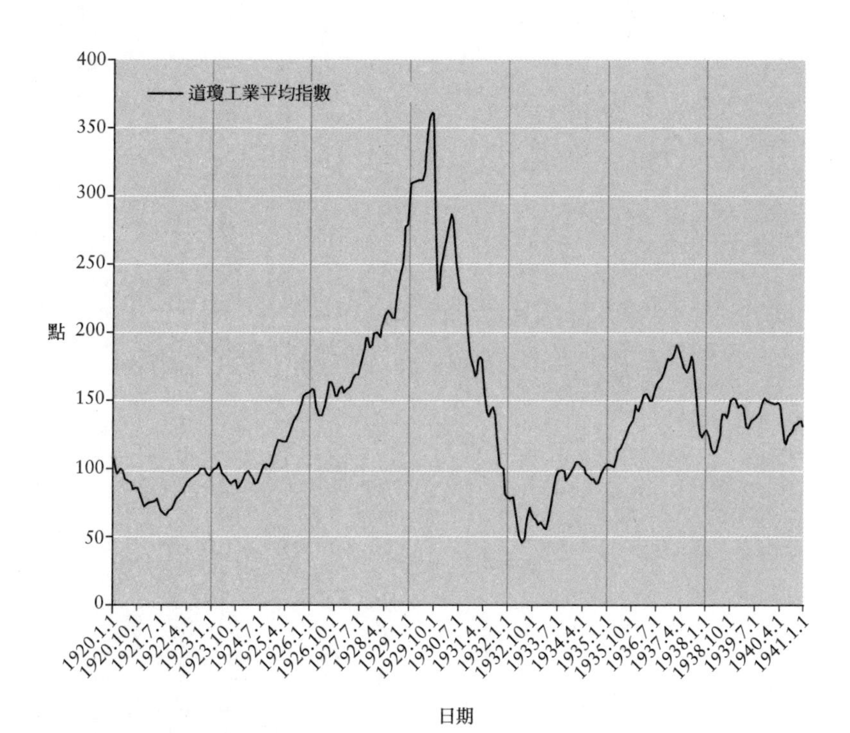

圖 55　道瓊工業平均指數（Dow Jones Industrial Average）

隨著美國工業部門處於福特主義即將做出大躍進的關鍵時刻，股票價格的上漲反映了市場對未來景氣繁榮的合理預期。然而，投機性熱潮變成了一座隨時可能崩塌的紙牌屋。

潤）。這種關係在一九二七年之前始終保持穩定。[25]此外，市場樂觀看待工業未來的獲利能力，考量不久前福特主義與電動生產線的問世，這相當合理。許多投資者似乎將他們對正在進行的大量生產創新的預期，反應在購買的股價之上。[26]同時，股市的寵兒早已獲利甚豐，譬如通用汽車與美國無線電公司（Radio Corporation of America，RCA）。通用汽車是美國最賺錢的企業，它的利潤在一九二五至一九二七年間增加了一倍多，股票價格更是翻了四倍。但是，以歷史平均數據而言。通用汽車的股票價格與營收比率仍在合理範圍內（低於九）。[27]大多數的公司並不仰賴紐約證交所籌集資金，而是依靠豐厚的留存收益。雖然如此，福特主義的誕生與嶄新的大量生產模式，的確理應促成長期的投資榮景。像紐約證交所這樣的流動證券市場可以作為一種管道，來指引儲蓄與信貸長期投資於那些創造財富的企業。

然而，事實並非總是如此。[28]一九二〇年代末的大牛市，毫無疑問地演變成一個短期投機市場。事實上，資本與信貸市場出了差錯的第一個跡象在農業。農產品的價格在戰爭期間由於歐洲的需求而居高不下，在一九二〇年戰後危機的通縮下行階段遭受重挫。從那之後，價格趨於穩定，即使供給量持續超越立即性需求。但是，農產品的價格並未下降。相反地，經銷商開始大量囤積農作物，因為在看好未來景氣的心態下，他們預期價格會上漲。[29]同時在一九二八年，紐約證交所的上行發展與已實現的利潤脫了鉤。投資信託、券商及散戶都積極買入股票，希望能在短期內從股價的即時升值中獲益，而忽略了股票因商業獲利而長期發放的股利。到了一九二九年，美國約有兩百萬人向共約七百七十家投資信託公司買入股票，有三百五十萬人開了證券戶。[30]正如凱因斯所述：「當國家的資本發展成了賭博活動的副產物時，結果便可能以失敗收場。」[31]

至今，一九二八年大牛市為何會屈服於短期投機的這個問題，除了民眾妄想中的「狂熱」之外，歷史學家尚未提出令人信服的答案。[32]

一個可能的原因是，金融投機的邏輯與不斷變化的文化規範之間的關係。機器時代使生產變得常規化，約束了人體勞動，但嶄新的大眾消費娛樂文化帶來了許多補償性刺激，像是百貨公司、爵士樂、酒吧、T型車的「愉快駕駛體驗」，以及股票市場的投機。二十世紀行為主義心理學創始人約翰·華生（John B. Watson）在一九二九年四月指出：「近年來，就連性事也變得如此自由而豐富，讓人不再有以往的那種刺激感，而華爾街的賭局，是如今唯一能使人興奮的事物了。」[33]一直以來，股票市場的投機與性解放始終同時發生，在一九二〇年代之後，下一個大牛市將發生在另一個性解放的時代，也就是一九六〇年代（再下一次是一九九〇年代）。舍伍德·安德森受佛洛伊德啟發而創作的小說《許多婚姻》（*Many Marriages*，一九二三年）以書名道盡了內容，可說是當代美國關於性道德規範轉變最尖銳的敘述了。對男性與女性（據說在一九二九年占了所有股市新手的三分之一）而言，股票投機似乎已經成為一種可賦予高度能量的活動，在這當中，投機者的欲望在一檔又一檔的流動證券中起起伏伏。券商透過廣播向全國各地投放股票廣告，據估一九二九年美國每天晚上有多達三千萬人收聽廣播。[34]在大眾傳播領域，廣播成了一九二〇年代蓬勃發展的電影業的競爭對手，當時，好萊塢的「法典」（Code）禁止電影中出現露骨的性內容。[35]那個年代大眾心目中的性感尤物是女演員克拉拉·鮑（Clara Bow），她在默劇電影《它》（*It*，一九二七年）中飾演一名個性浪漫而輕浮的女店員，是「它女郎」（It Girl）的原型。鮑在一九二八及一九二九年都是票房冠軍，當時美國每星期有五千萬人買票進電影院看戲。事實上，有長達數個世紀的時間，男性都將金融證券不受拘束的價格波動與女性的狂放淫亂畫上了等號。[36]

一九二〇年代，斯特朗與紐約聯邦準備銀行試圖「沖銷」流入的黃金以抑制投機活動，防止信貸市場放寬。商務部長胡佛與多位人士都對進行中的「投機狂熱」表示哀悼。[37]事實上，在一九二八年之後，根據一位歷史學者的冷靜分析，「投機狂熱」或「投機性狂熱」這個詞彙「在往後幾年變得極為普遍，以致失去了所有意義」。[38]

紐約聯邦準備銀行行長斯特朗早在一九二五年就稱「投機狂熱」是一種恥辱，認為除了對黃金進行沖銷之外，還必須採取其他措施。[39]一九二七年，他將聯邦準備銀行的短期利率調降為百分之三點五，提高英鎊對投資者的吸引力，進而將黃金推向英國，以助其恢復金本位制。這是金本位制迫使官員將國際利益置於國內利益之上的結果。如果斯特朗提高利率以冷卻美國的信貸市場，將會使英國更難以恢復金本位制，而他認為，成功回歸金本位制對美國經濟象徵意義更大。同時，各家銀行以百分之三點五的利率向聯準會借錢，再轉而以百分之十的利率在短期活期貨幣市場上放貸，助長了紐約證券交易所的股票投機活動，這便是高布瑞在《大崩盤》一書中所謂「史上最有利可圖的套利操作」。[40]

然而，一九二八年二月，斯特朗展開一連串的升息，將利率從百分之三點五調升至百分之五。就在這時，長期受結核病所苦的他病重過世。聯準會陷入了官僚體系的混亂。一九二九年，其繼任者喬治・哈里森（George Harrison）將銀行的利率調高到百分之六，同時還介入限制投資信託基金在活期貸款市場中融資融券的能力。儘管如此，大牛市依然一路向前衝。

由於美國金庫貯存了海量黃金，紐約聯邦準備銀行位居國際貨幣體系的頂端。然而，它早已失去了對形勢的控制。即使借貸利率高，投資者仍不斷借錢進行投機性投資，債權人也願意提供資金。

此外，一九二八年之後，紐約證券交易所有了兩個新的參與者：美國的製造業公司與歐洲的資本。公司行號開始將多餘的商業利潤移轉至紐約證交所。起初在大量生產模式誕生之際，工業企業的收入遠遠超越勞工的薪資，[41]因此勞動階級並未搭上一九二〇年代的投機性投資熱潮。[42]日益加劇的經濟不平等使更多金錢落入富人手中，他們不斷抬高股價，在信貸的槓桿作用下利用資產的增值提高收入，但底層階級的勞動收入卻停滯不前。同時，歐洲資本正逃離歐洲，加入華爾街的投資派對。舉例來說，德國的資本外逃促成了另一個經過協商的償債方案——一九二九年的楊格計畫（Young Plan）。大致上的結果是，歐洲各大央行別無選擇，只能繼續調高利率，以吸引資本進入本國銀行體系，維護不久前才恢復的金本位制。然而，黃金仍然不斷湧入美國。總而言之，金本位制既無法限制信貸擴張（它應該要能如此），又迫使各大央行將維持貨幣與黃金掛鉤的國際義務擺在任何國家經濟目標之前。

一九二九年初，信貸循環開始逆行。有一些因素可以解釋為何那年二月固定工業投資衰退，其中之一是美國製造業公司在股票市場中的大肆投機，另外還有企業的獲利開始令人失望。聯準會為了抑制投機行為，將貨幣的短期利率提高到百分之十以上。投機性投資的門檻異乎尋常地高，最終信貸市場也崩潰了。在市場預期的變化下，貨幣與信貸變得緊縮。在農產業，那些囤積了大量農作物的投機經銷商原本相信未來會價格上漲，如今改變了心意，在市場上拋售商品。一九二八年三月，經銷商囤積了近一千七百萬公石的玉米，到了一九二九年七月，他們在市場上拋售的貨量超過一千零五十多萬公石。作物價格下跌，農場收入下降，削弱了消費者對製造品的需求。同月，工業產量減少。[43]到了八月，經濟總產出開始衰退。

紐約證交所硬是撐了一個月。一九二八年初，道瓊工業平均指數停在一百九十一點，在一九二九年九月達到了三百八十一點的高峰。股市在十月初開始下跌，接著在同月二十四日迎來了黑色星期四。十月二十八日成了黑色星期一。市場爆發恐慌，最大的苦主是公用事業股票，也就是不久前投資信託基金利用槓桿與債務抬高股價的對象。[44]總計一百四十億美元的股票市值急遽縮水。群眾聚集在紐約證交所外的街道上怒吼抗議，相關消息經由廣播傳遍各地，股戶爭先恐後地打電話給股票經紀人要求賣出。一座由私人組織以阻止股票交易損失的城牆戲劇性地崩毀。信貸原本助長了市場前景，但如今那些過去接受人們抵押股票借款的銀行急著追繳保證金並收回貸款，借款人無力償還，因為作為貸款抵押品的股票價值不斷暴跌。過度的槓桿操作導致投資人在尋求資金流動性的激烈競爭中，陷入廉價拋售的惡性循環且蒙受一發不可收拾的帳面損失。不久前歐洲銀行調高利率以與紐約證交所競爭資金的舉動，也只是為大規模拋售火上加油罷了。資本開始逆向逃回歐洲。在一九二九年十一月十三日，道瓊指數在損失兩百六十億美元後，終於停在了一百九十八點。如同許多災民，喜劇演員艾迪・康托爾（Eddie Cantor）也在這次股市暴跌中痛失個人積蓄。

他在《虧到脫褲！哀鴻遍野的華爾街》（*Caught Short! A Saga of Wailing Wall Street*，一九二九年）中寫道，自己在股災期間入住了「紐約市一間大型酒店」，而櫃台人員問他：「你是來住宿，還是來跳樓的？」[45]

帳面上，股市大崩盤讓美國一成的國家財富憑空消失。這一點，以及信貸市場在恐慌性拋售中的癱瘓，無可避免地抑制了各種開支，包括投資與消費。[46]隨著物資的釋出導致物價暴跌，農村地區對製造業的需求也跟著一落千丈，進而削弱了消費。汽車產量從在一九二九年十月的三十一萬九千輛驟減至到十二月的九萬二千五百輛。[47]許多耐久性消費品的購買也靠信貸支撐，在國內生產毛額中占的比例甚至驚人地高達百分之一百四十（這種現象直到二○○○年代才又再次出現）。[48]當時不論現行利率是多少，信貸額度都採定量配

圖 56　「在一九二九年十月二十九日：紐約華爾街在黑色星期二股票市場大崩盤後，恐慌的勞工上街抗議」（一九二九年）
大牛市是一九二○年代新的「大眾」現象之一，其性質在這類捕捉股市崩盤後群眾齊聚街頭抗議的照片中顯露無遺。

給制。[49]正如經濟學家爾文・費雪當時所稱的那樣，債務通縮的態勢已經形成，人們為了籌措現金還債而低價拋售使價格進一步下跌，反倒提高了債務的真正價值。[50]聯準會在一九三〇年年初將利率調降至百分之二點五，並向銀行體系挹注五億美元現金，但為時已晚。由於不計其數的投資者轉而購入保守型債券，助長了這類商品的需求，因此長期的實質利率依然居高不下，而有鑑於市場預期的企業利潤雪崩式下滑，這個障礙進一步抑制了長期的風險性投資。[51]

顯而易見地，經濟蕭條的程度非同小可。隨著經濟活動緊縮，在一九二九到一九三〇年間，失業率從百分之二點九攀升至八點九。許多市場觀察家將當時的情況與之前一九二〇到一九二一年的經濟衰退相提並論。這種看法在一九三〇年年中看似合理，因為當時大量生產行業中的昂貴耐久性消費品的銷量開始驟降，進而拖累了經濟活動。[52]儘管如此，在一九三〇年六月，胡佛總統仍信心滿滿地宣稱：「經濟大蕭條已經結束。」[53]

偉大的工程師

歷史學家威廉・巴伯（William J. Barber）認為，「美國沒有任何一位總統在就任時，比一九二九年的胡佛對他所希望實現的經濟政策及採取的方式有更詳細的概念了」。[54]在商業時代，許多美國人認為，是政治決定了經濟的繁榮與衰退。而在資本時代，無論是工業化、達爾文進化論或其他過程，經濟似乎變得更加獨立於人類的主體性以外。但在一九二九年，失敗的資本主義經濟似乎落入了一個人的手中，那就是胡佛。在位期間，這位總統千方百計試圖阻止經濟的崩潰，但這些努力顯然不夠。

胡佛在一八七四年出生於愛荷華州，從小就是貴格會教徒，九歲時成了孤兒，搬到奧勒岡州，由擔任教師且作風嚴厲的叔叔撫養長大。一八九五年，他以一級榮譽從史丹佛大學畢業，取得了地質學學位。過沒多久，他就在監督全球各地採礦作業的工作中致富。《採礦原理》（*Principles of Mining*，一九〇九年）是胡佛的第一本書。一九一四年，四十歲的他從業界退休，開始過著沒有黨派關係的公眾生活。[55]

胡佛是一個精力充沛的進步派人士。他性情內斂，深受妻子對宗教的無私奉獻所影響，並推崇技術專家的學識。一戰期間，他在歐洲組織了私人救濟活動，廣獲大眾讚譽。當時是海軍助理部長的羅斯福稱他是「一個奇蹟」，並高喊「真希望他能成為美國總統。沒有比他更適合的人選了」。[56]這個時代對機器動力與電力設施的崇拜，延伸到了充滿活力的胡佛身上。一九二〇年，他支持共和黨員沃倫．哈定競選總統，並在哈定當選後成為商務部長，就如一位官員所說，他是「兼任所有其他部會的政務次長」。[57]哈定去世後，他繼續為柯立芝總統效勞，工作盡心盡力，相較之下，柯立芝總統時常打混摸魚。

經濟政策方面，胡佛支持一九二〇年代學術界與政治圈所謂的「新經濟學」。[58]根據這種觀點，一戰期間軍事的緊迫性與帳面信貸的增加使生產急遽增加，證明各國的經濟實力比先前想像的還要堅強。人類的睿智作為有可能超越令人鬱悶的經濟法規。實證經濟調查與統計分析可提升效率，增進經濟產出。一九二一年，作為美國聯合工程協會（Federated American Engineering Societies）主席，胡佛委外進行了一項名為「工業中的浪費」的研究，他認為浪費會造成危害而且可以預防。即便是景氣循環，也可透過蒐集更多資訊的方式來平衡影響。例如，經濟不景氣時，政府可在具商業利益的公共工程上投入更多資金，幫助民眾就業。胡佛呼籲建立一種具備「行政智慧」的政治。[59]

胡佛認為，政府應該幫助私營企業，但絕不能強迫它們。他在短篇著作《美國個人主義》（*American Individualism*，一九二二年）中主張，工業社會中政府強制力的增長，尤其是俄國布爾什維克革命帶來的恫嚇，使每個人內心的「神聖火花」飽受威脅。個人主義不應意味著「自私攫取」，這與「資本主義」的精神背道而馳，使得「少數人不受約束地控制財產，藉此決定多數人的福祉」。相反地，自利必須受到抑制。胡佛提倡商人可透過貿易協會「互相合作」，而政府可提供資源促進交流。一九二三年，胡佛部長甚至勸服才剛在一九一九年瓦解了鋼鐵工人工會的美國鋼鐵公司捨棄十二小時工作制。他大力倡議「利他目的志願組織廣泛成立」。政府應該支持非營利企業的設立。在洛克斐勒基金會的資助下，胡佛展開了對一九二七年密西西比河谷下游大洪災受害者的私人救援行動。在《美國個人主義》一書中，他提倡了一種由政府支持的「敦親睦鄰」的政治理念。[60]

在一九二八年的總統競選活動中，胡佛稱「政府必須是一股建設性力量」。[61]一九二九年三月，他帶著國家經濟研究局（National Bureau of Economic Research，NBER）的研究報告《美國近期的經濟變化》（*Recent Economic Changes in the United States*）正式就任。一如個人作風，他首先指示人口普查局蒐集更完整的失業統計資料。然而，眼前最緊迫的問題是農戶債務危機（除了他所謂紐約證交所正面臨的「投機狂熱」）。

儘管農產品價格在一戰過後的那幾年有所下降，但美國有許多農民仍繼續以高利率貸款，而這是因為政府為抑制戰後的通貨膨脹而不得不實施高利率。農民之所以需要資金，是為了擴大生產或將生產機械化，期望能藉此穩定、甚至提高作物價格。商品價格在一九二九年暴跌時，農場的債務仍未解決。當年引發民粹主義叛亂的正是債務通縮，只不過在一九二〇年代，由於高利率環境與價格急遽崩跌，債務通縮的情形更加嚴重，也更令人措手不及。一九二九年四月，胡佛召開國會特別會議，並於六月簽署了《農業行銷法》（Agricultural Marketing Act）。美國財政部將向一個新成立的聯邦農業委員會注入五億美元資本，以資助農業合作社（民粹主義多年來的要求），使其有能力購買與囤儲農產品好因應價格通縮的衝擊。該委員會實現了胡佛組建一個公共與私人「聯合國家」的願景。[62]

紐約證交所在一九二九年十月崩盤時，胡佛並不認同其財政部長、同時也是匹茲堡銀行家的安德魯・美隆（Andrew Mellon）所提出之惡名昭彰的緊縮政策。胡佛事後評論美隆「只有一套方法」，那就是：

> 消除勞動力，消除股票，消除農民，消除房地產。清除系統中所有腐敗之物。高昂的生活費與奢侈的生活將降低標準。人們會更努力工作，過更有道德的生活。價值觀將有所調整，積極進取的人將幫助能力較差的人收拾爛攤子。[63]

不少經濟思想家原則上同意美隆的觀點，也認為只有透過廣泛的破產才能恢復普遍的繁榮。因為就此而言，眼前的危機會出現，是因為人們在通貨膨脹的繁榮經濟中過度投資，而在景氣衰退後不得不減少投資。全面清除系統便可透過更高的利率與更低的價格（包含薪資）來重新平衡儲蓄與投資，這有助於恢復健全的經濟，促使自然復甦。在眾多經濟學著作之中，來自奧地利的佛瑞德里希・海耶克（Friedrich Hayek）的《價格與生產》（*Prices and Production*，一九三一年）、英國的亞瑟・皮古（Arthur Pigou）的《失業理論》（*The Theory of Unemployment*，一九三三年）及另一位英國學者萊昂內爾・羅賓斯（Lionel Robbins）的《經濟大蕭條》（*The Great Depression*，一九三四年），都從這種觀點診斷當時經濟不景氣的成因。最重要的是，市場要能對「實體」經濟自動修正，政府必須毫不干預。以上的邏輯論證都相當複雜，出自聰明過人的經濟學家，試圖為經濟造成的苦難提出辯解。

他們錯了，問題不在於揮霍無度。他們所診斷的過度投資，應該說是投機性的錯誤投資會更貼切。在貨幣經濟中，當信貸驅動的投機性投資熱潮不敵流動性資產的預防性囤積時，經濟蕭條的問題就變成了投資不足。資本所有者出於恐懼而拒絕投資。流動性資產的多寡決定了購買力，進而影響需求，產出與就業也是如此。市場沒有新的投資，既有的產能（設備完善的工廠與願意勞動的工人）只能閒置在旁。沒有收入的失業勞工不得不勒緊褲帶、節儉度日。普遍的問題不在於實體經濟外的某種事物阻礙了市場的自動修正，而是資本主義內部有某種東西卡住了，需要大刀闊斧的改革。

胡佛不同意美隆的看法，誓言將「利用政府的力量來緩和衝擊」。[64]在電話與兩次白宮會議中，總統親自懇請管理嚴謹的大型企業的主管增加資本投資支出。一九三〇年，鐵路與公用事業產業答應了這個請求。[65]然而，其他產業的固定投資仍持續減少，尤其是住宅建設。胡佛意識到，在一九二〇年代，企業利潤已經超越工資，他認為高薪將能穩定消費，是一件好事。他宣稱：「第一次的衝擊必須藉由犧牲利潤來承受，而不是勞工的薪資。」[66]不論是否基於胡佛的敦勸，全國最大規模的資方都同意不削減工資，但仍會解雇表現不甚理想的員工，而這種模式將一直持續。[67]胡佛自豪地表示，這些協議「不是政府對企業的指示或干預」，而是「政府請求企業透過謹慎方式合作，以解決國家問題」的結果。[68]這位總統更吹噓，「這與三、四十年前商業界的獨斷與狗咬狗的作風大相徑庭」。[69]胡佛相信他嚮往的「聯合國家」超越了傑克森區隔公共與私人及國家與市場的政策，他並未再次打著平等商業機會的旗號，在資本時代中削弱政府的行動。但是，他立了一條界線，表明不會強迫資本家進行投資。

胡佛總統也調動了聯邦預算。一九三〇年，財政部與國會按預定計畫減輕了公司與個人所得稅。胡佛考慮實施投資稅收抵免，但財政部官員猶豫不決。[70]國會通過了一項專用撥款，用於加倍投資公路建設及資助陸軍工兵部隊。這不是慈善或「救濟」，而是對有利可圖專案的公共投資，可望至少達到財政收支平衡。一九三一年，聯邦政府開始面臨預算赤字。[71]問題是，國庫支出始終維持在低點，這是因為減稅金額達到一億六千萬美元。國內生產毛額縮減，政府的支出卻從不到國內生產毛額的百分之一點八攀升至一九三〇年的百分之二點二。胡佛還向各州州長發送電報建議，「如果能夠加快道路、街道及公共建築等建設，並依此進行調整以促進就業，會很有幫助」。[72]一九二九至一九三〇年間，國家與地方支出在國內生產毛額中所占的比例從百分七點四增加為百分之九，但許多州仍在施行進步改革時期為平衡預算而訂立的法規，稅基不斷受到侵蝕，無法承擔債務。在經濟大蕭條時期，「財政乘數」概念尚未出現（即增加政府支出不僅能直接促進經濟活動，還能間接提高私人支出與稅額）。

在胡佛的領導下，聯邦政府能做的事情有限。一九三〇年，總統勉為其難地簽署了保護主義的《斯姆特－霍利關稅法案》（The Smoot-Hawley Tariff Act）。世界貿易正在崩散，但這不僅僅是因為保護主義的貿易戰盛行，更是因為各地收入都在下跌。[73]一如以往，胡佛懇請非營利私人企業救濟人數與日俱增的失業者。雖然資本衰落，但或許慈善事業的財富可以填補這道缺口。洛克斐勒家族在紐約捐了一百萬美元。底特律的亨利．福特面對這項提議時斷然拒絕，並給了奇特的回應：「捐獻是會催眠想像力的鴉片，是會麻痺主動性的毒品。」[74]

考量政府現有的能力與總統本人的意識形態，國家沒有其他可施力的地方。同樣地，胡佛本身也認為政府無需再多做些什麼。

經濟大蕭條愈演愈烈

一九三〇年，各地的政策制定者仍然致力恢復金本位制。但是，雖然金本位制在一戰後復位導致了信心激增與國際貸款增加，如今卻也傳遞了金融的波動與脆弱。黃金的枷鎖使各國經濟在進一步陷入經濟深淵時容易成為目標。

所有國家貨幣按固定匯率自由兌換黃金，本來可以使資本輕易自由進出各國經濟。此時，由於一連串的政治與經濟問題，資本便開始肆意流動。一個國家倘若流失了過多黃金，就會喪失依照公告匯率以本國貨幣自由兌換黃金的能力。這麼一來，唯一的選擇是調高利率，以吸引投機卻變化莫測的貨幣資本回流。一九三〇年代初，套句胡佛總統說的話，各國之間的短期資本流動成為「一艘在狂風暴雨中航行的世界之船的甲板上，一門胡亂開火的大炮」。[75]儘管如此，胡佛對金本位制的承諾毀了美國的經濟，也賠上了自己的總統寶座。

一九三一年，美國與當時世界上最強大也最脆弱的大型經濟體德國命運緊密交織。在一九二〇年代末，資本在美國和德國之間不斷拉鋸。一九三〇年九月，希特勒贏得六百四十萬張選票後，高達三億八千萬美元的資本逃離了德國。[76]一九三一年，立場右傾的德國政府開始與奧地利密商組成關稅聯盟，違反了戰後條約的規定。兩國交易的消息在三月傳開時，更多資本流出了德國。接著在同年五月，總部設於維也納、由羅斯柴爾德家族經營的銀行信用機構（Credit Anstalt）宣布了驚人的損失，該銀行原本擁有二億五千萬美元的資產，占奧地利全體銀行存款的一半。[77]為了填補資金缺空，銀行信用機構在短期的國際信貸與貨幣市場欠下高額債款。當時雖然法郎價值被低估，但坐擁四分之一的世界黃金儲備的法國仍表示願意出手援助奧地利，條件是對方必須放棄奧德關稅同盟。此時，中歐各地出現了民眾爭相到銀行擠兌的亂象。不論是出於純粹的恐慌，抑或是擔心國家正走在叛變之路，德國有一半的黃金儲備選擇出逃，德國因而無法償付未還清的賠款。六月，胡佛宣布了一項計畫以延遲所有政治債務的收付，包括德國的賠款在內。法國則舉棋不定，但到了七月它終於同意中止德國的部分政治債務時，德國的金融體系已然崩潰。[78]

如今，金融恐慌全面蔓延至世界各地。人們不相信銀行能保障他們的存款，連忙提取現金，焦急地尋求安全的資金停泊處。沒了存款，銀行就無法履行其義務，更別說是放款了。匈牙利的銀行系統停止運作、德國銀行在中東歐的各家分行上演民眾瘋狂擠兌的場面。在拉丁美洲，出口價格下降導致拖欠國際貸款的狀況層出不窮。在一九三〇至一九三二年間，許多國家更淪為軍事獨裁國家。[79]任何有管道可按公告匯率將貨幣兌換成黃金的人，都趕在國庫枯竭之前這麼做，政府在這樣的惡性循環中無法繼續維持貨幣的自由兌換。各國開始脫離金本位制，實施資本與外匯管制，並採行貨幣貶值政策。[80]日本原本在摩根集團貸款的幫助下於一九三〇年採用金本位制，但沒多久便在一九三一年十二月脫離了這個制度。此時，現在所有目光都投向了倫敦——國際金本位制的歷史發源地，也是其直到一次世界大戰前的守護者。[81]

七月下旬，英格蘭銀行因資本外逃而損失了一半的黃金儲備（價值二千五百億美元）。投資者緊張地將手上的黃金轉移到其他國家。英國銀行的金庫裡若沒了黃金，英鎊的固定兌換風險變急遽上升。為了吸引黃金回流，英格蘭銀行將利率從百分之二點五調高至百分之四點二五，結果只是收緊了信貸與消費，還進一步削弱了衰退中的英國經濟。八月二十八日，以摩根企業為首的各大財團與法國銀行向英國政府撥發兩筆兩億美元的貸款。不到三個星期，這些錢被花得一毛不剩。九月下句，英國耗盡黃金儲備，只能暫停英鎊兌黃金的交易。

英國脫離金本位制，在歷史上具有重大意義。國際金本位制起初是大英帝國的一項體制，也是一戰開打前全球化的支柱（那是一個低利率與國際投資熱絡的時代）。英國央行總裁蒙塔古・諾曼有何感想？正如他的一位朋友所說：「對他來說，脫離金本位制，就像自己的愛女失去貞操般令人心痛。」[82]英鎊的價值在一九三一年十二月從四點八六美元降至三點二五美元。然而，引人關注的是接下來的變化。英國的物價開始上漲，景氣蕭條的情況也有了些微好轉。據報，英國社會主義者西德尼・韋伯（Sidney Webb）驚呼：「沒人告訴我們可以這麼做！」[83]基於對物價上漲及其利潤的預期，人們開始增加投資支出。一九三一年初，有四十一個國家實行金本位制，到了一九三二年初，這份名單上只剩下南非、法國、比利時、盧森堡、荷蘭、義大利、瑞士、波蘭及美國。[84]

美國有可能是下一個資本外逃的國家嗎？英國退出金本位制的隔天，法國央行以五千萬美元買進金條。法國此刻就想拿到黃金，因為假使之後美國像英國那樣打破黃金與貨幣的掛鉤，到時五千萬美元可以買到的黃金會遠比現在來得少。換言之，國際間的貨幣合作已徹底瓦解。在接下來的一個月裡，「黃金集團」中的歐洲各大央行與投資者耗盡了價值七點五億美元的美國黃金儲備，[85]但美國依然握有充足的黃金。雖然如此，如果說之前美國銀行體系因為短期資本外逃而搖搖欲墜，此刻則是由內而外地全面崩解。

美國不時就有銀行關門大吉。[86]光是一九二九年，就有六百五十九家銀行倒閉，但這個數字在那十年裡並不罕見：在一九二〇至一九二九年間，平均每年有六百三十家銀行停業。自傑克森扼殺美國第二銀行以來，美國政治長期禁止中央銀行獨大，這也是聯邦準備系統由十二家準備銀行組成的原因。「單一」銀行制度普遍盛行，意味著銀行沒有獨立的分支機構，大都只由一家組成。如果一家銀行面臨呆帳或存款擠兌，就沒有其他分支機構可支援。一九三〇年，美國有兩萬五千家銀行，其中只有三分之一屬於聯邦準備系統，七百五十一家設有分行。[87]

全球商品價格暴跌對農業區的銀行打擊甚大。一九三〇年秋天，田納西州納什維爾爆發銀行倒閉潮。同年十二月，美國發生歷史上最嚴重的銀行倒閉事件。位於紐約的美國銀行是一家私營機構，主要客戶為中小型的猶太存戶，共有二億八千六百萬美元的資產與四十萬名存戶（為全國其他銀行的兩倍）。該行也參與了短期活期貸款市場與紐約證交所的槓桿投機活動。[88]一九三〇年，它也難逃停業的命運。

好戲還在後頭。一九三一年春天，芝加哥率先面臨銀行擠兌。在歐洲金融崩潰後的數個月內，美國有五百二十二家銀行倒閉。一九三一年二千二百九十四家銀行倒閉的驚人數字創下了年度紀錄（比一九三〇年增加了一倍），相當於每十家銀行就有一家關門大吉，有百分之四點五的存款憑空蒸發（約十七億美元）。[89]另一方面，到了一九三一年夏天，農業委員會已無計可施，不再囤積作物、等待價格上漲，而是將倉庫中的農產品拿到市場上拋售，使物價跌得更深，進而危及農村銀行的生存。此刻，美國銀行體系在大規模資金出逃的過程中徹底潰散。倖存下來的銀行停止放款，開始積貯資金。[90]無論利率多少，信貸額度均採配給制。[91]銀行倒閉潮的起因究竟是流動性不足或無力償債？經濟史家爭論不休。這些資金儲備充足與放款紀錄良好的銀行是無端遭受擠兌，還是真的破產了？[92]在準備銀行釋出現金救援的地區，有比較多的銀行安然度過了危機。[93]然而，存戶們沒有時間去瞭解，銀行是因為體系全面崩潰而資不抵債，或是單純因為普遍的大眾恐慌心理促使人們擠兌而導致流動性不足。一九三一年，美國人總計領出了五億美元的現金，並把這些錢安藏在「地洞、廁所、大衣的暗袋、馬軛、煤堆和樹洞裡」。[94]民眾持有現金和銀行存款的比例大幅提高。[95]不只意志薄弱的資本投資者這麼做，在一般民眾之中，也爆發了前所未見的大規模資金避險措施。

在這個階段，聯準會鑄下了大錯。當時國庫仍有大量黃金，但根據法律規定，每十美元的聯準紙幣（美國貨幣），需要有四美元的黃金儲備支持，另外六美元則由所謂的真實票據（real bill）或有價證券補足。這個時期由於商品貿易冷清，真實票據所剩無幾，因此體系需要更多的黃金儲備。聯準會持續調降利率，到了一九三一年十月，卻將利率從百分之一點五提高至百分之三點五。這是一個嚴重的錯誤，因為信貸與貨幣供給受限又一次地打擊各種消費。[96]在普遍的恐慌與崩潰之中，市場對新貸款的需求跌到了谷底，導致持續的通貨緊縮。聯準會原本可以做得更多，譬如以低利自由放貸。然而，即使它機靈地精心籌畫了這些措施，頂多也只能誘發經濟活動而已。

通貨緊縮一波未平，一波又起。經濟生活陷入了黑暗。一九三一年九月，美國最大規模的資方美國鋼鐵公司將工資削減了百分之十，其他雇主也紛紛效仿。福特汽車公司在一九二九年雇用十二萬名勞工，到了一九三一年底員工數只剩下三萬七千人。為了支撐價格和生產，奇異公司（General Electric）提議暫時中止所有反托拉斯法的施行，好讓各家企業可以共謀發展。胡佛總統反對，指這是「企圖暗中將法西斯主義走私到美國」的行為。一九三一年，美國的平均利潤率變成負值，進一步削弱了人們對未來經濟發展的預期。[97]大蕭條吹響了號角。

在資本時代，金本位制是主要的控制機制，在胡佛總統看來，別無他途。他認為英國的做法荒謬無理。美國必須堅守國際領導地位並拯救金本位制，這是國與國之間的合作基礎。同時，假如沒有金本位制作為錨點，商業必將崩潰。這位總統表示，如果沒有黃金，「商人就無法知道自己在交付貨物時會收到什麼東西」。[98]如此一來，市場將失去信心，產生更多恐懼。一九三一年底，為了向世界樹立榜樣，胡佛起草了《一九三二年歲入法案》（Revenue Act of 1932），要求提高稅收以平衡聯邦預算。在金本位制框架下，這種做法對全球資本而言是一種良好的內部管理標誌，但對打擊通貨緊縮而言，卻是一劑錯誤的藥方。

然後，胡佛一如既往地邀請了國內一群銀行家到白宮開會。為了讓資本主義發揮作用，資本家必須投入資本。總統懇請他們自發性地匯集資源，防止金融圈恐慌，結果這群緊張不安的銀行家反倒「不斷申明這件事應該由政府來做」。[99]最終在一九三二年一月，國會成立了胡佛批准的復興金融公司（Reconstruction Finance Corporation，ＲＦＣ），授權貸款高達十五億美元，但僅限具商業利益的投資——顯然，這不是一種「救濟」。國會通過了《一九三二年歲入法案》，授權聯準會使用更多種類的紙幣作為發行票據所需的準備金。不過，該法案仍宣示忠於金本位制。[100]

如今，復興金融公司與聯準會為金融體系注入了更多貨幣與信貸，但為時已晚。[101]一九三二年，經濟掉入了一道短期的「流動性陷阱」，意思就是短期利率再低，甚至低到零，也無法誘使資本所有者放棄流動性。[102]一九三二年十一月，三個月期美國公債的收益率達到百分之零點零五，整個一九三〇年代差不多都維持這樣的水準。聯準會謹慎的公開市場操作，像是購買短期、與現金近乎等值的證券以支撐價格並降低利率，早在一九三一年就已經不管用了。到了一九三二年，貨幣供給量增加，無法使資本所有者放棄資本並投入消費，也沒能引發通貨膨脹。預防性的流動性偏好，也就是對現金與其他低風險流動資產的需求就是那麼強烈。投資人選擇投資報酬率接近零的資產。謀利的動機已經消失，或至少可以說，沒有人相信未來有任何利潤可圖。與此同時，長期利率依然窒礙難行，願意貸款的人寥寥無幾。公司債的利率超過了百分之十。[103]以當時的普遍情況而言，企業假使願意以這種利率借款並期望以更高利率獲利，簡直是瘋了。

因此，隨著長期投資徹底崩潰，經濟被迫走到了現在這樣的可怕地步，動彈不得。真要說的話，一些企業勉強讓既有的工廠以低於產能的方式運作。如果說資本家累積了毫無報酬率可言的資產，普通的美國百姓則是把現金塞進床墊下好好存放。囤積者只想要尋求立即性安全保障，通貨緊縮的大眾心理動態掐住了經濟生活，潛在的投資者與消費者都捨棄消費，等待價格下降。結果，這使物價跌得更兇了。

在美國資本主義史上，有一個時刻值得獨立出來深入探討，那就是一九三二年秋天的流動性陷阱。從這個時刻開始，可畫出一條長長的歷史弧線，一路延伸到二十一世紀，從一九三〇年代的經濟大蕭條進入二〇〇八年，經濟大衰退時期。沿著這條路徑，在二次世界大戰期間，市場成功擺脫流動性陷阱，並透過公共投資誘發了生產性資本資產的長期工業投資熱潮。此後的數十年，這條弧線再沿著一九八〇年代開始的下一個高投機性流動性偏好的時代起伏，接著在二〇〇八年秋天投資銀行雷曼兄弟宣告破產後，再次陷入在下一次的預防性流動性陷阱。資本主義在二〇一〇年代末好不容易爬出陷阱，到了二〇二〇年又再度跌入。

至於經濟大蕭條，從一九二九年八月蕭條到一九三三年三月跌入谷底的這段期間，數據相當驚人。美國的消費者支出從七百九十億美元下降至六百四十六億美元，[104]全球貿易額縮減了百分之六十五。[105]美國的物價減少了百分之三十；工業產量衰退了百分之三十七。勞動力方面，失業人口占了百分之二十二點九，而在受雇人口之中，有三分之一的人從事的不是全職工作。工業失業率達到百分之三十七點六，經濟產出下降了百分之五十二，農產品價格也遭遇百分之六十五的驚人跌幅。美國各家企業在一九二九年總計獲利一百億美元，到了一九三二年則蒙受三十億美元的損失。紐約證交所的道瓊指數只剩四十一點，自一九二九年的高峰以來損失總計達到了九成之多。至少有六十萬名屋主房貸違約，共計損失了七十億美元的存款。《財星》（*Fortune*）雜誌估計，美國一億二千萬人口中，有多達三千四百萬人沒有金錢收入可過活。[106]

苦不堪言

人們回憶起在這種蕭條景氣下的生活時，心頭會湧上一股複雜情緒，從恐懼到絕望都有，有時甚至是憤怒。一九三一年，卓別林拍攝了他最偉大的作品《城市之光》（*City Lights*），這是一部浪漫喜劇，講述他四海為家的徒步旅行、他一個有自殺傾向的百萬富翁好友，以及他與一名無力支付房租的盲眼賣花少女的羅曼史。然而，從歷史文獻中看到的，大都是一種迷失甚至茫然的感受。一切發生得太快了。愛德華．霍普（Edward Hopper）筆下的畫作《週日清晨》（*Early Sunday Morning*，一九三〇年）捕捉了這種完全停止的感覺，彷彿所有活動都休止似的。許多人不知道如何適當表達自身經驗。在戰爭或自然災害之後，歷史記憶通常都是如此運作。同樣地，經濟大蕭條也留下了許多未解的創傷。[107]

自然災害和經濟災難的隱喻，在農村地區顯得特別真實，實際上在那些區域，這兩者是同時發生的。[108]在生活條件惡劣的南部平原地帶，一九三〇到一九三一年的旱災使土地嚴重龜裂。天氣與氣候是罪魁禍首，但在信貸熱絡的一九二〇年代農民過度耕種土地也難辭其咎。[109]接著，暴風雪來襲，「黑色風暴」在堪薩斯州、科羅拉多州、新墨西哥州與奧克拉荷馬州的塵暴區戕害了數億英畝的土地。經歷一九二〇年代末的過度生產後，土地已不堪負荷。這些年來畫家們描繪的扭曲變形的地景，如約翰．史都華．庫里（John Steuart Curry）創作的《堪薩斯龍捲風》（*Tornado Over Kansas*，一九二九年），將這場災難的情感基調表露得淋漓盡致。

數百萬人拋下家園，開車、搭火車或徒步出走。絕大多數的農村移民遷徙到加州。其他鄉間地區情況也好不到哪兒去，大部分仍然缺乏電力與用水設備。農村的貨幣所得從一九二九年的六十億美元暴跌至一九三二年的二十億美元，讓人難以置信。[110]

過去，貨幣收入的崩塌不如此時來得重要。在資本時代之前，市場的蕭條未必會造成同樣的影響。在一八三七年的恐慌之後，蕭條的景氣削弱了物價，但並未限縮總產出。當時，除了市場

圖 57 艾德華·霍普，《週日清晨》（一九三〇）
經濟大蕭條使經濟活動戛然而止。映照在商店前的黑影，顯露了神秘力量的運作。某些評論家認為，畫面右方的大型結構象徵著大企業對小公司的威脅。

之外，土地仍然是人們的一線生機。土地是資本，也是一種廣泛的財富類別。但是到了一九二〇年代，資本時代工業革命所實現的非凡生產成就，創造了高額的貨幣收入，同時也讓人們融入了市場經濟。不可否認地，美國人變得更富有，但也如多年前湯瑪斯·傑佛遜所說的，更加依賴商業經濟的「因果關係與變化無常」。如漢彌爾頓所述，「謹慎睿智的資本家的信心」崩潰導致有效需求急遽下滑，在當時限制了多數美國人賴以維持經濟生活的市場經濟。經濟生產力有所提升了，但毀滅的風險也增加了。更高的貨幣收入意味著更強的購買力，但只限於人們願意花錢的時候。這正是物質富足時代下的貧窮悖論。

城市的情況稍微好一點。一九三二年冬天，底特律與芝加哥的失業率高達五成。最弱勢的一群受害最深，也就是婦女、孩童、老人、身障者與少數民族。黑人的失業率是白人的兩倍。男人、女人與孩子排隊買麵包、上街覓食，翻找垃圾桶裡的食物，以「滿是鏽斑的車殼」或「水果箱搭成的棚屋」為居。單身男子與拋家棄子的男性「流落街頭」（有時還有婦女），他們跳上火車從一座城市去到另一座城市找工作，住在臨時搭蓋的「胡佛村」（Hooverville）。他們會用粉筆在那些施捨食物的人家門外做記號，一名男子回憶道：「這是大規模的乞討。」竊盜占了當時犯罪的大宗：「偷別人晾在外頭的衣服，從後院溜進屋裡偷牛奶、偷麵包……看到什麼就拿什麼。為了過活，你不得不這麼做。」[111]

對於養家糊口的男性而言，自責的心理尤其嚴重。[112]事實上在這些年裡，女性投入的勞動領域，的確比其他領域發展得更好。一位芝加哥精神分析師對身為中產階級的男性病患說：「每個人或多

圖58 約翰·史都華·庫里，《堪薩斯龍捲風》（一九二九年）
庫里是著名的地區主義畫家。惡劣的天氣是導致中西部農村荒涼破敗的直接原因。多數情況下是旱災造就了這般景象，但龍捲風的襲擊讓這種普遍的混亂失序感更加顯露無遺。

或少都會為自己犯的罪行、缺乏才能或運氣不好而自責。」[113]作家舍伍德・安德森在受託就「社會反抗」主題所撰寫的一篇文章中指出（收錄於其《困惑的美國》〔*Puzzled America*，一九三五年〕一書），他看到「失業者都為自己的貧困潦倒而感到愧疚，而不是『指責主宰了美國的資本主義與機器』」。[114]許多人似乎過於震驚而變得麻木不仁。米拉・科馬羅夫斯基（Mirra Komarovsky）在《失業者與他的家庭》（*The Unemployed Man and His Family*，一九四〇年）中，提到了一九三〇年代失業男子好發性無能的現象。[115]據記者羅蕾娜・希考克（Lorena Hickok）觀察，失業的人們看待事物都「淡漠以對，過得苦不堪言」。[116]休士頓一名技工於一九三〇年自殺，他在生前寫道：「我無法接受別人的施捨，自尊心太強，不想向親友低頭，但又無法昧著良心偷東西。我走投無路了。」[117]這種不願尋求救濟的羞恥感十分普遍。一名工程師在申請救濟前表示：「我得扼殺自尊心才有臉這麼做。」[118]男人們往往會經過救助站，繞了一圈又折返，如此過了幾天，才能鼓起勇氣推開門走進去。黑人藍調歌手維多莉亞・斯皮維（Victoria Spivey）在流行歌曲〈底特律呻吟〉（Detroit Moan，一九三六年）中唱道：「在底特律這個寒冷殘酷的地方，我窮得一文不名，好想去貧民窟求個溫暖，但天知道我有多羞愧。」

不是每個人都自責，但又該怪誰呢？在約翰・史坦貝克（John Steinbeck）的小說《憤怒的葡萄》（*The Grapes of Wrath*，一九三九年）中，「奧克佬」*穆勒・格雷夫斯（Muley Graves）問道：「我該開槍殺誰？」一些人將過錯歸咎於銀行家。一位匿名市民寫信給胡佛總統，「我希望那幫罪人會在死前受到懲罰。」[119]許多人都不解，在這塊被休士頓那名自殺者讚揚為「流著奶與蜜的土地」上，怎會突然出現這麼多的貧困與匱乏。這麼多人找不到工作與餐風宿露的同時，工廠怎會閒置空轉，牲畜怎會活活餓死，農作物又怎會就這樣在藤枝上腐爛？

將責任歸咎於政治機構及總統，是一個可行的辦法。一九三〇年十一月十八日，胡佛總統收到了一封寄自紐澤西文蘭（Vineland）的未署名信件，信中寫道：

> 我們現在能沒有工作、沒有食物嗎？我們還有孩子要養。為什麼我們現在只能……（信中字跡難以辨認）過著有一餐、沒一餐的日子……我們的孩子沒錢上學、沒錢買鞋，但外頭多的是土地，銀行裡多的是錢。為什麼每樣東西都有特殊的價值，除了人類以外，為什麼我們這些老百姓在你的政府的領導下，這麼快就面臨貧窮、飢餓、焦慮和悲哀，難道你除了讓我們挨餓，就沒有更快的方法來處死我們嗎……為什麼不趕快讓經濟大蕭條結束，你難道沒有良心嗎……然而，我們卻被一個如此不公不義的制度從生命的源頭伺候……為什麼你們這些想要隻手遮天而不管其他人死活的人可以為所欲為……你們拿走了我們眼前的大量資源，占為己用，但你們沒有這種權利。人們萬念俱灰，我說的這些事只是平民百姓的日常。我們要怎麼當個守法的好公民，教育我們的孩子，並在失業又三餐不繼的情況下開心過活。你們的制度掌握了一切，卻毫無作為，一條生路也不給。為什麼要這麼貪心？為什麼要立法讓企業拿

---

* 譯註：指來自奧克拉荷馬州的人，帶有侮辱意味。

> 走所有好處？為什麼不修法，讓大家都有公平的機會，不讓企業占盡便宜？反倒讓我們成了你特殊安排下的受害者……我是一個無知的人，而你應該聰明絕頂，所以我代表你所領導的千千萬萬的人民請求你，讓我們當個堂堂正正的美國公民吧！

一位來自洛杉磯的婦女如此嘲弄胡佛：「當工程師時聰明能幹得很，當了總統卻什麼都做不好。」[120]

胡佛主張的「敦親睦鄰」政治理念，在經濟領域已走到極限。然而，鄰里之間的互助，還有很長一段路要走。事實上，對人類群體的原始需求，以及在難以言喻的苦難下堅忍，是史坦貝克在經濟大蕭條時期的兩部偉大著作《憤怒的葡萄》及更早的《平原傳奇》（*Tortilla Flat*，一九三五年）的核心主題。在最貧困的農業地區，如阿帕拉契山脈南部，農民實際上有能力可以回到家戶經濟將就過活。「我們基本上可以自給自足，」維吉尼亞州一位農村居民回憶道，「我們互相合作，互相幫忙。」[121]在城市裡，一名失業者表示，當時每個人都「仇視彼此，根本沒有友誼可言」，但另一人卻懷念起大蕭條時期的「同志情誼」。「當你遇到了該死的麻煩……別人如果幫得上忙，一定義不容辭。」[122]

同理心並未隨著艱難時世的到來而消亡，但在經濟上的敦親睦鄰根本毫無作用。當時最流行的歌曲〈兄弟，可以分我一毛錢嗎？〉（Brother Can You Spare a Dime?，一九三二年）引起了廣泛的共鳴，很可能是因為兄弟其實也口袋空空。經濟大蕭條的最大悲劇之一是，它摧毀了大部分的公民社會，也就是胡佛總統持續宣導的志願組織。[123]他否決了一九三一年的《國會救濟法案》，一部分原因是他認為救濟不是政府的工作，另一部分則是維持財政紀律保護了金本位制。之後，他允許復興金融公司向各州貸款提供失業救濟，但僅限小額貸款。到了一九三一年底，光是美國紅十字會，就救助了兩百七十萬飽受旱災所苦的農村居民。[124]流動廚房、地方慈善機構、教堂、慈善基金會、移民基金會及民族儲蓄協會都缺乏足夠的資金與體制能力來為民服務。苦難的規模太過廣泛。一九三三年，至少有一千三百座城市、郡、小鎮與學區正式破產。[125]一位美國勞工聯盟的領袖警告國會，「如果不採取行動，人們忍飢挨餓的情況將持續下去」，屆時，「國家的叛亂之門將會打開」。[126]

一九三一至一九三二年間的政治動亂四處蔓延。在北部平原從愛荷華州延伸至內布拉斯加州的玉米帶，農民們因債務而遭受到的打擊，比乾旱來得更嚴重，因此他們發起暴動，抗議取消抵押品贖回權。政府出動國民兵鎮亂。[127]產業罷工活動主要集中在礦區。在城市地區，聖路易、芝加哥與紐約，組織性的抗議活動阻止了驅逐行動。一九三二年三月，福特汽車公司在魯治河工廠的工人們發起了「反飢餓遊行」，結果迪爾伯恩的警方開槍打死了其中四人。[128]在其他地方，找不到工作的人們組成失業委員會與聯盟。同年七月，最引人注目的是，兩萬五千名失業的一戰老兵在華盛頓遊行示威，請求聯邦政府發放他們為國效力而應得的酬恤金。這支「酬恤金軍團」在維吉尼亞州安納柯斯提亞（Anacostia）的波多馬克河對岸紮營。麥克阿瑟將軍派出坦克與刺刀部隊攻打，「酬恤金軍團」就這樣潰散了。[129]

後來愛荷華州一位農民之子表示，他對那種「無助的絕望與屈服」深深感到震撼。「有些人忿忿不平，挺身反抗，但多數人都萬念俱灰，逆來順受。」數十年後，芝加哥一位富有的銀行家提出了省思，指出美國人民：

就只是呆坐著接受現狀……現在回想起來，那真是令人訝異啊！他們不是還處於震驚的狀態，就是盼望情況會因為某件事的發生而有所改變……我的妻子經常與我討論這個問題。她認為民眾沒有發起暴力示威是很不可思議的一件事，尤其是在一九三二與一九三三年的時候。[130]

富蘭克林．羅斯福

政治革命尚未展開，但美國是個民主國家，而在一九三〇年的國會選舉中，共和黨遭受重挫。到了一九三二年總統選舉，胡佛的政府顯得後繼無力。就連一位支持胡佛的華爾街銀行家也直言：「猴子來當總統都做得比他好。」[131]當時據一名記者報導，胡佛只會「躲在辦公桌後面」，對外國政府胡亂叫罵。[132]

民主黨推出的總統候選人是紐約州長富蘭克林．羅斯福。羅斯福出身特權階層，從小在家族位於哈德遜河谷的氣派莊園裡長大，與阿斯托（Astor）及范德比爾特家族為鄰，但羅斯福與胡佛不同，他是一位有天賦的政治家。一九二一年，羅斯福罹患小兒麻痺症，雙腿癱瘓，這個疾病徹底改變了他的一生，並賦予他同情的政治天賦。歷史學家大衛・甘迺迪（David M. Kennedy）指出，順利康復後，羅斯福不再是那位「膚淺傲慢的年輕人」，而是從這場重病中得到了「珍貴的禮物，有了意志堅定的男子氣概」。一九三一年，羅斯福成立臨時緊急救濟局（Temporary Emergency Relief Administration），為遭受創傷的紐約市民提供兩千萬美元的直接援助。一九三二年，他親自前往芝加哥，接受民主黨提名為總統候選人。事後他回憶道：「我對自己承諾，要為美國人民推行新政。」[133]

羅斯福勝券在握，這點無庸置疑。至於他所帶領的政府究竟將如何解決經濟大蕭條的問題，則晦暗不明。該怎麼做，競選團隊沒有共識。然而，這位候選人最大的政治資產之一，是他在意識形態上的靈活與彈性。有別於胡佛，他不是技術官僚，也不是知識分子，因此他沒有陷於那些令政治圈中多數知識階層困擾的問題，不會對廣大的意識形態體系懷有近乎審美的渴望，更不會堅持所有的不同都必須結合一體。競選期間被問及個人的「哲學」為何時，羅斯福答道：「哲學？你說哲學嗎？我是基督徒，也是民主黨員，就這樣。」[134]他在智力方面或許並不出眾，卻能將每個國會選區的投票傾向倒背如流。

競選過程中，羅斯福跟所有優秀的民主黨員一樣，都呼籲降低關稅與支持農業。他批評胡佛未能平衡聯邦預算，但僅此而已。他召集了許多顧問，他們提出了各種建議，有時還相互矛盾。令他們訝異的是，這位候選人來者不拒，給的回應總是「是！是！是！」「好！好！好！」因此，他們都低估了羅斯福的能耐。最高法院法官小奧利佛・溫德爾・霍姆斯（Oliver Wendell Holmes, Jr.）曾如此評價羅斯福：「智力二流，但性情高人一等。」記者華特・利普曼（Walter Lippmann）則稱這位即將上任的總統是「親切友善的童子軍」，對「公共事務不夠了解，也沒有堅定的信念」。胡佛認為民主黨提名的候選人不過是一個毫無勝選希望的無名之輩。一九三二年，羅斯福以壓倒性優勢大勝時，胡佛預言國家將大禍臨頭。[135]

從一九三二年十一月羅斯福當選到一九三三年三月就職之間的空窗期並不算短。他勝選一週後，即將卸任的總統與新任總統在白宮會面。一九三三年一月兩人再度碰面時，胡佛表示，他發現羅斯福「十分無知」。[136]同年二月，他向羅斯福發了一封電報。然而，另一場金融恐慌已在西部爆發，接著蔓延到了底特律。埃德塞爾・福特開設並專營汽車貸款的信託擔保公司經營不善，而復興金融公司拒絕向其提供貸款，始終認為信貸違反道德的亨利・福特也不願出手相救。這導致了進一步的市場恐慌。密西根州政府不得不強制境內五百五十家銀行停業八天。[137]令人難以置信的是，胡佛將這場金融恐慌歸咎於羅斯福引發的通貨膨脹。

在羅斯福入主白宮之前，胡佛不斷要求羅斯福公開承諾堅守金本位制。這位即將卸任的總統警告大眾，如果我們「放任美金價值持續貶低，〔並〕因此放棄金本位制」，後果將是「徹底的毀滅」。然而，羅斯福並未承諾任何事。之後，胡佛要求總統公開批准他派代表團去參加一九三三年下半年在倫敦舉行的世界經濟會議，而羅斯福再度拒絕了，表示將等到正式上任後再採取行動。在此同時，國內經濟不斷衰退。一九三三年三月二日，紐約聯邦準備銀行的黃金儲備量跌破最低限額。三月三日，該行損失了三點五億美元，其中兩億美元用於國外電匯，一點五億美元則被以強勢貨幣形式提領出去。[138]當時，美國各家鋼鐵廠的備載容率只有百分之十二。[139]隨著恐慌持續蔓延金融體系，三月四日羅斯福終於宣誓就任時，美國資本主義可說幾乎陷入了停滯狀態。

在羅斯福備受評論的個人特質之中，值得一提的是他毫無保留的自信與異乎尋常的沉穩。據他最親近的其中一名顧問表示，相較於許多神經兮兮的資本家，羅斯福就「好像沒有神經」一樣。他在就職演說上說了最令人難忘的一句話是，美國人「除了恐懼本身之外，沒什麼好怕的」。[140]三月上任幾天後，他宣布全國銀行放假一週，以平息民眾的恐慌與恐懼。然後，令許多人驚訝的是，羅斯福聲明將支持國會所通過《緊急銀行法》中的一項條款，讓行政部門得以控制國內外的黃金流動，這也讓財政部大為震驚。這項新法使總統有權讓美國脫離金本位制。一九三三年四月五日，羅斯福簽署了一條行政命令，禁止「在美國境內囤積金幣、金條及黃金證券」。[141]

四月二十日，羅斯福中止了金本位制。當時，美國的黃金儲備量已恢復正常水準，而且十分充裕。在希特勒於一九三三年一月成為德國總理後，許多黃金都外逃至美國。黃金每盎司對二十點六七美元的自由兌換率（此匯率自南北戰爭後推行恢復政策以來便持續施行並飽受民粹主義者抨擊），並未因此受到威脅。他之所以決定脫離金本位制，是為了刺激國內物價再度膨脹，並對美國經濟進行政治控制。[142]接著，羅斯福宣布了「明確控制通貨膨脹」的新政策。[143]這時，在貨幣與黃金市場中浮動的美元價格，相對於黃金及其他貨幣迅速貶值（對英鎊貶值了百分之三十）。美國各產業的物價開始全面回升，經濟終於觸底反彈。

在一項需要龐大政治勇氣的作為中，羅斯福打破了美國的黃金枷鎖。新政自此展開。

Beyond

世界的啟迪

美式資本主義時代

商業帝國的誕生與經濟循環的死結（上）

Ages of American Capitalism: A History of the United States

作者	喬納森・利維（Jonathan Levy）
譯者	張馨方
審訂	鄭仲棠
副總編輯	洪仕翰
責任編輯	陳怡潔
校對	呂佳真
行銷總監	陳雅雯
行銷	張偉豪
封面設計	莊謹銘
排版	宸遠彩藝

出版	衛城出版／遠足文化事業股份有限公司
發行	遠足文化事業股份有限公司（讀書共和國出版集團）
地址	23141　新北市新店區民權路 108-3 號 8 樓
電話	02-22181417
傳真	02-22180727
客服專線	0800221029
法律顧問	華洋法律事務所蘇文生律師
印刷	呈靖彩藝有限公司
初版	2024 年 12 月
定價	1500 元（兩冊不分售）

ISBN	978-626-7376-86-7（全套）
	9786267376836（EPUB）
	9786267376959（PDF）

ACRO
POLIS
衛城
出版

Email　acropolismde@gmail.com

Facebook　www.facebook.com/acrolispublish

國家圖書館出版品預行編目(CIP)資料

美式資本主義時代：商業帝國的誕生與經濟循環的死結／喬納森．利維（Jonathan Levy）著；張馨方譯。
初版。新北市：衛城出版，遠足文化事業股份有限公司，2024.12
共2冊；14.8x21公分（Beyond 78）
譯自：Ages of American capitalism : a history of the United States
ISBN 978-626-7376-84-3（上冊：平裝）
ISBN 978-626-7376-85-0（下冊：平裝）
ISBN 978-626-7376-86-7（全套：平裝）

1. 經濟史 2. 資本主義 3. 美國

550.952 113017107